Niklaus Meienberg
Reportagen
2

Niklaus Meienberg

Reportagen

2

Limmat Verlag
Zürich

Ausgewählt und zusammengestellt
von Marianne Fehr, Erwin Künzli und
Jürg Zimmerli

Auf Internet
Informationen zu Autorinnen und Autoren
Materialien zu Büchern
Hinweise auf Veranstaltungen
Schreiben Sie uns Ihre Meinung zu diesem Buch
www.limmatverlag.ch

Mathias Gnädinger liest *Niklaus Meienberg:*
Ausgewählte Reportagen und Essays
CD ISBN 3 906547 28 0
Kein & Aber, Zürich

Nachweis der Texte am Schluss dieses Bandes

ISBN Band 1: 3 85791 344 4
ISBN Band 2: 3 85791 345 2
ISBN Band 1 + 2: 3 85791 343 6

Grosse Tiere

Kleine Leute

Reisen

Im eigenen Land

Grosse Tiere

Einen schön durchlauchten Geburtstag für S. Durchlaucht!

Der Fürst von Liechtenstein, Franz Josef II., ist siebzig Jahre alt g'word'n. Das kann jedem passieren. Manche sind in diesem Alter etwas tattrig, andre etwas flattrig. Der Fürst von Liechtenstein jedoch, in bemerkenswerter geistiger Frische und umgeben von seinen Kunstschätzen und auch seinem Volk, ist beneidenswert gut erhalten. Er geht beneidenswert-bemerkenswert rüstig in sein achtes Jahrzehnt, er ältelt und gräuelet nur wenig und wird seinem Volk noch lang erhalten bleiben, Gott erhalte Franz den Fürsten. Auf den Fotos, die zum feierlichen Anlass ausgegraben wurden, sieht man einen Franz Josef II. von anno 1938, der damals schon ganz genauso aussah wie heute, derselbige ehrwürdig-versonnene Landesvaterkopf unterm Zylinder, über die Brust ein Ordensband, der Fürst blieb im Zustand von 1938 erhalten wie tiefgefroren, Schnauz, Lächeln, Ehefrau: Alles ist noch da.

Was erhält den Fürsten so jung? Er hat es dem Historiker Golo Mann, der einen ebenso zeitlosen Kopf besitzt wie der Fürst, verraten (exklusiver «Weltwoche»-Report bzw. Interview vom 4. August): Es sind das Elixier der Macht und der Umgang mit den Grossmächtigen dieser Welt. Ein veritabler Jungbrunnen für Franz Josef II.! Nun kommt es nicht oft vor, dass ein Fürst von einem Geistes-Fürsten so schmuck befragt wird wie in diesem Interview und dass er so hübsch auspackt; und noch seltener dürfte es wohl sein, dass ein Historiker wie Golo Mann, immerhin auch nicht aus schlechtem Haus, so untertänig Fragen stellt (fast wie ein Landeskind bei der Audienz) und so deutlich seine politischen Ansichten enthüllt. Golo Mann gibt Antworten, indem er fragt. Man weiss jetzt, wenn man es noch nicht wusste, wie stark seine republikanischen Überzeugungen verwurzelt sind. Der Grossbürger spielt Pingpong mit dem Aristokraten, und siehe da: Es war eine prästabilierte Harmonie in der Luft.

«Durchlaucht, 70 Jahre sind ja nach modernen Begriffen kein hohes Lebensalter», fängt das Duett an. Immerhin so hoch, dass sich Franz Josef II. noch an Franz Joseph, Kaiser von Österreich-

Ungarn, erinnern kann. Was für ein gütiger Herr! «Da ist mir die Erinnerung geblieben an seine Augen, erstaunlicherweise nicht an seinen Bart. Es ist interessant, dass mir als Kind nicht der Bart den grössten Eindruck gemacht hat.»

Den Völkern der weiland Donaumonarchie haben weder Bart noch Augen den grössten Eindruck gemacht, sondern die unbegrenzte Unterdrückungslust des versteinerten Monarchen, der weder das demokratische noch das Nationalitätenprinzip anerkennen wollte und die Herrschaft der adligen Grossgrundbesitzer, der Hochfinanz und der Pfaffen mit seinem Gottesgnadentum verbrämte. Die Fürsten von Liechtenstein, steinreich und mächtig, waren eine der führenden Familien in diesem sklerotischen Kasten- und Klassenstaat, der rückwirkend von Sissi-Filmen und Historikern wie G. Mann verklärt wird: Grossgrundbesitzer in Böhmen-Mähren (und auch in Schlesien), und «trotz der sogenannten Bodenreform (nach dem Ersten Weltkrieg) waren uns 65 000 Hektar Land geblieben, davon vielleicht 3000 Hektar Landwirtschaft, und der Rest war Wald. Der Wald hat mich immer interessiert.» Die junge tschechoslowakische Republik hat einiges von diesem adligen Boden verstaatlicht, das war die «sogenannte Bodenreform». Einfach den Adligen ein Stück von ihrem Land wegnehmen, pfui, und der Fam. Liechtenstein nur noch fünfundsechzigtausend Hektar lassen! «Bei uns in der Tschechoslowakei, da gab es doch eine ziemliche Hetze gegen den Adel, besonders von der Gruppe um Benesch, der ja immer noch so gefeiert wird im Westen ...» Darauf Golo Mann: «... Nicht von mir!»

Allerdings. Der republikanische Staatsmann Benesch und die Republik überhaupt sind diesem G. Mann recht suspekt, er feiert sie keineswegs, sie sind ihm suspekter als die Donaumonarchie. Armer Fürst! Musste S. Durchlaucht doch mit den eigenen höchstselbigen durchlauchten Augen eine Arbeiterrevolte in Wien sehen: «Da habe ich von den Unruhen gehört, und weil meine Grossmutter und meine Tante in Wien waren, bin ich dann gleich zu Fuss zu ihnen geeilt. Auf der Strasse sind mir dann bald die Taxameter entgegengekommen, mit flüchtenden Leuten darin, mit eingerollten Fahnen dabei, aber das waren doch eher Leute, die kaum österreichisch ausgesehen haben. Da waren fremde Agitatoren dabei ...»

Russen? Chinesen? Schweizer?

An die österreichische Republik hat S. Durchlaucht damals nie so richtig geglaubt, kein Wunder, er wusste genau, wie heftig sie von Adel (dem Grafen Starhemberg und anderen) und Bürgertum bekämpft wurde: lauter republikfremde Agitatoren. «Im Gegensatz zu vielen meiner Bekannten, gerade auch vom Adel, habe ich die Erste Republik stets als unstabil klassifiziert», und gehorsam ist sie dann auch untergegangen, jedoch Fam. Liechtenstein blieb stabil und erinnerte sich an ein vernachlässigtes Besitztum im «fernen Westen», nämlich eben das heutige Liechtenstein, und schlug dort, wo sonst früher nur die Sommerfrische verlebt wurde, Wurzeln. Und trat von dort aus den Mächtigen mit steifem Selbstbewusstsein entgegen. Da gab es diesen Hitler, den Emporkömmling, dem hat es Franz Josef II. besonders deutlich gezeigt, bei einem Staatsbesuch in Berlin: «Er war sehr verlegen. Ein ganz winziges Männchen, so wie der Dollfuss in der Grösse, er hat mir nur bis zur Brust gereicht.» Den Hitler hat vermutlich die Angst vor der liechtensteinischen Wehrmacht so klein gemacht, drum hat er nicht annektiert seinerzeit, und das lässige Auftreten der hochgewachsenen Durchlaucht hat ihn zusätzlich eingeschüchtert: Hitler hat bekanntlich nie Länder angegriffen, deren Lenker ihn körperbaumässig überragten: «Meinen Regierungschef Dr. Hoop habe ich (während des Staatsbesuchs) nicht mehr anschauen können, so habe ich mit dem Lachen kämpfen müssen, da ich bemerkte, dass auch Dr. Hoop Hitler nicht für voll nahm.» Ein Hitler zum Ausstopfen, den man «wie einen Affen im Käfig betrachtet», ein stadtbekannter Witzbold, den die Herrschaften sich leicht amüsiert vorführen lassen. Küss die Hand, gnä' Fürst.

Der Besuch bei de Gaulle war schon standesgemässer, der Präsident hat sich sehr zusammengenommen und etwas auf die Zehenspitzen gestellt, die beiden waren dann etwa gleich gross: «Ich habe mich mit ihm sehr gut unterhalten, und es wurde mir mitgeteilt, dass damals selten ein Besuch im Elysée in so herzlicher, gelöster Atmosphäre verlaufen sei. De Gaulle war überhaupt nicht steif oder formell.» Hier müssen wir dem Fürsten unbedingt Glauben schenken, nach all den anstrengenden Besuchen von wirklichen Potentaten, wie Nixon usw., wird sich der alte Steinbeisser im Elysée enorm gefreut haben, mit dem Operettenprinzen ein Stündlein unverbindlich zu schäkern. Oder wollte de Gaulle vielleicht Steuerflucht betreiben, sein Geld nach Liechtenstein transferieren, sah er das Ende seiner Herrschaft voraus? «Übrigens war er über Liechtenstein ausgezeichnet informiert. Ich habe mich mit ihm sehr gut unterhalten.»

Auch Papst Pius XII. hat ihm einen «überragenden Eindruck gemacht», obwohl er ihn «nur fünf- oder sechsmal gesehen hatte». Nur! Ein paar Amulette gefällig für die Frau Gemahlin? Ein päpstlicher Segen für den fürstlichen Nachwuchs? Ein kleiner Bannstrahl gegen den gottlosen Kommunismus, der den Liechtensteins nun endgültig die letzten Hektare in der Tschechoslowakei weggenommen hat? «Unser ganzer Besitz wurde enteignet. Man glaubte, die Wahlen würden die Kommunisten wieder hinwegfegen, aber es ist ja dann anders gekommen.» Golo Mann trauert mit dem Fürsten: «1945 muss ja dann eine sehr schwere Zeit gewesen sein für das Haus Liechtenstein durch die Eroberung Ostmitteleuropas durch die Russen!» Gott sei Dank hat er jetzt noch diesen kleinen Besitz an der Schweizer Grenze, und dann «der stürmische Aufschwung auf dem Wirtschaftssektor», das heisst das Paradies für Steuerhinterzieher aus der ganzen Welt, und dann die fürstlich-liechtensteinische Bildersammlung. Nur zufällig ist der Fürst nicht selber Maler geworden, er war mit Staatsgeschäften überhäuft. «Haben Sie je gezeichnet?» fragt ihn G. Mann, und der Fürst darauf wehmütig: «Ja, aber ich komme leider nur wenig dazu. Ich habe sogar Zeichenunterricht genommen. Ich stamme, über die Braganza, Löwenstein und die Holländer, von Velasquez ab. Der ist auf meiner Ahnentafel.»

Das dreiseitige Gespräch, welches der letzte freilebende Hofhistoriker mit der letzten ambulanten Reliquie der Donaumonarchie führte und das nicht etwa auf der Witzseite des blauen Wochenblatts, sondern unter der Rubrik «Weltwoche-Report» publiziert wurde, klingt philosophisch aus. «Welche Eigenschaften des Menschen würden Sie als die schädlichsten ansehen?» fragt Chefreporter Golo Mann abschliessend den Fürsten auf dem Gampiross, und dieser schürft nochmals ganz tief: «Ich finde, das Schädlichste ist, nur an sich selbst zu denken. Daraus folgen dann leicht Neid, Egoismus, Missgunst, und daraus entsteht dann viel Unheil.»

Prägnanter kann man den europäischen Hochadel nicht charakterisieren.

PS I: Heftige Glückwünsche für das Manuskript gekriegt. Arthur Meyer, Inlandredaktor, nimmt's entgegen, fällt dem Schreibenden sozusagen fast um den Hals: «Einen schönen Artikel hast Du geschrieben! Stimmt alles genau!» Auch Verena Thalmann, Toni Lienhard, Hans Tschäni lassen gratulieren, das sei fällig gewesen, nachdem sich die ganze schw. Presse in Untertänigkeit diesem Franz Joseph zu Füssen geworfen habe, zum Geburtstag.

Nach der Publikation weniger Glückwünsche. Tschäni entschuldigt sich brieflich bei den 35 Liechtensteinern, die den «Tages-Anzeiger» vorübergehend abbestellt haben. Die Zeitung hat 250000 Auflage. Da die Schwester des Verlegers Coninx in Vaduz wohnt und periodisch zum Thee ins Schloss geladen wird, aber nicht mehr nach diesem Artikel, und sich ihr Bruder Otto, als Zeitungs-Fürst, betroffen fühlt (wie Max Frisch sagte: «Damit hast du gleich drei Dynastien getroffen, Mann-Liechtenstein-Coninx»), wird der Schreibende wie ein räudiger Hund zum Teufel gejagt bzw. im Blatt, dem er fünf Jahre gedient hatte, öffentlich hingerichtet mit einer Notiz der Geschäftsleitung. Der Artikel über den Fürsten v. L. im «Tages-Anzeiger« hatte den «Tages-Anzeiger» als Fürstentum entlarvt.

Den Redaktoren, die den Artikel unredigiert ins Blatt genommen haben, passiert nichts. Arthur Meyer ist heute Korrespondent des TA in Wien, Lienhard in Washington, Tschäni in Ehren pensioniert, Thalmann im Inland.

Vom Schreibenden erwartet heute der «Tages-Anzeiger», dass er sich dem «Tages-Anzeiger» gegenüber, wo er immer noch Schreibverbot hat, ruhig und besonnen verhalte.

PS II: Diesen Artikel widmet der Schreibende après coup (post festum): Maximilien Robespierre, c/o Comité du Salut Public, au fond de la cour à gauche, Paris 2e.

O wê, der babest ist ze junc Hilf, herre, diner Kristenheit*

Eine übernatürliche Reportage oder noch ein Beitrag zur Realismusdebatte

Pfingst-Dienstag, 08.35, Flughafen Kloten, Zuschauerterrasse. Zwei Tage nach dem Heiligen Geist wird der Heilige Vater erwartet. Er ist jetzt noch in der Luft, sieht die Berge von oben; blättert ein wenig im Brevier; nippt an einer BLOODY MARY – andern Quellen zufolge an jenem mit polnischem Wodka geläuterten Tomatensaft, welchen ihm sonst die polnische Nonne Kathinka regelmässig zum vatikanischen Mittagessen kredenzt –, findet eine hilfreiche Stelle im Brevier: DOMINE AD ADJUVANDUM ME FESTINA, Herr, eile mir zur Hilfe; findet noch eine weitere Stelle: SUPER ASPIDEM ET BASILISCUM AMBULABIS ET CONCULCABIS LEONEM ET DRACONEM, über Schlangen und Basilisken wirst Du schreiten und zermalmen den Löwen und den Drachen, und die Stellen kann er brauchen, denn die christlichen Politiker warten im ganzen Land auf SEINEN Besuch und wollen sich in SEINEM Glanze sonnen und SEINE geistlichen Kraftströme auf ihre weltliche Mühle lenken. Wyer wird ihn empfangen, das überragende walliserische Schlitzohr, auch Furgler, Egli, Schürmann, Wiederkehr, Cottier – die geballte politische Unchristlichkeit.

Der Papst seufzt. Er hat kurz nach dem Abflug in Rom/Fiumicino in den Reden geblättert, die er spontan überall in der Schweiz halten wird. Er weiss *jetzt* schon, dass ihm die Freiburger Jugend *«ernsthafte Fragen»*, die er noch nicht gehört hat, stellen wird, und hat die Antworten darauf sicherheitshalber bereits in Rom formuliert. Im Frachtraum der päpstlichen Al-Italia-Maschine liegen ein paar hundert Kilo hektographierte Papstreden bereit, dt. frz. engl. span. ital., die werden in den verschiedenen Pressezentren entlang

* Stoss-Seufzer des Walther von der Vogelweide, als der 37jährige Lothar dei Conti zum Papst gewählt wurde (Innozenz III.). In Anlehnung an den Dichter könnte man von Wojtyla sagen, dass er vielleicht nicht ze junc, aber ze robust und ze unangelkränkelt sei von jedem Zweifel.

der päpstlichen Route in schönster Auslegeordnung zu finden sein. Über der Lombardei hatte der Papst einen Lachanfall. Eine Ansprache, die er vor kurzem den *Papuas* in Neuguinea gehalten hat, war durch ein Versehen seines Sekretärs in das *schweizerische* Reden-Konvolut geraten, und zwar an jener Stelle, wo der Bundesrat im Landgut Lohn begrüsst werden sollte – *«Und so entbiete ich denn Eurer alten Stammeskultur, Euren Speeren und Schildern, Euren prächtigen Bemalungen und Eurer unangekränkelten Urwüchsigkeit meinen brüderlichen Gruss.»* (Applaus.)

Unterdessen in Einsiedeln –
«Schweissgebadet kam der bekannte Telefönler Franz Lüönd, Rothenthurm, am Mittwoch ins Dorfzentrum. Eben habe er eine Arbeit erledigt, die er noch nie gemacht und auch nie wieder tun werde: Er habe für den Papst in dessen Zimmer im Kloster das Telefon eingerichtet. Mit dem grauen Tastapparat kann der Papst direkt nach Rom telefonieren! Er besitzt eine Nummer, die noch niemand hatte. Aber von draussen kann man den Papst nicht direkt erreichen, der Anruf geht über die Zentrale des Klosters. Sichtlich ergriffen schilderte der FKD-*Betriebsmeister sein Erlebnis: Das Zimmer des Papstes sei sehr einfach, ein ganz normales Bett und eine praktische Waschvorrichtung ohne jeden Pomp stehen dem Gast zur Verfügung. (…)*

Zwar drücke die Verantwortung, die auf ihm laste, schon ziemlich stark. Aber es sei doch ein einmaliges Erlebnis, wenn er denken könne, nun telefoniert der Papst mit meinem Telefon! Hoffen wir für den rührigen Telefönler, dass alles ohne Panne abläuft!» (EINSIEDLER ANZEIGER vom 15.6.84)

Flughafen Kloten, 08.46, Zuschauerterrasse, Herr Cahannes von der Kirchenpflege Opfikon/Glattbrugg ist mit seinem Feldstecher, den er sonst ausschliesslich für die Jagd in Graubünden benützt, erschienen. In ca. 400 Meter Entfernung scharrt ungeduldig das Empfangskomitee. Vorn am roten Teppich die zürcherische Regierung, deutlich erkennbar der borstige Wiederkehr (CVP), der unter Papst Pius XII. und Johannes XXIII. in Disentis geformt und unter Papst Paul VI. zum Regierungsrat gewählt worden war. Dann ist der rote Teppich kurz unterbrochen, ein wenig Flughafenboden scheint hervor, den wird der Papst dann küssen, schmeckt er nach Esso- oder Shell-Flugbenzin?, dann kommen die Bischöfe mit ihrem Gruss, und hinten rechts steht ein Rednerpültchen, dort wird der Papst den Gegengruss entbieten, nachdem er von Bundespräsident Schlumpf begrüsst worden ist. Jetzt werden von italienisch sprechenden Männern zahlreiche Fähnchen in den vatikanischen Farben auf der Zuschauerterrasse verteilt, damit wird gewedelt, sobald die päpstliche Maschine in Erscheinung tritt. Die fährt in einem grossen Bogen zum roten Teppich, und zwar dergestalt, dass den Zuschauern auf der Terrasse der Anblick des aussteigenden Papstes nun jählings entzogen wird. Das Fernsehen und die Journalisten und die Prominenten sind so postiert, dass sie die feierliche Seite der päpstlichen Maschine sehen können, den Zuschauern auf der Terrasse bleibt der Blick auf die Logistik: Kisten und Gerätschaften werden aus dem Bauch der Maschine entladen, Tausende von Medaillen, Rosenkränze, die päpstliche Garderobe sind darin enthalten, Kelche und was es noch braucht. Ein ganz beträchtliches Frachtgut! Eine grosse Geschäftigkeit! Herr Cahannes ist enttäuscht, er hat den Papst nur kurz im Fadenkreuz gehabt. Dessen Stimme zittert jetzt über die Piste. Die Verstärkeranlage ist weniger gut als jene in Fribourg, welche für 38 000 Franken bei der Scientology-Sekte gemietet worden ist. Fluglärm und Musik.

Unteressen in Einsiedeln –
«Dass die vielen teuren, technischen Apparate und Installationen wie auch das ganze Innenleben des Dorfzentrums bewacht werden müssen, ist klar. Die Securitas hat die nicht leichte Aufgabe übernommen und garantiert mit Mann, Funk und Hund für optimale Sicherheit. Sämtliche Notausgänge sind verschlossen, jedoch so, dass sie im Brandfall leicht geöffnet werden könnten. Alp-Jösy als alter Fuchs bei der Securitas hat seine Augen überall und war massgebend beim Überwachungskonzept beteiligt. Nach menschlichem Ermessen ist also für alles vorgesorgt.» (EINSIEDLER ANZEIGER, 15.6.84)

Pfingst-Dienstag, 22.20, Fribourg. Der Papst ist in dieser bemerkenswerten Stadt angesagt; hat vermutlich von ihrer Schönheit gehört. Anstatt direkt von Zürich nach Fribourg zu reisen, macht er einen zeit- und kräfteraubenden Umweg über Lugano und Genf, wo ihm von den Neugläubigen eine Pendule geschenkt wird, und über Lausanne, wo ihm nochmals eine Pendule geschenkt wird (von der Regierung). Die letzte Uhr wird ihm später in der Klosterkirche Einsiedeln geschenkt werden, es ist eine Gabe der Firma Landis & Gyr; mit der Inschrift: ZEIT IST GNADE. Die buchstäblich Hunderte von Gaben, die dem Papst dargeboten werden, Käse, Edelweiss, Absinth und Bücher, nimmt dieser selbst in Empfang, reicht sie dann fast unbesehen seinem Truchsess weiter, der sie dem Mundschenk weiterreicht, der sie dem Leibarzt überreicht; während die symbolischen Präsente, die der Papst verschenkt, auf einen je nach Geschenk anders modulierten Pfiff des Papstes, einen murmeltierartigen, nur den Eingeweihten vernehmbaren Pfiff, von drei andern Hofschranzen an den Papst weitergereicht werden, der sie dann eigenhändig übergibt. (Vollautomatische Rosenkränze, irisiernde Medaillen etc.) Von seiner Hand reicht er den Schüttelnden, wie man in Fribourg gut beobachten konnte, zwecks Schonung nur den vordersten Teil, etwa einen Drittel, also die beiden ersten vier Fingerglieder der rechten Hand, während er nicht selten mit dem Handballen seiner linken Hand etwas väterlich über den Handrücken seines Händeschlagpartners fährt. Kinder streichelt er sowohl übers Haar wie auch direkt am Gesicht, dieses meist von oben nach unten. Küsse werden auf dem Haar der kleinen Gläubigen angebracht, manchmal auch auf Stirn und Wangen (immer tonlos). Von den Männern haben nur die Kleriker Anrecht auf den Bruderkuss; bei diesen aber nicht nur die Römisch-Katholischen, sondern auch die Griechisch-Orthodoxen, Kopten, Russisch-Orthodoxen, Maroniten, Eremiten, Leviten, Styliten, Anachoreten, Zoenobiten. Die Frauen werden, in kussmässiger Hinsicht, wie Kinder behandelt, ein väterlicher Schmatzer auf die Stirn, ein schnelles Übers-Haar-Streicheln.

Um 22.25 ist er im Salonwagen angekommen, auf Perron 1. Vom frei zugänglichen Perron 2 aus, wo sich im Moment der Ankunft keine Polizei befand, hätte man ohne Schwierigkeit ein Attentat unternehmen können, um so mehr, als die ganze Bahnhofbeleuchtung gerade rechtzeitig aussetzte. Welche Schande für Fribourg wäre das gewesen: ein toter Papst auf Perron 1. Die Regierung des Kts. Fribourg, die ihn begrüsst hatte, wird begrüsst. Der Papst spricht ein leidliches Franzesisch mit einem hart rollenden r, auch sein Deutsch ist passabel, er pflegt auf polnische Art das ö durch ein e zu ersetzen: Erlese uns von dem Besen. Italienisch soll er auch kennen, dazu etwas Englisch und Lateinisch. Unter den Begrüssenden war Regierungsrat Marius Cottier, der begabte Mirage-Pilot. Er ist Chef der Erziehungsdirektion, und als Cottiers hervorstechendste Eigenschaft wurde von seiner Partei (CVP) während der Wahlkampagne die Tatsache erwähnt, dass er Mirage-Pilot gewesen sei. Ein bekannter Christ und Familienvater. Er hat mit mir in Fribourg studiert, war, wie ich, in einem philosophisch-theo-logischen Club, den Hans-Urs von Balthasar inspirierte. Was für eine liebe Schlafmütze ist Marius doch immer gewesen! Überall während dieser Reportage die Hände meiner ehemaligen Gschpänli, Regierungsratshände, die von Wiederkehr in Kloten, die von Cottier in Fribourg: die haben Anrecht auf eine Knetung durch den Papst. Nachdem die Regierung begrüsst war, winkte der Heilige Vater oder *très Saint Père,* wie sie in Fribourg sagten, vom erhöhten Perron 1, eingerahmt durch die Inschriften LA GENEVOISE ASSURANCE und BUFFET PREMIERE CLASSE, dem Volk zu und formte seine Hände zu einem Trichter und rief dem Volk etwas zu, während einige ultramontane Schreihälse immer wieder HALLELUJAH! HALLELUJAH! krähten. Dann preschte die stattliche Wagenkolonne hinauf ins stacheldrahtgeschützte, von Hund und Mann und Funk bewachte, verbunkerte, hochsicherheitstraktmässig geschützte Priesterseminar; wo der Stellvertreter Christi – wieviel Polizei hatte der Religionsgründer bei seinem Einzug in Jerusalem gebraucht? – neuen Händeschüttelungen ausgesetzt und dann nach der Einnahme eines leichten Abendmahls (Fondue Moitié Vacherin, Moitié Gruyère) und dem Aufsagen des kirchlichen Nachtgebets TE LUCIS ANTE TERMINUM/RERUM CREATOR POSCIMUS und der Verabfolgung eines Bruderkusses durch den vampirhaft dreinschauenden Bischof Mamie in den kurz bemessenen Schlaf sank. (Die letzen Worte von Bischof Mamie am Abend des 12. Juni waren: Dormez bien, très Saint Père; die letzten Worte des Papstes: Et vous aussi, cher frère, et soyez prudent avec votre Saugtherapie.)

*

Am andern Morgen ging es zeitig aus den Federn (05.30). Nach einer kurzen Waschung (kalt) und einer Anrufung der Vereinigten Müttergottes von Tschenstochau & Einsiedeln wurde, wie jeden Tag, dem Brevier gefrönt. (DOMINE AD ADJUVANDUM ME FESTINA). Dann Gabelfrühstück; reichlich Aufschnitt, Eier, spanische Nierchen, Hafermus, Corn Flakes, kaltes Poulet, Ovomaltine (heiss), Gruyère, Vacherin, Butter, dazu Vollkornbrot und, von den Berner Katholiken dargereicht, Berner Züpfe (aus Kemmeribodenbad). Morgens isst der Papst, so darf man wohl sagen, immer wie ein polnischer Drescher.

Dann ab in die *Kathedrale Saint Nicolas* zur Begrüssung des Domkapitels (08.00) und schon um 8.30 hinübergesaust in die benachbarte Kirche der *Cordeliers,* wo ein Kastratenchor den Papst begrüsst. Kastraten sind eine alte römisch-päpstliche Spezialität. Die Päpste hatten jahrhundertelang etliche von den sangeswilligen, singbegabten Untertanen noch vor dem Stimmbruch kastrieren lassen, damit sie ihre schönen Sopranstimmen das ganze Leben lang behalten konnten; und in Fribourg, dem päpstlich gesinnten, hat sich dieser Brauch insofern erhalten, als jedes Jahr, seit dem Attentat auf den Papst, eine Anzahl von besonders idealistisch gesinnten Vätern ihre Söhne verschneiden lassen, um dem Papst ihre spezielle Wertschätzung auszudrücken. Diese ödipal konstellierte Opfergabe, welche in ihrer gemilderten Form auch als *Zölibat,* d.h. freiwillige Ehelosigkeit bei weiterbestehender Zeugungsfähigkeit, auftritt, soll dem Vernehmen nach von Johannes Paul II. besonders geschätzt werden.

09.30 sodann Fahrt im Papamobil zur Universität. Das Papamobil ist ein umgebauter Range Rover, den hintern Teil bildet so etwas wie ein senkrecht stehender, gläserner Sarg oder Reliquienschrein, wohinein der Papst sich nun begibt, damit er, als eine Statue, dem Volk vorgeführt werden kann, hinter schusssicherem Glas. Zwei Seitenfenster stehen offen, damit er winken kann. Neben dem Papst stehen links und rechts zwei Prälaten, die auch ins Volk hinaus winken, obwohl *ihnen* niemand gewinkt hat. So geht es nun hinauf zur Universität, unter begeisterten Vivats und Acclamationen des Volkes. Das Papamobil ermöglicht eine optimale Zurschaustellung des Nachfolgers Christi. Der Papst besetzt sein Territorium, der ist hier ganz zu Hause, mehr als im heidnischen Rom. Wie kleidsam doch seine weisse Soutane mit dem papstwappenverzierten Zingulum wirkt. So freundlich, ein angenehmer Kopf, und schöne Bewegungen macht er mit seinen Händen, gleich wird er eine Handvoll Bonbons aus den Fenstern werfen (sogenannte Feuersteine).

Leut-Selig, das ist er. Und wegen der Rede, die er jetzt sofort im Hof der Universität halten wird, mussten für 26000 Franken neue Schlösser an sämtlichen Türen der Universitätsräumlichkeiten angebracht werden, weil nämlich einige Nachschlüssel im Laufe der Jahre verlorengegangen waren und die Polizei damit rechnete, dass der Attentäter mit traumwandlerischer Sicherheit einen dieser Schlüssel hätte behändigt haben können –. Und dann mit dem Zielfernrohr aus dem germanistischen Seminar –. Im grossen Hof der Universität waren etwa 500 Leute, davon 150 Journalisten, fast keine Studenten, wenig Professoren versammelt. Der Papst erzählt langfädig einen Mummenschanz, abgestandene neoscholastische Spekulationen: dass Wissenschaft und Glaube kein Widerspruch seien; dass der Glaube die Wissenschaft befruchte etc. Die Rede ist wirklich keine 26000 Franken wert, und solche Sprechblasen hat man an dieser Uni jahrzehntelang von einfachen dominikanischen Mönchen hören können, dazu braucht es keinen Papst. Aber die Leute klatschen. Sie würden auch klatschen, wenn der Papst zwei Seiten aus dem Vorlesungsverzeichnis rezitierte. Die Rede ist wie die andern 52 Papstreden, die in der Schweiz noch gehalten werden: flach, glanzlos, diplomatischer Slalom, konservative Repetition. Eine interessante Enzyklika, das heisst ein intellektuell befriedigendes Rundschreiben wie PACEM IN TERRIS, das der stets ruhig in Rom verweilende (und nicht nervös herumdüsende) Johannes XXIII. verfasste, wird man von Johannes Paul II. wohl nicht erwarten können, bei dieser Manager-Agenda.

*

Aber physisch ist der Papst recht gmögig. Man kann nicht sagen, dass er unsympathisch wäre. Sein Lächeln ist nicht schlecht. Es ist kein gelogenes Furgler-Lächeln. Man glaubt ihm sogar, dass er glaubt. Sonst wäre er längst umgekippt bei den Anstrengungen.

Aber er kann den Glauben nicht vermitteln, oder höchstens: einen Köhlerglauben. Am Abend wird er bei der sogenannten Begegnung mit der Westschweizer Jugend sagen: er fordere sie auf, zu glauben, dann sei alles wieder gut. An der Uni-Veranstaltung am Vormittag dürfen sich zwei Studentinnen und zwei Studenten mit hoch brisanten Fragen melden, z.B.: Wie können wir besser studieren? Der Papst gibt nichtige Antworten. Er ist kein Kirchenlicht.

Die vier sind aus den insgesamt 10 (zehn) Studenten, welche sich auf den entsprechenden Aufruf der Studentenschaft gemeldet haben, herausfiltriert worden. Einer, der im vorbereitenden Komitee schliesslich niedergestimmt worden ist, wollte den Papst wegen der obligatorischen Ehelosigkeit der Priester interpellieren; er hat dann seine nicht gefragte Frage an den Papst schriftlich der Presse weitergereicht. 11.30: Begegnung mit den Ordentlichen Professoren der katholischen Theologischen Fakultäten im Senatssaal der Universität. Natürlich hinter geschlossenen Türen. Hier sollen, so hört man nachher, ausnahmsweise harte Fragen gestellt worden sein – der kluge Alois Müller aus Luzern z.B. hätte wissen wollen, ob nicht endlich in der Kirche ein *«Pluralismus der Theologie»* möglich wäre. Darauf wieder keine Antwort. Als ihm der Alt-Testamentler Othmar Keel vorgestellt wurde, soll der Heilige Vater bass erstaunt gewesen sein, dass ein *Laie* an der Theolo-gischen Fakultät unterrichte, und erstaunt war er auch, als Othmar Keel ihm geradeheraus sagte: SIE SIND EIN PARTEIISCHER VATER.

Dann wieder ab ins Papamobil, Papaperpetuummobil, dreimal beschwörend ums Kantonsspital gefahren, segnenderweise. Krank-heits-, Dämonenaustreibung. Zwecks Erzielung eines maximalen quantitativen papalen Effekts *vor* dem Hospital Aufstellung genommen, alle aus den Fenstern gestreckten, von der Polizei selektionierten und observierten Krankenköpfe mit einer Ansprache bedacht. Für die Kranken war es kein Erfolg, Heilungen konnten nicht verzeichnet werden. Aber die Polizei war glücklich: *schon wieder* kein Attentat.

Dann Mittagspause.

Dann wieder Papamobil. Aus dem Schlosspark des Barons de

Graffenried sieht man es nahen. Die Reise von der Aristokratie zum einfachen Volk. Ben Hur, jetzt voll motorisiert und religiös, nur etwas langsam. Er fährt ein Oval durch die Menge. Was geht in diesem Papst-Kopf vor, dem proletarischen Kopf, wenn ihn 20000 bejubeln? Ist ja eigentlich nicht sehr christlich. Offensichtlicher Personenkult. Sie möchten ihn berühren, den Magier, den grossen weissen Vater Bhaghwan. Ein Halbgott fährt vorbei (un ange passe). Imperator Rex, Pontifex.

Stalinistische Elemente (auch in der Sprachregelung: was der Papst «Dialog» nennt, ist immer ein Monolog – so wie die «Schauprozesse» nur Schau, aber keine Prozesse waren). Vor 20000 Menschen eine Schau-Messe, Schau-Frömmigkeit zur höheren Ehre des Fernsehens. (Aber vielleicht ist er wirklich fromm? Er macht einen sehr konzentrierten Eindruck. Aber er weiss doch, dass die EUROVISION überträgt?) Etwa hundert polizeilich streng selektionierte Gläubige dürfen die Kommunion direkt aus SEINER Hand empfangen, Eucharistie mit Polizei, haben irgendein Erkennungszeichen angeheftet, so dass die Polizei sie die Stufen der Pyramide hinaufgehen lässt, wo der Papst ganz oben steht mit dem hostiengefüllten Ziborium in der Hand. Wir sind einen Moment bei den Inkas oder Mayas. Das ist doch eher gigantisch, diese Bilder vom Hohenpriester. Wie wär's mit einem Menschenopfer? Und dazu die Musik, Orgel, Trompeten und Pauken. Und klagende Oboen.

Faschistisch ist das aber auch wieder nicht, dazu fehlt die Aggressivität, das Ableiten der Wut nach aussen. Hier gibt es keine Wut, alle Worte sind friedlich, die Gefühle lieb & sanft. Für viele wird diese Messfeier der einzige Glanzpunkt in einem mühseligen Leben sein. Manche weinen. Hier wird ihnen nicht zu ihrem Recht, aber zu ihrem Ausdruck verholfen (nachdem alle 20000 durch die Polizeikontrolle gegangen sind: abgetastet).

Unterdessen in Einsiedeln – wird jetzt vor dem Hauptportal so etwas wie ein Altar aufgebaut. Und darauf ein 4 cm dickes Panzerglas, damit der Papst während des Segengebens nicht erschossen wird. Ist ein Altar mit Panzerglas noch ein Altar? Ein Showbusinessaltar.

*

Am Abend des 13. Juni, nachdem ER noch eine Begegnung mit dem Diplomatischen Corps hatte im College Saint-Michel (17.30) und nach der *«kurzen Begegnung mit dem Schw. Israelitischen Gemeindebund im Bischofshaus»* (18.45) und nach dem Nachtessen (19.00) kommt dann wieder eine der berühmten «Begegnungen», jetzt im Eisstadion. Begegnet wird jetzt der welschen Jugend (20.30). Eine junge Frau versucht, mutig und hartnäckig, vor etwa 5000 jungen Leuten ihr Missbehagen in der männerbeherrschten Kirche zu formulieren. («Nous sommes TOUTES des frères.») Sie nimmt IHM gegenüber Aufstellung und klagt die Männerherrschaft an, den Ausschluss der Frauen vom Priesteramt, und wird sofort niedergedröhnt von schreienden Frauen und Männern (Buben und Mädchen), und diese gehören zu den reaktionären Eiferern der COMMUNIONE E LIBERAZIONE, aber auch zur Schönstatt-Bewegung und zu den Focolarini, oder zum stark vertretenen Opus Dei. Die Rechten haben Aufwind und können sich auf den Papst berufen. ER hat das Opus Dei gefördert. Hexensabbat im Stadion. Dann ein bisschen religiöse Schubidu-und-Judihui-Musik, dass die Ohren wackeln, früher hat man diese Klebrigkeiten von Kaplan Flury oder Sœur Sourire gehört. Heilsarmee-Stimmung ungefähr auf der Welle von Steig-ins-Wägelein-hinein-lass-den-lieben-Heiland-Fuhrmann-sein. So jung und schon so reaktionär und hysterisch. ER antwortet wieder nicht auf die Fragen, gibt nur den Ratschlag, die Fragen zu «vertiefen». Die Antwortrede auf die Fragen hat ER schon in Rom gemacht, die kann man nicht mehr approfondieren. Dann wird wieder einmal gebetet. Dann werden noch die Kerzchen in den Händen der Jugend entzündet. Viva il papa!, schreien die Tessiner von COMMUNIONE E LIBERAZIONE.

UNTERDESSEN in Einsiedeln – Pater Othmar Lustenberger, Presse-Officer des Klosters, wird von BLICK-Reportern gefragt, wie teuer das Fotografieren des päpstlichen Bettes im Kloster den BLICK zu stehen käme. Sie wären bereit, zweitausend zu bieten. Achtzehntausend möchte Pater Lustenberger haben. Soviel möchte der BLICK auch wieder nicht zahlen. Also kein Bett im BLICK.

Später. Der päpstliche Superpuma ist im Studentenhof des Klosters gelandet. Georg Holzherr, Abt, begrüsst IHN. Holzherr ist der Nachfolger von Abt Tschudi, welcher das Zölibat nicht mehr ertragen und einer Frau zuliebe sein schönes Amt aufgegeben hat, seinerzeit. Aber im Haus des Gehenkten möchte ER schon gar nicht vom Strick reden, auch wenn das Kloster grosse zölibatäre Nachwuchs-Schwierigkeiten hat. Es wird sich bald einmal entvölkern, wenn der Mönchsschwund so weitergeht. Tant pis. Vor zehntausend Frauen und Männern wird ER sagen: «Liebe *Freunde.*»

UNTERDESSEN schützt die Einsiedler Feuerwehr die Mauer des Studentenhofes, in welchem schon wieder der Jugend begegnet werden soll, von aussen. Entlang der Mauer hat es Bäume. Eine Leiter liegt dort. Darf man sie an die Mauer stellen und besteigen, um journalistisch den Überblick zu behalten? Nein, sagt die Feuerwehr, da könnte jeder kommen. Wozu dient denn die Leiter? Um Jugendliche, welche sich in den Bäumen versteigen könnten, herunterzuholen. Aber da gibt es doch die Stelle im Evangelium vom Zöllner, der so kleinwüchsig war, dass er SEINE Reden nur mitbekam, wenn er auf einen Baum stieg? Aber an diesem Papstabend will die Feuerwehr nichts vom Evangelium wissen.

*

Nach reiflicher Meditation ist der Reporter zur Überzeugung gekommen, dass es sich bei der weissen Person, welche sich, magneten- und kometengleich vom 12. bis 17. Juni 1984 durch die Schweiz bewegte, nicht um das Original handeln konnte. Da der Papst bekanntlich keinen Pass besitzt, konnten auch die Personalien in Kloten nicht überprüft werden – das weisse Gewand und eine entfernte Ähnlichkeit mit dem Original genügten, um ihm Zutritt in das Land und die Herzen zu verschaffen. Tatsächlich ist nicht anzunehmen, dass ein 64jähriger, von Attentatsfolgen schwer angeschlagener Mann auch nur den Stress des Fribourger Aufenthalts ohne Kollaps überlebt hätte. Der Vatikan hat denn auch wirklich einen Stunt-Man geschickt, der seine Sache sehr glaubwürdig machte, für einen Tagessatz von Dollar 3000,– und die Gewährung eines prophylaktischen Vollkommenen Ablasses. Der wirkliche Papst hat unterdessen in Castel Gandolfo, seiner Sommerresidenz, der Schwimmkunst gefrönt und abends die Eurovisions-Sendungen aus der Schweiz goutiert.

PS I: Aus dem fernen Afrika schickt Pater Hildebrand Meienberg OSB, Missionar – zur Oktroyierung des Namens Hildebrand vgl. «Wach auf du schönes Vögelein» – einen Brief bzw. ein Hildebrandslied:

«Rift Valley, Kerio-Tal, Äquator, drei Wochen nach dem Heiligen Geist und einen Tag nach der *lectio disgustata* über den Heiligen Vater, den Du in Deiner Schreibmaschine plattgewalzt hast. Die *Magna Mater* selbst, Grossackerstr. 8, 9000 St. Gallen, hat mir Dein letztes *opusculum* zukommen lassen. Das letzte, tatsächlich!

Als einer, der mit Dir den einen und gleichen Bauch geteilt hat (wie man in Afrika so ungeniert sagt, namlich *tumbo moja*), allerdings zehn Jahre früher, denn zwei sottigi gleichzeitig hätte die Mutter nicht geschafft, möchte ich Dir meine Meinung sagen, *sine ira et studio*, einfach so. Journalisten schreiben ja nur, weil man sie liest und kommentiert.

Dass man zum Schweizer Besuch des Papstes von Dir keinen theologischen Kommentar erwarten musste, war zum vornherein klar. Aber hätten wir nicht auch hoffen dürfen, dass Du mit mehr Fairness und weniger zynisch und sarkastisch hinter Deine Arbeit gegangen wärest? Hätte Dich dieser Besuch nicht jucken müssen, kritisch *und* positiv, ernsthaft *und* humorvoll, listig *und* lustig, mit (vielleicht versteckter) Sympathie Deinen Kommentar zu geben? Einfach mehr Honig und weniger Essig. Dann hättest Du nicht nur die linken Leute, sondern auch die ein wenig mehr rechts stehenden Christen auf Deiner Seite (denn für *die* schreibst Du doch Komplet-Psalmen auf Latein). Leute, die mit Dir sachlich oft einig gehen würden, die Dich aber nicht ernst nehmen, wenn es Dir an mâze fehlt. Eben Walther von der Vogelweide.

*

Bis zum ersten Sternchen Deiner Reportage würde ich Dich gelten lassen, trotz den ziemlich blöden «vollautomatischen Rosenkränzen». Vieles ist chogeglatt; als ehrlicher Schwizzer hast Du ruhig frech schreiben dürfen, *vide* Schlangen und Basilisken, Jagdfeldstecher, präpariert spontane Reden und Antworten (auch in Nairobi hätte mein oberster Chef besser einiges nicht gesagt), römischer Klimbim, päpstliches Wappen am Zingulum, die unangenehmen Fragen, Othmar Keel und Opus Dei, Alois Müller und

Zacchäus, Papst-Bett und -Telephon, seine Leut-Seligkeit. Da bist Du unübertroffen!

Doch hängt es mir aus, wenn Du Werturteile fällst und andere fertig machst: das ‹gelogene Furgler-Lächeln›, den Papst, der ‹kein Kirchenlicht ist›. Wirklich? Oder kannst Du im Ernst von einem ‹Stunt-Man› oder einem ‹64jährigen, von Attentatsfolgen schwer angeschlagenen Mann› erwarten, dass er auf jede von langer Hand vorbereitete und kritische Frage gleich die träfste Antwort aus dem Ärmel schüttelt? Und was verstehst Du unter seinem ‹Köhlerglauben›? Warum die primitive Assoziation Stufenaltar–‹Menschenopfer›? Warum die ‹Vereinigten Müttergottes›? Oder ist es menschlich und journalistisch eine Leistung, in den alten Wunden eines Klosters und eines Mannes herumzustochern? (Warum eines ‹Gehenkten›? Niemand hat ihm je einen Strick gedreht.) Oder wie stellst Du Dir ein Kloster ohne Ehelose vor? Tant pis pour toi. Die Höhe jedoch: ‹Diese ödipal konstellierte Opfergabe (Du meinst Kastration) ... soll dem Vernehmen nach von Johannes Paul II besonders geschätzt werden.› Soll dem Vernehmen nach – warum diese saumässige Unterstellung, anstatt sauber zu recherchieren, wie wir das sonst von Dir gewohnt sind?

Gäbe es nicht auch ein Erbarmen mit den sogenannten Grossen, oder sind sie nichts als Freiwild, das man beliebig abschiessen darf – zu dumm, wenn sie sich nicht wehren!

Noch einmal: ich anerkenne Deine Unerschrockenheit, ich (vogel-)weide mich an Deinen Formulierungen, aber ich wünschte mir zugleich ein wenig Humor (oder auch nur ein nachsichtiges Lächeln) statt so viel sterilen Zynismus.

Di het ich gern in einen srin!
Ja leider, des mac nict gesin
daz mout und menlich ere
und rechte mâze mere
zesamen in din zitig komen ...
(Stoss-Seufzer von der Grossen Weide 8, Sanggale)
Next time try harder, please!
Dein Herz-Bruder Peter, ordinis sancti benedicti»

PS II: «An den Chef-Redaktor der WOCHEN-ZEITUNG Postfach, 8042 Zürich. Sehr geehrter Herr Redaktor, Die Juni-Nummer 25 Ihrer WOCHEN-ZEITUNG, vom 22. 6. 84 ist mir durch den Titel des Zeitungsanschlages aufgefallen: ‹Vatikan schickte Double in die Schweiz› (bezüglich der Papstreise). Dies veranlasste mich, die betreffende Nummer zu kaufen; der Artikel, von Niklaus Meienberg, wird durch ein Postskriptum ergänzt, worin es wörtlich steht: ‹Der Vatikan hat denn auch wirklich einen Stunt-Man geschickt ... Der wirkliche Papst hat unterdessen in Castel Gandolfo ... und abends die Eurovisions-Sendungen aus der Schweiz goutiert.›

Sie werden verstehen, dass für Katholiken eine solche Behauptung keine Bagatelle bedeutet. Daher erlaube ich mir die Anfrage, ob der Journalist ganz sichere Beweise anführen kann; in diesem Falle möchte ich sie kennen. Oder ist ihm ein ‹lapsus pennae› unterlaufen? Hat er sich ‹verschrieben›, so bitte ich Sie um Berichtigung in Ihrer Zeitung und um Zusendung der Belegnummer.

Sie werden vielleicht erstaunt sein, dass ich so spät reagiere, aber, da der Artikel kurz vor Beginn der Sommerferien erschien, fand ich es ungeeignet, zu diesem Zeitpunkt einen Leserbrief einzusenden; daher die Verzögerung. Ich möchte noch hinzufügen, dass ich von dieser Information noch keinen Gebrauch gemacht habe.

In der Erwartung Ihrer Aufschlüsse danke ich Ihnen im voraus bestens und grüsse Sie recht freundlich.

Daniele K., Fribourg.»

Gespräche mit Broger und Eindrücke aus den Voralpen

«Die ersten Spuren der Anwesenheit von Menschen im Gebiet des Alpsteins führen ins Wildkirchli. In den zwei geräumigen Höhlen des Ebenalpstocks hatten seit dem 17. Jahrhundert Waldbrüder eine Eremitenklause und ein Kapelltürmchen erbaut. Bei baulichen Veränderungen im 19. Jahrhundert traten seltsame Knochen und Zähne zutage. Besucher nahmen solche Andenken mit. So gelangten einige Zähne ins Naturhistorische Museum St. Gallen, bis Naturforscher erkannten, dass die Zähne nicht von gewöhnlichen Braunbären, sondern von der längst ausgestorbenen Art des Höhlenbären stammten. Die Hoffnung war verlockend, einmal ein vollständiges Skelett dieser Tierart finden zu können.»

«Appenzeller Geschichte» von Pater Rainald Fischer, Walter Schläpfer und Franz Stark, 1964

«Alles Leben strömt aus Dir, alles Leben strömt aus Dir.»

Appenzeller Landsgemeindelied (Ausserrhoden)

Der 24. Oktober 1916, der Tag, an dem Broger Reimund Georg, des Emil, Zeichner, und der Josefa Louisa geb. Heeb, geboren wurde. Wie sah die Welt an diesem Tag aus? An diesem 24. Oktober wurden im Inseratenteil des «Appenzeller Volksfreundes» Maurer, Handlanger und Zimmerleute gesucht «für 56 Cts. Stundenlohn». Unter «Danksagung» konnte man lesen: «Für das zahlreiche Leichengeleite unseres innigstgeliebten Gatten, Grossvaters, Schwagers und Vetters Karl-Anton Knechtle, genannt Friedliskalöni, alt Armenvater, danken die tieftrauernden Hinterlassenen.» Herr Böhi vom Schäfle empfahl «Lungenmus auf morgen mittwoch von 10 h an aus der Küche». Bei Jos. A. Dähler, Hütten, «steht ein währschaft guter Ziegenbock von guter Abstammung zum Züchten bereit». Von einer «bedeutenden Wäschefabrik» wurden «tüchtige Handstickerinnen gesucht». Unter

«Ausfuhr!» war vermerkt: «England-Kolonien-Übersee, Schweizer Firmen, erweitern Sie Ihr Absatzgebiet durch Maurice Steinmann; Contractor to the British Government. Agenten in allen Ländern.» Friedhofgärtner Adolf Lohrer, Ziel, teilte «hochachtend den werten Einwohnern von Dorf und Land mit, dass ich jeweilen nach Schluss der Missionspredigten betr. Gräberbestellungen auf dem Friedhof zu treffen bin». Und Postfach 4145 St. Gallen «nimmt Aufträge von Firmen, welche in Zahlungsschwierigkeiten geraten sind, für Erwirkungen von Stundungen und Durchführung von Nachlassverträgen an».

In diese Welt wurde der hineingeboren, den die Eltern aus Bewunderung für den französischen Politiker Raymond Poincaré Raymond nannten. Nur am Rande vermerkt der «Appenzeller Volksfreund» vom 24. Oktober 1916, dass es eine Kriegswelt war, die Heeresgruppe des Generalfeldmarschalls von Mackensen hat trotz strömendem Regen, bei aufgeweichtem Boden, in unermüdlichem schnellem Nachdringen vereinzelten Widerstand brechend, die Bahnlinie östlich von Mufketar weit überschritten, steht unter der Rubrik «Kriegspost», und Josef Keller von der Konsumhalle Appenzell inseriert nicht nur für Russisches Lederöl, Papierkrägen und -brüste, Zichorien, Lampengläser, Glaubersalz und Leinsaat, sondern auch für Armeekonserven. Aber das beherrschende Ereignis dieses 24. Oktobers war die Ermordung des österreichischen Ministerpräsidenten Graf Stürgkg, die Kugel ist, den Kopf durchquerend, am Vorderhaupt ausgetreten, die zweite Kugel ist in der Mitte der Stirn in den Kopf eingedrungen und im Schädel steckengeblieben. Der rechte Augapfel des Toten ist stark vorgetrieben.

Weil wir die alten Jahrgänge des «Appenzeller Volksfreundes» schon zur Hand haben und weil diese Zeitung eine grosse Bedeutung im Leben des Raymond Broger hat und Broger eine grosse Bedeutung im Leben dieser Zeitung, blättern wir weiter. Am 31. Januar 1933 steht geschrieben: «Nun hat Adolf Hitler doch erreicht, was er schon lange angestrebt hat. Nun liegt es an Hitler zu beweisen, dass er noch mehr als ein grosses Maul hat.» Am 18. Februar 1933 unter «Sonntagsgedanken»: «Wir haben die volle Überzeugung, wenn hinter der Krisis der Arbeitslosigkeit nicht die Gottlosigkeit steckte, gingen wir wieder besseren Zeiten entgegen. Aber die Führung der internationalen Gottlosenbewegung sieht in dem darbenden, hungrigen Arbeitervolk bestgeeigneten Boden für ihre Gottlosensaat, sie hetzen das Volk auf gegen Gott und Religion, gegen Kapital und Besitz.»

Am 8. Juni 1933: «Wir konnten uns bisher weder für das Hitlertum noch für das bunte Gewirr der Fronten in der Schweiz erwärmen. Wenn wir aber die ungeratenen Buben, wie alte Tanten und Grossmütter, mit blinder Nachsicht behandeln statt mit der Haselrute, dann werden uns die Jungen und Unverbrauchten, vom Humanitätsdusel nicht Angehauchten einmal sagen müssen, wo und wie wir anzupacken haben, um unsere Gesellschaft und unsern Staat in letzter Stunde zu retten vor der moskowitischen Seuche.»

1933 war Raymond Gymnasiast bei den Kapuzinern und ein Leser des «Appenzeller Volksfreundes». Später wurde er Chefredaktor dieser Zeitung und wachte über die historische Kontinuität des Organs. Wir können gleich bis 1968 durchblättern. Am 13. Januar heisst es: «R. B. – In Amerika scheint sich jetzt ruckartig allgemein die Ansicht durchzusetzen, dass es keine Alternative zum harten Kampf in Vietnam gibt, wenn Südvietnam nicht verraten und Südostasien dem Kommunismus preisgegeben werden soll.» Am 19. März 1968 lesen die Appenzeller im «Appenzeller Volksfreund» (Amtliches Publikationsorgan für den Kanton Appenzell Innerrhoden): «Frankreich ist in Gefahr, durch Kommunismus, Anarchie und Diktatur unterwandert zu werden.» Von Rudi Dutschke heisst es: «Die wohl hirnverbrannteste Idee dieses linksextremen Rädelsführers – auf seine ausserstudentischen Wahnideen erübrigt es sich einzugehen – ist die Idee der Gründung einer reaktionären Anti-Universität.» Unter dem Foto von Dutschke und Teufel steht die Legende: «Beim Anblick dieser zottigen Gesichter mag man an den Vers Heinrich Heines denken: ‹Denk' ich an Deutschland in der Nacht, werd' ich um den Schlaf gebracht.›»

*

Frisch und zottig aus Frankreich eingetroffen, welches der kommunistisch-anarchistisch-diktatorischen Unterwanderung wieder einmal knapp entronnen war, erschien ich am 7. April bei schlechtem Wetter in Appenzell. Broger war mir als innerrhodische Saftwurzel geschildert worden, als appenzellische Landesgottheit, als politischer Alpenbitter. Ich hatte ihn noch nie agitieren sehen, und so war denn die Hoffnung verlockend, einmal einen vollständig erhaltenen Konservativen aus der Nähe betrachten zu dürfen. Ich hatte auch gehört, Appenzell Innerrhoden sei in Gefahr, durch Brogers Autokratie, Ämterkumulation und Demagogie unterwandert zu werden. Ich war neugierig. Um den Kontakt zu erleichtern und die sterile Interviewsituation zu umgehen, hatte Broger vorgeschlagen, ich solle das Wochenende mit ihm in seiner Berghütte verbringen, dort könnten wir essen und trinken zusammen und auf die Landschaft blicken und einfach «rede mitenand».

Brogers waren schon gerüstet, als ich gegen Mittag in ihrer einfachen Appenzeller Residenz eintraf, er ein gewaltiger Brocken in Bundhosen hinter dem Schreibtisch in seiner Studierstube, sie mit den beiden Hündchen beschäftigt. Die Hündchen heissen Belli und Gräueli, während die Frau von ihrem Mann mit dem Kosenamen Lumpi gerufen wird. In einem NSU Ro 80 ging es in Richtung Gonten, ab Kassette strömte das Violinkonzert von Beethoven durch den Autoinnenraum. Dabei musste ich sofort an den rauhbeinigen Alex aus dem Film «Clockwork Orange» denken, welcher von Beethovens Musik zu Gewalttaten verleitet wird. Dank dem Fahrkomfort des Fahrwerks glitten wir sanft am Kloster «Leiden Christi» vorbei, wo Broger Klostervogt ist. Auch in «Wonnenstein», «Grimmenstein» und «Mariae Engel» ist er Klostervogt. Alle Räder sind einzeln aufgehängt und abgefedert, Radfederung und Radführung sind sauber getrennt, Stabilisatoren stemmen sich gegen die Kurvenneigung. Ein richtiges Senatorenauto. Je schneller, desto geräuschloser, sagte Frau Boger, am leisesten bei 180 km/h. Irgendwo hinter dem Jakobsbad war die Fahrt zu Ende, der regierende Landammann zog den Zündschlüssel heraus, Beethoven brach mitten in der Kadenz zusammen. Der Aufstieg begann. Die beiden Hündchen wurden ganz närrisch bei den vielen Wildspuren. Im Sommer kann der Landammann auf einem geteerten Strässchen bis zu seiner Berghütte hinauffahren. Das Strässchen wurde von umliegenden Bauern in Fronarbeit geteert (nicht dem Landammann zuliebe, sondern damit die Strasse wetterfest wurde für ihre landwirtschaftlichen Gefährte). Wir stapften durch den Schnee in die Höhe, angeführt vom Landammann, Ständerat, Klostervogt, Ombudsmann der Versicherungen, Präsidenten der schweizerischen Gruppe für Friedensforschung, Buttyra-Präsidenten, Präsidenten der Landeslotterie, Delegierten im Vorstand der Ostschweizerischen Radiogesellschaft, Vorsitzenden des Grossen Rates, Vorsitzenden der Landesschulkommission, Präsidenten des Eidg. Verbandes für Berufsberatung, Vorsitzenden der Bankkommission, Vorsitzenden der Anwaltsprüfungskommission, Mitglied der Jurakommission, Delegierten im Verwaltungsrat der Appenzeller Bahn, Vorsitzenden der Landsgemeinde, Mitglied der aussenpolitischen Kommission des Ständerates, Mitglied der Drogenkommission. Dieser ging voran mit dem Rucksack. Er ist noch rüstig, macht einen kolossal massigen Eindruck.

Eine knappe halbe Stunde, dann standen wir vor der Berghütte auf dem Schneckenberg (die Gegend wird auch Naas genannt). Ein Appenzeller Heimetli, für 70000 Franken einem Bergbauern abgekauft, der hier oben kein Auskommen mehr hatte und jetzt zufrieden von den Zinsen in Gontenbad drunten lebt, sagt Broger. Die drei Töchter des Bergbauern seien tagtäglich frühmorgens zur Bahnstation hinuntermarschiert und immer pünktlich in der Fabrik in Urnäsch zur Arbeit angetreten, in vorbildlicher Pünktlichkeit nie zu spät gekommen in all den Jahren. Dieses Heimetli mag eine Berghütte gewesen sein, als der alte Besitzer noch hier lebte. Heute ist es ein Brogerhorst geworden, frisch renoviert, mit einem Anbau, die Telefonleitung hat man über mehrere Tobel führen müssen. Es gibt Elektrizität hier oben, Heizung, elektrifizierte Petrollampen, fliessendes Kalt- und Warmwasser, Badezimmer, Weinkeller, Tiefkühltruhe. «Entschuldigen Sie bitte die Unordnung, wir haben gerade die Arbeiter im Hause gehabt», sagt Frau Broger. Ich sehe aber keine Unordnung. Im Sommer wollen die Brogers ein paar Schafe kaufen, das passt zum Heimetli, den Stall gibt es ja noch. Sobald der Schnee weg ist, wird vermutlich die Standeskommission hier oben ihre wöchentliche Sitzung abhalten, Broger wird es jedenfalls den Herren vorschlagen, sie werden sich wohl nicht sträuben. Die Standeskommission ist der innerrhodische Regierungsrat.

Da waren wir also und sollten anderthalb Tage miteinander leben. Jagdgewehr und Jagdhorn hingen griffbereit an der Wand, in dieser verschneiten Abgeschiedenheit wären die Schüsse ungehört verhallt. Willkommen auf dem Schneckenberg! In der Bibliothek stand auch eine Jagdanweisung, «Lockende Jagd» von Louis Hugi. Broger ist ein bekannter Jäger. Auf der Jagd liest er Horaz, auf lateinisch, wenn er nicht gerade schiesst, sagt seine Frau. *Odi profanum vulgus et arceo,* ich hasse das gemeine Volk und halte mich ihm fern. Wichtig bei Horaz ist der Rhythmus. Mein Mann geht nie in die Wirtschaften und läuft den Leuten nicht nach, die Leute nehmen ihn, wie er ist, oder sie nehmen ihn nicht. Bei der Jagd übrigens, obwohl er im Gehen liest, trampt er nie in ein Loch, kommt nie zu Fall, mit eigenartiger Sicherheit geht er über alle Unebenheiten hinweg, sagte Frau Broger, eine geborene Elmiger aus dem Bernischen, und ging in die Küche, wo sie den Zmittag richtete. Broger (Betonung auf der ersten Silbe, mit kurzem, offenem o) zündete ein Feuer im Kamin an. Jetzt fühlte man sich wie in einem Heimetli. Blick auf eine lieblich-rauhe Landschaft, unverbaut dank Broger, der das innerrhodische Baugesetz schon 1963 schuf. Die Landschaft wird ihm erhalten bleiben. Er hat eine einfache Landschaft vor seinen Fenstern gewünscht, kein Wunderpanorama, das sich die Gäste zu loben verpflichtet fühlen.

Im Anbau das Kaminzimmer mit Schaukelstuhl und Renaissancestabelle, altem Tisch und enorm vielen Büchern, nochmals Bücher wie schon drunten im Studierzimmer in Appenzell. Schwarz eingebunden die sämtlichen Bände der «Summa Theologica» des Thomas von Aquin. Er kennt sich gut aus darin, hat alle Bände gelesen und wieder gelesen. Dann Richard Wurmbrand: «Blut und Tränen», Dokumente zur Christenverfolgung in kommunistischen Ländern, und Guttenberg: «Wenn der Westen will». Auch Werke des Dominikanerphilosophen Bochenski, den er «guet» findet, und ein wenig Mitscherlich, den er «nöd so guet» findet. Aber auch ein Buch von Jean Lacouture über Ho Chi Minh. Und ein Buch über «Wallensteins Ende», nebst Hunderten von andern Büchern. Vorherrschend die konservativen Ideologen wie Edmund Burke («Über die Französische Revolution»). Marx sehe ich nicht in der Bibliothek, nur ein Buch über Marx. «Der rote Preusse». Broger findet es «sauguet». Den Anarchisten Proudhon (Taschenbuch) findet er «sehr intelligent, aber unannehmbar». Wir kommen uns näher.

Broger im Polsterstuhl vor dem Kaminfeuer, den «Bayernkurier» lesend, dann den «Rheinischen Merkur». Die Scheiter knacken. Der Vorsitzende der Standeskommission, der Chef der Handelsregisterkommission, der Vorsitzende der Nomenklaturkommission, der Delegierte in der Stiftung für eidg. Zusammenarbeit, der Vorsitzende des Stiftungsrates «Pro Innerrhoden», der Kommissar für Entwicklungshilfe, der Vormund. Zum Beispiel ist er Vormund des appenzellischen Ausbrecherkönigs Dörig, genannt «der Chreeseler», der eben jetzt wieder nach einem neuerlichen Ausbruch und frischen Raubüberfällen gefasst wurde. Er kümmert sich um den «Chreeseler», hat ihm beim letzten Besuch in der Strafanstalt gut zugeredet. Auch um die Entwicklungshilfe kümmere er sich, sagt seine Frau, da habe er Ansichten wie die linksten Linken. Wirklich?, sage ich und sehe Brogers etruskischen Schädel hinter dem «Bayernkurier» verschwinden.

Broger am Esstisch. Ein gewaltiger Schlinger und Einverleiber. Da geht allerhand Fleisch hinein in diesen Koloss, Fleisch zu Fleisch. Bis die dreissig oder fünfzig Vorsitzenden, Delegierten, Beisitzer, Präsidenten und Vorsteher abgespeist sind: das dauert eine Weile. Ein Wein wird kredenzt, aber nicht der appenzellische Landsgemeindewein und Krätzer Marke «Bäremandli», sondern ein sehr guter französischer, den ich in Frankreich noch nie getrunken habe, nur für den Export bestimmt. Zwischen Biss und Schluck tischt Broger ein bisschen Politik auf, erzählt von Furgler, zwar ein guter Freund von ihm, aber grässlich ehrgeizig, und wie kann man bloss seinen Ehrgeiz darein setzen, Bundesrat zu werden in einem Land wie der Schweiz, wo die nationale Exekutive so wenig Macht habe und dies bisschen Macht erst noch kollegial verwalten müsse. Wenig Macht im Vergleich zum französischen Staatspräsidenten. Das wäre ein Posten, für den er sich erwärmen könnte, da würde der Ehrgeiz sich lohnen. Weil er nun aber eigentlich wenig Ehrgeiz habe, könne er sich eine Gelassenheit leisten, müsse nicht ständig aufpassen mit seinen Äusserungen und drauf schauen, dass er wiedergewählt werde, und taktisch jedes Wort abwägen. Er rede frei heraus und wisse sich im Einklang mit den Innerrhödlern, wenn er mit seinem Gewissen in Einklang sei. Auch am Fernsehen könne er sich nicht verstellen, und darum komme er so gut an, weil er vergesse, dass er am Fernsehen rede, deshalb sei er nicht verkrampft. Es kommt ihm alles ganz natürlich.

Er ist ein konservativer Spontangeist. Während er so zu mir spricht, habe ich den Eindruck, er rede zu einem grösseren Fernsehpublikum. Oder spricht hier der Landammann zum Ombudsmann? Broger spricht wie einer, der sich seiner Macht sicher ist, der kraft göttlichen Rechts oder kraft mystischen Einklangs mit der innerrhodischen Volksseele an der Macht sein muss – obwohl er erst seit 1960 in der Regierung ist und eine ohnmächtige Zeit durchgemacht hat, als die Innerrhödler «än Zockerbeck» statt Broger in den Ständerat schickten. Wann aber ist Broger im Einklang mit seinem Volk? Sobald die «Loscht» ihn treibt, etwas zu «gestalten». Politik muss «loschtig» sein, sonst interessiert sie ihn nicht. Und die Abwesenheit von «Loscht» ergibt dann eben die verkrampften Politiker, die sich vor Ehrgeiz zerreissen. Einen kenne er, der seine Sache auch mit Lust getrieben habe, das sei der Bundesrat Schaffner gewesen, ein sehr enger Freund von ihm und hochbegabter Staatsmann. Auch voll Arbeitslust wie Broger, der minimal 60 Stunden pro Woche arbeitet. Auch nicht einzuordnen in eine Parteidisziplin. Wie Broger, der zwar zur CVP-Fraktion der Bundesversammlung gehört, jedoch «nie an eine Parteiversammlung geht».

Am Nachmittag, bevor Ratschreiber Breitenmoser dem Landammann die Akten in den Brogerhorst hinaufbringt, damit er die Sitzung der Standeskommission für Montagmorgen vorbereiten kann, kommt die Rede noch auf Mitterrand. Ich erzähle, wie Mitterrand mir viermal ein Interview zugesagt hatte und viermal das Versprechen brach, bevor ich ihn beim fünften Mal erwischte.

Der Tisch ist jetzt abgeräumt, es liegen nur noch Serviettenringe mit Appenzeller Motiven und eine Zündholzschachtel mit Alpaufzug auf dem Tisch. Mitterrand sei völlig unfähig, ein Land wie Frankreich zu leiten. Wenn er nicht einmal ein Interviewversprechen einhalte, wie hätte er da seine Wahlversprechen halten wollen? Gott sei Dank habe die Volksfront die Wahlen nicht gewonnen. Broger mit aufgestützten Ellenbogen, den churchillartigen Kopf vom Pflümliwasser gerötet, satt zum Himmel blinzelnd, hier einen Prankenschlag, dort ein Zwinkern. Schnell noch ein Fletschen in bezug auf den miserablen Zustand der katholischen Presse, mit der es bergab gehe. Der Journalist X in der Zeitung Z predige wie ein Pfarrer, anstatt zu schreiben wie ein Journalist, und der Redaktor Y in der Zeitung Z sei eine Schreibniete. Wir kommen uns immer näher. Broger war bis vor kurzem Chefredaktor am «Appenzeller Volksfreund» (1952–1971), er schrieb saftig und aus Passion, er hatte etwas zu sagen. Als Redaktor hat er eine Übersicht im Kanton gewonnen, hat informiert oder auch nicht und schliesslich dominiert. Eine Zeitung mit 5000 Exemplaren Auflage, Amtsblatt für die 14000 Einwohner des Kantons, Sprungbrett für sein erstes politisches Amt: Bezirkshauptmann in Appenzell 1954 (= Gemeindeammann). Diese Zeitung war lange ein Einmannbetrieb, Broger hat ihr zuliebe auf seinen Anwaltberuf, für den er ausgebildet war als einer der wenigen Volljuristen im Kanton, verzichtet. Als Chefredaktor hat er anfangs 1700, ganz am Schluss 2400 Franken verdient. Er ging überhaupt recht bescheiden durchs Leben, einen Vertreter des Kapitals durfte man ihn nicht nennen. Noch 1971 hat er mit allen kantonalen Ämtern an Sitzungsgeldern jährlich nur 13910 Franken verdient (die Appenzeller Regierung arbeitet ehrenamtlich). Dazu die eidgenössischen Sitzungsgelder. Erst die Ernennung zum Ombudsmann der Versicherungen hat ihm Geld gebracht, ca. 80000 pro Jahr. Daher das Heimetli auf dem Schneckenberg, daher der Ro 80 mit Wankelmotor. Daher auch die Neider in letzter Zeit und das Murren im Volk.

Also diese Zeitung. Eine Zeitlang gab es Konkurrenz, den «Anzeiger vom Alpstein», der von den spärlichen Industriellen in Appenzell gefördert wurde, Locher von der Brauerei und Ebneter von der Alpenbitter-Brennerei. Unterdessen ist der «Anzeiger» eingegangen, der «Volksfreund» hat wieder das Monopol in Appenzell. Von 6 Uhr morgens bis oft spät abends auf der Redaktion, in der ganzen Zeit nur einen einzigen Leserbrief *nicht* aufgenommen, die andern alle abgedruckt, den Leserbriefschreibern aber oft geraten, ihren Text ein bisschen abzuändern. Kein Fernschreiber bis vor kurzem. Dank seinen guten Beziehungen auf Bundesebene hat ihm die Bundespolizei bei der Depeschenübermittlung geholfen. Wenn Broger irgendwo in der Schweiz unterwegs war und noch schnell einen Leitartikel durchgeben wollte, lieferte er ihn bei der nächsten kantonalen Polizeifernschreibestelle ab, und die übermittelte dann an die Polizei in Appenzell, wo die Depesche nur noch über die Gasse zum «Volksfreund» getragen werden musste. So hat man doch allerhand Vorteile als Ständerat. Der Volksfreund im Lehnstuhl beim Aktenstudium, gegen Mitternacht, im Kamin verglühen die Scheiter. Breitenmoser hat jetzt die Akten gebracht. Broger erzählt von seinen Eltern, vom kleinen Familienstickereibetrieb, der sehr rentierte, bis im Gefolge der St. Galler Stickereikrise die Eltern umsatteln mussten und das Hotel «Forelle» beim Seealpsee bauten. Der Vater habe als Zeichner eine grosse Fertigkeit gehabt, hätte jeden beliebigen Stil imitieren können, richtig, da hängt ein Daumier von Vater Broger in der Ecke, auch ein Piero della Francesca oder sonst ein Italiener. (In welchem Stil hätte er wohl seinen Sohn gemalt? Brueghel oder Goya?) Die Mutter sei sehr geschäftstüchtig gewesen, lebe übrigens noch, sei mutterseelenallein mit ihren Stickereiwaren bis nach Amerika gereist. Der Vater habe gezeichnet, die Mutter verkauft. Die Jugend sei im allgemeinen glücklich verlaufen, keine allzu schlimmen Erlebnisse bei den Kapuzinern in Appenzell und in Stans, in den Exerzitien hätte er Marx gelesen, auf dem Pultdeckel Zwingli und Luther postiert, die Kapuziner hätten ihn machen lassen, und so sei er ganz organisch von Marx abgekommen, hätte sich nicht versteift, sobald die «Entfaltung der Vernunft» einsetzte. Oben beim Hotel «Forelle» habe er in jungen Tagen aber oft faul in der Sonne gelegen und Marx gelesen. Irgendwann muss es einen Knick in der Lebenslinie Brogers geben, muss nach einer Periode von jugendlichen Erleuchtungen eine Verdüsterung eingesetzt haben, dass er jetzt Richard Wurmbrand, Bochenski und Guttenberg liest und die Liebe seiner Jugend vergessen hat. Sonntagmorgen, der Himmel aprikosenfahl, der grosse Baal alias Broger wirkt noch verschlafen, kommt im schwarzroten Trainer zum Morgenessen. Die Farben der Auflehnung und der Anarchie auf diesem Körper. In die Messe geht er nicht an diesem Sonntag, gehört nicht «zu diesen Politikern, die sich in der Kirche allen demonstrativ zeigen», ist kein heuchelnder Pompidou, eher ein de Gaulle für Innerrhoden. Es gibt wieder grosse Mengen Fleisches. Die Rede kommt auf das Prinzip der Rätedemokratie, auf Volksherrschaft und Kontrolle der Macht. All das wäre im Prinzip vorhanden in Innerrhoden: Wahl der Regierungsräte für eine bestimmte Funktion, jedes Jahr Abberufbarkeit der Regierenden durch das Volk an der Landsgemeinde, Möglichkeit zur Agitation in der offenen Volksversammlung, Mitspracherecht jeder Minderheit, jedermann kann «of dä Schtuel go», wie man das Wortergreifen an der Landsgemeinde nennt. (Kleiner Schönheitsfehler: Broger präsidiert als Landammann die Landsgemeinde, den Grossrat und den Regierungsrat.) Weshalb also dieses Prinzip der Selbstbestimmung und jederzeit widerrufbaren Machtdelegation nicht auf die Fabriken und Betriebe anwenden, eine radikale Selbstbestimmung am Arbeitsplatz statt formale Exerzitien auf dem Landsgemeindeplatz? Broger findet diese Idee «abschtrus», er findet das völlig undurchführbar, die Wirtschaft würde nicht mehr funktionieren. Da war ich sofort einverstanden: Sie würde in der heutigen Form allerdings nicht mehr funktionieren, und es gäbe keine Landammänner und Delegierte des Verwaltungsrates mehr. Broger sagt: Wenn ich nicht an die Unsterblichkeit der Seele glaubte, wäre ich auch Revolutionär, dann würde ich die Erde in ein Paradies zu verwandeln suchen, weil es aber ein Jenseits gibt, kann ich mich gelassen geben, wir haben ja nachher noch etwas. Da werden Sie eine böse Überraschung haben, wenn Sie nach dem Tode merken, dass es kein ewiges Leben gibt, antworte ich, und übrigens haben Sie ja Ihr persönliches Paradies hier im Diesseits schon recht hübsch eingerichtet … So verging der Sonntag in theologischen Betrachtungen. Gegen Abend hörten wir die Nachrichten der Schweizerischen Depeschenagentur. «Ein Freund Sacharows soll in Russland auf seinen geistigen Gesundheitszustand untersucht werden», sagte der Sprecher. «Gemeinheit», sagte Broger. «Portugiesische Polizei geht mit Hunden und Schlagstöcken gegen Demonstranten vor, zwanzig Verletzte», fuhr der Sprecher fort. Broger machte keinen Mucks.

*

Am Montagmorgen früh wieder den Schneckenberg hinunter mit Brogers. Vor mir der breite Rücken des Landammanns, der mysteriöse Politikerrücken, anscheinend doch mit Rückgrat, ein Mysterium. Gehört nicht zur Gattung der Weichtiere (Mollusken), eher zu den Schildkröten (Schalentiere). Amphibisch, wetterfest, pflegeleicht. In allen Elementen zu Hause, Wasser und Land, Appenzell, Bern, Versicherungswesen. Die weltanschauliche Schale schützt ihn vor Erkältungen, aber auch vor Entwicklungen, lässt Argumente abprallen. Weshalb wählen die Innerrhödler die Schildkröte seit 1964 ununterbrochen zum Landammann? Weshalb 1964 zusätzlich in den Nationalrat, 1971 in den Ständerat (was die Schildkröte seit je ersehnt hatte)? Weil die Innerrhödler es «loschtig» finden? Weil er der einzige Jurist ist weit und breit? Vielleicht weil der «Remo» in Bern mehr für den Kanton herausschlägt als ein anderer? Oder weil der Volksfreund im «Volksfreund» seit Jahren für den Volksfreund Propaganda machte?

Es hat wieder geschneit über Nacht. Gräueli und Belli ziehen ihn bergabwärts. Heute morgen muss er um 8 Uhr die Sitzung der Standeskommission präsidieren, das möchte ich gerne miterleben. Nach einigem Zögern ist er einverstanden. Um zehn Uhr finde ich die Standeskommission im Rathaus versammelt, der Weibel mit einem silbernen Schildchen auf der Brust lässt mich ein. Der Remo ist jetzt krawattiert und sitzt auf einem Podium vor den Regierungsräten wie der Lehrer vor der Schulklasse. Er stellt mich vor als «än abschtruse Schornalischt os Paris». Neben Broger sitzt der Ratsschreiber Breitenmoser, der gestern die Akten auf die Naas gebracht hat. Die Schulklasse resp. Standeskommission resp. Regierung setzt sich zusammen aus dem Zeugherrn, Armleutsäckelmeister, Landesfähnrich, Bauherrn, Landeshauptmann, Säckelmeister, Statthalter und dem stillstehenden Landammann (= Tierarzt im Hauptberuf). Die Geschäfte werden sehr speditiv erledigt, noch schneller als die weltanschaulichen Diskussionen auf der Naas. Einladung an das Land Appenzell, einen Delegierten an den Kongress der Kantonalbankdirektoren zu entsenden: Von der Regierung ist niemand abkömmlich, sagt Broger, wir feiern an diesem Tag das «Totemöli» (Totenmahl). Wiedereinbürgerung von Marie-Marthe Duc, einer Appenzellerin, die nach Montélimar hinunter geheiratet hat, ihr Mann ist gestorben, sie will in die Heimat zurück. Der Polizeibericht lautet günstig, die Gofen seien tadellos aufgezogen, der Leumund gut, dem Gesuch wird diskussionslos entsprochen. Broger referiert und lässt die andern gern diskussionslos entsprechen, er hat die ganze Sitzung gestern am Kaminfeuer präpariert, und die andern Regierungsräte haben vielleicht kein Kaminfeuer zu Hause. Dann das Wiedererwägungsgesuch

Wolfhalden, «diä lädige Soucheibe», und ein Herr T., «dä frächi Siäch», der immer wieder mit Suppliken an die Regierung gelangt. Wünscht jemand «s Wort»? Nicht der Fall? Beschluss. Es ist ein familiärer Ton hier im Sitzungszimmer des Rathauses, um 12 Uhr muss alles erledigt sein, sonst verpasst Remo den Zug nach Zürich in sein Ombudsmann-Büro.

*

Er verpasste ihn nicht.

Sprechstunde bei Dr. Hansweh Kopp

«Noch nicht zwanzig Schritte weit war ich über einen breiten, menschenbelebten Platz gegangen, als mir Herr Professor Meili, eine Kapazität ersten Ranges, leicht begegnete.

Wie die unumstürzliche Autorität schritt Herr Meili ernst, feierlich, hoheitsvoll daher. In der Hand trug er einen unbeugsamen, wissenschaftlichen Spazierstock, der mir Grauen, Ehrfurcht und Respekt einflösste. Meilis Nase war eine scharfe, gebieterische, strenge, harte Habichts- oder Adlernase. Der Mund war juristisch zugeklemmt und zugekniffen. Des berühmten Gelehrten Gangart glich einem ehernen Gesetz. Aus Professor Meilis ernsten, hinter buschigen Augenbrauen verborgenen Augen blitzten Weltgeschichte und Abglanz von längst vorbeigegangenen heroischen Taten hervor. Sein Hut glich einem unabsetzbaren Herrscher. Im ganzen genommen betrug sich jedoch Herr Professor Meili ganz milde, so, als habe er in keiner Hinsicht nötig, merken zu lassen, welche Summe von Macht und Gewicht er personifiziere. Da ich mir sagen durfte, dass diejenigen, die nicht auf süsse Art lächeln, immerhin ehrlich und zuverlässig sind, so erschien er mir trotz aller Unerbittlichkeit sympathisch. Gibt es ja bekanntlich Leute, die ihre Untaten ausgezeichnet hinter gewinnendem, verbindlichem Benehmen zu verstecken wissen.»

Robert Walser

… die ehemalige Sekretärin *Maya Kriesemer* sagt, sie habe Anfang 1971, als sie im Büro *Jucker/Berger/Wettstein/Kopp*, Rämistr. 29/31, tätig gewesen sei, eine seltsame Entdeckung gemacht. Sie arbeitete damals erst seit kurzem dort (Job-Sharing mit *Christine H.).* Damals habe *Hans W. Kopp* ihr beiläufig anvertraut, dass er sich nun plötzlich von seinen Partnern trennen wolle, zwecks Expansion. Das sei ihr dann doch kurlig vorgekommen, dieser Auszug so Knall auf Fall. Als sie nun diesbezüglich bei Kopp, vorerst erfolglos, ein wenig habe nachbohren wollen, seien zwei weitere Sekretärinnen ins Büro geplatzt. *«Herr Doktor, Ihr Spiel ist aus»*, habe die eine gesagt und, zu Maya Kriesemer: *«Er wird dir den wahren Grund für den Auszug nicht nennen, ist nämlich von seinen Partnern hinausbugsiert worden, weil er uns übers Knie gelegt und mängisch Tätsch gegeben hat.»* Kopp habe dieses kaltblütigstens, wie es seine Art gewesen sei, in Abrede gestellt, und sie, Maya Kriesemer, habe es auch fast nicht glauben mögen, sintemalen im Büro doch immer so eine tolle Atmosphäre geherrscht habe, Kopp sei allgemein respektiert worden, überhaupt kein Brutalo, wunderbares Arbeitsklima, grosszügiger Chef, väterlich besorgt, habe auch prima delegieren können, gar nicht pingelig, und sich um das Wohlergehen seiner Untergebenen nachhaltig gekümmert und die Leute immer bestens motivieren können und sei für alle stets ein Vorbild gewesen bezüglich seiner riesigen Arbeitskapazität.

Die beiden Kolleginnen hätten ihr dann weiterhin mitgeteilt, dass diese für zürcherische Erwachsene doch recht ungebräuchliche Bestrafung, nämlich dieses Über-die-Knie-gelegt-Werden, nach vorheriger Entblössung des Hintern, und dieses Mit-einem Bambusstöckli-gepfitzt-Werden* (manche bezeichnen es als Prügelung, andere wieder als Peitschung), jeweils erst dann erfolgt sei, wenn sie sich selbst eines Fehlers bezichtigt gehabt hätten, zum Beispiel falsches Ablegen von Dokumenten, gravierende Tippfehler oder andere Büro-Kalamitäten. Sie seien von Hans W. Kopp jeweils am Abend nach den Fehlern, ganz sanft und väterlich (streng, aber gütig!) zur Einsicht in ihre Fehler, dann zur Reue getrieben worden und hätten sie dann nach einem längeren Gespräch die Pfitzung sozusagen als organisch-logische Folge ihrer Sünden und fast als Befreiung von ihrer Schuld empfunden: Tätige Reue. Dieses doch etwas schmerzhafte Ritual habe nicht ohne ihr Einverständnis stattgefunden und nicht mit brutalem Zwang.

(Aus anderer Quelle hört man, die Bestrafung sei von einigen Angestellten fast als Privileg empfunden worden: Einem Chef, der sich so eindringlich um die Perfektionierung der Arbeitsmoral und des Charakters kümmere, müssten seine Untergebenen doch wirklich ans Herz gewachsen sein, so viel Aufmerksamkeit kriege man nicht in jedem Büro. Und Kopp habe dann auch die kleine Zere-

* Das Stöcklein war ambivalent. Es steckte, im ruhenden Zustand, in einem Blumenstock und diente der Koppschen Zimmerlinde als Stütze.

monie, bevor sie erfolgte, immer als ein Privileg der Gepeitschten geschildert.)

Maya Kriesemer sagt, ihr habe dann die Sache keine Ruhe gelassen, sie habe darauf von zu Hause aus mit Kopp telephoniert, der sie beruhigte mit dem Hinweis, seit sechs Monaten sei *«nichts derartiges»* mehr passiert. Kurz darauf habe sie im Café X. einem Substituten von Hans W. Kopp die Sache erzählt. Dieser sei ganz bleich geworden und habe ihr eröffnet, das mit den sechs Monaten stimme nicht, er selbst sei vor kurzem auch getätscht (gepfitzt, gepeitscht), aber nicht übers Knie gelegt worden wie die Frauen, sondern habe sich an ein Pult lehnen dürfen.

Darauf habe sie, Maya Kriesemer, bei Kopp fristlos gekündigt.

*

Die Kasteiungs-Geschichte aus dem Kopp-Büro hatte ich zum ersten Mal von *Hugo Leber* (auch ein Luzerner) gehört, vor zwölf Jahren. Ich glaubte sie ihm, weil seine Geschichten immer stimmten. Aber es gab keinen Grund, sie aufzuschreiben, sie kam mir sehr privat vor. Unterdessen ist sie durch das dumme Verhalten von Elisabeth Kopp zu einer öffentlichen Geschichte geworden, und aus Hans W. Kopps Geschichte wurde, durch Koppelung, *Elisabeth Kopps* Story. Es ist richtig, dass man Frau Kopp an *ihren* und Herrn Kopp an *seinen* Leistungen messen soll. Sie hätte also den Journalisten, welche sie vor der Bundesratswahl 1984 in punkto Bürogeschichten ihres Mannes befragten, ganz einfach antworten können: «Fragen Sie ihn, ich bin ich, und er ist er. Ich bin zwar mit Hans W. Kopp verheiratet, aber nicht mit all seinen Tätigkeiten und seiner ganzen Vergangenheit.» Oder sie hätte sagen können: «Ja, da sind Sachen passiert, die ich nicht billige, aber mein Mann hat sich weiterentwickelt seither und ich habe ihm diese Dummheit verziehen.» Oder so etwas. Damit wäre die Sache erledigt gewesen. Sie sagte aber, LNN vom 22.9.84:

«Es ist richtig, dass ihm die Aufsichtskommission vor zwölf Jahren wegen angeblicher *Vorfälle in seinem Büro untersagte, sechs Monate vor Gericht aufzutreten. Schuld daran war eine furchtbare Intrige, die vor fünfzehn Jahren passiert ist. In jener Anwaltsgemeinschaft hat mein Mann durch seine Dynamik den Rahmen gesprengt, und deshalb sind die unmöglichsten Gerüchte in die Welt*

gesetzt worden. Ich halte diese Gerüchte für einen riesigen Skandal: Erstens ist mein Mann menschlich unanfechtbar, zweitens ist er militärisch hervorragend; er ist höchstens etwas gescheiter als die andern. Hier artikuliert sich nichts anderes als blanker Neid.»

Damit hat Elisabeth Kopp selber, nicht die Presse, eine Sippenhaftung (und nicht *«Sippenhaft»*, wie *Peter Studer* im TAGES-ANZEIGER schreibt) eingeführt. Sie muss sich jetzt bei den Aktivitäten und Lügen ihres Mannes, die sie komplett deckt, behaften lassen. Sie macht in dieser Sache nicht den Eindruck einer selbständigen Frau, sondern wirkt als Verlängerung ihres suggestiven Mannes. Hans W. Kopp im BLICK: *«Die Affäre im Büro ist das Resultat einer widerlichen Intrige.»* Auch in bezug auf die Kommando-Enthebung ihres Mannes 1972 (Füsilier-Bataillon 45) erzählt sie, wie dieser, die nackte Unwahrheit: Er habe das Kommando aus *«gesundheitlichen Gründen»* abgegeben. Er musste es aber wegen der Büro-Geschichte abgeben. In der trüben Trans-KB-Affäre übernimmt sie ebenfalls total den Standpunkt ihres Mannes: Da sei alles mit rechten Dingen zugegangen.

Lügt Frau Kopp? Oder ist sie Weltmeisterin im Verdrängen? Oder ist sie in guten Treuen der Meinung, die Büro-Geschichte und ihre Folgen (Kommando-Enthebung – ihr Mann kriegte deshalb den erstrebten Lehrstuhl an der Uni Zürich nicht) seien ein reines Gerücht? Glaubt sie so blindlings und felsenfest an ihren Mann, dass sie ihm die unglaublichsten Versionen abnimmt? Dann überschattet die Liebe den kritischen Verstand und wäre sie immer noch die höhere Töchter geblieben, die zuerst dem Vater, dann dem Prinz-Gemahl in spe ausgeliefert ist. Ist es Solidarität, wenn man zum Schutz des Partners in die Offensive geht und die Ankläger disqualifiziert und verleumdet? Ist es Elisabeth Kopps Verständnis von *ehefraulicher* Solidarität? Vielleicht hat Elisabeth Kopp gewusst: Von einer Frau, die Bundesrätin werden möchte, wird im Volk erwartet, dass sie sich, als anhängliche Gattin, vor ihren Mann stellt, wenn er in Schwierigkeiten gerät, Wahrheit hin oder her.

Wenn sie aber lügt, dann ist es auch nicht gut bzw. ein bisschen früh. Als Bundesrätin hätte sie natürlich hin und wieder lügen müssen, das gehört zum métier. Aber doch nicht so faustdick schon vor der Wahl.

Vermutlich lügt sie eben doch. Und hat darauf gezählt, dass die Presse keine Nachbohrungen anstellt. 1972 wurde Hans W. Kopp, auf eigenes Betreiben hin, psychiatrisch begutachtet, während die Untersuchung gegen ihn lief (siehe weiter unten im Text), und mit grosser Wahrscheinlichkeit wurde auch ihre Ansicht über den mentalen Gesundheitszustand von Hans W. Kopp eingeholt. Sie muss also Bescheid gewusst haben.

Und jetzt strahlt diese Büro-Geschichte nach allen Seiten aus wie ein entzündeter Nerv. Alle andern aktuellen Verwicklungen der Kopps, ausser *Trans*-KB, gehen auf diese kuriose Story zurück. Sie hat Metastasen gebildet. Die schwarze Pädagogik, die der begabte Jurist in seinem Büro ab ca. 1965 bis 1971 praktizierte, verdunkelt die Zukunft seiner Frau, weil sie sich mit ihm solidarisiert.

Die Geisselung wird zum Politikum.

*

Wie war das damals genau gewesen? Darf man darüber schreiben, detailliert, oder taar me da nöd, soll man es im Schummrigen lassen wie pst. im TAGES-ANZEIGER *(«Kopp sei Angestellten zu nahe getreten», «alte Geschichten»)* oder wie die WELTWOCHE, die sich mit der erstbesten Verdrehung Elisabeth Kopps zufrieden gibt, oder wie der BLICK – *«er habe sich einer Büroangestellten gegenüber unkorrekt benommen und ihre physische Integrität verletzt»* (darunter kann man auch eine Vergewaltigung verstehen: Ist Kopp mit dieser Version besser gedient?), oder wie der SONNTAGS-BLICK – «sexuelle Belästigung» (das war Es eben nicht, oder nicht nur, jedenfalls nicht im traditionellen Sinn).

Es gibt, nebst der Wahrheitsliebe, noch drei gute Gründe, diese Geschichte auszuleuchten:

1. Bekanntlich werden die Frauen von Diplomaten-Anwärtern oder die Männer von Diplomaten-Anwärterinnen recht genau geprüft vor der Anstellung – gibt es Erpressungsmöglichkeiten?, oder trübe Flecken in der Vergangenheit? Niemand regt sich darüber auf, wenn die Biographien von unbekannten, Nicht-Prominenten ausgeleuchtet werden, das gehört zur Routine. Deshalb ist es normal, dass auch die Männer von möglichen Bundesrätinnen gecheckt werden. Das wäre die Aufgabe der Freisinnigen Partei des Kantons Zürich gewesen. Ständerat *Jagmetti* sagt, er sei *«in der*

Lage, alle Vorwürfe gegen Hans W. Kopp zu entkräften». Jagmetti hat gar nichts entkräftet, er hat den Untersuchungsbericht (1973) in Sachen Kopp nicht gesehen. Nationalrat *Bremi* hat ihn gesehen, vor zwölf Jahren, als Frau Kopp Erziehungsrätin wurde, ein schlechtes Gedächtnis erlaubt es ihm wohl, den Inhalt des Berichtes zu verdrängen. Nach zwölf Jahren geht halt einiges vergessen. Warum hat er den Bericht jetzt, 1984, nicht mehr konsultiert? Pure Faulheit? Oder Berechnung? Wollte man Frau Kopp ins Messer laufen lassen?

2. Die Ereignisse im Koppschen Büro deuten über Kopps Person hinaus, offenbaren einen Zürcher Filz, repräsentieren eine Portion Büro-Sozialgeschichte, Büro-Pädagogik, Büro-Abhängigkeiten, Büro-Miseren, Büro-Psychologie, Psychobüro. Kommende Psychiater werden sich vielleicht so intensiv mit den Büro-Abartigkeiten von Hans W. Kopp befassen, mit seiner interessanten Chef-Psychologie, wie Sigmund Freud mit dem Fall des Senatspräsidenten Schreber: So darf man hoffen.

3. Zum Vergleich. Wie hätte die Justizaufsichtskommission wohl entschieden, wenn ein linker Anwalt, *Rambert* zum Beispiel, der Missliebige, auch nur eine einzige Peitschung im Büro vorgenommen hätte? Die Anzeige wäre sofort erfolgt, die Untersuchung hätte nicht erst ein Jahr nach der Anzeige eingesetzt, die Strafe wäre definitiv gewesen: Entzug des Patents, lebenslänglich. Und wie hätte die Presse reagiert? Als Rambert seinerzeit von staatlichen Organen, ohne den kleinsten Beweis, der Waffenhortung und Begünstigung bezichtigt wurde, hat der TAGES-ANZEIGER diesen staatlichen Verdacht ohne die geringste Eigenrecherche gross auf die erste Seite geknallt. Bei Kopps hingegen, wo die Beweislage viel klarer ist, was z. B. ihre öffentlichen Vorgaukelungen und Gedächtnisschwächen betrifft, wird samtpfotig um den Brei herumgeredet.

*

Frau Kriesemer sagt, Kopp habe immer alle Untergebenen geduzt, während er partout gesiezt werden wollte. Das akzeptierten fast alle. Er habe seine Angestellten in eine grosse Abhängigkeit gebracht, bald mit Zuckerbrot, bald mit Peitschlein. Das Pfitzen wie das Duzen sei für ihn ein Herrschaftsinstrument gewesen. Es sei eine grosse Suggestion von ihm ausgegangen (andere werden sagen: seine Ausstrahlung war eigentlich dämonisch). So sei eine Hörigkeit geschaffen worden. Aber die Büro-Atmosphäre sei trotzdem exzellent gewesen. (Oder vielleicht deshalb?) Es sei ganz normal, dass niemand von den Gegeisselten gerichtlich gegen ihn vorgegangen ist (aussichtslos, weil kein Straftatbestand) und dass bisher alle dicht gehalten haben: Die Erniedrigung von damals zugeben zu müssen, sei auch heute noch Erniedrigung, weil ja damals alle einverstanden gewesen seien mit der Geisselung bzw. zum Einverständnis getrieben worden seien. (Und dann die soziale Stellung: Sie sind unterdessen Diplomaten- oder Architekten-Gattinnen geworden. Man erinnert sich nicht gern.)

Dr. Kurt Müller der heute noch im Büro *Wettstein/Müller* tätig ist, sagt, der Hans habe es auch bei ihm versucht. Einmal sei er, als Hauptmann im Generalstab, aus einem Generalstabskurs stracks ins Büro gekommen und habe ihm der Hans doch wirklich gesagt: *«Mach dich bereit, du hast Strafe verdient, heute gibt es Tätsch.»* Und obwohl Hans einen militärisch höheren Rang als Kurt bekleidete – er war Major im Generalstab –, habe er, Müller, das Ansinnen abgelehnt mit den Worten: *«Ischs dir ärnscht, unter Generalstäblern?»* Danach sei Kopp mit diesem Begehren nie mehr an ihn herangetreten. Der Junior-Partner Dr. Müller konnte sich besser wehren als die Sekretärinnen und der Substitut, er war ja auch etwas im Militär. Fitzen und gepfitzt werden – eine Frage der Hierarchie. (Vergleiche: «Surveiller et punir», Michel Foucault, Gallimard 1975.)

Dr. Müller sagt ausserdem, dass sich *Dr. Berger* (1974 gestorben) fast hintersonnen habe, als ihm diese Bambusstecken-Story zu Ohren kam. So etwas in seinem renommierten Büro! Er hatte nämlich Kopp auf den Rat von Professor *Werner Kägi* ins Büro aufgenommen und sei total erschüttert gewesen, dass der brillante, rasante, arbeitswütige, prächtige Starjurist *so etwas* habe machen können; und ihn dann sofort aus der Bürogemeinschaft eliminiert. Kopp hatte das besondere Vertrauen von Dr. Berger genossen, der ihm wegen seines Herzinfarkts die saftigsten Mandate zugehalten hatte (Esso etc.). Der sehr tolerante und anständige Dr. Berger sei nie ganz über diese Affäre hinweggekommen, habe lang gelitten, sagt seine ehemalige Sekretärin *Rosmarie Weber* (welche im übrigen die Angaben von Maya Kriesemer bestätigt, was auch die ehemalige Sekretärin *Maria* X. und *Irene* Y. getan haben). Berger sei lange Zeit niedergeschlagen gewesen. Zu Dr. Müller hat er damals gesagt: *«Wenn es wenigstens noch eine kommune Vergewaltigung im Büro gewesen wäre, das hätte man verkraften können, aber so etwas Abartiges ...»*

Dr. Marco Ronca war 1966 und wieder ab 1970 im Flagellanten-Büro tätig gewesen. Er sagt, Kopp habe seinen Hinauswurf gar nicht tragisch genommen, sondern eher von der spassigen Seite. Es habe ihm nämlich jegliches Unrechtsbewusstsein gefehlt. Geschäftlich sei es ihm nachher ja *noch* glänzender gegangen (zuerst Rämistr. 29/31, dann Kurhausstr. 28). Damals machte er seine erste Million. Zu dieser Zeit hat Dr. Kopp sukzessive den spanischen Finanzhai Muñoz, dann die von Muñoz ruinierte Schweizerische Spar- und Kreditbank juristisch vertreten, bevor der das Präsidium des Schiedsgerichts übernahm, welches zwischen Muñoz und der Spar- und Kreditbank vermitteln sollte. So war das oft mit Kopps Mandaten: Nacheinander Wolf, Schaf und Wildhüter. *Tota simul*, wie der gebildete Luzerner sagt. Man habe viel lernen können bei Kopp in fachlicher Hinsicht, sagt Dr. Ronca. Eine Sekretärin, die damals nicht mehr im Flagellanten-Büro arbeitete, habe ihn eher zufällig und beiläufig über die Geisselungen informiert. Das habe ihn dann schon sehr beschäftigt. Dr. Berger sei dann in Kenntnis gesetzt worden, aber habe sich nicht entschliessen können, die staatliche Aufsichtskommission über die Rechtsanwälte zu informieren. *Dr. Rübel*, Präsident dieser Kommission, sei dann endlich im Mai 1971 informiert worden, aber nicht von Jucker/Berger oder Partnern, sondern von ihm, Ronca, aber erst 1972 habe die Untersuchung eingesetzt, welche dann in einem sechsmonatigen Prozessführungsverbot für Kopp gipfelte. Ihn habe erschüttert, sagt Ronca, dass Kopp, welcher auf dem Hintern von mindestens einer Sekretärin blutige Striemen hinterliess, sein militärisches Kommando nur vorübergehend habe abgeben müssen und später doch noch zum Oberst befördert worden sei, samt neuem Kommando. Solche Geisselungen gelten wohl in Militärkreisen als Kavaliersdelikt (etwa wie Scheibenschiessen auf Frauen). Er frage sich, was das eigentlich für eine Armee sei.

Die Untersuchung betr. Hans W. Kopp wurde vom Staatsanwalt

Dr. Gerold Lüthy geleitet. Er erinnert sich auf Anfrage recht schnell, dass Kopp-Anwalt *Dr. Felix Wiget* ein sogenanntes *«Privatgutachten»* erstellen liess. Es handelt sich dabei um eine psychiatrische Expertise auf Veranlassung des Beschuldigten, die laut Lüthy von *Dr. Manfred Bleuler* (eine Kapazität) erstellt wurde. Dieses Gutachten, so Lüthy, habe jedoch bei der (Disziplinar-) Strafzumessung keine Rolle gespielt. Die *Akten* liegen beim Obergericht, sie müssen dort dreissig Jahre aufbewahrt werden. Der *Entscheid* wurde Dr. Wiget zugestellt. Akteneinsicht ist im Prinzip unmöglich. Eine Ausnahme kann gemacht werden, wenn fünf von sieben der Mitglieder der Aufsichtskommission dafür sind und *«ein höheres, insbesonders staatspolitisches Interesse vorliegt»* … Gerüchte, wonach die beim Obergericht liegenden Akten vernichtet wurden, lassen sich nicht überprüfen. *Dr. Theodor Müller* der jetzige Kommissionspräsident, sagt nur: *«Die Akten* müssen *hier sein.»* Ob sie sich wirklich dort befinden, hat er nicht nachgeprüft.

Dr. Felix Wiget will nichts sagen, Dr. Manfred Bleuler auch nicht. Dürfen sie auch nicht. Sind beide ein bisschen barsch und kurz angebunden. (An der kurzen Leine des Anwalts- resp. Arztgeheimnisses angebunden.)

Dr. iur. Wettstein, weiland einer der Partner von Kopp, will fast nichts sagen, ausser: *«Kopp hat sich auf* unsere *Veranlassung vom Büro getrennt.»* Maria X., damals Sekretärin, sagt, fünf oder sechs Leute seien insgesamt «drangekommen», bambussteckenmässig. Das Büro Wettstein/Müller ist auf Gesellschaftsrecht, Steuerrecht, Handelsrecht spezialisiert, Herrn Wettstein ist die Sache peinlich, die Kopp-Affäre könnte, auch heute noch, dem Geschäftsgang schaden; darum will er schweigen. Und Kopp ist (immer noch – wie lange noch?) ein mächtiger Mann und Konkurrent. Den muss man vielleicht immer noch fürchten. Aber es reden genug andere, wenn man zuerst ein paar Lockerungsübungen mit ihnen macht.

Ronca erinnert sich: Es sei im Büro immer gewitzelt und gelacht worden – er habe den Witz aber damals noch nicht verstanden –, wenn im Büro vom Sad die Rede gewesen sei. Kopp war damals Präsident des Schweiz. Aufklärungsdienstes, abgekürzt SAD, und die Sekretärinnen hätten Kopp oft *den Sad* genannt; eine Beziehung zum Marquis de Sade habe er, Ronca, damals noch nicht etablieren können, weil ihm ja anfänglich die Sado-Maso-Geisselungen unbekannt gewesen seien. Kopp habe bei neueingestellten Sekretärinnen nie sofort zugeschlagen, sondern monatelang ein Vertrauen aufgebaut, sich väterlich nach dem Privatleben erkundigt – «Vreni, warum bisch du hütt so bleich? Chann ich dir villicht echli hälfe? Häsch sicher Problem mit em Fründ?» – und habe ihnen dann nach und nach erklärt, dass er mehr bieten könne als nur eine fachliche Ausbildung, nämlich charakterliche Festigung biete er ihnen an, «wenn du möchtisch, Vreni, chann ich dir echli hälfe», und die Hilfe habe dann in der Zerknirschung, anschliessend in der Züchtigung gegipfelt.

Ein früher Buñuel («Journal d'une femme de chambre», aber mit umgekehrten Rollen). So etwas sieht man sonst im Film, nicht in zürcherischen Anwaltsbüros. Es ist deshalb abwegig, wenn man Kopp vorwirft, er habe bei Mireille (der Sado-Maso-Hur der besseren Kreise) verkehrt. Hat er vermutlich nicht, ist auch wurscht, er hat im Gegenteil selber ein bisschen Mireille gespielt, aber gratis, und allerdings mit einfacheren Requisiten, ohne Zahnarztstuhl, aber mit viel feineren psychologischen Instrumenten. Lust durch Qual. Das ist ein altes Spiel, ein barockes, und er ist ja auch kein Zürcher, sondern kommt aus dem barock-katholischen Luzern. Dominus, nicht Domina.

*

Was sagt Kopp dazu? Er hat sich nach seinen Unschuldsbeteuerungen im BLICK (Seite 1 + 2, ein dichtes Lügengeflecht) nach Italien verkrümelt, vermutlich an den Gardasee in die Villa, welche der Familie Iklé gehört (Kopp-Iklé). Nach 25 vergeblichen Versuchen kann am vierten Tag der Recherche ein telephonischer Kontakt hergestellt werden. *«Pronto»*, und er habe keine Zeit, werde dringend an einer Juristentagung erwartet. – Ob es also stimme, dass er diverse Untergebene übers Knie genommen und gepeitscht habe? *«Peitschen»* sei der falsche Ausdruck, und *«diä Sachä»* lägen heute soweit zurück, aber so etwas ähnliches sei eventuell vielleicht einmal ausnahmsweise passiert, und seien *«diä Sachä»* nie ohne Einwilligung der Betroffenen geschehen. – Warum er den Entscheid der Untersuchungskommission nicht herausrücke, damit könnte er doch die sogenannten Gerüchte sofort dementieren – er wisse nicht, ob seinem Anwalt dieses Papier überhaupt zugestellt worden sei bzw. ob er es noch besitze. Er wolle die *«Persönlichkeitssphäre der andern»* (d.h. der Gepfitzen) respektieren und darum nichts veröffentlichen und auch keine Akteneinsicht beim Obergericht verlangen.

Dann musste er dringend an die Juristentagung.

PS: Das Staunen des Journalisten am Ende der Recherche: über die Frauen, die sich solche Züchtigungen gefallen liessen. Über die Journalisten, welche sie nicht erwähnenswert finden. Oder ist das allgemein gebräuchlich? Hat Kopp nur körperlich sichtbar gemacht, was in vielen andern Büros als psychische Misshandlung praktiziert wird? Kann das Büroleben ohne sadistische Praktiken überhaupt funktionieren?

Nachdenken über Kopp. Hat er nur weitergegeben, was er selbst empfing in seiner Jugend? Was ist ihm damals eingebläut worden? Der Journalist erinnert sich, dass er Hans W. Kopps Vater 1973 kennen gelernt hat und dass er nachdenklich geworden ist, als dieser ehemalige Stadtpräsident von Luzern mit Behagen erzählte, wie SAUBER die Hinrichtung von Landesverrätern, die er als Oberst leitete, abgewickelt worden sei, und wie er nachher DIE BESTE ZIGARETTE SEINES LEBENS geraucht habe. Kopp senior sagte damals dem Journalisten, er stehe mit seinem vollen Namen für diese Äusserungen ein, man solle doch den Namen Kopp in der Reportage nicht durch ein Pseudonym ersetzen, er sei stolz auf die perfekte Organisation der Hinrichtungen. Auch übergab er dem Journalisten ein Hinrichtungsprotokoll, das mit seinem Namen unterzeichnet war. In der Reportage (vgl. «Die beste Zigarette seines Lebens») figurierte Kopp dann als Oberst Koller; weil die andern Auskunftspersonen wünschten, dass ihr Name geändert werde, wollte die Redaktion für Kopp keine Ausnahme machen. Es dürfte legitim sein, den Wunsch von Kopp sen. jetzt zu respektieren und das Pseudonym zu lüften. Und man kann sich fragen, ob die kleinen Exekutionen, die Hans W. Kopp mit seinen Sekretärinnen und Substituten inszenierte, und die Freude, die er darob empfand, weit von der Lust entfernt waren, welche die regelrechten Hinrichtungen seinem Vater bereiteten.

In Hüttwilen

In ländlichen Wirtschaften, wo herkunfts- und denkmässig ganz unvereinbare Menschen nicht selten an den gleichen Tisch zu sitzen kommen, erlebt man doch immer wieder gefreute Einrichtungen, die dem Städter nicht mehr vergönnt sind, und sollte man sich deshalb regelmässig auf dem Land verköstigen, besonders im hablichen Thurgau, also vielleicht in der «Sonne» Hüttwilen, welche für die Artillerieobristen aus Frauenfeld per Auto nur fünf Minuten entfernt ist, während einer wie ich, der in der Kartause Ittingen bis vor kurzem Unterschlupf hatte, vier Minuten brauchte. Wenn man an einem günstigen Abend in der «Sonne» getafelt hat, verblassen all die subventionierten Theaterstücke im «Neumarkt», vom Schauspielhaus wollen wir nicht reden, zu einer dünnen Suppe. In der «Sonne» wird unsubventioniert gespielt, und besser. Die Leute tragen ihre eigene Rolle vor. Regie führt der Zufall.

Item, da war eines Abends im Spätsommer besondere Bewegung und Geläuf in der Wirtsstube. Allerhand Uniformen raschelten, am Nachmittag war Inspektion gewesen. Ein Geruch von Kampfer, Wilchinger und Gewehrfett. Unser sechs Zivilisten oder sieben, Studenten, Maler usw., hielten einen Tisch besetzt. An der Wand noch drei Plätze frei. Hinter uns ein rundes Tischchen mit sorgfältig gekleidetem Ehepaar in den Fünfzigern, vorn beim Eingang der ebenfalls runde Stammtisch mit Soldaten und Gefreiten. Tenüerleichterung. Es ist schon einiges getrunken worden, und umgekehrt ist schon manches aus den Gurgeln herausgekommen. Männergesang, Männerphantasien. Das-schwarz-braune-Mädel-das-war-allein-Zuhaus' u. dergl.

Tritt ein Oberst durch die Tür, unvermittelt. Kurze Stille, dann kräftiges Hallo, sali sali Alois! Ein Gefreiter in den besten Jahren steht auf, nimmt seine Mütze, zieht dem Obersten die Kopfbedeckung ab, setzt ihm die eigene weiche Mütze auf und sich selbst den gesteiften Hut des Offiziers. Nach kurzem Zögern grinst der Oberst, aber vorsichtig. Die kostbaren Thurgauer, Prominenz aus Wirtschaft und Politik, welche nebst einfachem Volk auch hier essen, lassen ihre Mienen gefrieren und stochern im Essen. Die andern lachen, jedoch leicht gehemmt. Jetzt geht ein Trennungsstrich durch die Wirtschaft. Der Gefreite, dem nur im Zustand der Besäuselung ein Mützentausch und brüderschaftliche Umarmung nach oben gelingt, bemerkt die Dissonanz im Raum, sie wirkt auf ihn zurück, er repariert die Hierarchie, sitzt wieder ab, und der Oberst sucht einen Platz.

Ein solcher aber war bei uns noch frei. Der Oberst nähert sich vorsichtig, mustert uns leicht feindselig, wie wenn wir etwas gegen die Armee hätten, man kriegt den Eindruck: Er sichert, wie man im Militär sagt; nähert sich trotzdem unaufhaltsam mit einem Gesicht, als ob er nächstens, wie es vom appenzellischen Obersten Sonderegger* verbürgt ist, sagen würde: ICH MÖCHTE DEN SEHEN, DER MEIN PANZERREGIMENT ZERSCHLÄGT! Sagt aber nur: ISCH ES GESCHTATTET? und sitzt relativ schnell ab.

Da sass er nun. Wir hatten zwar noch nicht geschtattet, aber es war uns trotzdem recht. Der Oberst schoss sofort los: Wir hätten das Heu bestimmt nicht auf der gleichen Bühne, aber deshalb könnten wir es trotzdem gemütlich haben. Dem widersprachen wir nicht. Hinter uns beginnt das sorgfältig gekleidete Ehepaar lustig zu zwinkern, der Herr, Geschäftsleiter in einer frauenfeldischen Textilfabrik, beugt sich zu uns herüber, dergestalt, dass ihn der Oberst nicht sehen kann, und flüstert hinter vorgehaltener Hand: Der Carnier ist auch nicht der Hellste! Und wissen Sie, ich stehe der Armee auch kritisch gegenüber! Das Zwinkern und Flüstern kommt nur, wenn sie nicht in des Obersten Gesichtsfeld sind; sonst steinerne Miene.

Wir laden die beiden an unseren Tisch, schnelle Dislokation. Nun sitzt die Frau dem Oberst gegenüber, zwischen beiden der Militärhut auf dem Tisch. Ich möcht den Hut auch gern mal auf dem Kopf haben, bin aber zu weit entfernt und mach' also der Frau ein Zeichen. Den Obristen kann ich nicht gut bitten. Sie nähert ihre Finger dem Gegenstand, zuckt zurück, kommt wieder in die Nähe mit der Hand, der Hut scheint elektrisch geladen, es will der Hand partout nicht gelingen. Der heilige kultische Hut bleibt unberührt,

* Der an der Universität Zürich auch noch als Professor funktioniert. Den Panzerregiments-Zerschlagungs-Spruch pflegte er während der Vorlesungen zu machen.

und die Madame sagt ganz blass: Nein, das kann ich nicht. Eigentümliche Kraft der Goldberänderung!

Der Oberst seinerseits wurde jetzt immer redseliger, erzählte von Manövern, von der Ertüchtigung seiner Rekruten; hart, aber gerecht, davor haben die jungen Pörschtli Respekt. Keine Disziplinarprobleme, die meisten sind gefreut. Keine Linken mehr, von denen man etwas merkt, die Zeiten der Flugblattverteilung seien vorbei. Man wisse aber schon, wer links sei, und diese behalte man im Auge, für den Fall. Und im Krieg, was macht dann die Armee mit den Linken, wollten wir wissen. Das ist doch klar, sagt der Oberst, dann werden wir sie konsternieren. Wie dürfen wir das verstehen, wurde gefragt; wir hatten das Verb in seiner transitiven Form noch nie kennengelernt. He, natürlich so in Lagern zusammenfassen, eben konsternieren. Die Pläne seien gemacht.

Einigermassen beruhigt über die Aussicht, im Krieg wie im Frieden zusammenbleiben zu dürfen – die Frage war immerhin: Werden die Frauen gesondert konsterniert? Oder gibt es gemischte Konsternationslager? –, ist unsere kleine Gruppe aufgebrochen. Der Oberst war vorher schon gegangen. Sein Gefreiter hatte ihm nicht mehr den Hut vertauscht. Und das ältere Ehepaar hatte nicht mehr gezwinkert. Und ein paar Tage später konnte man in der «Thurgauer Zeitung» lesen, unter dem Titel: «A wie Artillerieobristen – privat gesprochen», dass Oberst Alois Carnier nicht irgendeiner ist, sondern immerhin Waffenplatzkommandant von Frauenfeld (als er «konsternieren» sagte, mehrmals, hat er nicht gelächelt).

Ausser ihm gibt es noch den Obersten Hans-Rudolf Ammann und den Obersten Kurt Graf in Frauenfeld. Jeder der drei Offiziere wurde von der «Thurgauer Zeitung» (4. August 1978) unter gesondertem Untertitel abgehandelt. Für Carnier hiess die Überschrift: «DER GEMÜTLICHE».

Jagdgespräch unter Tieren

oder: Besprechung der waidmännischen Qualitäten des Nimrods und Chefredakteurs Fred Luchsinger durch die von ihm gejagten Kreaturen, mit bescheidenem Exkurs in sein Berufs- und Clubleben; oder Festschrift für das 10jährige Bestehen von F.L. als Chefredakteur (1968–1978); oder Unrast im Walde.

Wir befinden uns im Unterholz des schönen Jagdreviers von Rafz im Zürcher Unterland, hart an der deutschen Grenze. Ein begnadetes Gebiet mit reichlich Schalenwild und Raubwild, aber fast ohne Flugwild. Es sind an Wildbretarten vertreten: Reh, Wildschwein, Sika-Hirsch, Has, Fuchs, Dachs, Steinmarder, Edelmarder, Iltis. Durch die Unbill der Witterung gedrängt, kuscheln sich im Jungtannendickicht völlig unvereinbare Tierarten aneinander, nämlich das Wildschwein Fridolin und das Reh Mirza, und verwickeln sich in einen Disput:

Fridolin: Ich hör's knirschen im Schnee. Ob er heut wohl kommt und wir uns einen Schranz lachen können, wenn er wieder danebenbumst trotz Zielfernrohr?

Mirza: Heut ist Freitag, da schreibt er den Leitartikel für den Sonntag, heut jagt er mit der Schreibmaschine, es ist Ruhetag für uns.

F: Ich hör' es aber knirschen.

M: Deine Witterung lässt nach, hier riecht es deutlich nach Schmidheini, der riecht viel milder als Luchsinger. Schmidheini hat den leicht schmiedeisernen Escher-Wyss-Geruch, dort ist er Verwaltungsratspräsident. Er präsidentelt auf vier Kilometer gegen den Wind.

Man hört den Schneewind im Walde pfeifen.

F: Deine undifferenzierten unausgewogenen Nüstern bringen alles durcheinander. Hier riecht es höchstens, wenn schon nicht nach

Luchsinger, dann nach Dr. Rudolf Blum, Patentanwalt und Bildersammler. Auch in Anbetracht der infinitesimal zarten Erschütterungen des Bodens schliesse ich auf den bewährten Leisetritt von Dr. Blum.

M: Vielleicht sind alle drei gemeinsam auf der Pirsch, wie's auch schon vorkam, seit sie unser Revier gepachtet haben zusammen mit dem trefflichen Hans Schweizer von der Finanzverwaltung und seinem Bruder, dem Förster. Hast du übrigens die Erklärungen gehört, die Herr Schweizer dem Radio abgegeben hat in bezug auf das Wesen der Jagd im allgemeinen und die Schönheiten unseres Rafzer Reviers im besonderen? Ich hätt' hier eine Tonbandaufnahme.

F: Also bitte.

Originalton Schweizer: Da in dem Jagdrevier sind wir fünf Pächter, also der Generaldirektor von einer bedeutenden Firma, ein Rechtsanwalt, einer ist der Chefredaktor einer bedeutenden Zeitung, dann ich, und der Bruder, der hier Förster ist – dann haben wir auch Jagdgäste, einen Grenzwächter von hier, einen Wirt, und haben wir weitere Jagdgehilfen, die sogenannten Treiber, das sind Bauernsöhne, auch andere Berufsgattungen. Das ist dann immer einer der Höhepunkte der Herbstjagden, wenn da die Pächter mit den Gästen und Treibern zusammen sind. Das ist dann wie die Verschmelzung eines höheren Standes mit einem tieferen Stand, eine Verschmelzung, wo dann keine Grenzen mehr vorhanden sind. Der Generaldirektor macht Witze mit dem Hilfsarbeiter, gegenseitig, man lacht miteinander, man ist an einem Hasenfeuer, und eine Gemütlichkeit.

M: Was du im Hintergrund ticken hörst, ist die gediegene alte Uhr im Restaurant «Kreuz», wo das Gespräch stattfand.

Schweizer: Und die Leute aus der Stadt, eben so ein Generaldirektor oder so, für die bedeutet die Jagd in dieser Beziehung sehr viel, sie können sich lösen von ihren Verpflichtungen in der Stadt, aus dem Rahmen, wo sie einfach hineingesetzt sind, kommen wieder einmal heraus, kommen mit dem Volk zusammen, mit der Landbevölkerung, und das suchen die Leute, und das tut ihnen gut, hä. Das ist aber auch allgemein von grossem Wert, indem dass einfach die Distanzen von der

Landbevölkerung zur Stadt und zu bedeutenden Leuten in der Wirtschaft, indem diese Distanzen dann nicht gross sind, man kennt den Mann, das ganze Dorf kennt ihn und sieht, das ist einer, mit dem kann man reden, einer, der sich mit allem abgibt. Da kommt bei der Jagd etwas zum Ausdruck, das es sonst kaum mehr irgendwo gibt, und das ist sehr wertvoll, eine Art von Volksgemeinschaft, einfach keine Distanz mehr von Schicht zu Schicht.

F: Wir Tiere im Rafzer Revier sind stolz, dass wir für F. Luchsinger sterben und ihm ein bisschen Volksgemeinschaft ermöglichen dürfen und einen Spaziergang von Schicht zu Schicht, denn er führt ein hartes Leben im Dienste der NZZ und muss sich ungesund hierarchisch gebärden im Rahmen, wo er einfach hineingestellt ist.

M: Bis all die Konkurrenten ausgeschaltet waren, welche auch Chefredaktor werden wollten, da war mancher Blattschuss nötig, Bieri, Reich, Müller etc.

F: Eine erkleckliche Jagdstrecke, fürwahr – schon allein der Kampf um die Macht im eigenen Betrieb war eine aufopfernde Sache, immer die Manuskripte zum vormaligen Chefredaktor Bretscher bringen und dann ganz zusammengestaucht wieder hinter sein Pültchen sitzen, bis der Bretscher unsern Luxi als Nachfolger ins Auge fasst, das gibt einige Prellungen und Quetschungen im Charakter. Vom unablässigen Krieg gegen die Linken ganz zu schweigen, da können auch starke Naturen einen Herzinfarkt kriegen davon, und wenn der Herzinfarkt dann kommt, darf es vorerst niemand wissen im Betrieb, wegen dem Machtvakuum, die Krankheit als Staatsgeheimnis wie bei Pompidou, heilandsack, von diesem anstrengenden Taktieren kann's wieder einen neuen Infarkt geben.

Man hört den Totenvogel schreien im Rafzer Wald.

M: Das schlägt alles noch nicht auf die Galle. Richtig bitter wird so ein Chefredaktor erst, wenn er für sein hartes Tagwerk einheimsen muss den Undank der Intellektuellen und er z.B. lesen muss auf Seite 225 in der Gesamtausgabe eines sattsam bekannten Schriftstellers, Band IV, folgenden Passus; und erst noch im Suhrkamp-Verlag:

Was man so in einer Kur alles tut! Seit einer Woche täglich die NZZ, Neue Zürcher Zeitung und «Schweizerisches Handelsblatt», 109. Jahrgang, gelesen ... Kann man sagen, dass diese Zeitung lügt? Man kann nicht sagen, dass ihre Zeitung lügt. Sie verhindert nur täglich die Aufklärung. Man gibt sich in der Aufmachung so langweilig wie möglich, das wirkt seriös. Es überträgt sich auf den Leser, sie kommen sich seriös vor, schon wenn sie die NZZ in der Hand halten. Ihre Mienen, wenn sie lesen: noch seriöser. Ab und zu ein kleiner Rufmord, humorig oder gediegen durch Herablassung; nur wer den Fall genauer kennt, sieht die Gemeinheit.

F: Wer schreibt so gottesjämmerliche Sachen?

M: Der Mann heisst Frisch und hat's im Gegensatz zu Major Luchsinger, welcher unter Oberst Henchoz in der Luftwaffe diente, nur bis zum Kanonier gebracht, wurde auch nie Chefredakteur, was seine Staatsverdrossenheit hinlänglich erklären dürfte. Die NZZ schlägt man, und den Staat meint man. Der Mann wurde auch nie in den Rotary-Club aufgenommen wie unser Luxi.

F: Der hat auch nie die Männerkameradschaft im Wald erlebt und insbesondere nie eine Treibjagd veranstaltet.

> Schweizer: Ja also die Treiber, die gehen dann einfach durch die grossen Einstände hindurch, durch die Dickichte hindurch, und chlöpfen an die Bäume, und so wird das Wild aufgescheucht und verlässt dann das Dickicht, und aussen herum sind die Jäger aufgestellt, und die sehen dann das Tier herauskommen, und je nachdem schiessen sie oder schiessen nicht, da gibt es auch wieder strenge Vorschriften vom Jagdleiter, der sagt vorher, ob geschossen werden darf, man erinnert die Leute immer wieder an die Distanzen: schiesst ja nicht zu weit – die Jäger müssen auch aufeinander aufpassen, dass nicht der eine den anderen anschiesst, hä, man kann also nicht einfach pfeffern gehen, wie man gern möchte, man muss auf Verschiedenes Rücksicht nehmen. Das ist Charaktersache.

F: Nur starken Charakteren gelingt es, sich im Leben derart durchzuhacken und in der Jagd gegen die ungesunden Elemente so durchschlagende Erfolge zu haben wie unserem Luchsinger. Möchte hier verweisen auf den Artikel zum letzten Jahresende, mit dem Titel «Zehn Jahre nach dem Aufruhr», der in Tierkreisen allgemeine Beachtung gefunden hat:

> (Originalton NZZ-Luchsinger): International organisiert – und wie man heute weiss, teilweise von Hanoi aus ferngesteuert – war die Kampagne gegen Amerikas Engagement in Vietnam. (…) Was sich in der Folge ergab, war jedoch eine Art Generalprotest gegen Ordnung, Struktur, Werte, Tabus der Gesellschaft schlechthin. Protest mit Castro-Bärten, Seegrasfrisuren, Verwahrlosungslook, mit Wohnkommunen, Fäkaliensprache und allem, was man sich ausdenken konnte pour épater les bourgeois.

M: Das ist konsequent gesprochen und treffsicher dazu. Es ist immer ein Erlebnis, wie dieser schmucke, strikt gekleidete Mann im Leben draussen die gleiche Funktion ausübt wie hier im Wald, er räumt auf und hält die Natur im Gleichgewicht, wie sein Jagdkumpan Hans Schweizer richtig sagt:

> Schweizer: Und in erster Linie ist also wichtig, dass der Jäger das Tier schätzen tut, weil er eine Beziehung zu ihm hat. Er hat, seit der Wolf aus unseren Gegenden verschwunden ist, dieselbe Funktion wie der Wolf früher, welcher Schalenwild, Hirschwild etc. einfach in Schranken gehalten hat, damit sie sich nicht allzu stark vermehrten. Man kann also sagen, der Jäger ist der moderne Wolf. Der Wolf hat ja auch immer eine gewisse Auslese gemacht, wenn er Tiere hetzte, vertwütschte er immer das kränklichste oder schwächste Tier oder kranke Tiere, er muss diese immer ausmerzen, von den jungen muss auch eine gewisse Anzahl weg, wenn man die Jungen alle leben liesse, dann gäbe das eine Altersgliederung in so einem Bestand, die falsch wäre, das muss schön abgestuft sein, so und so viele Jungtiere, so und so viele im mittleren Alter und dann ganz alte.

F: Wir haben Glück, dass nur kultivierte Herren uns bejagen und die Ordnung im Walde aufrechterhalten, gozeidank ist die Volksjagd seit anno 1929 abgeschafft, es kommen nur noch Herren in Frage, die pro Jahr so circa Fr. 3000.– für unsere Tötung auslegen können, zum Beispiel die Familie Schwarzenbach, Textil, von welcher dann Schmidheini das Revier übernommen hat, welcher dann Luchsinger nachgezogen hat zu uns in den Wald. Auch unsere Verwandten auf dem Ottenberg sind stolz, im Wald ob Weinfelden, die werden gar von Bührle gejagt und seinem Kumpan Gygli, dem ehemaligen Generalstabschef.

Schweizer: Es braucht eine Kultur. Auch die Bevölkerung auf dem Lande draussen muss ja im Jäger jemanden sehen, vor dem man Achtung haben kann. Sobald da Leute auf die Jagd gehen, die sich in so einer Gemeinde ungebührlich würden aufführen, etwa Süffel oder solche mit anderen Charakterdefekten, da würde sofort das Ansehen der Jagd darunter leiden.

M: Es war unserm Luxi nicht an der Wiege gesungen, dass er Jäger werden sollte. Er hat ganz unten angefangen im Leben, der Vater war Bähnler im garstigen Sankt Gallen –

Der Wind pfeift, krächzende Rabengeräusche im Wald.

und hat sich sein Sohn hinauffletschen müssen mit geschärften Hauern, und ist ihm nach entsagungsvollen Lehr- und Korrespondentenjahren in Bonn, wo er mit Adenauer, dem unvergesslichen Fuchs, eine derart gute Beziehung hatte, dass dieser immer die NZZ zitierte – ist ihm wie gesagt gelungen, sein bescheidenes Herkommen zu vergessen und sich ganz oben einzuschmiegen in der Gesellschaft, und hat dabei manch goldene Elemente seines Naturells abkoppeln müssen, um einen schnittigen Charakter zu bekommen, wie sein ehemaliger Mitarbeiter Martin Schaub beobachtete, der auch mal bei der NZZ schaffte:

Schaub: Und übrigens, was die Humorlosigkeit und auch eine gewisse Überheblichkeit betrifft, die ich ganz persönlich erfahren habe – der hat mich einfach nicht mehr gekannt, wenn man sich zufällig mal getroffen hat, dä hät nume no so glueget. Er tut ganz gezielt hierarchisch grüssen, er kennt mich nicht mehr. Das ist etwas, was einem auffällt, wenn einer nicht mehr grüezi sagt, bei den Gelegenheiten, wo man sich zufällig sieht, wenn zum Beispiel ein Film über Nazismus kommt oder so, dann kommt also der Cattani, der Schlappner und der Luchsinger, und dann stehen sie zusammen, und man wird nicht gegrüsst. Bei der Ernennung zum Chefredaktor haben natürlich die anderen Redaktoren nichts zu sagen, das ist wie bei einer Papstwahl, weisser oder schwarzer Rauch, gewählt oder nicht gewählt. Das Chefredaktorenbüro ist jenes grosse, nicht viereckige, sondern sechseckige, mit dem Erker, von wo man auf den Sechseläutenplatz hinaussieht, schon ein schönes Büro.

F: Sein Büro übertrifft alle andern, denn die Büropracht hat ihren hierarchischen Zweck. Die zeichnenden Redaktoren haben Anrecht auf Spannteppiche und Vorhänge bis zum Boden, die andern müssen teppichlos leben und Vorhänge nur bis zur Fensterbank. Darum kann sich unser Luchsi in diesem Haus nicht entspannt geben, jedoch im Rotary-Club darf er einmal pro Woche seine lang unterdrückte Humanität entfalten, da ist er unter sich, und die andern sind auch da, alle gleich hoch, jeweils ein *top-man* aus jeder Branche, wie Pfarrer Vogelsanger sagt. Dieser repräsentiert die Theologie, Heinrich Oswald die Suppenindustrie, obwohl dieser jetzt in eine andere Branche hinübergeschlüpft ist, nämlich ins Pressewesen, und die beiden Jagdkumpane Schmidheini und Blum sind auch in diesem Club gewerkschaftlich organisiert, und zwar beileibe nicht etwa in der Sektion Zürich-West oder Zürich-Nord, sondern in der Sektion Zürich schlechthin, welches die erlesenste ist im Lande weitherum, Charternummer 1734, Distrikt 200. Da wird nicht jeder goutiert, der Mitgliederbestand liegt konstant bei circa 110 Stück. Bührle senior wurde nicht aufgenommen, der Reklamepatriot Rudolf Farner auch nicht, beide aus ethischen Gründen, und auch Bührle junior wurde nicht akzeptiert, hat nur seinen Angestellten Bruno Mariacher delegieren können. Man kann ja nicht kandidieren für den Rotary-Club, sondern nur auf geheimnisvolle Weise hineingezogen werden von denen, die schon drinnen sind.

M: Also Sprüngli ist drin und Edmond de Stoutz und de Weck von der Bankgesellschaft und Radiochef Gerd H. Padel und Luk Keller von der Kreditanstalt, zugleich Verwaltungsratspräsident der NZZ, aber hingegen werden keine Frauen aufgenommen und fast keine Juden und Katholiken. Und wird also jeden Freitag von viertel nach zwölf bis Schlag zwei zusammengehockt im Hotel «Carlton Elite», zuerst der einfache Lunch und dann immer ein Vortrag im Sinne der Horizonterweiterung; auch einfach.

F: Da war der berühmte Klassifikationsvortrag von Ringier-Chef Oswald über die Suppenindustrie und der beachtliche Exkurs von «Tages-Anzeiger»-Inhaber Otto Coninx über seine Grönlandreise, und natürlich der Überschall-Höhenflug unseres Luchsingers über Wesen und Funktion der NZZ, und sogar ein zweiter *speech* von ihm über Amerika, über was auch sonst. Es wird immer auf bereichernde Art geluncht im Club, der auf sein Banner geschrieben hat: «Unser Ziel ist Dienstbereitschaft im täglichen Leben», wie es in den Statuten heisst, und weiter im Absatz eins: «... durch Pflege der Freundschaft als einer Gelegenheit, sich andern nützlich zu erweisen.»

Wind- und Tiergeräusche im Wald.

M: Die Nützlichkeitserweisung im täglichen Leben, der diskrete Freundschaftsdienst werden konsequent gehandhabt. Kein Tag ohne eine gute Tat! Da kann es etwa passieren, dass ein Rotarier wie Luk Keller von der Kreditanstalt am 25. Juni 1977 einen bösen Artikel von Herrn Blancpain über die Kreditanstalt in der NZZ lesen muss, es stand dort zum Beispiel: «In der Substanz jedoch fiel die Generalversammlung dürftig aus.» Schon am 28. Juni 1977 war jedoch der Schaden behoben, die Brüderlichkeit funktionierte, und der Rotarier Luchsinger schrieb ein «Nachwort zur Generalversammlung der Kreditanstalt», worin diese Bank wieder in ein schönes Licht gerückt wurde. Und wenn der Rotary-Bruder Vogelsanger unbedingt einen Nachruf in der NZZ plazieren will, ist Dr. Luchsinger immer willig. Auch der Redaktor Oplatka, weiland Kultur, jetzt Paris, hat solche Erfahrungen machen dürfen, dass ihm unerwünschte Artikel, die er an den Absender zurückschickte, von oben wieder in die Zeitung hineingebumst wurden; und sind all diese Leute dann ihrem Chef dankbar für die starke Hand und das Zurechtrücken der Massstäbe.

Hartes Bise- und Windgeräusch im Wald.

F: Es wäre aber Verleumdung, zu behaupten, nur Rotarier hätten direkten Zugang in die NZZ. Es können auch andere Berühmtheiten sein. Als eine harte Kritik über Elsie Attenhofers neues Kabarett kürzlich in der NZZ erschien, ging Elsie sofort zu Fred ins sechseckige Büro, und Fred schrieb einen lobenden Artikel über Elsie.

Der Lokalchef Zimmermann hatte den gefährlichen Mut, diesen Chefartikel quasi aus der laufenden Maschine zu reissen und sich bei Luchsinger über diesen Eingriff in sein Ressort zu beschweren, worauf er zurechtgewiesen wurde, dass man es weit im Hause herumschallen hörte. Der Artikel kam dann nicht, ein Novum, das eine gefährliche Entwicklung in der Zeitung einleiten könnte, dafür kamen dann an einem Samstag Texte von Elsie A. abgedruckt in der Wochenendbeilage, auf Veranlassung unseres Jägers. Ein demokratischer Kompromiss, der zu Weiterungen führen könnte. Wehret den Anfängen! Wohin kämen wir, wenn ein Chef seine eigenen Artikel nicht mehr publizieren darf.

M: Möchte gerne wegkommen von diesen Querelen und zurück zum Club, ein Fingerzeig auf seine gesellschaftlichen Anlässe. Nicht alles ist berufsbezogen, die Gemütlichkeit fordert auch ihren Tribut. Es gibt die sog. Kameradschaftsabende und notabene die unterhaltenden Anlässe mit Damen. Als Edmond de Stoutz Programminister war, oder war es unter Pfarrer Vogelsanger, wurde ein Ausflug unternommen ins Selegermoor mit Augenschein in der dortigen Rhododendrenzucht und anschl. Nachtessen, aber ohne Überbordung.

F: Überhaupt auf gute Sitten wird ein Augenmerk gerichtet. Überschwängliche Mitglieder können ausgeschlossen werden, zu welcher Massnahme aber seit 1958 erst dreimal gegriffen werden musste. Einer musste gehen wegen unehrenhaften Geschäftsverhaltens, d.h. Konkurs. Ein anderer, weil er die Präsenzzeiten im Hotel «Carlton Elite» nicht respektierte. Und der dritte, weil er einem anderen Rotarier «die Frau ausgespannt hatte», wie Pfr. Vogelsanger einem Reporter wörtlich erklärte. Hätte er doch einem Nicht-Rotarier die Frau ausgespannt, er wäre heute noch im Club.

M: Und noch ein Punkt: Politiker dürfen nicht in den Club eintreten. Die Rotarier sind streng apolitisch, die wissen nämlich, wo die wirkliche Macht beheimatet ist. Es steht den Politikern jedoch frei, durch Pflege der familiären Beziehungen die Berichterstattung über ihre Tätigkeit in der rotarisch gefärbten Presse zu verbessern. So ist Stadtpräsident Dr. Sigmund Widmer denn auch Pate geworden bei einem Sohn von Herrn Dr. Luchsinger, und die Artikel über die Regierung des Sigi sind also wirklich einfühlsam geschrieben in der NZZ und in den zartesten Färbchen. Wer sollte dem lieben Götti Schwierigkeiten machen, pfui. Aber das ist vielleicht doch undifferenziert gesprochen, denn die NZZ war ja ganz gegen den Sigi am Anfang, weil Redaktor Dr. Bieri, der Freisinnige, nicht Stadtpräsident geworden ist, nachdem er diesen Posten erstrebte, weil er nicht Chefredaktor werden konnte; da hat die NZZ dem frischgebackenen Widmer oft diskret auf die Finger geklopft, bis er dann immer mehr wie ein Freisinniger sich gebärdete. Da musste die Tante nicht mehr schimpfen, und heute ist alles eine Harmonie.

F: Soll jetzt nur nicht der Eindruck entstehen, unser Luchsi habe gar keinen Sinn für Charme und sei immer militärisch kurz angebunden, auf der Jagd und beim Tanzen anlässlich der Neuen-Zürcher-Zeitungs-Feste kann er durchaus verführerisch wirken, habe hier diesbezgl. ein Statement von Fernsehsprecherin Dorothea Furrer, deren Mann vom Chef aus der Zeitung bugsierte wurde, schwuppdiwupp, er leitete das Ressort Wissenschaft und Forschung:

Furrer: Ich kenne kai Maa wo so fantastisch Walzer tanzet wiä dä Härr Luxinger.

Walzerklänge, evt. Strauss.

M: Es ist unvermeidlich, dass dieser weitgereiste verdiente Mann ein paar Feinde hat. Wo gehobelt wird, fliegen die Redaktoren. Auch unter uns Tieren hat sich eine Dissidentengruppe gebildet, angeführt von einem halbvergasten Fuchs, welcher der Tollwutbekämpfung entronnen ist.

F: Wie ich in Erfahrung bringen konnte, sollen diese auf politisch schiefer Ebene sich befindenden und charakterlich wenig gefestigten Aufrührer, die mit ihren Seegrasfrisuren epatierend wirken, bei der nächsten Treibjagd den Spiess umkehren und ein Attentat aus dem Hinterhalt auf unseren Dr. Luchsinger ins Auge fassen wollen, wobei noch nicht geklärt ist, ob die Abmeuchelung von Dr. Schmidheini und Dr. Blum auch eingeplant wurde. Ich konnte auch bereits einen Nekrolog konfiszieren, der im Hinblick auf das Ereignis von einem literarisch versierten Iltis aufgestöbert worden sein soll, wobei einige Zeilen offensichtlich nicht zutreffend sind; für diese Kreise typische Übertreibungen.

F & M: (getragen feierlich rezitierend)

Fürst Kraft ist, liest man, gestorben
Latifundien weit
ererbte, hat er erworben
eine Nachrufpersönlichkeit.

Übte unerschrocken Kontrolle
Ob jeder rechtens tat
Aktiengesellschaft Wolle
Aufsichtsrat.

So starb er in den Sielen
Doch wandt er in Stunden der Ruh
höchsten sportlichen Zielen
Sein Interesse zu.

Immer wird man ihn nennen
den delikaten Greis
Schöpfer der Stutenrennen
Kiscazonypreis.
Und niemals müde zu reisen
Genug ist nicht genug
Oft hörte man ihn preisen
Den Rast-ich-so-rost-ich-Zug.
Er stieg mit festen Schritten
In seinen Sleeping Car
Und schon war er inmitten
Von Rom und Sansibar.
So schuf er für das Ganze
und hat noch hochbetagt
im Bergrevier der Tatra
die flinke Gemse gejagt
DRUM RUFT IHM ÜBER DIE BAHRE
NEBEN DER SCHWERINDUSTRIE
ALLES SCHÖNE, GUTE, WAHRE
EIN LETZTES HALALI.

Marginalien zu einer nicht gesendeten, hier aber gedruckten Radiosendung, oder Protokoll der Verhinderung

Im Frühjahr 1978 schlug ich an einer Vollversammlung der «Faktenordner»-Mitarbeiter (eine periodische, angeblich satirische Radiosendung unter der Leitung von Jürg Kauer) vor, einen Beitrag über Herrn Luchsinger und seinen sozialen Hintergrund zu machen; ausgehend von seinem Neujahrsartikel 77/78, «Zehn Jahre nach dem Aufruhr», wollte ich die Frage einigermassen beantworten: Wie kommt ein Journalist und mächtiger Chefredaktor dazu, die ganze 68er Generation schnoddrig, verständnislos, oberflächlich, frech zu verhohnepipeln; welches Milieu hat diesen ursprünglich scharf denkenden Mann so weit gebracht, die Hoffnungen von unzähligen Leuten so zu verhöhnen? In welchen Kreisen muss man verkehren, um derart schreiben zu können?

Der Auftrag wurde erteilt. Ich wollte mich umfassend dokumentieren, las die von Luchsinger genehmigte Kurzbiographie in «Persönlichkeiten Europas»; wollte die Fernsehsendung «Aus erster Hand», worin Oskar Reck und Alphons Matt Herrn Luchsinger einst befragt hatten (auf untertänigste Art, wie mir Freunde versichern) im Archiv konsultieren: telefonierte deshalb mit A. Matt, welcher spornstreichs F. Luchsinger über meine geplante Sendung informierte; machte Tonaufnahmen von Gesprächen mit Luchsingers Jagdpartner Schweizer; kontaktierte ehemalige und aktive NZZ-Redaktoren, Kurt Meyer, Martin Schaub, Rudolf Schilling, Blancpain, Mettler, Kohlschütter etc. Allgemeine Freude, ausgenommen bei Blancpain und Mettler, «dass endlich jemand etwas über den Luchsi macht». Tonaufnahmen, Besuch im NZZ-Archiv, Recherchen.

Nach drei Arbeitstagen ein Anruf von Kauer: Radiodirektor Hersche habe ihm telefoniert, welchem Padel telefoniert habe, welchem Luchsinger telefoniert habe, welcher sich erkundigt habe bei seinem Rotary-Bruder, ob ich tatsächlich diesen Auftrag habe. Kauer meinte, jetzt müsse ich vorsichtig sein, es sei bereits Feuer im Dach.

Ich war vorsichtig und verstand plötzlich, warum La Fontaine am Hofe Ludwigs XIV. keine Reportagen, sondern nur Fabeln schreiben durfte, und Swift verstand ich auch besser. Statt mir recherchierten nun das Wildschwein Fridolin und das Reh Mirza, nahmen Stellung, haben sich bei Pfarrer Vogelsanger über den Rotary-Club informiert und genau seine Sprüche reproduziert. Sie waren drei Wochen unterwegs und haben dabei viele unglaubliche Geschichten gehört, LA REALITÉ DÉPASSE LA FICTION. Unter anderem haben beide Tierchen auch die wüsten Umstände in Erfahrung gebracht, welche zu Kohlschütters Abschied bei der NZZ führten. Es wird anscheinend ein eisernes, rauhbeiniges und auf jeden Fall superautoritäres Regiment geführt bei dieser Zeitung, welches von manchem kompetenten Redaktor vielleicht auch einmal nicht mehr akzeptiert werden könnte. Wer an einer wirklich liberalen NZZ («lieber liberal») interessiert ist, muss sich eventuell eine Fronde wünschen gegen Luchsinger, aber eine, die mehr Erfolg hat als ihr historisches Vorbild. Wobei mit Luchsingers Abgang die Probleme selbstredend nicht gelöst wären, sich sogar verschlimmern könnten, falls z.B. der aalglatte *upstart* Bütler an die Spitze käme. Es geht in letzter Analyse nicht mehr um die Person Luchsingers, sondern um den Druck, welcher von clüblicher Seite auf die NZZ-Pyramidenspitze ausgeübt werden kann (sofern dieser Druck überhaupt notwendig ist, wenn ein Journalist ausnahmsweise den Züriberg nicht verinnerlicht hat). Es gibt durchaus selbständige, redliche Journalisten bei der NZZ, Mü., Pfister etc. und manch brillanten Auslandkorrespondenten, aber sie sind kaum tonangebend. Es klafft eine Lücke zwischen Anspruch (liberale, umfassend informierende, vornehm-zurückhaltende Manier) und Wirklichkeit dieser Zeitung (Züriberg-Druck, «Rufmorde», wie Frisch sagt, Gediegenheit durch Herablassung).

*

Von den Auskunftspersonen, die nicht einseitig im Sinne einer Luchsinger-Demolition herausgepickt wurden, haben nur Gody Suter, zu Luchsingers Zeiten auch Korrespondent in Bonn, und Peter Studer, der Major L. vom Militär her kennt, grosso modo günstig über F. L. gesprochen; extrem harte Stellungnahmen, wie etwa die von Kurt Meyer und Andreas Kohlschütter, wurden nicht verwertet. Studer: «Ein sehr tüchtiger Mann, in vielen Bereichen kompetent, als Manager, Schreiber etc., wenn auch in seinen innenpolitischen Artikeln weniger überzeugend als in den aussenpolitischen.» Gody Sutter reagierte säuerlich-einschnappend, als Mirza & Fridolin ihm vom Projekt erzählten, für ihn scheint L. samt NZZ ein Monument ohne Risse und Sprünge zu sein, F. L. als STATUE DU COMMANDEUR, Steinerner Gast, an welchem man hinaufschaut; und Kritik an dieser Statue, die ihrerseits alles kritisiert und in den Senkel stellt, «überflüssig» und fast ein Sakrileg. (Tatsächlich hat eine Darstellung des F. L. etwas Profanierendes, funktioniert er doch, wie alle echten Potentaten in diesem Land, als Schattenherrscher, tritt nach aussen kaum in Erscheinung, ganz selten an Radio & Fernsehen zu erleben, aber in seinem Haus quasi unumschränkt regierend, seul maître après Dieu; ein Mann im Hintergrund, ganz oben, aber fürs Publikum unsichtbar, nach aussen Diskretion wie Richelieu.)

In vielen bürgerlichen Hirnen, nicht nur in Gody Suters, scheint noch der Mythos NZZ zu spuken, die Legende vom Über-den-Dingen-Schweben dieser Zeitung, die Illusion von Objektivität, Verbindlichkeit, Wahrhaftigkeit, Unbestechlichkeit; auch jene Idee, dass die einzelnen Fürstentümer (redaktionelle Ressorts) eine grosse Unabhängigkeit genössen, womit es in Wirklichkeit aber doch nicht soo weit her ist, denn erstens wird hier einer so wenig Abteilungschef ohne die Zustimmung Luchsingers wie einer Minister wird in Frankreich ohne den ausdrücklichen Willen von Giscard d'Estaing, und zweitens gibt es punktuelle Eingriffe von oben, und eine demokratische Mitbestimmung in der Redaktion fehlt radibutz. Genährt wird dieser NZZ-Mythos durch die Struktur der Zeitung, die keinen übergeordnet-allmächtigen Verleger kennt wie Frey von der «Weltwoche» und Coninx vom «Tages-Anzeiger», und deren Aktien so weitgestreut sind, dass der einzelne Inhaber keinen direkten Einfluss nehmen kann auf den Gang der Zeitung; jedoch kann natürlich die politische Linie des Rechtsfreisinns auch von einem Chefredaktor durchgedrückt werden, der so ausgewählt ist von seinem Vorgänger (nominell vom Verwaltungsrat ...), dass eine schöne Garantie besteht für die «rechte» Gesinnung, vgl. Luchsinger und seine Verquickungen. Für den Mythos verantwortlich ist aber auch der diskrete, leicht antiquierte, untertreibende Stil (sintemalen noch altertümliche Wörter wie «Zeitläufte» ohne ironische Distanz gebräuchlich sind): die schlimmsten Perfidien werden im vornehmen, zivilen, oft leicht gekränkten Ton vorgebracht, diskret räuspernd. Und drittens wird die Legende aufrechterhalten durch die Folgen, welche ein Artikel in der NZZ, punkto Innen-, Kultur- und Wirtschaftspolitik, allemal hat. Dieser kann, vom journalistischen Ethos her betrachtet, so schludrig verfertigt sein, wie er will, und einen Tatbestand völlig verdrehen (manche NZZ-Journalisten haben keine Ahnung vom Recherchieren, haben noch nie vergleichendes Quellenstudium getrieben, wissen nicht, wie man dem Volk aufs Maul schaut und Interviews macht etc. etc.): es ist immer ein Artikel mit Folgen, die NZZ wird in den herrschenden Kreisen penibel gelesen, Bundesverwaltung und kantonale Potentätchen, selbstverständlich auch die Wirtschaftsführer, legen jedes Wort auf die Goldwaage, richten sich klammheimlich oder offen danach, weil, wenn die NZZ spricht, hat das Grossbürgertum in seiner zürcherisch-imperialistischen Ausprägung gesprochen, und von Zürich aus wird bekanntlich die Schweiz regiert. In gewisser Beziehung «stimmen» also die Artikel der NZZ immer, sie schaffen, Verdrehung hin, Halbwahrheit her, eine neue Wirklichkeit. Nicht weil durch sie die Welt gründlich erfasst wird, stimmen sie, sondern weil die Geschäftswelt sich an ihnen orientiert: Unternehmer, höret die Signale! Die NZZ ist unsere «Pravda», unser «Osservatore Romano», mit Nuancen eines Adjektivs, mit diskreten Nebensätzen wird Politik gemacht. Die Oberen lesen das Blatt im Klartext, von den weniger Mächtigen muss es dechiffriert werden. Ein halboffiziöses Organ, fast ein Staatsanzeiger für die beamtete Intelligenz, für die Chefen in Wirtschaft & Politik. Ein Blatt für Akademiker, nicht für Intellektuelle. Laufend wird hier eine Gruppensprache der Herrschenden reproduziert und produziert. Und ganz oben wacht der «patron de choc» F. L. über den rechten Ton. Für Aussenstehende ist von diesem janusgesichtigen Menschen nur sichtbar sein geschraubter, verschmockter, gediegener, akademischer Stil, der in den samstäglichen Seminararbeiten (Leit-Artikeln des Leit-Hammels) aufscheint; nach innen, Richtung Innenstehende (oder Innenliegende) wirkt er mit dem weniger akademischen Charme eines Knecht Rupprecht und dem Fingerspitzengefühl eines Ernst Mörgeli. Herrschen durch Massivität. Eine echt autoritäre Erscheinung, ganz wie die Bosse in der Industrie, etwas Bührlehaftes, ein Direktor, verglichen mit Hubert Beuve-Méry oder Jacques Fauvet von

«Le Monde» eine durchaus ungeistige Erscheinung: Militärmusik. Und eine Pyramidenspitze, auf die Druck ganz kräftesparend ausgeübt werden kann. Eine dezentralisierte Zeitung mit selbstbewussten, abweichlerischen Ressortleitern wäre für die Geschäftswelt weniger praktisch, da müsste immer ein Mannsgöggel nach dem andern von der rechten Linie überzeugt werden. Der Zentralstaat war für die Akkumulation schon immer das beste Gefäss: auch der zentrale Zeitungs-Staat. Dabei muss ja nicht oft ein expliziter, ausformulierter Druckversuch auf Luchsinger verübt werden, die im «Jagdgespräch unter Tieren» erwähnten Fälle sind eventuell nicht die Regel. Es genügt, den Aufsteiger F. L. in die exquisiten Clubs aufzunehmen und ihm durch diese Mitgliedschaft zu schmeicheln, damit der Chefredaktor, obwohl selbst (Reineinkommen '78: 211 000 Fr., Reinvermögen 394 000 Fr.) nicht sehr begütert, kein Inhaber von Produktionsmitteln, im Zweifel sich den Interessen des Kapitals ganz verbunden fühlt und diese Gefühle seinen Untergebenen vermittelt. Der soziale Umgang, nicht nur das Sein, bestimmt das Bewusstsein …

*

Nachdem ich den Beitrag geschrieben hatte exakt in der vorliegenden Form (nur die Episode Attenhofer-Luchsinger und die Erwähnung Gygli-Bührle und Sigi Widmers Zähmung sind jetzt nachträglich hier beigefügt worden und der Mundart-Originalton ins Schriftdeutsche, mehr oder weniger, übersetzt), nicht ohne vorher während dreier Tage vergeblich versucht zu haben, Luchsinger himself zu interviewen, wobei mir schliesslich gelang, seiner Sekretärin die Feststellung zu entlocken, er wolle mich nicht empfangen, «weil er keine Vertraue *mehr* zu mir habe», wobei man präzisieren muss, dass die NZZ schon öfters über meine Sachen geschrieben hat, manchmal diffamierend und mit schlimmen materiellen Folgen für mich, ohne dass je ein Redaktor sich die Mühe genommen hätte, mit mir persönlich zu sprechen, die Herren wissen immer schon alles zum voraus; nachdem ich es anders machen wollte als die NZZ, dachten Kauer und ich sogar daran, Herrn Luchsinger die fertige Sendung eventuell vorspielen zu lassen, damit er zum Schluss, garantiert ungeschnitten, seinen Standpunkt hätte beisteuern können.

Das fertige Manus wurde sofort an Radiodirektor Hersche geschickt, welcher mir am nächsten Morgen telefonierte, es sei «sprachlich wie immer hervorragend», auch «juristisch, in Sachen Persönlichkeitsschutz, könne man anscheinend nichts aussetzen», aber die Ausstrahlung sei «schwierig», weil die NZZ immer günstig über das Radio und seine Reorganisationspläne berichte, und auch, weil einige Echo-der-Zeit-Korrespondenten NZZ-Journalisten seien.

Ich hörte nichts mehr während Wochen, erhielt dann in Paris einen Anruf von Radioredaktor Kälin, ich solle doch bitte mitmachen in der Sendung «Samschtig Mittaag», Broger und ich könnten jeden Samstag bis zum Sommer zehn bis zwölf Minuten miteinander *völlig frei debattieren*, ungeschnitten und ohne Eingriff eines *talk-master*. Ich war nicht begeistert, Broger kenne ich und seine Appenzellerwitzchen, aber sagte dann nach mehrmaliger Aufforderung zu, vielleicht war das eine Tribüne, wo man Totgeschwiegenes wieder auferwecken konnte. Es werden mir laufend Zensurfälle aus Radio & Fernsehen berichtet, die ich zur Sprache bringen wolle.

Die erste Debatte wurde am 7. April aufgenommen. Broger kam sofort mit einem Fall, der mich betraf, nämlich die Abschmetterung der Hofer-Club-Beschwerde gegen meinen Jeanmaire-Beitrag im «Faktenordner» vom Dezember '76. Ich hakte ein und wollte *noch* ein bisschen von Zensur sprechen, erzählte *am* Radio vom Schicksal meines Luchsingers, der *vom* Radio abgeklemmt worden war, hatte auch ein Kassettengerät mitgebracht und spielte nun ein Stück von den Erklärungen vor, welche mir Luchsingers Jagdkumpan Schweizer auf Band gesprochen hatte.

Die Sendung wurde am folgenden Samstag ausgestrahlt, ungeschnitten, aber mit anschliessendem hinterrücksligem Kommentar des Pressechefs von Grüningen, von welchem man mir nichts gesagt hatte. Von Grüningen: Der Entscheid, die Luchsinger-Sendung nicht auszustrahlen, sei ein «redaktioneller» gewesen; und nicht äusserem Druck zuzuschreiben. (Seit wann gehört Radiodirektor Hersche zur Redaktion des «Faktenordners»? *Er* hatte abgeklemmt, während Kauer die Sache bringen wollte. Also Irreführung der Öffentlichkeit.)

Radiodirektor Hersche schrieb mir am folgenden Mittwochabend einen Expressbrief, nachdem er sich mit Broger abgesprochen hatte, «die Sendung habe *seine* Erwartungen und Hoffnungen enttäuscht», und am nächsten Samstag werde sie nicht mehr stattfinden und überhaupt nicht mehr. (Das tat sie dann auch wirklich nicht.) Ich hätte falsche Gründe angegeben für die NICHT-Ausstrahlung meines Luchsingers; tatsächlich habe die Sendung nicht realisiert werden können, weil a) «es keinen Anlass gebe, Luchsinger hochzunehmen», und b) die Hörer gar nicht begreifen würden, was mit den angeblichen Club-Verfilzungen gemeint sei. –

Von gewisser linker Seite konnte ich viele Beweise herzlicher Teilnahme entgegennehmen: Ich hätte ja wissen können, dass Luchsi tabu sei, und meine Fähigkeit, im Umkreis von 50 Kilometern ins einzige gefährliche Fettnäpfchen zu trampen, sei stupend, und ich hätte wieder einmal *nur so getan*, als ob ich etwas produzieren wolle, in Wirklichkeit hätte ich von Anbeginn den Wirbel im Auge gehabt, welcher nach dieser doppelten Abklemmung entstanden war (DIE TAT machte eine Titelgeschichte daraus, die «Tribune de Lausanne» berichtete halbseitig, der TAGI detailliert – die NZZ natürlich gar nicht), und es sei mir eben nicht wohl, wenn nicht ständig über meine Person berichtet werde, und überhaupt seien diese «NZZ-Interna» und das «Privatleben» von F. Luchsinger politisch uninteressant (ein wirklich ganz privater Verein, der Rotary-Club, diese geballte Machtladung aller zürcherischen «top-men», wie Pfr. Vogelsanger es nennt; und rein private Beziehungen im Jagdrevier zwischen Dr. Blum, Dr. Schmidheini und Dr. L.).

Vielleicht müsste man den Begriff «politisch» doch etwas weiter fassen, über die «politique politicienne» der Berufspolitiker hinausgehen, und vielleicht hatten z. B. Cäsars private Bürstereien mit Kleopatra auch etwas mit Politik zu tun. Punkto Fettnäpfchen darf man sagen, dass jeder seriöse Journalismus irgendwann mit ihnen zu tun hat, ich halte nicht krampfhaft Ausschau nach solchen, sondern sie stehen ringsherum dichtgedrängt, man kann nicht anders als sie betreten, wenn man sich bewegt. Oder was soll man von jenen hochqualifizierten Wirtschaftsjournalisten halten, die letzthin vom «Tagi-Magazin» aufgefordert wurden, Themenvorschläge zu offerieren; welche sich anerboten, über den *Bührle*-Konzern etwas Kohärentes zu schreiben, oder über die BBC oder über die *Mövenpick*-Unternehmen oder über die *Emser*-Werke; und welche dann von einem ausgewachsenen Dr. Redaktor die Antwort erhielten: *Diese Themen interessierten die Leser nicht.*

Hätten sie nicht etwas weniger Fettnäpfliches anbieten können? Immer diese ausgefallenen, marginalen Themen. Aber wenn Laure Wyss öfters ihren 65. Geburtstag hat, können solche Beiträge in der nächsten Festschrift gedruckt werden. Herzlichen Glückwunsch.

N.M., 1. Mai 1978

Ein gravierender Fall

Ein gewaltiger Anblick im Lausanner Justizpalast an diesem ersten Prozesstag kurz vor neun, als da der Brigadier plötzlich auftaucht aus der Versenkung, in der man ihn letztes Jahr hatte verschwinden lassen. Eine Art von Warenlift befördert den Delinquenten aus dem Souterrain in den Gerichtssaal. Wie der Teufel aus dem Truckli war er plötzlich da, wurde nicht ebenerdig hereingeführt durch eine der sichtbaren Türen, sondern kam von unten heraufgepoppt, zuerst der Goldhut, das Gesicht, dann die Büste, kam senkrecht aus der unter dem Gerichtssaal liegenden Zelle hinaufgeschnellt, die Abschrankung der Angeklagtenbox entzog ihn bis zuletzt unseren Blicken, dann war er leibhaftig da, ein freundlicher Kasperle mit korrekt grüssender Geste für die Pressemenschen, ein General mit flotten militärischen Führungszeugnissen, aber unbegabter Verräter, nicht der Schläuste. Es gibt ihn also wirklich, er ist kein Gerücht, er sitzt dort mit allen Attributen, eine prächtig ausgestopfte Uniform.

Jetzt kommt auch Madame hereingeschlurft, am Arm einer Polizeiassistentin. Grau und zivil und traurig, ziemlich krank, ein Anblick, dass Gott erbarm'. Die Gatten sind getrennt durch eine Abschrankung.

Und dann kommt das Gericht, Schlag neun. «LE TRIBUNAL!» ruft der Gerichtsdiener, dass es allen kalt den Rücken herunterläuft. Einmarsch der Gladiatoren, auf denen die Augen der Nation nun ruhen werden, vier Tage lang. Da wir in diesem Lande die Gewaltenteilung haben, wird das Gericht in majestätischer Unabhängigkeit entscheiden können. Zwar hat Minister Gnägi schon am Sonntag vor Verhandlungsbeginn dem Journalisten Amstutz vom «Berner Tagblatt» erklärt, der ausgeschlipfte Brigadier müsse mindestens zwölf Jahre bekommen, aber das hat er nur so als Mensch gesagt und nicht als Befehl gemeint, er wird doch auch eine Meinung haben dürfen, rein als Mensch, und das Gericht ist ja dann wirklich seinem Antrag *nicht* gefolgt, sondern hat ihn noch übertroffen. Tüchtiges Gericht.

Der Prozess wurde äusserst korrekt geführt, danke, das hat auch die Verteidigung anerkannt. Maître Courvoisier in seiner rabenhaften, ernstgemeinten Robe sprach und gestikulierte ungemein überzeugend, wenn er auch das Gericht nicht überzeugte. Maître Paschoud war auch ein überlegener Mann. Im Zivilleben vertritt er Leute wie Coco Chanel, er ist der Bruder des bekannten Paschoud, welcher bei der Versicherung LA SUISSE Generaldirektor ist. Beste Lausanner Gesellschaft, in welcher Jeanmaire, als er noch in Freiheit lebte, so gern verkehrt hätte. Jetzt hat er, ein wenig spät, reussiert. Dank den brillanten Anstrengungen der Verteidigung ist es ihm zusätzlich gelungen, mit nur achtzehn Jahren Käfig davonzukommen. Er hätte nämlich zwanzig bekommen können.

Gegen das Urteil ist kein Rekurs möglich, wohin kämen wir auch, man kann der Sache substantiell also nicht mehr auf den Grund gehen. Nur Kassation ist noch drin, die Beanstandung eines Formfehlers, welcher den routinierten Richtern aber kaum unterlaufen ist. Das Kassationsgericht wird in ebenso magistraler Unabhängigkeit richten wie das erste Gericht, kein Zweifel, obwohl bereits unser Gewaltentrennungs-Gnägi, wieder in seiner Eigenschaft als Mensch und nicht etwa als Chef der Militärmaschine, bekanntgegeben hat, dass ihm der Lausanner Schuldspruch seiner Militärrichter recht wohl behage. Vor und nach dem Urteil hat jeweils Herr Gnägi, als simpler Mensch, aus seinem Herzen keine Bärengrube gemacht. Wie gut, dass dieser einfache Bursche aus dem Volk sich bei uns immer wieder so bäumig äussern darf in strategischen Momenten und seine Stimme dann unbeschnitten in allen Zeitungen kommt.

Und sehr gesund, dass die Presse ausgesperrt blieb von den wirklichen Verhandlungen, nur Anklageverkündung und Urteilsdispositiv waren öffentlich, dafür wurde aber bekannt, was der Brigadier am ersten Tag gegessen hatte in der Mittagspause: Fleischvögel. Ein menschlicher Zug an diesem Jeanmaire, er isst, kaut, schluckt, verdaut, wer hätte das gedacht von unserem Dracula. Die Reisszähne sind ihm nicht in den Weg gekommen dabei? Schon am ersten Tag wurde vor Verhandlungsbeginn offiziell verlautbart, dass die Urteilsverkündung drei Tage später am Abend stattfinden werde. Das muss als besonders eindrückliche Leistung unserer Militärrichter taxiert werden: Sie hatten zwar, mit Ausnahme des Grossrichters, vor Beginn der Verhandlungen noch keine Akten gesehen, sie sollten den *«gravierendsten Verratsfall in der Schweiz seit dem letzten Krieg»* (Furgler in seiner Jeanmaire-Parlamentsrede vom letzten Jahr) behandeln, eine komplexe Materie mit ungezählten Verästelungen, mit der Möglichkeit, dass der Brigadier nicht gestanden hätte, mit juristischen Komplikationen in Sicht – und doch wusste das Gericht schon vor der Verhandlung, wie lange respektive kurz die Sache dauern würde, es nahm die Zukunft voraus. Da hatte vielleicht die Verteidigung ein bisschen im Einvernehmen mit der Anklage gestanden, aber das schadet nichts, und eventuell war auch der Brigadier vorprogrammiert, man hatte ihn unter Umständen bei seiner militärischen Ehre gepackt gehabt und sein termingerechtes Geständnis vorher abgekartet, aber nur vielleicht. Jedoch, pardon, der Prozess dauerte dann doch *spontan* etwas länger als vorgesehen, die Planzeit wurde tatsächlich um einen halben Tag überschritten.

Es gebührt also dem Gericht ein besonderes Lob für seinen Entschluss, das Publikum auszusperren. Dem Ruf der Militärjustiz wäre eine öffentliche Darstellung des allzu reibungslosen Prozessablaufs abträglich gewesen, hätte vielleicht nach Manipulation geschmeckt und gerochen. Da war es günstiger, den talentierten Hauptmann Giovanoli jeweils abends die Öffentlichkeit tränken zu lassen. Dieser opferbereite Offizier nahm es auf sich, das heisst auf seine fragilen Schultern, alle Schweizer und ausländischen Zeitungen, Radio, Fernsehen usw. beim Prozess zu vertreten, er war der gesegnete Allround-Korrespondent, der als einziger dabeisein durfte. Nachdem er in majestätischer Unabhängigkeit (Gewaltentrennung nicht vergessen!) jeweils abends ganz allein vor Verlassen des Gerichtsgebäudes in seinem Militärkopf entschieden hatte, wieviel Einzelheiten er an der Pressekonferenz erzählen und wie viele er verwedeln wollte (und natürlich hat er vom Grossrichter, geschweige denn vom Gnägi-Departement, diesbezüglich keine Weisungen bekommen, der beschwingte Vertuscher), stürzte sich die Presse dann auf ihn, doch war aus dieser Uniform eigentlich nichts herauszuquetschen, was nicht bereits im wesentlichen durch Furglers Rede vom letzten Jahr bekannt geworden war. Immerhin durfte man ihn anstaunen: *Dieser* hatte dabeisein dürfen und die schrecklichen Geheimnisse mit eigenen Öhrchen gehört, die der ausgeschlipfte Brigadier den Russen verraten hatte. Giovanoli war ein hocheffizienter Multifilter, der dämpft noch den stärksten Tabak, man wird ihn jetzt auch für Marlboro oder Muratti arbeiten lassen können.

Die Geheimhaltung bietet noch weitere Vorteile. Bei einem öffentlichen Prozess wird ja auch immer ein Teil der Polizeiakten bekannt, man erfährt in Umrissen, wie der Delinquent ins Netz gegangen ist. Hier hätte man erfahren, dass der Brigadier 14 Jahre lang mit russischen Spionen (= Militärattachés) unter einer Decke stecken konnte, ganz ungehindert seine Sachen ausplauderte, obwohl untergeordnete Polizeistellen schon längst vorgeschlagen hatten, den Offizier näher zu überwachen, wobei ihnen jedoch bedeutet worden war: Ein arrivierter Mann wie Jeanmaire könne nicht einfach so kontrolliert werden, als ob er ein vulgärer Agitator sei, dazu brauche es eine Ermächtigung von ganz oben (welche nicht zu erhalten war). Und in einem öffentlichen Prozess wären auch einige schlimme Binsenwahrheiten bestätigt worden: dass der Tip für die Verhaftung des Brigadiers aus einem Nato-Land kam, weil nämlich Jeanmaire als plaudernder Geheimnisträger auch den Nato-Strukturen hätte schaden können, wobei vorausgesetzt ist, dass die Schweizer Generalität doch enger mit der Nato zusammenarbeitet, als das Gnägi-Departement es wahrhaben will.

Und noch etwas wäre vielleicht ans Licht gekommen in einem *öffentlichen* Prozess: dass die Verrätereien des Brigadiers nicht so fürchterlich schlimm waren, weil das meiste auch sonst zur Kenntnis der Russen (und auch der Amerikaner usw.) gekommen wäre, all die Mobilisierungspläne, altertümlichen Festungsbauten, Bataillonsstandorte usw., lauter Informationen, welche auch durch geduldiges Lesen und Vergleichen der Militärzeitschriften zu haben sind, durch Spazieren im Gelände, durch normalen Kontakt zur Verwaltung. Und weil eventuell für die Russen unsere Landesverteidigung doch nicht so wahnsinnig im Vordergrund steht, nicht ihr Denken total überschattet, jedenfalls weniger, als Minister Gnägi in Bern in seinem SVP-Bett es sich träumt. Und dass Jeanmaire drastisch verurteilt werden musste, weil die *Offiziersehre* angeknackst war, d. h. die Armee es sich selbst nicht verziehen hatte, einen derart täppischen Schlucker, einen frustrierten Kleinbürger, der vornehmlich von russischen Militärattachés ernst genommen wurde und deshalb diesen Figuren in brüderlicher Vertrauensseligkeit einiges ausgeplaudert hat, zum General gemacht zu haben.

Weil die Armee nicht sich selbst als Körperschaft verurteilen konnte, muss Jeanmaires Körper auf Lebenszeit eingelocht werden. Er muss verschwinden. Er selbst hat nichts zu sagen. Er ist sprachlos. Man kann ihn nicht interviewen. (Weshalb eigentlich nicht? Welches Gesetz verbietet es? Was hätte er zu sagen?) Die Armee ist intakt, das Beförderungssystem nicht in Frage gestellt. Und manches Wesen vom höchst bescheidenen intellektuellen Zuschnitt eines Jeanmaire, manch streberischer und heftig verklemmter hoher Offizier darf weiterhin eine Entfaltung in der Armee erleben, welche das Zivilleben nicht geboten hätte.

PS I 1989: *Mitte 1986 beim Flanieren zufällig auf Richard Aschinger gestossen, Bundeshauskorrespondent des «Tages-Anzeigers».* Sali! sali! *Er habe, sagt Aschinger, eine tolle, aber unwahrscheinliche Geschichte für mich, die man leider im* TA *nicht publizieren könne. Recherchen von insgesamt drei* TA-*Rechercheuren hätten ergeben, dass der Jeanmaire-Prozess auf eine skandalöse Art manipuliert worden sei. Die Staatsräson, d. h. Furgler mit seiner fulminant-vernichtenden Rede im Parlament, habe 1977 bewirkt, dass dem Brigadier Verrätereien angelastet worden seien, die er gar nicht begangen habe. Einen* Brigadier, *welcher dem russischen Militärattaché Denissenko einiges ausgeplaudert habe, gäbe es zwar schon: soviel sei dem schw. Geheimdienst von der bundesdeutschen Abwehr mitgeteilt worden. Die schw. Polizeibehörden hätten dann aber in der falschen Richtung gesucht und aus Ungeduld den vergleichsweise harmlosen Jeanmaire geschnappt, und nach der öffentlichen Vorverurteilung durch Furgler, der sich auch trompiert habe, sei es nicht mehr tunlich gewesen, Jeanmaire zu exkulpieren, und dieser sei ihnen zupass gekommen, weil er ja auch einiges, zwar Unbedeutendes, verbrochen gehabt habe. Der in Tat und Wahrheit gemeinte hohe Offizier verzehre seinerseits in aller Ruhe seine Pension. Auf die Frage, warum der* TA *die Geschichte nicht ausgebadet habe, erwiderte Aschinger, die letzten schlüssigen Beweise hätten noch gefehlt; auch sei von seiten der Chefredaktion, d. h. seitens des Oberstleutnants Studer, welcher die Armee nicht schädigen und keine Staatskrise heraufbeschwören wolle, evt. nicht unbedingt der*

Wille vorhanden gewesen, ein paar Journalisten längere Zeit freizustellen für diese komplizierten Forschungen, und muckraking journalism *(Schmutzaufwirbler-Journalismus) sei generell im* TA *schwierig zu betreiben.*

PS II: *1988 ist Jeanmaire aus dem Gefängnis entlassen worden und versucht seither seine Rehabilitierung zu betreiben; was ihm aber nicht gelingt, weil das Militärstrafrecht eine eigene paralegale Gesetzlichkeit hat. Der Ringier-Konzern hat ein paar Anstalten gemacht, diese Geschichte auszuleuchten, was ihm aber mangels qualifizierten Personals nicht gelungen ist. (Wo bleibt eigentlich Frank Adalbert Meyer?) Derselbe Konzern hatte 1977 zur Hatz auf Jeanmaire geblasen, weil damit Auflage zu machen war, und ihn aufs heftigste perhorresziert.*

Offener Brief an den frisch verstorbenen Charles de Gaulle

Oder Plädoyer für Grips & Grandeur in der Politik

Mon général,
man nimmt allgemein an, dass Sie gestorben sind, am 9. November, abends kurz nach sieben, während Sie mit einer Partie Patience beschäftigt waren, «dem einzigen Spiel, dem Sie je gefrönt hatten» («Figaro»). Man nennt dieses Spiel auch *réussite,* «Erfolg». Und so hat dann mancher gemeint, es sei Ihre letzte Réussite gewesen, ein abschliessender Erfolg, so brüsk dahingerafft zu werden «im Vollbesitz Ihrer geistigen Kräfte (Oberst de Bonneval). Anstatt gemächlich zu vergreisen wie Philippe Pétain: «Das Alter ist ein Schiffbruch» (de Gaulle).

Wenn ich Ihnen trotzdem schreibe, so nur deshalb, weil ich nach gründlicher Prüfung der Sachlage keineswegs überzeugt bin, dass Sie gestorben und «den Weg allen Fleisches gegangen sind» (Jeremias 11, 3). Ihr Nachfolger Pompidou (von dem Sie einmal gesagt haben: «Mit diesem Familiennamen wird er's nicht weit bringen»), der Präsident Pompidou* hat erklärt, dass Sie «ewig leben in der französischen Nation». Ein Journalist namens René Barjavel, welcher für «France-Soir» arbeitet und sich vom Gottesdienst in Colombey ergreifen liess, war überzeugt, «dass niemand erstaunt wäre, wenn der General wiederauferstünde wie weiland Lazarus». (Ich bitte Sie, Herr General. Das würde auf die Gaullisten so wirken wie das Wiederauftauchen des totgeglaubten Ulysses auf die Freier.) Ihr ehemaliger Beichtvater (1944/45) Jean Daniélou, der es unterdessen bis zum Kardinal gebracht hat, findet es «nicht schockierend, wenn de Gaulle heiliggesprochen werden sollte» (Erklärung für «Radio Monte Carlo»). Heilige aber sind keine gewöhnlichen Sterblichen, sie können jederzeit wieder umgehen auf Erden und den Gläubigen erscheinen. Bekanntlich nennt man ja die Gaullisten *les fidèles,* was zugleich «die Treuen» und «die Gläu-

* «Pompidou» assoziierte für französische Ohren ursprünglich «Poulidor», Velo-Champion und ewiger Zweiter.

bigen» heissen kann. Also kann man das Beste hoffen! Und für die wirklich Gläubigen ist kein Grund zum Verzagen. Ein madegassischer Minister, Herr Rabemananjara, hat Sie in einem kürzlich fabrizierten Sonett (Titel: «De Gaulle») noch höher eingestuft und in die Kategorie der Engel eingeordnet, Unterabteilung Erzengel: «Mais l'archange survient ... de Gaulle n'est pas mort: son nom est liberté/et rayonne sur nous rouge d'éternité.» Maurice Druon, von der Académie française, seinerseits ein Unsterblicher, hat herausgefunden, dass Sie am 12. November «endgültig zum König gekrönt wurden». Und für den Schriftsteller Romain Gary («Les racines du ciel») gibt es einen «metaphysischen Gaullismus», folglich auch einen metaphysischen de Gaulle.

Wie dem auch sei, Herr General, Herr Präsident, ob Sie nun physisch oder metaphysisch, im eigentlichen oder übertragenen Sinn weiterleben: Ihre Franzosen, aber auch viele Ausländer, waren übermannt, die Trauer war universal, «Paris-Match» warf von seiner Gedenknummer *(numéro historique: L'adieu à de Gaulle)* eine Auflage von 2,25 Mio. auf den Markt, während die Normalauflage um 1,3 Mio. herum stagniert. Sie haben die grösste Auflage in der Geschichte von «Paris-Match» auf dem Gewissen, Herr Präsident, Herr General, nicht einmal die Krönung der Elisabeth oder eine Papstreise kann Ihnen das Wasser reichen. Nur wenige Zeitungen haben der Volkstrauer keine Rechnung getragen, z.B. das berüchtigte «Hara-kiri-hebdo», welches eine Todesanzeige auf der ersten Seite erscheinen liess mit dem Text: «Tragischer Fall in Colombey – ein Toter.» Hara-kiri hat die Quittung gleich erhalten, indem die Junggaullisten *(Union des jeunes pour le progrès)* an manchen Kiosken diese pietätlose Nummer sofort verbrannten. Es sollte die letzte Nummer von «Hara-kiri-hebdo» werden, der Innenminister hat den Vertrieb des jugendgefährdenden Blattes stracks verboten. Und jenen paar Pfarrern, welche die obligatorische Totenglocke am 12. November nicht läuten und die Messe für Ihre Seelenruhe nicht lesen wollten, ging es auch an den Kragen. In Goussainville (Val d'Oise) haben die «Gläubigen» eigenhändig geläutet. In Thillay (Val d'Oise) hat der sozialistische Bürgermeister sich mit einem Nachschlüssel Zugang zur Kirche verschafft und vom Pfarrer verlangt, dass er die Messe für Sie, Herr General, lese.

Man kann sich allerdings fragen, Herr Präsident, wer nun in Ihrem Sinn gehandelt hat, im Sinn des «sarkastischsten aller Franzosen» (Jean-Michel Royer). Sie hatten ein rauhes Vokabular, nannten die Franzosen «Kälber», den Senatspräsidenten Poher einen «Gugusse» (Kasperle), Ihren glühenden Anhänger d'Astier «complètement stupide», Sie haben wenig gebräuchliche Wörter wie «Hurluberlu» und «Jean Foutre» und «Chienlit» und «Tracassin» wieder ins politische Vokabular aufgenommen, die Linguisten wissen Ihnen Dank dafür, von den herzbewegenden Demonstrationen auf den Champs-Elysées, welche meistens auf der Place Charles de Gaulle (vormals Etoile) enden, haben Sie gesagt: «Nun, da hat schon wieder ein patriotischer Umzug stattgefunden; was kann denn der Unbekannte Soldat dafür? Bei jeder Gelegenheit rennen sie dorthin ...» Das hat die Pariser aber nicht gehindert, am Abend des 12. November ebendorthin zu rennen und das Grab des Unbekannten Soldaten zentnerweise mit Blumen zu beladen, als ob Sie, Herr General, ein unbekannter Soldat wären.

Nur wenige wagten es, ihren Hass auf Sie auch in den Tagen der überschwappenden Nationaltrauer zu zeigen. Leute, die Ihnen nacheiferten, denn Sie waren ein guter Hasser, wenn es die Umstände erforderten, und sehr nachträgerisch.

«Endlich ist der Alte abgekratzt», sagte mir ein Algerien-Heimkehrer (pied noir), und treue Pétainisten wünschten Sie zum Teufel. Auf der äussersten Rechten können Sie auch jetzt noch einen dauerhaften Hass erwarten, so schnell werden die Ihnen die Collabo-Prozesse (Pétain-Laval-Brasillach-Pucheu et cetera) und den Verlust Algeriens und die Öffnung nach Osten und den Antiamerikanismus nicht vergessen. Auf der äussersten Linken bringt man Ihnen keine starken Antipathien entgegen, dort werden Sie höchstens verulkt, in der Faculté von Vincennes Ihr Verschwinden mit Pauken und Trompeten von einem Studenten-Orchester gefeiert – chienlit, in Ihrer Terminologie. Die Masse der unpolitisierten Jugend hingegen empfindet überhaupt nichts mehr bei der Anrufung Ihres Namens, Assoziationen fehlen, jener 23jährige, der nach Ihrem Verschwinden ins Mikrophon von France-Inter schluchzte: «Ich habe mein Leben de Gaulle geweiht», dürfte unter Naturschutz gestellt werden. Und die Junggaullisten (UJP), ein Verein zur Hochhaltung Ihres Andenkens, eine Rasselbande von

Postenjägern und Fahnenschwenkern, sind das genaue Gegenteil von jenen jungen Gaullisten, die während des Zweiten Weltkrieges im Kampf gegen den Faschismus ihr Leben riskierten. Der UJP-Präsident Grossmann macht eine derart kuriose Figur, dass sogar Chaban-Delmas von einem «Littleman» gesprochen haben soll.

In diesem Zusammenhang eine Bitte, Herr General-Präsident, der Sie im Geruch der Heiligkeit gestorben sind. Falls Sie noch irgendwo erreichbar sind, wäre es auch nur auf den Elysäischen Feldern, so unternehmen Sie endlich etwas gegen die Konfiskation Ihrer Legende durch politisch unbedarfte Weihrauchstreuer und politisch raffinierte Profiteure. Lassen Sie blitzen, zum Beispiel. In Ihrem Frankreich ist es ja der Brauch, dass man mit allerhand Suppliken an hochgestellte Persönlichkeiten gelangt, Robert Escarpit hat eine «lettre ouverte au Bon Dieu» geschrieben, und illustre Franzosen haben den Hinterbliebenen auch etwa eine Botschaft aus der Ewigkeit zukommen lassen. Mauriac erhielt kurze Zeit nach dem Hinschied von André Gide ein Telegramm von diesem: «Bitte keine Angst zu haben/die Hölle gibt es nicht», stand darin. «Bitte zu berichtigen/ein Christ war ich grad nicht», das wäre ein klärendes Wort von Ihnen.

Denn dass ausgerechnet Sie vom konservativen Teil der katholischen Kirche mit Beschlag belegt und im christlichen Raritätenkabinett einbalsamiert werden, ist ein schlechter Witz. Der alte Nietzscheaner-Machiavellist-Maurassien-Bergsonien – jetzt auch als Christ? Der Machtmensch als Bergprediger? Der Souverän auf dem Betschemel? Die Kardinäle Daniélou und Tisserant schienen das De-Gaulle-Wort nicht zu kennen: «Die Ausübung der Macht ist mit den evangelischen Tugenden nicht vereinbar ... zur Machtausübung gehört eine grosse Portion Egoismus und Hinterlist.» Wenn Sie vom Tod sprachen, so war nicht die Rede von Abrahams Schoss, sondern von der ewigen Kälte, *sentant venir le froid éternel,* und Notre-Dame schlechthin gab's für Sie nicht, sondern nur *Notre-Dame-la-France.* Wie Sie's privat mit der Religion gehalten haben, kann niemand wissen: Aber für den öffentlichen de Gaulle gab's Religion nur als Bestandteil französischer Kultur. Messias waren Sie selbst, jedenfalls haben Sie in messianischem Ton von sich geschrieben (in der dritten Person), und Frankreich war die Tochter Zion, da gibt's keine Interpretationsschwierigkeiten. Man wird Sie sogar eine echt heidnische, archaische, vorchristliche Figur nennen dürfen – der eigene Stamm als Inkarnation der höchsten Tugenden, Ihr Kult für die Erde, die französische Erde, in die Sie nach Ihrem Tod eingehen wollten, wie in der Mutter Schoss ... Auch deshalb wünschen Sie nicht im sterilen Pantheon aufbewahrt zu werden, Ihr pantheistischer Naturbegriff, der châteaubriandeske Schluss Ihrer Kriegsmemoiren ... Hinab zu den Müttern ... Ewiger Kreislauf. Religion war Ihnen vermutlich sympathisch als Ordnungsprinzip, und die Katholikenpartei MRP ist ja dann auch fast vollständig von der Gaullistenpartei verschluckt worden, Elsass und Bretagne haben immer für de Gaulle gestimmt. Gott Vater lässt sich leicht auf Vater de Gaulle umpolen.

Leider ist meiner Generation kaum mehr präsent, dass Sie Ihre politische Laufbahn nicht als Vaterfigur, sondern als Vatermörder begonnen haben.

Sie organisierten den Ungehorsam gegen Übervater Pétain, den Unantastbaren. Ach die schöne Periode damals, 40–44, mir leider nur aus Büchern bekannt. Sie sollen damals gegen alle bestehenden Autoritäten gewesen sein. Haben Sie später *deshalb* in der dritten Person von sich gesprochen, um anzudeuten, dass Sie unterdessen ein anderer de Gaulle geworden sind? Was hat der de Gaulle vom 29. Mai 1968, welcher mit der reaktionaren Radioansprache die «Partei der Ordnung» um sich scharte, mit dem de Gaulle vom 18. Juni 1940 zu tun, welcher die Partei der Aufrechtgehenden ins Leben rief? Wie kann man sich nur so verändern!

La vieillesse est un naufrage.

1940 wurden Sie von der rechtmässigen Autorität, der ordnungsmässig etablierten Legalität, immerhin zum Tode verurteilt, von den Reichen und Mächtigen Frankreichs war keiner auf Ihrer Seite, das Besitzbürgertum hatte sich mit der faschistischen Besatzungsmacht um das faschistoide Pétain-Regime arrangiert, und Sie galten damals als Spinner, was immer die Bourgeoisie heute auch sagen möge.

Es ist nicht erstaunlich, dass Sie damals eine ziemliche Menschenverachtung entwickelten (die Ihnen dann geblieben ist), bei soviel Feigheit und Dummheit des offiziellen Frankreichs. Und all die Wetterfahnen, die sich in Ihre Richtung drehten, als Sie ein bisschen Macht und nicht nur Ideen hatten. So wird man auf dem schnellsten Wege arrogant; wenn man der einzige ist, der recht hat, und der einzige, der konsequent handelt. Zwar waren Sie auch *damals* schon recht autoritär, aber nicht autoritärer als Trotzky, als dieser die Rote Armee organisierte. Ein Sozialrevolutionär waren Sie auch *damals* nicht, aber in Frankreich konnte weder die Revolution noch sonst etwas stattfinden, solange die Faschisten dort waren (oder stattfinden konnte nur die *révolution nationale* des masochistischen Pétain-Regimes). Leute, die dabeigewesen sind, haben mir erklärt, Sie seien *damals* noch nicht übermässig paternalistisch gewesen. Ihre Autorität sei ganz natürlich entstanden, weil Sie meist richtig analysiert hätten. Ausser der Analyse hatten Sie ja anfangs nichts, keine Armee, kein Territorium, kein Geld, keine Franzosen, nur Ihre Radioansprachen. Bis zum deutschen Einmarsch in Russland waren Sie auch für die französischen Kommunisten ein «Lakai des britischen Imperialismus»; daran hat sich Jacques Duclos nicht mehr erinnern mögen, als er diese Periode kürzlich am Radio tränenreich heraufbeschwor. Nur ein paar obskure Kolonialgouverneure (wie Eboué) und ein paar unbekannte Offiziere (wie Leclerc) machten anfangs mit, Geismar- und Cohn-Bendit-Typen, die auch viel Freude am Abenteuer und an flotten Schlachten hatten. Die Allierten, welche sich jetzt beim Begräbnisgottesdienst so schön vertreten liessen, taten damals alles, um die französische Grösse zu begraben. Macmillan hat in Algier kräftig intrigiert, offiziell war es zwar ein Krieg gegen Deutschland, aber wenn ein Alliierter dem andern im Vorübergehen noch etwas abknöpfen konnte, bitte sehr, *grosse Staaten sind wie Räuberbanden,* hat schon Augustinus gesagt. Da diese Kriegswelt nun einmal ziemlich darwinistisch eingerichtet war, sahen Sie nicht ein, Herr General, warum zum Beispiel die französischen Kolonien von den Engländern oder Amerikanern entkolonisiert werden sollten, während die Engländer ihre Kolonien behielten und die Amerikaner den Neokolonialismus einweihten. Ein grässlich nationalistischer Standpunkt, aber damals waren auch die Kommunisten nationalistisch, Stalin allen voran, warum sollte also ausgerechnet Frankreich nicht an der grossen Raubtierfütterung teilnehmen und von der Teilung der Welt in Jalta ausgeschlossen bleiben? Weil die Welt leichter unter vier als unter fünf aufgeteilt werden kann und weil für die einzelnen mehr dabei herausspringt, meinten die vier teilhabenden Alliierten … Sie sehen, geschätzter Herr, jetzt bin ich Ihrer imperialistischen Beweisführung erlegen, das macht der gute Stil Ihrer Kriegsmemoiren.

Als Sie kontestieren mussten und den Staatsapparat noch nicht beherrschten. Zwar kontestierten Sie nur, um den Apparat in Ihre Hände zu bekommen und um Ihre Idee von Frankreich durchzusetzen, aber schön sei es eben doch gewesen, versichern die Teilnehmer. Halt eine romantische Epoche, wo alles möglich schien. Ihr ehemaliger Minister Charles Tillon, der integre Kommunist und Widerstandskämpfer, hat mir erzählt, dass viele Kommunisten damals meinten, an der Spitze eines volksdemokratisch revolutionierten Frankreichs wären Sie als Präsident durchaus am Platz gewesen, bei Ihrer grossen Popularität … aber es hat nicht sollen sein. Statt dessen sind Sie in den ersten Nachkriegsjahren zum rabiaten Antikommunisten und Schildhalter des Bürgertums geworden. Weil damals nur so an die Macht zu kommen war? Immer wieder die Macht … zuviel. *Le pouvoir rend fou. Le pouvoir absolu rend absolument fou* (Alain).

Also dann, wer hat wen benutzt, ausgenützt, abgenützt im Verlauf Ihres Politikerlebens, Sie das Bürgertum oder das Bürgertum Sie? Nach 1946 wurden Sie nicht gebraucht, die auswechselbaren Charaktermasken der bürgerlichen Politiker passten der herrschenden Klasse besser in den Kram als Ihre unverwechselbar tragische Maske. Denn Ihren persönlichen Vorteil, finanzieller Art zum Beispiel, haben Sie nie gesucht in der Politik, Sie waren in keiner Weise korrumpierbar. Nur eben dafür bekannt, dass Sie Frankreich überforderten und zu hoch hinaus wollten, was die Wirtschaft in diesen Wiederaufbauzeiten nicht brauchen konnte. Auch waren Sie weniger proamerikanisch und antikommunistisch als die Zentrums- und die christlichsozialen Politiker, aber für die Kommunisten doch viel zu rechts und fürs Kapital zu links. Ohne den drohenden Bürgerkrieg wiederum (den eine prosperierende Wirtschaft nicht brauchen kann) wären Sie 1958 nicht an die Macht zurückgekommen, und 1969 hätten Sie die Macht nicht aufgeben müssen, wenn das Bürgertum nicht einen beruhigenden Ersatzmann in Reserve gehabt hätte, Pompidou-Poulidor.

Nun sind Sie also, sagt man, gestorben, und alles weint Ihnen nach, und in Regierungskreisen atmet man auf, weil Sie jetzt nicht mehr auf diese penetrante Art die Landschaft von Colombey anschweigen können und auch nicht eventuell noch einmal hätten reden können, falls Sie gewollt hätten, in Zeiten nationaler Not oder so. Auch scheint es Ihnen jetzt, werter Herr, nicht mehr möglich zu sein, Ihre Memoiren zu vollenden, ausser Sie sind wirklich ein Ghost-Writer, ein Geistschreiber, und hinterlassen uns Ihre *memoires d'outre tombe.*

Diesenfalls könnten Sie, geehrter Verblichener, sehr wohl der literarischen Welt noch kundgeben, wie Sie die Regierungstätigkeit des Regenten Pompidou benoten. Am meisten würden wir es schätzen, wenn Sie uns Ihre werten Empfindungen über den Verlauf der Begräbnisfeierlichkeiten mitteilen könnten und was ihnen vorausging. Die Worte des gaullistischen Fraktionspräsidenten: «Meine Kinder, der Vater ist tot, wir sind Waisen»: klipp und klar eine Bestätigung des politischen Infantilismus. Das Pariservolk und seine Fähigkeit zu trauern, welche nicht nur von der Massenpresse manipuliert war (aber auch). Irgendwo hat man einen gemeinsamen Nenner gespürt: die vaterlose Gesellschaft. Die Strassen waren nicht weniger verstopft als sonst, die Métro stank genau wie immer, aber ein paar Trauertage lang hatten Sie den Massen zwar nicht zu ihrem Recht, wohl aber zu ihrem Ausdruck verholfen. Man erfuhr auch erst bei Ihrem Ableben, dass Sie früher ums Leben gern Métro gefahren wären, Ihr treues Faktotum Oberst Bonneval verriet es: wegen Ihrer leichten Erkennbarkeit hätten Sie aber darauf verzichten müssen (im Hinblick auf die Sozialpolitik der V. Republik ist es wirklich bedauerlich, dass Sie nicht öfters zu Stosszeiten Métro gefahren sind: *L'état nous roule, il ne nous transporte pas).*

Dem kleinen Volk, das ein Leben lang oft nichts Lebenswertes erfährt, haben Sie durch Ihr Hinscheiden nochmals kurz das Erlebnis von ein bisschen Grösse vermittelt, es konnte alle Stationen dieser überdimensionalen Laufbahn nachvollziehen. Sie haben stellvertretend für die passiven Millionen erlebt. Sie haben fasziniert, auf Kosten der Faszinierten. Alle zehn Jahre ein grosser Mann. Wer bezahlte die Spesen? Das Volk wird zur Tagesordnung übergehen und andere Spesen machen, die Regierenden auch. Pompidou hat mit Trauerflor in der Stimme erklärt: «Frankreich ist Witwe.» Eine lustige Witwe fürwahr, die bereits ein Jahr vor der Verwitwung mit dem neuen Liebhaber ins Bett hüpfte.

Mit vorzüglicher Hochachtung
Ihr
Nicolas Leidenberg

PS: Vive la République!

PS 1991:
De Gaulle hat im deutschen Sprachraum zeitlebens eine schlechte Presse gehabt. Den Linken galt er bald als napoleonid, als plebiszitärer Diktator, bald als Krypto-Faschist, die Rechten verziehen ihm die antiamerikanischen Töne nicht (z.B. die Rede von Pnom Penh, 1966, welche die USA zum Rückzug aus Vietnam aufforderte) und auch nicht sein Ausscheren aus der NATO.

Aber seine Politik hatte tief verwurzelte demokratische Tendenzen: Wenn er sich nicht mehr im Einklang mit der Nation wusste, hat er sich jeweils zurückgezogen. Hat sozusagen ein paar grosse Ideen an seine Fahne geheftet, inkarnierte zuerst die résistance und die Renaissance Frankreichs nach dem Debakel von 1940, analysierte die Lage korrekt und mit Grips, als mindere Politiker den Sieg der Nazis für endgültig hielten; akzeptierte 1944 drei Kommunisten in seiner Regierung (zweitrangige Ministerien), durchschaute aber die stalinistische Politik der kommunistischen Partei, wie er auch Stalins Hegemonie über Osteuropa richtig analysierte (und im übrigen den Zusammenbruch des Kommunismus und die Wiedervereinigung Deutschlands prophezeite); demissionierte 1946 freiwillig, weil er seine konstitutionellen Reformideen als unrealisierbar betrachtete; liess sich 1958 von der Armee resp. den revoltierenden Algerien-Franzosen an die Macht zurückschwemmen, hat die Armee aber kurz darauf in den Senkel gestellt und Algerien von Frankreich abgenabelt. War nie einer Körperschaft oder einer Bürokratie hörig oder durch Geld korrumpierbar, sondern dem Allgemein-Interesse verpflichtet (wenn er auch oft, manchmal *contrecœur,* die Interessen des Kapitals zuerst bediente). Nach 1968, als er das Abbröckeln des Konsenses bemerkte, provozierte er ein Referendum, klammerte sich nicht an die Macht (die war ihm nie Selbstzweck, sondern Mittel zur Durchsetzung von

Ideen): Er hätte bis 1972 legal regieren können. Jenes Referendum von 1969 bedeutete, dass er seine Ideen für den Umbau Frankreichs (Regionalisierung, Mitbestimmung in den Betrieben, Universitätsreform) dem Volkswillen, der *volonté générale,* anheimstellte. (Welche grosse Idee, oder welches Programm, heftet sich jeweils an den Namen eines schweizerischen Bundesrats-Kandidaten? Welcher, ausser Max Weber, hat je freiwillig demissioniert, wenn seine Ideen nicht zu verwirklichen waren?) Nachdem er die Abstimmung von 1969 verloren hatte, zog er sich mit einem majestätisch-demokratischen Kurzcommuniqué von der Macht zurück («... cesse d'exercer ses fonctions»), vergrub sich in Colombey-les-deux-Eglises, trat in keinen einzigen Verwaltungsrat ein, gab keine politische Erklärung mehr ab und starb recht bald (Cf. Jean Lacouture, «De Gaulle», Editions du Seuil, 1985, 3 Bände).

Der traditionelle Neujahrsempfang

Es ist eine Feuchtigkeit, aber auch eine Feierlichkeit in der Luft an diesem historischen Januartag, denn vor dem Bundespalast liegt der rote Teppich längsseits auf dem Trottoir und saugt sich mit Regen voll, und vor dem Teppich stehen zwei eidgenössisch amtlich gekleidete Wagenschlagaufreisser mit einer Uniform wie Gepäckträger, die werden die Türen der Diplomatenautos jetzt dann grad im schnellen Rhythmus öffnen dürfen. Ein paar Dutzend Meter entfernt steht das Volk, wie angeheuerte Statisten, durch Abschrankungen getrennt vom erlauchten Vorgang, und murmelt und winkt und starrt auf den roten Teppich, der nächstens das Schuhwerk der ordnungsgemäss akkreditierten Diplomaten auf sich herumtrampeln lassen darf. Aber vorgängig, Schlag drei, kommen noch die Gnädigen Herren aus dem *Inland,* kommen gäng daher in ihrer beschaulichen Art wie seit Jahrhunderten und wollen, in weitem Bogen auffahrend, dem Volk Gelegenheit geben, sich die Obrigkeit genau einzuprägen. Zuerst artikulieren sich Präsident und Vizepräsident des Regierungsrates des Kts. Bern, und wir hören:

Geräusch: Hufgeklapper

Darauf der Statthalter und Vizestatthalter von Bern: *(Hufgekl.)*

Darauf der Stadtpräsident und Stadtvizepräsident von Bern: *(Hufgekl.)*

Darauf der Stadtratspräsident und Stadtratsvizepräsident: *(Hufgekl.)*

Darauf der Burgergemeindepräsident und Burgergemeindevizepräsident: *(Hufgekl.)*

Die Kutschen entfernen sich, auf der letzten klammert sich ein Rossknecht fest. Die Herren ziehen ihren Frack straff, rücken die Zylinder gerade, plissieren die bitteren Gesichter mit Regierungsfalten und denken offenbar an ihren Staat, von welchem im neuen Jahr ein wackeres Stück amputiert werden muss, der Jura wird nämlich unabhängig, trotz imperialistischen Bemühungen ihrerseits, nachdem bereits die Herrschaft über die waadtländischen und aargauischen Territorien verloren gegangen ist.

Stracks steht die Regierung jetzt im Vestibül des Bundespalastes, überreicht Mantel und Zylinder mit einer Feierlichkeit, als ob es Beglaubigungsschreiben wären, den weissgekleideten Lakaien, welche im Hotel «Bellevue» für diesen Zweck gemietet wurden. Die Halstücher der Regierung werden in die herunterbaumelnden Mantelärmel an der Garderobe gestopft, und nehmen jetzt die Herren Aufstellung für den Marsch die Stiegen hinauf, wo der Wein und der Heizungsmonteur Ritschard auf sie warten in der Wandelhalle des Nationalrates. Die verschiedenen Fraktionen gruppieren sich hinter je einem Weibel, und die Weibel hantieren mit einem Stecken, der oben eine Art Verdickung aufweist, wohl eine Spätform des mittelalterlichen Zepters, und kommt es vor, dass ein Weibel seinen Stecken aus Unachtsamkeit vor den Bauch hält, und zwar dergestalt, dass die Regierungspotenz ihm direkt aus den Lenden zu wachsen scheint. Nun aber sind alle Fraktionen reisefertig. Tschäppät, der bourbonisch wirkende Stadtpräsident, dessen Ranzen und Gesicht ein Profil haben wie Ludwig der Sechzehnte, und Nyffeler und Ruchti und Blaser und Thomann und Mäder und Hegg und Meier und Bircher und Müller, bei denen nicht nur die Fräcke, sondern auch die Personen dreinschauen wie aus dem Kostümverleih, sind also wie gesagt reisefertig und lassen sich von der Lust auf den im Ehrenwein enthaltenen Alkohol die Stiege hinauflocken, welche sie etwas täppisch und mit leicht rollenden Schultern besteigen, die Machtstecken der teilweise schwanzlastigen Weibel immer voran.

Dann bleibt es lange still, die bernische Regierung trinkt jetzt wohl und schäkert mit dem Heizungsmonteur im oberen Stock, wo niemand dem Treiben zuschauen darf, weder Volk noch Journalisten. Dann tröpfeln die Herren in heiterem Zustand die Stiege wieder herunter, vorbei an den steinernen drei Eidgenossen, die dastehen wie vom patriotischen Starrkrampf geschlagen, während von unten bereits die ersten Diplomaten in die Höhe strömen.

(Stimmengewirr, Hintergrund-Lärm.)

Es ist jetzt ein Getrippel, Getrappel und Gebrabbel im Palast, dass es eine Art hat. Eine farbige Gesellschaft kommt da zusammen. Amerikanische Millionäre, als Botschafter verkleidet wie dieser Herr Warner, der einen finanziellen Zustupf geleistet hat für die Wahlkampagne seines Präsidenten und zum Dank dafür einen Botschafterposten ergattern konnte. Auch tüchtige Spione, als Militärattachés verkleidet, und auch seine Exzellenz der Vertreter der französischen Rüstungsindustrie, und Abgesandte der persischen, chilenischen, argentinischen, brasilianischen Gewaltregimes, und auch der Vertreter der Familie Somoza aus Nicaragua, welche diesen Staat verwaltet als ihr eigenes Geschäft, und sogar der frisch gekrönte Kaiser Bokassa aus Afrika hat einen Sendling geschickt, und nicht zu vergessen der Bruder des Fürsten von Liechtenstein, Prinz Heinrich II., dessen Klapprigkeit von einer Uniform notdürftig zusammengehalten wird.

Da gehen sie, die Herren Al Nasr, Baron Collot D'Escury, Dagadou, Sandoungout, Lebsanft, Nguyen Manh-Cam, Darenkov, Lavrov usw., nehmen halbmondförmig Aufstellung in der Wandelhalle. Nur einer geht nicht, sondern wird im Lift hinaufgeschafft, der apostolische Nuntius, welcher sich vor Jahren einen Fuss gebrochen hatte, weil er auf der Stiege ausschlipfte nach dem Empfang, und seither maschinell in den ersten Stock gehisst wird, wo er dann im Namen aller Kollegen seine Wünsche an das schweizerische Oberhaupt richten darf, wie es die Tradition will, ist doch der Nuntius in allen christlichen Staaten immer der Vorsteher des Diplomatischen Corps. Im letzten Jahr bot sich ihm spezielle Gelegenheit zur Befriedigung, hatte doch die vatikanische Kampagne gegen die Fristenlösung einen schönen Erfolg gebucht und bleibt die Schweiz weiterhin im Rahmen der Christlichkeit, und auch für das laufende Jahr dürfen gute Resultate erwartet werden, die Trennung von Kirche und Staat wird nicht beschlossen werden. Seine Exzellenz Monsignore Ambrogio Marchioni räuspert sich also und entbietet der Schweiz und dem dazugehörenden Volk, welches ausgesperrt ist draussen auf dem Platz, einige feingedrechselte Sätze auf französisch, deren Eleganz und sprachliches Bouquet auf deutsch nur unvollkommen wiedergegeben werden können –

Ich entbiete Ihrer Exzellenz und Ihrem noblen Volk die besten Wünsche für das Wohlergehen im Namen der Staatschefs der verschiedenen Länder. Wir wollen diesen alten Brauch der Neujahrswunschentbietung mit einer geistigen Vibration erfüllen, wir wollen ein Verbindungsglied darauf pfropfen, das direkt von Herzen kommt. (Voulons les remplir d'une vibration sprituelle, nous voulons y greffer un lien venant directement du coeur.)

Nachdem er kurz vibriert hatte, pfropfte der Monsignore einen weiteren Gedankenzweig auf seinen vatikanischen Redebaum, und sagte:

Können wir noch gleichgültig, passiv und neutral bleiben angesichts der Gewalttätigkeit und des Terrorismus, die sozusagen überall wüten?

Und als er noch weitere Ausführungen in diesem Stil geschnörkelt hatte, antwortete die Schweiz in Form von Exzellenz Ritschard sehr hübsch und anständig und führte u.a. aus, ebenfalls französisch, nach einem Blick auf die baufälligen Herren des Diplomatischen Corps:

Man merkt es hier besonders deutlich, dass, im Gegensatz zu dem bekannten Spruch, der Mensch nicht die Krone der Schöpfung ist.

Der Bundespräsident, welcher diese Worte nicht auf die anwesende Corona, sondern ganz allgemein auf den Zustand der Menschheit gemünzt hatte, liess allerdings nicht durchblicken, ob er die kühnen Worte des vatikanischen Gesandten, der inmitten all dieser Vertreter der staatlichen Gewalttätigkeit – Brasilien, Nicaragua, Chile, Argentinien etc. – vom Terrorismus gesprochen hatte, als Sozialdemokrat besonders schätzte. Die Diplomaten ihrerseits zeigten keine besondere Erregung, was mit mangelnden Sprachkenntnissen zu erklären ist, wie etwa das Beispiel des österreichischen Militärattachés zeigt, welcher nach dem Empfang dem Reporter sagte:

I kann doch kei Franzesisch.

Auch der Vertreter von Gambia hatte nichts verstanden.

I'm from Gambia. I don't speak french.

Spezielle Erwähnung verdient auch der russische Botschafter, welcher entweder Schwierigkeiten mit den englischen Personalpronomen der dritten Person singular hat oder aber dann, von Kurzsichtigkeit geschlagen, der Meinung ist, die Schweiz werde bereits von einer Frau präsidiert, antwortete er doch auf die Frage, wie ihm die Rede des Vorsitzenden Willy gefallen habe:

I think she made a very fine speech.

Der chinesische Botschafter hatte auch nichts verstanden, musste sich die Rede von einem Dolmetscher übersetzen lassen, und die Australier können auch kein Französisch, und der amerikanische

Botschafter auch nicht, und geklatscht haben sie trotzdem alle nach der Rede des Präsidenten, und die Hälfte von ihnen hätte auch geklatscht, wenn ihnen *auf französisch* Pest und Cholera an den Hals gewünscht worden wären; was der Präsident leider unterlassen hat.

Dann war der zierliche Anlass vorbei, nachdem noch Champagner durch die goldbetressten kostbaren Gurgeln geflossen war, und ging es wieder die Stiegen herunter, der Kostümball ist fast vorbei, und ein Gerangel unten im Vestibül entsteht, die Herren und Herrinnen pflücken ihre Hüte und Mäntel von der Garderobe und warten auf ihre Wägen, nennen der Reihe nach distinguiert oder pikiert einem Lakaien von der Stadtpolizei Bern den Namen ihres Landes:

Espagne! Etats Unis! Côte d'Ivoire! etc.

Und der Berner Lakaipolizist spricht in sein Walkie-talkie, während draussen im Regen sich andere Diener, nämlich die Chauffeure der Herren, um einen Lautsprecher gruppiert haben und sofort zu ihrer nationalen Limousine laufen und damit angerollt kommen, wenn der Name im Lautsprecher tönt:

Spanien! Vereinigte Staaten! Elfenbeinküste! etc.

Das Volk, dem die goldbestickten Herren durch den Mund des vatikanischen Botschafters droben im abgesperrten Saale ihre besten Wünsche entboten haben, steht immer noch hinter der Abschrankung auf der anderen Seite des Platzes und schaut geduldig zu, frierend im Regen, und erhascht hin und wieder einen Blick ins Innere des Palastes, und dann rauschen die Wagen der Ambassadoren an ihm vorbei.

Sexaloiten

Musikalisches Signet: Eurovision (Marc-Antoine Charpentier)

1. Stimme: (Immer mit Musik und Publikumsgeräusch unterlegt) Liebi Zuehörerinne und Zuehörer, ich törf Sie herzlich begrüesse, Sie alli wo nöd Zyt oder Luscht händ sälber biizwohne bim diesjährige Sächsilüüte, wone bsundrigs Sächsilüüte wird sie, dänn es handlet sich ums zweehunderteinesächzigscht Sächsilüüte, won in eusere Stadt abghalte wird, ich bizieh mich da uf die läsenswerti Broschüre wos Zentralkomitee vo de Zürcher Zöift, abkürzt zzz, chürzlich usegeh hätt und wo drin feschtghalte wird Siite 13 ich zitier:
2. Stimme: (Musik immer weg unter Zitaten:) *Die festliche Begehung des Sechseläutens durch die Zünfte, wenn vorerst auch nur unter sich auf Ihren Zunftstuben, ist seit 1717 bezeugt.*
1. Stimme: Es gaht en chüele Wind, liebi Zuehörerinne und Zuehörer, wie scho im Jahr 1717, und er wird no chelter werde im Verlauf vom Umzuug, und es paar vereinzelti Schneeflöckli säglet no verträumt uf d'Kreditaastalt abe, sozäge d'Nachhuet vom Winter, wones letschts Rückzuugsgfächt liferet, und jetzt chan ich bereits beobachte, wie euse Stadtpresidänt Sigi Widmer d'Amadisli aziät, woner im Verlauf vom Umzuug no wird froh si drum, und i de lingge Hand treit er de Integralhelm, woner au no wird froh si drum, dänn es isch e so chalt, dass men en Helm guet cha bruuche gäge d'Chelti und gäge die Bluemestrüüss und anderi Grüessli, wo im Verlauf vom Umzuug a die Politikerchöpfli wärdet z'flüüge cho, und wie scho d'Züri-Ziitig 1980 gschribe hätt, isch au de Schnee mängisch ganz giftig –
2. Stimme: *wobei die Schneekristalle keineswegs sanft herniederschaukeln, sondern von einem harschen Wind den Passanten stechend ins Gesicht oder den Nacken getrieben werden. Das tut immerhin den – im Original kursiv gedruckt – Fahnen gut. Sie knattern und flattern, dass es eine Lust ist, ihnen zuzuschauen; sie wölben sich wie Segel auf dem See und klatschen an die in den letz-*

ten Jahren ohnehin bunter gewordenen Fassaden der Altstadt. (NZZ, 20. April '80)
1. Stimme: Bald wird de Umzuug, liebi Zuehörerinne und Zuehörer, a de Fassade vom Raathuus verbiizieh, wo sit em letschte Sächsilüüte ohnehin bunter worde isch*, und die Zöifter werdet dra tänke, dass am 7. Juni 1336, ohne dass e Demonstrationsbewilligung iigholt worde isch –
2. Stimme: *... ein wütender Volkshaufen, bestehend aus den Handwerkern der Stadt Zürich, das Rathaus stürmte und die Räte in die Flucht trieb – (Zitat aus: «Die Entstehung der Zürcher Zünfte und des Sechseläutens», verfasst von Emil Lipp, Zünfter zur Letzi, Pressechef ZZZ).*
1. Stimme: De Volkshuufe hätt dazumal, das muess ich de historisch gebildete Zuehörerinne und Zuehörer dihei nümme erchlehre, gäge die vertrottleti und bohnestrohtummi und sackriichi und arroganti und huuchtünni Oberschicht vo Züri mit Erfolg randaliert, und genau us dem Krawall vo 1336 sind dänn die Zöift hervorgange, wo hütt wieder e sackriichi und huchtünni usw. Oberschicht darstelled, wän ich so säge törf.

Ich möchti da no iiflächte, dass wiiterhin vereinzelti Schneeflöckli wie Wattebäuschli uf d'Bahnhofstrass abesäglet, aber au ufs Limmatquai abesäglet, uf öises Limmatquai –
2. Stimme: *Eine Strasse, die vor Einkaufsfreude knistert*
1. Stimme: wie's imene Proschpäkt gheisse hätt, wo d'Vereinigung vo de Limmatquai-Gschäfter no voremene Jahr herusgegäbe hätt, und ich möcht an dieser Stell no biifüege, dass näbsch de Schneeflöckli au vereinzelti Schoufänschter erwartigsvoll im Namittagsliecht glänzed, dass heisst, d'Sunne, wo grad jetzt i dem Momänt sich äntgültig schiint durezetze z'chönne gäge das Schneegstöber, spieglet sich i dene vereinzelte Schaufeischter oder laht iri Strahle uf zahlriichi Holzverschaalige uufpralle, oder uf Plastikverschaalige.
2. Stimme: *hinter welchen wir getrost die prachtvollsten Warenangebote und geschmackvollsten Arrangements jedwelcher Art vermuten dürfen, wie Hanno Helbling, Feuilletonchef der «Neuen*

* Die «Bewegung» (Bewegig) hatte periodisch eine farbliche Bereicherung dieser, wie auch anderer, Fassaden vorgenommen.

Zürcher Zeitung», in der Sonntagsbeilage vom 25. Dezember 1980 nach einem Stadtbummel beinahe notiert hätte.

1. Stimme: Mir wänd aber dem Umzuug nöd vorgriife, gägewärtig isch immer no Besammlig uf de Pestalozziwiese gägenüber vom Globus, grad i dem Momänt ghöredmer zum erschte Mal am hüttige Tag die vertroute Tön vom Sächsilüütemarsch, dargebotte vo de Knabemusig Züri uf e sehr sprützigi Art under de bewährte Stabfüerig vom Diräkter Knabehans i dene traditionelle Uniforme, wo's jedem waschächte Zürcher ganz warm s'Herz abelauft, wänner die rassigi Melodie ghört us dene Uniforme usesprütze, wommer sit em letschte Jahr nümme ghört händ, juhui: Jede Zürcher weiss unfehlbar, wänn er de Sächsilüütemarsch ghört: Jetzt isch Sächsilüüte, jetzt chlöpfts dänn bald, und das Johr ganz bsunders.

No es Wort zu de Ross. Für die schreckhafte Tier wirds kän liechte Namittaag werde, es chömed nur charakterlich iiwandfreii, uusglicheni Pferd mit Sächsilüütererfahrig in Fraag, wo unbedingti Gwähr büütet für en ruige Ablauf vo dere Veraastaltig, au aagsichts vo unerwartete Lärmimmissione.

2. Stimme: *Es ist ein langer Tag auch für die Pferde. Sie werden am frühen Morgen in den Ställen besonders sorgfältig gestriegelt und gebürstet, in manchen Zünften werden die Vorderbeine in einheitlicher Farbe bandagiert (Zunft zur Meise: gelb, Zunft zum Weggen: weiss), unter die Sättel kommen die Schabracken mit dem Zunftemblem und vor den Sattel vielfach auch die Blumentaschen. Pferde vom Land, die anfänglich sogar vor den ihnen wenig bekannten Fussgängerstreifen scheuen, beruhigen sich um so schneller, je grösser auf dem Sammelplatz die Pferdegesellschaft wird. Unterwegs zum Sechseläutenplatz warten einige Tücken auf die empfindlichen Tiere – auf den Tramschienen warten verlorene Blumen, auf denen ein Pferdebein leicht ausgleitet, Blumensträusse treffen gelegentlich nicht die Hand des Reiters, sondern den Kopf seines Pferdes, die Kinder auf dem Randstein strecken ihre Beine auf die Strasse, beim Coutremarsch kann das Schmettern der Musikkorps auch brave Pferde nervös machen. Bei Reitern und Pferden besonders gefürchtet ist schliesslich der Knall einer Hagelkanone, die von einer dem Rebhandwerk huldigenden Zunft mitgeführt wird. (Zitat aus der «Neuen Zürcher Zeitung» vom 13. April 1977.)*

1. Stimme: Aber nöd nur e Hagelkanone wird im Umzuug mitgfüert, sondern au de Tiräkter vo de Hagelversicherig Hans Scharpf, wele im Volksmund gnännt wird de scharpfi Hans, en hervorragende Fründ vom Ernst Cincera. De Hagelversicherigs-Scharpf isch scho sit Jahre i de Zimmerlüüte-Zouft gwerkschaftlich organisiert, während sis Gschpäänli Cincera, abkürzt Cinci, bi de Höngger Zouft törf mitlaufe. Am früene Morge bereits sind alli Höngger Zöifter bsunders sorgfeltig gebürschtet und geschtrieglet und iri Vorderbei einheitlich violett bandagiert worde und iri rächte Schulterbletter frisch mit em Zouftemblem tätowiert worde.

Was Sie jetzt ghöred, liebi Zuehörerinne und Zuehörer, isch de Ufprall vo de Weggli im Volch. Die Weggli werdet mit volle Hände vo de Wegge-Zöifter is Volch ine gworfe, dass es tätscht; und voruus zieht e flotti Riitergruppe. Blueme bringed immer e chli Farb und die suubere, wiisse Becke sind en suubere Aablick. De Umzuug isch also bereits is Rolle choh, a vorderschter Stell hüür d'Weggezouft miteme vollautomatische Bachtroog mit Sunnekollektore. Maitli au debii, aber wänn sie zwänzgi sind, isch es aus für sie, dänn törfet sie nüme mitlaufe, werdet nöd i Zöift ufgnoh, anderi Randgruppe, wie zum Biispiil s'Volch, ebefalls nöd, und s'bsunderi Merchmaal vo dem glungene und typische Züri-Fäscht isch scho immer gsi, dass s'Volch am Randschtei staht und a de Weggli lutscht, won ihm vo de Weggezouft is Muul ine gschtopft werdet, während d'Zöifter spornstreichs in irni Zoufthüüser zrugghechlet nach em Umzuug, nachdem sie bereits vor dem Umzuug iri Wänscht i de Zoufthüüser abgfüllt händ. S'Volch törf aber no wiiteri Tätigkeite usüebe, zum Biispool klatsche bim Aablick vo de verbiiriitende oder verbiischlarpende Herre, oder dene Herre Blueme zuewerfe, oder OH und AH rüeffe, oder imene bsunders beliebte Magischtraat es Chüssli geh, das sind dänn bsunderi Höhepünkt.

Törf ich a dere Stell villicht de Hansueli Fröhlich zitiere, wo i de Firma Volvo e bedüütendi Stell bekleidet, ganz obe im Konzern und usserdem Sprächer vom Zentralkomitee vo de Zürcher Zöift, während er hauptbruflich im Polit-Büro vo dere Firma Auto verchauft.

2. Stimme: *Wie aber wird man überhaupt Zünfter? Sind es bei den*

historischen Zünften die Träger der alteingesessenen Geschlechter, die auch heute noch unbeschadet der jetzigen beruflichen Tätigkeit den massgebenden Stock bilden, so sind in den neuen Zünften Nachfahren und Verwandte der seinerzeitigen Gründer zu finden, neben Persönlichkeiten aus den betreffenden Quartieren, auf deren Mitwirkung und Mitgliedschaft man Wert legt. Da heute schon allein aus räumlichen Gründen an vielen Orten die Mitgliederzahlen beschränkt werden müssen, befinden sich die Zünftersöhne und Schwiegersöhne in einer bevorzugten Stellung.

1. Stimme: Underdessen isch bereits d'Zouft zur Schifflüüte am Verbiimarschiere, mit etliche Saumpferd und bsunders schööne Herre, i dere Zouft sind traditionellerwiis die typische Fischer und d'Schiffer organisiert, also zum Biispiil die Herre Sprüngli und Farner, nämlich de Schoggi-Sprüngli und de Reklame-Farner, wo unbeschadet irer jetzige bruefliche Stellig us em Züri-See-Schiffer-Milieu ufgstige sind. Au vier Schwigersöhn vom Sprüngli und zwee Schwööger vom Rudolf Farner sind tütli i de Reihe vo de Schifflüüte z'erchänne, obwohl iri dynamische Gschäfts-Gsichter vo Allongeperücke halb verdeckt sind, aber en guete Kommentator kännt die Herre am Profil. Mit chliine, aber prezise Sprüngli hüpfed sie im Windschatte von irne Vättere und sind en gfreute Aablick im Umzuug. Iri Halszäpfli einheitlich rosarot bandagiert, und iri Huuf frisch bschlage und mit Gleitschutz verseh.

Leider isch mir hüür de Menüplan vo de Schifflüüte-Zouft nöd mitteilt worde, aber für 1977 hani e gnaui Ufstellig, vo det chame dänn uf 1981 schlüsse. 1977 isch zum Zmittag Forällefilets und gräuchts Rippli Wellington gschpise und Féchy Domaine de Riencourt trunke worde, oder au en Schifflüüte-Wy, Jahrgang 1975, wärend z'Nacht en simple Schmorbraate uf em Programm gsi isch. Mir wänd jetzt aber die Schifflüüte nöd verlaa, ohne e bsunders Augemerch uf de Rudolf Farner gworfe z'ha, wo quasi de Inbegriff vomene Zöifter isch und i sinere Person alles krischtalisiert was öis die Zöift so sympathisch macht. Militärisch beschwingt trippled er verbii, jede Zoll en Zouftmeischter, jede Santimeter en Oberscht im Generalstaab, und die ganzi Person laht no de Pfadifüerer dureschimmere, won er emal gsi isch. Zu sim sächzigschte Geburtstaag, anno 1977, hät er sis Läbe uusfüerlich gschilderet, sis Erfolgsrezäpt, sis Zürcher Schroot und Chorn, sini Jagdlideschaft und Liebi zu Tier und Pflänzli und au sini Wurmkänntniss.

2. Stimme: *Die schönste Geschichte aus Dr. Rudolf Farners Werbeagentur ist vielleicht die Gummibaumstory. Dr. Rudolf Farner erhielt bei der Gründung der Dr.-Rudolf-Farner-Werbeberatung von seinem Lehrer und Freund Paul Althaus einen Gummibaum mit dem frommen Wunsch: «Möge es dir, lieber Fänsch, immer so gut gehen wie diesem Gummibaum.» Und seit bald dreissig Jahren wertet Farner jeden Wildwuchs, jedes Serbeln und Grünen des Baumes als gutes oder böses Omen für das Gedeihen seiner Firma. Und heute, nachdem die Publicis-Intermarco-Farner-Gruppe gut und gerne ihre 611 Millionen Franken Umsatz laufen hat, ist der Gummibaum beim Zürcher Stadtgärtner in Pflege. Fürchterlich, wenn der Pflanze jetzt etwas geschehen würde. Dr. Rudolf Farner erinnert sich: «Einmal, vor vielen Jahren, hatte der Gummibaum Würmer, da wusste ich, dass ich im Betrieb auch solche Schmarotzer hatte. Der Stadtgärtner und ich brachten beides wieder in Ordnung.» (Zitat aus Carl M. Holligers Artikel: «Fänsch, ein Leben für das immer Neue», Werbung und Marketing, Juni 1977.)*

1. Stimme: Es verwunderet i dem Zämehang sicher nöd, dass de Zöifter Farner für de Zöifter Cincera iistaaht, und d'Betreuig übernoh hätt für d'Aktion «Freiheit und Verantwortung» und die archivalische Bemüehige und s'Schnüfflernäsli vo sim Offizierskolleg ä gsundi Sach findet.

2. Stimme: *An den gegenwärtigen Aufgaben habe ich Freude, ich werde sie, solange es geht, auch weiterführen. Dabei werde ich weiterhin an vorderster Front für die freie Marktwirtschaft gegen die zentralgesteuerte kommunistische Staatswirtschaft kämpfen. Kämpfen also im Krieg zwischen Freiheit und Zwang. Wie beim Einsatz beispielsweise bei der Aktion «Freiheit und Verantwortung». Denn auch die Werbung ist ein Teil unserer Freiheit – sie gilt es mit jedem Mittel zu verteidigen. (Zitat aus Carl M. Holliger: Fänsch, ein Leben ..., siehe oben.)*

1. Stimme: Au öisers Sechsilüüte wird mit allne, ich wiederhole, mit allne, zur Verfüegig stehende Mittlene verteidigt werde. Es sind Grücht umegange, dass dä Umzuug söll gschtört wärde durch irgendwelche, unkontrollierti Elemente. Aber ich muess mini Zuhörer druff hiwiise, dass öiseri Zöifter dank ihrer Tracht ganz

organisch i dr Lag sind, jedi Aggression abzwere, ich tänke do a die Metzgerbieli, wo d'Metzgerzouft mittrait, oder a die verschiedene Däge und historische Schwerter; wo nöd us Karton sind und ir ne ursprüngliche Zweck könntet erfülle, und wiä mir mitgeteilt worden isch, sölled einzelni Zöifter unter irne historische Mäntel etlichi Messer und Iseschtange und Schlagring mit sich füere, sodass diä Selbstverteidigung wiitgehend gewährleischtet isch und uf än massive Polizeiiisatz cha verzichtet wärde. Vo Siite vom zzz, Zentralkomitee der Zürcher Zünfte, isch ä Ziitlang mit äm Gedanke gschpielt worde, hür uf dä Iisatz vo Ross z'verzichte, will diä Tiär für Störaktione, ich dänke do a Rakete, Schwärmer, Kanonechracher, Schwizerchracher, bsonders störanfällig sind, wänn sie ihne während em Umzuug zwüschet Bei chlöpfed. Aber mir händ volls Vertraue in eusri Ross, und di berittni Gruppe vo dä Stadtpolizei, wo dä Umzuug traditionellerwiis eröffnet, wird mit em guete Biischpiil vorago.

(Musik und Publikumsgeräusch, Hufgeklapper, aufgedreht)

PS: Ausgestrahlt am Vorabend des Sechseläutens, welches sich dann so abspielte wie prognostiziert. Es gab ein paar Kanonenkracher, Sprechchöre etc., der Journalist Haldimann, präziser Berichterstatter, wurde von rauflustigen Zöiftern mit historischen Instrumenten verletzt etc. ein riesiges Polizeiaufgebot schützte die Veranstaltung, und ein paar von den schreckhaften Tieren scheuten. Durch das zeitliche Nacheinander von fiktiver Reportage und Umzug kamen etliche Zöifter auf den Gedanken, der Schreibende habe die Kanonenkracher etc., verursacht (zuviel der Ehre); welcher aber nur zum voraus geschildert hatte, was jeder Kenner der Verhältnisse ahnen konnte. Es wurde eine Konzessionsbeschwerde eingereicht. Die Konzessionsbeschwerden-Kommission entschied in der 1. Instanz, dass der Beitrag die Konzession nicht verletzt habe. Darauf wurde die Beschwerde an die 2. Instanz weitergezogen, wo der Entscheid der 1. Instanz bestätigt wurde.

Der restaurierte Palast
(und seine ersten Benützer)

Er glänzte doch recht festlich an diesem Samstagmorgen, dem 1. Dezember, glänzte in der Morgensonne, der enorme Palast, frischgeputzt, und auf dem Dach posaunte ein neobarocker Engel, von dem man nicht recht weiss, ob er pathetisch oder witzig gemeint ist, und auf der hinteren Seite, wo früher die Kulissen auf einer Hühnertreppe ins Innere transportiert hatten werden müssen, parkierte eine wackere Reihe von Polizeiautos, frischgeputzte *Ford Transits,* zur Feier des Tages in zarten Pastelltönen, und überall patrouillierte die Polizei mit diesen theatralischen Tränengasgewehren, geflochtenen Schildern, Helmen, Walkie-talkies und an deren Requisiten. Zahlreiche Hunde bewachten, nebst den allegorischen Figuren, den Palast und sabberten wachsam vor sich hin. Es war ein grosser Tag, auch für die Securitas und die Wachgesellschaft *Protectas,* welche, zusammen mit der Polizei, die Redner und die Zuhörer der Redner bewachen durften; aber es gab nichts zu bewachen, wer möchte denn schon so früh an einem bitterkalten Morgen die Kultur stören? Das Verhältnis von Gaffern und Polizei war eins zu fünfzig. Aussen Polizei, innen Kultur.

Man betritt den Palast – «Haus» kann man das ja wohl nicht nennen – nach der zuerst auf 60 Millionen veranschlagten, dann auf 80 Millionen bezifferten Totalrestauration durch drei verglaste Gänge, welche den Menschenfluss kanalisieren. Für jeden Gang stehen innerhalb zwei Securitas bereit, so dass wirklich nichts passiert und das Volk – wenn es diesen Wunsch hätte – in den von ihm finanzierten Palast nicht eindringen könnte. Die Einweihungsfeierlichkeiten waren für die nationale, lokale und internationale Prominenz reserviert, welche von Stadtpräsident Wagner ein Billett gekriegt hatte, und für jenes allegorische, sozusagen sublimierte Volk, das man auf der Bühne sehen würde (Volksszenen aus «CARMEN», «FIDELIO», «MEISTERSINGER»). Die Reichen, welche Samstag/Sonntag im Palast zusammenströmten, haben nämlich ein Herz für diese Art von Volk, das so lieb auf der Bühne tanzt und singt.

Nach W.A. Mozarts Ouvertüre zu «DER SCHAUSPIELDIREKTOR» sprach an diesem Samstagmorgen sofort der Stadtpräsident. Es ist nicht leicht, nach Mozart zu sprechen, besonders, wenn man ein unbegnadeter Redner ist. Wagner war furchtbar steif und gehemmt, wie es seine Art ist, und das merkte man in diesem festlichen Raum – was für eine Oase im vertrockneten Zürich! – besonders gut. Er hat ganz amusisch gesprochen. Der Barock dieser wie ein Hoftheater aufgeputzten Opera fiel Wagner in den Rücken. Er sagte: Die Stadt lebe von der Pluralität ihrer Bewohner, das Kulturverständnis sei ein Gradmesser für die Freiheit, und man müsse die zunehmende Vermassung und Technisierung bekämpfen. (Die Vermassung konnte an diesem Wochenende in der Oper erfolgreich bekämpft werden, indem nur Prominenz anwesend war; aber die Technisierung hat nach der Restauration voll auf den raffiniert eingerichteten Bühnenraum durchgeschlagen.)

Dann begrüsste Wagner den Bundesrat Egli, der die Grüsse der Landesregierung überbringen werde, begrüsste die Regierungsräte Gilgen und Künzi und andere, begrüsste die Spitzen der Armee, des Gemeinderates und des Kantonsrates, auf das Volk konnte man bei so vielen Vertretern verzichten, und begrüsste den Restaurationsarchitekten Paillard vom Büro Paillard, Lehmann und Partner. Dieser, ziemlich frohgelaunt, weil er mit den Auffrischungsarbeiten und dem Neubau des Verwaltungsgebäudes, welches so hässlich ist, dass es im Volksmund «Fleischkäse» genannt wird, viel Geld verdient hatte, begrüsste seinerseits die Anwesenden und sagte in diesem totenstillen Raum, das Haus müsse jetzt von Leben erfüllt werden. Darauf kam der auch nicht sehr lebendige, aber freisinnige Stadtrat Fahrner zur Schlüsselübergabe aufs Rednerpodium, und Paillard übergab ihm nun den Schlüssel. Dieser hatte die Form eines grossen goldenen Notenschlüssels. Wie könnte es für ein Musiktheater anders sein, sagte der verschmitzte Paillard. Da mussten die Anwesenden jetzt herzlich lachen!

Der Notenschlüssel wanderte im Verlauf der weiteren Reden von Stadtrat Fahrner zu alt Stadtrat Max Koller, Präsident des Verwaltungsrates, und von Koller an Claus Helmut Drese, Operndirektor. Zwischen Koller und Egli kam Honeggers «CHANT DE JOIE» (Jubellied) und nach Drese Carl Maria von Webers «JUBELOUVERTÜRE» zur Aufführung, beides, wie auch Mozart, unter der ebenso bewährten wie langweiligen Stabführung von Ralf Weikert. Alt Stadtrat Koller sagte frech, wem der «Fleischkäse» von aussen nicht gefalle, der solle dieses Gebäude doch von innen besichtigen, dann sei er sofort befriedigt. Da mussten die Zuhörer wieder herzlich lachen; aber vielleicht ist mit dieser Kollerschen Bemerkung die städtebauliche Problematik des plumpen Gebäudes doch nicht ganz verschwunden.

Nach Egli kam Drese, der glänzend verdienende und agierende Spitzenmanager, mit seiner Dankansprache. Er bezieht ein monatliches Gehalt von 20000 Franken, arbeitet aber auch sehr viel. Hinter Drese hatte im Bühnenraum die ganze Belegschaft des Palastes Platz genommen. Drese stellte sie vor: das Werkstättenpersonal. Darauf steht das Werkstättenpersonal auf, wie in der Schule, wenn der Inspektor kommt, und wird vom Publikum beklatscht. Dann sitzt es artig wieder ab. Darauf das Ballett, die Beleuchtungsabteilung und Tontechnik, die Schneiderei, Ateliers und Maskenbildner, auf/ab, Bibliothek, künstlerische Direktion, Repetitoren, Inspizienten, Souffleusen, die Sänger vom festen Ensemble, Applaus, Applaus; die Kassierinnen und Schliesserinnen sind in Aktion und hören den für sie bestimmten Beifall draussen nur gedämpft. Drese holt jetzt aus zu einem kulturpolitischen Rundumschlag und behauptet in dieser geschlossenen Vorstellung: Theater sei «eine öffentliche Anstalt des Staates zur Information, Animation und Kommunikation der Bürger, vermittelt durch darstellende Kunst», und wer den materiellen Wohlstand für das höchste aller Güter halte, würde auf «Kunstpflege» verzichten, wogegen die andern, welche einen «geistigen Grund» suchen, nicht ohne Theater, Konzert und Museen leben könnten (und deshalb natürlich auch nicht ohne die Oper). Applaus, Applaus.

Ist dem Operndirektor nicht aufgefallen, wie sehr das Opernpublikum dieses Wochenendes materiellen Wohlstand für das höchste aller Güter hält? Drese verwechselt in seiner Ansprache, wie es bei Bürgern der Brauch ist, die gesicherte, verbunkerte, museale Kultur mit Kultur überhaupt. Kultur ist für ihn, was viel kostet und ohne Widerspruch genossen werden kann, eben der «geistige Grund», die sicheren ewigen Werte, fernab von jedem Aufruhr und heftigem Widerspruch, etwas, das höchstens noch neu interpretiert, aber nicht mehr frisch produziert werden muss, jenseits des politischen Haders liegt und für niemanden mehr gefährlich ist. Und worin man schwelgen kann, notfalls muss halt die Schwelgerei polizeilich geschützt werden. Ein gesichertes Repertoire, von dem Drese sagt, dass die letzten gängigen Werke vor zwei Generationen geschaffen wurden. Man stelle sich vor: seit dem «ROSENKAVALIER» von Richard Strauss (1908) kaum mehr eine Oper, die mit Erfolg gespielt werden kann, kein Werk mehr, das die Leute in Aufregung versetzt und heftige Reaktionen provoziert und ins gesellschaftliche Leben eingreifen würde. Nur noch Repetition des Bewährten oder im besten Falle Neu-Interpretation der alten Meister: Ponnelle und Harnoncourt entdecken Monteverdis Opern wieder (für Zürich).

Richard Wagner dachte anders von der Opernkultur und von der Politik als sein Bewunderer Drese. Wagner war nämlich ein Chaot, ein steckbrieflich gesuchter, der als Hofkapellmeister in Dresden 1848/49 auf die Barrikaden gegangen war, Kontakt mit dem russischen Anarchisten Bakunin hatte, in Biergärten aufrührerische Reden hielt und «beim Gelbgiesser Oehme Handgranaten bestellte», wie in Hans Erismanns Buch über das Opernhaus Zürich nachzulesen ist (Verlag der NZZ, 1984). Richard Wagner glaubte an den Umsturz in Musik und Gesellschaft, im Gegensatz zu Thomas Wagner. Er konnte einer schweren Gefängnisstrafe und vielleicht dem Todesurteil nur entrinnen, indem er in die Schweiz floh, wo er, anders als die politischen Flüchtlinge heute, sofort einen Pass erhielt. Wagner bekam dann in Zürich Gelegenheit, seine Werke zu dirigieren, die noch ganz frisch waren, und zwar im winzigen Aktientheater, das nicht vom Staat finanziert wurde, aber trotzdem schöpferisch produzierte. Diese Aufführungen damals waren Alternativkultur und zugleich ein europäisches Ereignis. Das Aktientheater hatte mit Wagner eine ähnliche Funktion wie heute die Rote Fabrik, welche vom Stadtrat mit einer halben Million jährlich subventioniert wird (60000 Besucher), während das Opernhaus 32 Millionen verschlingt.

Nachdem dieselbe Musik, Webers «JUBELOUVERTÜRE», welche schon 1891 den Einweihungsakt des Opernpalasts beschloss, den Einweihungsakt des Jahres 1984 beschlossen hatte, damit auch wirklich alle merkten, was Restauration ist, zerstreuten sich die Gäste. Thomas Wagner wollte Alphons Egli noch zeigen, wie gut die teure Technik, welche von Drese so gerühmt worden war, funktioniert, und fummelte zusammen mit einem Theatertechniker an einem Fernbedienungsapparat herum, welcher den eisernen Vorhang bewegen sollte. Der wollte sich aber trotz fünfminütigen Bemühungen nicht senken, und Wagner gab dann auf. Was, wenn es jetzt im Bühnenraum gebrannt hätte? (Wie damals in Dresden, als Richard Wagner in revolutionärer Wut die Theaterrequisiten anzündete.)

Am Abend tauchte zweierlei Art von Publikum auf. Durch die drei verglasten Gänge schritten die Nerzträgerinnen, Smokingträger, Lackbeschuhten, die Edelsteinbehängten, Geschmeideverzierten, die Boa- und Stolageschmückten, Capeverhüllten, Pelzvermummten, Aufgeschminkten, Paillettenglitzernden, Perlenkettendekorierten, nämlich die Aktionäre und Aktionärinnen der Oper, nachdem sie aus Taxis oder glitzernden, zum Teil auch gepanzerten, Limousinen gestiegen waren, in die geschlossene Vorstellung und erklommen gierig die Treppe zum Foyer, wo sofort ein Gegacker ohnegleichen anhub. Dann ging es hinter den Champagner, der vorerst gratis war.

Auf der Sechseläutenwiese versammelte sich andrerseits eine Anzahl von simpel gekleideten jungen Leuten, welche eine kleine Operette zwecks Verspottung der Opernbesucher aufführten und den Opernpalast mit ein paar Feuerwerkskörpern illuminierten. Auf einem Flugblatt wurde daran erinnert, dass der Zürcher Gemeinderat (welcher die 32 Millionen für den Palast bewilligt) dieses Jahr die Winterhilfe für bedürftige Rentnerinnen und Rentner gekürzt hatte, nämlich einen Betrag, der dreissigmal kleiner ist als die Mehrkosten, die beim Umbau des Opernhauses entstanden sind, und nur fünfmal grösser als die Kosten des Operngaladiners (ca. 100000 Franken). Die Demonstranten konnten jedoch den Opernleuten ihre Verspottung nicht persönlich überreichen, da war die Polizei davor.

Innen ging es jetzt los, Taft und Brokat, Gold und Silber, Pailetten- und Trägerkleidchen nahmen Platz und freuten sich auf das phantasielos zusammengestellte Potpourri. Es wurde geboten: eine Anthologie der verbrauchteren Melodien aller Zeiten. Nur nichts Neues! Immer bei den bekannten Melodien bleiben! Die Ohrwürmer hätscheln! Ein Schlagerfestival für höhere Töchter wird man das nennen dürfen, oder ein Wunschkonzert der konservativen Stände. Dazu braucht's die Oper nicht, das hätte man auch mit einer Radiosendung machen können. Wagner, Donizetti, Mozart, Verdi, nochmals Wagner, Bizet, Verdi, nochmals Verdi, Tschaikowsky, Offenbach (Kitsch), Gounod (Kitsch), Beethoven. Gleich werden sie zu schunkeln beginnen. Drese hielt schon wieder eine Ansprache: welche von den kostbaren Stars in letzter Minute abgesagt hatten, Bläschen auf den Stimmbändern, Nervenzusammenbrüche, Weinkrämpfe, und welche er noch in letzter Sekunde hatte einfliegen können. Rollenbesetzung als ein Problem der Flugpläne und Pistenvereisung. Swissair-Direktor Staubli, der auch im Publikum sass, wird sich gefreut haben.

Auch Werner H. Spross sass im Publikum, der begüterte Gärtner, und klatschte gar sehr, vielleicht war er mit seiner Yacht «Manana» direkt hinter dem Opernhaus gelandet, dort, wo die Fixer sich zu Tode *shooten,* aber die Fixer hatte er an diesem Abend nicht sehen müssen, sie waren polizeilich entfernt worden. Saubere Stadt. Frau Spross hatte eine Perlenkette dreifach um den Hals geschlungen, dergestalt, dass ihre Atemwege eingeschnürt wurden. Auch Korpskommandant Feldmann war gekommen (Eichenlaub mit Brillanten?), in Uniform, und Divisionär Binder und Herr Bieri und Herr Kohn und die Bank Bär und Herr Spleiss und Jolles. Aber auch die sozialdemokratischen Stadträte Briner und Kaufmann waren im Vollwichs erschienen, vermutlich, um die Interessen der 500 Opemhausangestellten zu vertreten (Gewerkschaft VPOD).

Frau Divisionär Seethaler, an deren Ohren grüne Geschmeidchen baumelten, während Frau Spross ihre Ohren durchlöchert und rote Broschen hineingesteckt hatte: Vielleicht Rubin und Smaragd?, Frau Seethaler bedauerte, dass ihr Mann Frank schon pensioniert sei, dürfe er doch jetzt leider keine Uniform mehr tragen für diesen festlichen Anlass. In Zivil sah er denn auch gar nicht imposant aus. Immerhin: Der Smoking ist schon fast eine Uniform, mit glänzenden Streifen an den Hosenbeinen. Das Fernsehen ist auch da, seine Riesenlampen sitzen in den Logen, welche im Hoftheater der königlichen Familie und später den bürgerlichen

Honoratioren reserviert waren: Das Fernsehen ist König, leuchtet alles gnadenlos aus, auch den Zuschauerraum, führt Lichtregie, an Stelle des wirklichen Regisseurs. Was an Operngeheimnis noch übrigbleibt, wird zu Tode geleuchtet.

In der Pause erwartet ein unbefangener Chronist, dass jetzt ein Wohltätigkeitsbazar veranstaltet wird. Gold, Silber, Perlen, Nerze eingesammelt und versteigert und mit dem Erlös das Opernhaus von jenen *Aficionados* finanziert wird, die solche Premieren brauchen, und damit die Steuerzahler entlastet werden; oder vielleicht den bedürftigen Leuten in der Stadt, welche dieses Jahr der Winterhilfe verlustig gehen, etwas geholfen wird.

Aber nichts da, es ist nur das übliche Geschnatter zu hören. Grüezi Herr Schprüngli, wiä nett, dass Sie au da sind, gällezi d'Lutschia Popp hät wieder wunderbar gsunge. Als hervorragendes Pausenereignis (war es am Samstag oder Sonntag?) ist dem Chronisten in Erinnerung geblieben, dass ein älterer Herr und seine Dame die Treppe zur Bar hinunterstürzten und übereinanderkollerten und der Herr am Kopf recht sehr blutete, er heisst Dr. Sturzenegger und ist ehemaliger Leiter des Flugärztlichen Dienstes. Zwei weitere Personen stürzten ebenfalls recht unangenehm, weil nämlich die Treppenstufen für Leute, die sie in Abendkleidern besteigen, zu hoch geraten sind. Das sollte der Architekt Paillard vom Büro Paillard, Lehmann & Partner beim nächsten Erweiterungsbau vielleicht bedenken.

Jetzt sind die Champagnerkelche geleert, die Musik geht gleich weiter, Herrn Eisenring und seine teuer geschmückte Frau zieht es wieder zur Musik. Der Datafida-, Motorcolumbus-, Provestor-, Faber-Castell-, Sonrüti-, Trinkaus-&-Burkhardt-, Interallianz-, Intermit-, Northern-Telecom-, Atomkraft-AG-Verwaltungsrat und Nationalrat Eisenring nimmt Platz und saugt mit langen Ohren Bizet-, Verdi-, Tschaikowski-, Offenbach-, Beethoven-, Strauss-Melodien ein.

Die Roben im Publikum sind bei genauer Betrachtung gar nicht so elegant, die Preziosen nicht so fein wie erwartet, da haben sich einige vor dem Krawall gefürchtet und nur die zweite Garnitur hervorgenommen, man weiss ja nicht, ob die Versicherung zahlt. In den Logen strahlt jetzt wieder das zerstörerische Feuer der

Fernsehlampen. Die werden auch am nächsten Abend die «MEISTERSINGER» zu Tode strahlen, und Wolfgang Wagner, der Enkel von Richard, welcher dem Lichtmalheur auch beiwohnte, wird sagen: So etwas machen wir in Bayreuth nicht, dort kommt uns das Fernsehen nicht in die Premiere. Er hat einen gemütlichen fränkischen Dialekt, das würde man bei Wagners gar nicht erwarten, ihre Sprache stellt man sich pathetisch und schneidend vor. Das Fernsehen ist bereit, der Gesang kann weitergehen. In der Pause waren Kameramänner zu beobachten, welche die Linsen mit einem Fön Marke Solis kühlten, weil sie sich beschlagen hatten in der Wärme. Jetzt sind sie wieder kühl. Und nach der Vorstellung kann man Putzfrauen sehen, welche den Boden saugen und nachher den Staubsaugerinhalt durchwühlen, weil jemand aus den schönen Quartieren eine Perle vermisst und sie im Staubsauger wähnt. Bitte sofort beim Portier deponieren, wird vom Chauffeur abgeholt. Aber jetzt zuerst auf der Bühne die CARMEN, von Bizet natürlich. (Saura macht es besser.) Vierter Akt, die Ermordungsszene vor der Stierkampfarena, zuerst ein lebendiger Volkshaufen, da läuft etwas, und man wird ganz hineingezogen in die Handlung. Das ist jetzt wirklich bezaubernd! Der Volkshaufen wird von zwei Reihen spanischer Polizisten in Schach gehalten, sogenannten Guardia Civils, die haben diese eigenartigen Lackhüte auf dem Kopf. Als Bizet die Oper schrieb, hat er sich weiter nichts dabei gedacht, die Guardia Civils sollten nur ein bisschen Lokalkolorit in die Oper bringen, die waren ihm damals als harmlose Landjäger bekannt. Unterdessen hat es aber einen spanischen Bürgerkrieg gegeben (1936–1939), und dort betätigten sich die Guardia Civils als Mörderbanden, z.B. haben sie den Dichter Federico Garcia Lorca umgebracht, der Lackhut ist ein Symbol geworden für blutige Unterdrückung, und man dürfte ihn eigentlich bei dieser harmlosen Szene heute nicht mehr auf die Bühne bringen; und das müsste der kultivierte Operndirektor wissen. Aber das war nur eine *kleine* Geschmacklosigkeit, die *grosse* kam am Ende. Da sah man die Schlussszene aus Beethovens «FIDELIO» mit dem Chor des zerlumpten Volkes. Aufwühlende Musik, die für manchen Kitsch des Abends entschädigte. Nun kam Drese wieder einmal auf die Bühne, wie ein Grüss-August im Kasperlitheater, und sagte, jetzt werde der Chor im gleichen Kostüm die «BRÜDERLEIN-SCHWE-

STERLEIN»-Melodie von Johann Strauss singen aus der Operette «DIE FLEDERMAUS». Das tat der Chor denn auch, wie angedroht, und machte sich so über Beethoven und seinen Ernst lustig, und alle klatschten und waren zufrieden mit diesem Finale, während draussen am Limmatquai die Scheiben klirrten und im vorübergehend frei zugänglichen Schaufenster der Firma Hug sich ein Junger ans Harmonium setzte und eine Melodie spielte, nämlich «STRANGERS IN THE NIGHT»; einer von den Jungen, für die das Wort «Loge» kein Begriff aus der Opemwelt ist, sondern «Wohnung» bedeutet, die man verzweifelt sucht, in diesen Zeiten der Verknappung.

Denn alles Fleisch vergeht wie Gras

Pfarrer Silberlocke alias Vogelsanger war extra aus der Toscana herbeigedüst, der grosse Rotarier, der renommierte Gotteswortrompeter, aus Castellina-in-Chianti war er gekommen, voll des süssen Weins*, der erkleckliche Feld-, Kirchen-, Wiesenprediger, er wollte wieder einmal Bündnerfleisch schnabulieren, der pensionierte Fraumünsterpfarrer, und ist nach der Eulogie, die er im Fraumünster zu Gunsten seines Freundes Rudolf Fänsch Farner gehalten hat, auf die Rechnung gekommen im Zunfthaus zur Meise: *dort gab es Bündnerfleisch.* Vier Zunfthäuser hatte die Dr. Rudolf Farner Werbeagentur AG, Zürich, gemietet, und 80000 SFr. wurden geschüttet für Atzung und Tranksame, nach der Abdankung des Dr. iuris utriusque Rudolf Farner, Oberst i Gst (Oberst im Geist und im Generalstab), Gründer der Dr. Rudolf Farner Werbeagentur AG, der Dr. Rudolf Farner Public Relations Agentur, Initiant der Aktion Freiheit und Verantwortung, Vorstand der Schweizer Werbewirtschaft SW, Ehrenzunftmeister der Zunft zur Schiffleuten, Altzofinger, usw. etc. Wollte man die Eulogie – wörtlich aus dem Griechischen: die Schönrede von Pfr. Vogelsanger – mit Bündnerfleisch aufwiegen, dann würde der jährliche Bündnerfleischausstoss sämtlicher Bündnerfleischtrocknereien des Ober- und Unterlandes wohl kaum genügen. Dieser Pfr. Vogelsanger ist zwar pensioniert, aber für Fänsch Farner hat er seine kanzelpredigerischen Flötentöne nochmals aktiviert; und kann die Nachwelt nur hoffen, dass die Vogelsangerische Heiligsprechung des grössten Haifisches im Aquarium der schweizerischen Werbemonstren bald im Druck erscheint, denn nicht jedem Pfäffchen ist es gegeben, die Wahrheit so quacksalbernd und salbadernd in ihr Gegenteil zu verkehren bzw. den ausdauerndsten Ellenbogler, grossspurigsten Expansionisten, marktbeherrschendsten Militaristen, unheimlichsten Patrioten,

* Wollen wir zu Vogelsangers Entlastung annehmen, dass er die Abdankung im Zustand der Besäuselung gehalten hat. Wäre er nämlich nüchtern gewesen, so musste man ihn, und nicht den Wein, zur Verantwortung ziehen. (Kirchliches Disziplinarverfahren; evtl. Kürzung der Pension.)

hervorragendsten Geldscheffler und tüchtigsten Kitschier unter den Werbevögeln in einen sanftmütigen, edelherzigen, treubiedern, ehrsamen Christenmenschen zu verwandeln, post festum, von der Kanzel.

Das Fraumünster war präglet voll, die Veranstaltung eine letzte *performance* des Werbekönigs, wurde tonlich in die Wasserkirche übertragen, welche auch ziemlich voll gewesen sein soll. Kein Video, nur Lautsprecher. Das Fraumünster war, wie aus sicherer Quelle verlautet, vor langer Zeit für den Gottesdienst gebaut worden, nicht als Mehrzweckhalle. Hier nun wurde, am 15. März 1984, reiner Menschendienst getrieben; von der Kanzel herunter, die dem Wort GOTTes vorbehalten ist, wurde der Ungeist heiliggesprochen. Zwingli schaffte die Heiligenverehrung ab, Vogelsanger führte sie wieder ein. Man wird wohl sagen müssen, dass durch dessen Suada beide Kirchen profaniert worden sind. Durch die ungehemmteste, aus pfarrerlichem Mund strömende Lobpreisung von Gschäftlimacherei und Bauernfängerei sind wir soweit gekommen, dass Fraumünster und Wasserkirche mit Pech-, Schwefel- und Wacholderdünsten purgiert werden müssen, bevor dort wieder das Wort GOTTes von der geschändeten Kanzel erklingen darf. Wehe Euch, Ihr ehrwürdigen Gotteshäuser und Gnadenscheunen, besser wäre es für Euch gewesen, Pferde und anderes Getier in Euren Mauern zu bergen, will sagen in einen Rossstall verwandelt, als mit dem Pesthauch der Götzendienerei erfüllet zu werden – «denn nimmermehr wird der Herr GOTT gefuxt und getriezet durch die unschuldige Creatur, wohl aber durch die Verderbnuss des menschlichen Hertzens» (Jeremias 1, 5).

*

Viele hohe Offiziere sassen da, nicht im Gwändli, aber man kannte sie auch sonst. Diese Haltung. Den Oberstdivisionär Däniker kannte man an seiner Fistelstimme. Schneidend zischte sie durch den Kirchenraum, ein militärischer Bunsenbrenner. Nämlich diese Kriegsgurgel, Mitglied des London Institute for Strategic Studies, betrat tatsächlich *auch* die Kanzel, sofort nach Richard Sprüngli, der sie unmittelbar nach Pfarrer Silberlocke erklommen hatte. Sprüngli und Farner waren begnadete Bergsteiger gewesen. Sprüngli konnte seine Rührung partout nicht bemeistern, war ihm doch *jener* Freund verlorengegangen, der am gleichen Tag wie er das *Flugbrevet* gemacht hatte. Und die Erstbesteigung der Südwand des Doms (Kt. Wallis)! Und die vielen frohen Stunden im Kreise der Zünfter! Hab' oft im Kreise der Lieben! Und der Humor seines nunmehr verblichenen, die Krankheit mit militärischer Tapferkeit ertragen habenden Freundes Fänsch! Den Humor wird er missen!

Nachdem Sprüngli die Kanzel geräumt hatte, ohne Direktwerbung für seine Erzeugnisse getrieben zu haben, einmal abgesehen von der schokoladenen Süssigkeit der Rede, schnellte Däniker, der Teilhaber von Farner, spornstreichs auf die Kanzel und sagte sofort die Wahrheit: Farner habe *Geld* machen wollen mit seiner Werbung und nicht Kunst, die *Zahlen* mussten stimmen, er habe erfolgreich für Coca-Cola, Renault und Nestlé geworben, sagte Däniker von der Kanzel herunter, auch für die Armee, wofür ihm die Armee dankbar sei, habe er *erfolgreich* und *hart* geworben, sei, wenn nötig, auch ein *harter* Vorgesetzter gewesen, habe selektioniert und stimuliert, klirrend ereifert sich Däniker, ein Savonarola der Public Relations, ein Kanzelprediger des Konsums, ein Evangelist des Sozialdarwinismus, ein Abraham a Santa Clara des Reklamebluffs, wird laut und schneidend, setzt seine Fistelstimme werbetechnisch ganz richtig ein, und die Kanzel, von der naturgemäss die Seligpreisungen der Bergpredigt verkündet werden, werden sollten, werden müssten, seit jeher sind Kanzeln in den Gotteshäusern *dafür* gebaut, selig die Friedfertigen, selig die Sanftmütigen, selig die Armen, die Kanzel beginnt nicht zu schwanken, zu zittern oder zu wanken, sie schüttelt ihn nicht ab, speit ihn nicht aus, eigentlich müsste es Schleuderkanzeln geben für diesen Fall, analog den Schleudersitzen in verunfallenden Flugzeugen, die Kanzel erträgt, mit dem allergrössten Gleichmut, die Direktwerbung von Oberstdivisionär Gustav Däniker, Teilhaber der Rudolf Farner AG, für die Rudolf Farner AG. Und unten hört man gierig zu, beifällig nickt dort ein Killerwal, hier ein Haifisch, ein fettes Krokodil, ein seniler Eber, in den Kirchenbänken, welche gefüllt sind mit der Raubtierwerbeprominenz aus aller Herren Länder, steigt das Wohlbefinden beim Anhören von Dänikers Werbe-Fuge, die mit mancherlei Engführungen, und immer gestützt vom Generalbass des Patriotismus, auch fein durchwirkt vom Orgelpunkt der profitmässigen Effizienz, ihrem triumphalen Schlusstakt entgegenfegt. So viele Aktienpakete, Geldsäcke, Tresore, schwerbefrachtete Bankkonten, Dividendenbündel wie an diesem 15. März 1984 haben die Kirchenbänke des Fraumünsters noch nie bevölkert, und gerne hätten die Herrschaften wohl geklatscht, als Däniker von der Kanzel herunterstiefelte, aber mit Rücksicht auf die leidtragende Familie, die schwergeprüfte Witwe Liliane, welche nun die Villa auf dem schönen Allenberg, mit zweihunderttausend Quadratmetern Umschwung samt Rebberg, allein bewohnen muss, *hoch über den Gefilden des Zürichsees,* wie Pfr. Vogelsanger betonte, wurde nicht geklatscht. Auch auf die Tochter Annemarie, verheiratete Herzog, Redakteuse der Zeitschrift PRO, in welcher Farner seine Finger hatte, musste Rücksicht genommen werden, ihr Selbstbewusstsein ist angeschlagen, seit sie als Favoritin für den Preis gilt, welche der Zürcher Presseverein einmal jährlich für die LÄCHERLICHSTE REPORTAGE verleihen möchte; hat sie doch in der Zeitschrift PRO ein Atomkraftwerk so strotzend naiv beschrieben, d.h. derart täppisch Public Relations mit Journalismus verwechselt, dass der Sache, d.h. der Atomlobby auch wieder nicht gedient war. Allzu wörtlich hatte sie den Leitsatz des Büros Farner genommen: *dass nämlich hinfort kein Journalist mehr mit den Gesetzen der Public Relations unvertraut sein dürfe.*

Im Publikum deutlich erkennbar: die Herren Marcel Bleustein-Blanchet, delikater Greis aus Paris, Achtzigprozentinhaber der Public-Intermarco-Farner, Gründer und Inhaber der bekannten Drugstores (Paris), McCormick aus London, Beherrscher des Londoner Werbemarktes, Künzi aus Zürich (Regierungsrat). Dr. Heinrich Bernhard, Präsident Aktion Freiheit und Verantwortung (statt Blumen zu spenden, bitten wir um Unterstützung der Schweizer Berghilfe), der Verwaltungsrat in corpore der SORPRESA AG Küsnacht (statt Blumen zu spenden, bitten wir um Unterstützung der Aktion Freiheit und Verantwortung), Robert A. Jeker, Präsident des Vereins zur Förderung des Wehrwillens und der Wehrwissenschaft (statt Blumen zu spenden, bitten wir um Unterstützung der Zürcherischen Krebsliga), und ein Vertreter der NEUEN ZÜRCHER ZEITUNG (statt Blumen zu spenden, bitten wir um Unterstützung der NZZ): Über drei Seiten hinweg waren insgesamt siebzehn Stück Dr.-Rudolf-Farner-Todesanzeigen in der NZZ erschienen, macht Einnahmen von 51 000 Franken. Auch Marcel Bleustein-Blanchet hatte *in tiefer Trauer Kenntnis vom Hinschied seines Freundes und Partners Herr Dr. Rudolf Farner gegeben. Die vor Jahren eingegangene Verbindung zwischen unsern Organisationen bedeutete eine wesentliche Stärkung der europäischen Werbung. Der Geist und die Dynamik des Verstorbenen waren für uns als Menschen wie für unsere Agenturen eine Bereicherung. Rudolf Farner hat sich um eine wirksame und zugleich ethischen Werten verpflichtete europäische Werbung grosse Verdienste erworben. Wir werden ihn alle vermissen.*

Aber lange wird Marcel Bleustein-Blanchet seinen Kompagnon nicht vermissen. Genaugenommen hat er ihn bereits verschmerzt. Während der alerte Pariser noch Gustav Dänikers Gesumse lauscht und in den Zunfthäusern schon der Leichenveltliner und das Leichenbündnerfleisch aufgetischt werden, überlegt er (so darf man vermuten), wie ein paar von den unrentablen, überzähligen Direktoren seines Imperiums, ein paar von den uneffizienten Zürchern, die von Farner aus alter Anhänglichkeit mitgeschleppt wurden (Militärkollegen), zu liquidieren sind. Ihm, Marcel Bleustein-Blanchet, gehört jetzt der Farner-Laden zur Hauptsache (achtzigprozent), und im lokalen Zürcher Farner-Gebälk knistert es bedenklich, und die totale Effizienz des Ladens war eine Legende: hinter dem breiten Rücken des nunmehr toten Patriarchen haben sich einige Nieten – so vernimmt man von leitenden Angestellten des Ladens – wohnlich eingerichtet, und die zittern vor Bleustein-Blanchets angesagter Visite in der Zürcher Filiale, aber jetzt singen wir noch alle zusammen GROSSER GOTT, WIR LOBEN DICH, Pfarrer Vogelsanger singt die alte Hymne auch sehr routiniert, und wenn wir die Stelle verlieren, so gibt es doch eine gewaltige Abfindung; Herr wir preisen Deine Stärke.

Aber vorher hat noch ein Posaunenchor von der Empore heruntergetutet. Zuerst eine, dann zwei, dann drei Posaunen, dreistimmig zuletzt. Was? *Ich hatt' einen Kameraden.* Die Trommel schlug zum Strei-i-te, er ging an meiner Sei-i-te, mein guter Ka-a-mer-a-a-d. Das ist richtig: Die Werbetrommel schlug zum Streite. 's ist Krieg. Sie gingen Seit-an-Seite, und dann kam die *surprise* namens Tod (SORPRESA AG), Fänsch futsch, Bleustein-Blanchet kregel.

*

Draussen an der Märzluft. Uff! An den Ausgängen wird für die Berghilfe gesammelt. Erstbesteigung der Südwand des Doms! Obwohl schon in den Todesanzeigen ausdrücklich von Kranz-Spenden abgeraten und statt dessen um Unterstützung der Berghilfe gebeten wurde, ist es doch noch manchen Blumen gelungen, in die Kirche einzudringen, wo viele ultraprächtige Kränze aufgebahrt gewesen sind, wodurch die Fahnenwache der Zofinger Studentenverbindung blumenmässig unterstrichen worden ist und der Vollwichs der Zofingia in die Kränze gekommen ist. Noch lange sind die Blumen beeindruckt von den Worten Pfr. Vogelsangers, welcher in seiner Abdankung, nebst allen andern Seligpreisungen, die ungeheure Prägnanz und symbolische Valenz seiner ersten Begegnung mit Rudolf Farner, Doctor Utriusque, unterstrichen hatte. So nämlich war der blutjunge Leutnant Farner mit strahlenden Augen dem Feldprediger-Hauptmann Vogelsanger seinerzeit erschienen, eines schönen Bündner Morgens in den Bergen: Mit den Worten: Herr Hauptmann: Melde meinen Zug: Zum Gottesdienst!, habe der Leutnant seinen Zug zum Gottesdienst gemeldet, mit den Worten: Herr Hauptmann! Darf ich ihnen für ihre Predigt! eine Kanzel! übergeben! Von meinen Soldaten! nach meinen Plänen erstellt!

Diese Kanzel aber, wie es in den Bergen die Natur habe angezeigt sein lassen, sei originellerweise *aus Eisblöcken* erstellt gewesen, und Dr. Farner habe damals schon mit seinem Schwung die Soldaten, wie später seine Angestellten in der Werbeagentur, *mitgerissen;* erzählte Pfr. Vogelsanger auf der Kanzel des Fraumünsters, diese hiermit profanierend.

*

Draussen in der Märzluft wundert sich eine Taxifahrerin über die vielen aus dem Fraumünster zum Teil in die Meise, zum Teil in die Schmiden, zum Teil in den Rüden hastenden, von der Vorfreude (Bündnerfleisch!) auf das Befressnis gespeedeten Leute. «Was ist hier los? Vielleicht ein Schriftsteller gestorben? Dass am heiteren, hellen Nachmittag so viele Leute aus der Kirche kommen?»

Als der Schriftsteller starb, welcher den Reklamevogel beschrieben hat, füllte die Trauerfeier eine kleine Kirche, an der Peripherie von Zürich. Alte Kirche Wollishofen, 1979, wenn es mir recht ist.

Fast keine Kränze und ein bescheidenes Mahl. Als der vom Schriftsteller beschriebene Reklamiker starb*, füllte er zwei grosse Kirchen im Herzen von Zürich. Dieser letztere war ein beschränkter Mensch gewesen, und recht gefährlich, sein Horizont bestand aus Geld und Coca-Cola und Düsenflugzeugen und Eisblöcken, und er erhielt so etwas wie ein Staatsbegräbnis, und alle seine Angestellten, ein paar hundert, hatten frei an diesem Nachmittag und sangen, mit gutem Grund, GROSSER GOTT, WIR LOBEN DICH, dass die Chagallscheiben klirrten und die schwarzen Krawatten flatterten im Märzkirchenlüftchen, das Vogelsanger, die gottlose Windmaschine, an diesem Tag erzeugte.

Und am Boden kreucht die grosse Hure Babylon, die Kirche Gottes.

PS: Andreas Zgraggen, Chefredaktor BILANZ (Wirtschaftsmagazin), gratuliert. Etwa zwanzigmal habe er diesen in der WOCHENZEITUNG publizierten Kondolenzartikel, der die Wahrheit enthalte, fotokopiert und seinen Freunden & Feinden in der Werbebranche geschickt. Auf die Frage, ob es nicht einfacher wäre, die Fotokopiermaschine zu schonen und das nächste Mal direkt in seiner Zeitschrift abzudrucken und alle BILANZ-Leser an der Wahrheit zu beteiligen, antwortet Zgraggen: Er wolle nicht Selbstmord machen. – Dieser faustische Chefredaktor leidet unter dem Kampf seiner zwei Seelen, er darf öffentlich nicht propagieren, was er privat goutiert. In einer ähnlichen Lage befindet sich Peter Uebersax vom BLICK, vgl. «Die Schwirrigkeiten des Bluck mit der Wirklklichkeit».

* Vgl. dazu «Das Verhör des Harry Wind» von W. M. Diggelmann.

Apocalypse now im Berner Oberland

Ganz ruhig werden jetzt, vor dem Schreiben. Aber sofort! Alles Aggressive verdunsten lassen. Das Wurzel-Chakra öffnen, damit die Erdenergie in mich hineinfliesst, strömt, sprudelt. Zehn Minuten Chakra-Breathing, damit die sieben Chakra-Zentren ------.

Durch die Füsse atmen. Musik von Udo Jürgens hineinziehen, oder irgendeine Xylophon-und-Glöcklein-Melody, oder indische Musik, oder Cat Stevens (vor der Meditation). Durch die Füsse erst atmen, nachdem ich meine Person korrekt geerdet habe, auf dem Spannteppich. Die richtige Erdung der Person ist unabdingbar für gute kosmische Kontakte. Weihrauchstäbchen anbrennen, Aroma-Lampe anzünden. Ahhhh. Ohhhh. Durch alle Poren die Wohlgerüche der Esoterik dem Körper zuführen. Uhhhh. Meiner Partnerin, auch wenn sie jetzt nicht mehr mir gegenübersitzt, tief und schweigend in die Augen schauen, über 600 km hinweg, meine Liebe ihr hinüberschicken, ihre Liebe mir von ihr herüberschicken lassen, Trudi, spürst du mich. Wo sie jetzt wohl sitzt? Wieder im harten Berufsleben (und schwitzt). Das Becken vor- und rückwärts schnellen lassen wie beim *sexual intercourse,* aber ohne materiellen *orgasm.* Die Sprache der Esoterik ist engl. oder amerik., das lässt sich nicht ändern. Einen *Zen-Walk* quer durch mein Zimmer absolvieren, unendlich langsam, einen Zeitlupen-Fuss vor den andern setzen, balancieren, mit der Erde Verbindung aufnehmen (durch den Spannteppich, im fünften Stock). Die Erde meint es heute gut, schon spürt sie mich. Summen, die sieben Chakra-Töne summen, C/D/E/F/G/A/H. Lass alles los, sei ein offener Kanal. Reinige deinen Kanal! Aus der Karaffe, in der ein Karneol funkelt, Hahnenwasser trinken (Sensibilität/Flexibilität/Verdauung). Und mit viel Liebe, nachdem alle Aggression durch mein Kron-Chakra entwichen ist, an den Guru namens Bernd und die Gurin namens Barbára zurückdenken, die unsre Gruppe vom 12.–18. Juli 1992 auf einen unbekannten Archipel entführt haben. Ihnen meine Liebe hinterherschicken, by Herz-Chakra, perhaps by Kehlkopf-Chakra, also. Also dann –

Der Kurs mit dem Namen *«Ganzheitlich führen – ganzheitlich leben»* wurde organisiert vom «Zentrum für Unternehmensführung», Im Park 4, CH-8800 Thalwil. Dort residiert ein gewisser Dr. Fritz Haselbeck, Eigentümer der Firma, in einer exquisiten, unter Denkmalschutz gestellten neobarocken Villa aus dem 19. Jh., zu dem auch eine neue hübsche Orangerie und ein zweckentfremdetes Gesindehaus gehören. Im Park gibt's seltene Bäume und Pflanzen zuhauf, uralte Vegetation wie im Rieterpark, die so unverwüstlich aussehen, als ob sie seit Jahrhunderten der Chakra-Atmung oblägen. Sie wurden vom Thalwiler Seidenfärbereibesitzer Julius Schwarzenbach-Meier gepflanzt, der auch die Villa baute und auf dem Höhepunkt seiner Macht 13 000 Arbeiter und Angestellte beschäftigte. Die Schwarzenbach-Sippe hat dem Land bedeutende Geldscheffler wie Hans («Häsi») Schwarzenbach, den Bruder der Dichterin Annemarie Schwarzenbach, geschenkt. Deren Vater hat Renée, eine Tochter von General Wille, geheiratet. Auch James Schwarzenbach ist diesem Clan entsprossen (Überfremdungs-Initiative). Und so war denn dieses Besitztum ehemals eine der Perlen der Wille-Schwarzenbach-Rieterschen Machtkette, die sich von Feldmeilen über den Bocken bis zur Villa Rieter, ehemals Wesendonck, erstreckte. Solange die Textilindustrie funktionierte, wurde in dieser Liegenschaft eine materielle Produktion gesteuert, während sich heute, im postindustriellen *new age,* das Beratungsbusiness (50 Mitarbeiter) dort installiert hat und Psychagogen auf die Geschäftswelt loslässt. Folgende Kurse werden u.a. von Dr. Fritz verabreicht: *Die innovative Führungspersönlichkeit. Signale der Zukunft. Frühwarnsystem für Manager. Die effiziente Chefentlastung* (Fachtagung für Chefsekretärinnen und Chefassistentinnen). *Das 6-Punkte-Kopftraining mit Tony Buzan. Die Kraft der Vision. Mehr verkaufen 1993 mit Heinz Goldmann* (von den Goldmann-Taschenbüchern). *Stress- und Stressbewältigung für Führungskräfte (Führen der eigenen Person)* und noch viele andere Lebenshilfen und Hirnwaschprogramme. Helmut Schmidt, kein Esoteriker, wurde auch schon vermittelt, nächstens kommt Genscher, beide nicht billig. Doktor Fritz, installiert im ehemaligen Ballsaal der Villa Schwarzenbach, lässt die Franken tanzen.

... und konnte also zu dieser ganzheitlich geführten/ganzheitlich gelebten Meditationswoche im Berner Oberland erscheinen, wer vorgängig Fr. 3200.– eingezahlt hatte, der Hotelaufenthalt kostete nochmals, ohne Extras, Fr. 1000.–, und kam deshalb nur für *«Führungskräfte aus dem mittleren oder oberen Management»* in Frage (Prospekt). Die Namen dieser Führungspersonen, so musste der Journalist versprechen, dürfen in seinem Bericht nicht aufscheinen, auch die dazugehörigen Firmennamen nicht im Klartext, weil allerlei Intimes während einer solchen Woche an die Oberfläche sprudelt.

Ankunft in der meditativen Landschaft von Gstaad-Saanen, Sonntag abend, in einem überdimensionierten Chalet, Laubsägelistil mit innerem Schwimmbad, es riecht nach Chlor, das sportlichlegere Chalethotel mit herrlichem Rundblick auf Flugplatz und Tannenwälder, fauchende Heissluftballone und Yehudi Menuhin (Meisterkurse in Gstaad). Das «Steigenberger»-Hotel sieht aus, als ob hier lauter Sennen wohnen täten hinter den *pluemete Trögli:* Geranien, vier Sterne, da hat der deutsche Hotel-Konzern etwas in den Hang gebaut, was er für typisch bernisch hält. Man könnte aber von hier aus immerhin wandern: auf den Arpelistock, das Gstellihorn, die Wispile, Oldenalp, ins Lätz-Guetli, die Lochstafel, Chalberhöni, Hühnerspiel, Giferhorn, nach Feutersoey, La Videmanette; wird aber nur in den Meditationsraum gebeten, nicht ins Chalet-Solarium, den Fitness-, Tischtennis- oder Billardraum, auch nicht in den Bambini-Club, *«wo unsre kleinen Gäste gar nicht bemerken, wie die Zeit vergeht, bis sie von den Eltern wieder abgeholt werden»* (Prospekt).

Man sitzt im Kreis, und im Kreis ist ein Doppelkreis von bunten Steinen ausgelegt in Form einer Acht, ziemlich magisch, und zwischen den beiden Steinkreisen steht eine Uhr im Plastikgehäuse, deren Sekundenzeiger in einem Winkel von etwa 45 Grad schräg nach oben zeigt, und auf der Spitze des Zeigers sitzt ein Hexchen mit Besen, das also pro Minute, zitternd vorwärts ruckelnd, das Zifferblatt einmal umkreist.

An der rückwärtigen Wand steht ein grünlich drapierter Tisch mit Bergkristall, Kerze und Aromalämpchen, wo allerlei Essenzen verdunstet werden, später dann auch Weihrauchstäbchen brennen. Vorne ein Flip-Chart, hinten ein Tisch mit fünf Karaffen voll Naturhahnenwasser, Steine enthaltend, und die ihnen entspringenden

Natur-Heilkräfte sind auf einem Karton notiert: Wer vom Rauchquarz trinkt, kann auf Konzentration und Entspannung hoffen und die Rauchsucht bekämpfen; der Bergkristall verspricht Energie-Harmonie-Klarheit; roter Jaspis gibt Vitalität-Erdverbundenheit-körp. Wohlbefinden; der Karneol hingegen Sensibilität-Flexibilität-Verdauung; und die dreisteinige Karaffe mit Lapislazuli, Türkis und Malachit verschafft Gewichtsabnahme-Kreativität-Intuition. Der rote Jaspis hat mir am meisten gebracht. Musik ist auch da von Classic Fantasy bis Udo Jürgens und gregorianischem Choral …

Nun spricht zuerst der Meister. Legt die Hände zusammen, hält sie unters Kinn, gibt uns den Seminareinstieg. Ganzheitlichkeit wird versprochen, abschalten, auftanken, Entdeckung der tieferen Kräfte, Heilung der Betriebsatmosphäre durch Ganzheitlichkeit. Er heisst Bernd und sagt: *Nennt mich Bernardo.* Beruflich gesehen ist er Ökonom, doziert an der Hochschule von St. Gallen und war bis vor kurzem in der Leitung des Steigenberger-Konzerns beschäftigt (halbheitlich). Streng und spitz schaut er drein, wie ein aus dem Wasser gezogener Jesuit, nicht wie ein meditativer Kartäuser. Wenn er von Lebensfreude spricht, muss man an einen sauren Apfel denken. Seine Partnerin und Mitleiterin Barbára ist von der Art der unbeschuhten Karmeliterinnen, eine Heilsarmee-Uniform würde ihr aber auch nicht schlecht stehen. Wir sind übrigens alle unbeschuht, müssen vor Betreten des Seminarraums den alten Menschen abstreifen und Finken anziehen. Normale Schuhsohlen würden den Kontakt mit Mutter Erde und dem Spannteppich verunmöglichen, wir könnten dann nicht durch die Füsse atmen, was wir aber erst am dritten Tag trainieren. Dass die Meisterin oder Domina Barbára eine Reinkarnation ist, höre ich von ihr, im privaten Gespräch, erst am Mittwoch. Nämlich weil sie beim Anhören von religiöser Musik immer so erschüttert war, hat sie eine sog. *Rückführung* ihrer Person vornehmen lassen und dabei erfahren, dass sie Anno 33 im Garten Gethsemane dabei war und Jesum Christum kurz vor seinem Tod, obwohl nicht zum Kreis der engeren Jüngerinnen gehörend, erblickt hat. Ob sie damals schon lic. phil. psych. gewesen ist, hat sie nicht verraten. Und wo Bernd (Bernardo) sich während der Kreuzigung aufgehalten hat, wurde leider nicht bekannt.

Die Teilnehmer werden vorgestellt. Da ist der bärenhafte, gmögige Personalchef von *Kestlé* (150000 Angestellte), nennen wir ihn *Lützelschwab.* Seine Firma beschickt das Seminar regelmässig, um die Mitarbeiter aufzutanken, und Pierre Lützelschwab muss untersuchen, ob das weiterhin geschehen soll. Die feingliedrige *Undine Leverkühn aus Kühnenhofen* (D) stellt eine Ein-Frau-Firma dar, Mergers & Acquisitions, verdient dickes Geld und hat Liebeskummer, während *Huldrych Zeitblom,* oberster Psychologe und Seelenflicker der deutschen Elektrofirma Hymens, *worldwide* die Gemüter der Manager seiner Firma balsamieren muss, Psycho-Jetset, eine Seele von Mensch, und wird schon recht bald mit der hübschen *Ancilla von Tscharner* (CH) liebäugeln, die ihrerseits beim «Büro für Seelen- und Bodybuilding» beschäftigt ist wie ihre Kollegin *Marina Hungerbühler* (CH). *Anton Hechl,* ein Österreicher und Ferienhotelkonstrukteur, ist von den Kanarischen Inseln eingeflogen, der Zufriedenste von uns allen, playboyhaft und ausgeglichen, leicht enthusiasmierbar, von den Männern der schönste. Der clevere, verschmitzte Dottore *Umberto Spontanelli* ist *Leiter Stäbe/Kost.* 0070 und betreut die Informatik (total) bei *von Groll. Natascha Loringhofen-Westernhagen* ist freischwebend, hat früher eine Druckerei geleitet und vor kurzem in einem Zen-Kloster, Nähe New York, meditiert, ihre energetischen Chakras sind bereits voll angeturnt, später will sie nach Russland, um dort ein Business aufzubauen, während *Virgil Aschenbach,* der schüchterne, zarte Mediziner und Allgemeinpraktiker, grad einen Segel-Törn hinter sich hat und noch nicht weiss, dass auch *sein* Herz-Chakra von der hübschen Ancilla bestrahlt werden wird. Die gewitzte, vorerst zurückhaltende, dann höhnende und spottende *Trudi Ruckstuhl* von der *Kredithaianstalt,* Abt. Portfoliomanagement, mit ihrem Adlerblick für die Schwächen des Seminars; *Ophelia Litumlei* von der deutschen PR-Firma Geyer & Schleyer AG, Düsseldorf, auf deren Schultern die teuersten PR-Kampagnen der Bundesrepublik lasten; *Mariella Zollikofer-Spelterini,* Ozon-Sachbearbeiterin bei Schmidt-Hainy und passionierte Drachenfliegerin, und last, but not least der Schnelldenker *Konstantin Naphta* (D), Unternehmensberater mit erklecklichem Umsatz und Renommee. Alle diese werden im Laufe des Seminars ihre Seelen enthüllen, sich selbst und manchmal auch den andern, eine APOCA-

LYPSE (gr. für Enthüllung) veranstalten, um nachher, gestärkt und verhüllt, ins Geschäftsleben zurückzukehren. Abgründe werden zu entdecken sein, Seelencanyons und Gemüts-Schluchten, aber wer sich nicht führen lassen will von den Mystagogen ins Labyrinth der eignen Brust, nicht tief genug in sich hineinhorcht und sich spürt, ist selber schuld und wird nur Flächen entdecken (und flach herauskommen).

Der erste Tag war der Körpertag, Morgenmeditation um 07.00 h, dem Wurzel-Chakra gewidmet. Dieses ist, wie alle Chakras, ein Energiezentrum. Es befindet sich zwischen After und Genitalien und ist *nach unten* trichterförmig geöffnet, während das oberste Chakra, Kron-Chakra, am Scheitelpunkt des Kopfes zu finden und trichterförmig *nach oben* geöffnet ist und die übrigen Chakras rechtwinklig zum Körper herausstrahlen. Sieben solcher Chakras hat der Mensch: das zweitunterste zwischen Genitalien und Bauchnabel, das dritte zwischen Bauchnabel und Brustbein, das vierte in der Herzgegend, das fünfte beim Kehlkopf, das sechste bei den Augenbrauen, das siebte eben auf der Schädeldecke. Wenn man sie richtig beatmet, wird der Mensch ein anderer Mensch. Wir mussten Töne von uns geben, deren jeder einem Chakra entsprach, hmm, hmm, hmm, hmm, hmm, hmm, hmm.

Nach dem Morgenessen, gemischt unter die weltlichen Hotelgäste, bedient von Berner Trachtenmeitschis aus Jugoslawien und Deutschland, gefüllt mit englischem Breakfast, mussten wir um 09.30 die Erfahrung der eigenen *Ganzheit* besprechen, worauf wir jeweils wussten, welche Erfahrungen wir gemacht hatten. Die eigene Ganzheit ist keine einfache Sache, die Teilheiten streben gäng auseinander. Anton Hechl hatte bereits um 10.15 seine *Ganzheit* gespürt, die *Kredithaianstalt* und *von Groll* waren noch nicht soweit.

Dann wurden wir aufgefordert, paarweise auf Stühlen einander gegenüber Platz zu nehmen. Ganz ruhig bleiben jetzt, nicht reden, nur zehn Minuten lang sich gegenseitig in die Augen schauen, sagte die Domina, die ersten fünf Minuten Liebe hinüberschicken, dann fünf Minuten lang Liebe empfangen. Ich schaute also fünf Minuten schweigend in die Augen von Natascha Loringhofen-Westernhagen, ohne zu blinzeln, dann schaltete ich auf Empfang und sie auf

Sendung. Sie schickte, nachdem ich nicht geschickt hatte (Liebe). So tief in die Augen schaut man sonst nur einer wirklich geliebten Person. Und unwillkürlich möchte man dann evtl. zum Streicheln übergehen, was aber in der Versuchsanordnung nicht vorgesehen ist. Natascha verriet mir nach dem Experiment, dass mein Liebesfrachtgut, deutlich als Wärme spürbar, bei ihr angekommen sei, während ich nichts dergleichen gemerkt hatte; und dass mein linkes Auge rationalistisch verhärtet, das rechte jedoch tieferen Empfindungen durchaus noch zugänglich sei.

Dann wurden die Erfahrungen des Liebäugelns in der Gruppe besprochen. Manche hatten die Augen gesenkt gehabt und nur Liebe pur oder blind hinübergeschickt und schauten sich erst jetzt wieder an. Die Augen wirken so nackt ohne Gespräch. Nach einer längeren Mittagspause begann die *Blindenführung,* wieder paarweise. Ich wollte Frau Loringhofen-Westernhagen mein linkes rationalistisches Auge auch im bedeckten Zustand nicht mehr zumuten und liess mich lieber von Trudi Ruckstuhl, Informatik kann da nicht schaden, führen, mit verbundenen Augen. Es ging zuerst ins Freie, man hörte Autos, typische Berneroberlandnaturhörerfahrung, dann wurde meine Hand sanft nach unten gedrückt, Achtung Stiege, die rechte Hand zu einer Schwingtür geführt, Wärme strömte uns entgegen, ein Heizkörper wurde ertastet, Wäschereigerüche stachen in die Nase, dann Küchendüfte, nach Tellern grapschen, das hier muss ein Kehrichtkübel sein, dort ein Wasserhahn, immer weiter täppeln, völlig abhängig von der Blindenführerin, die mit sanftem Händedruck die Richtung angibt, eine vertrauenswürdige Person.

So wird Intimität hergestellt. Die Führerin durfte nicht sprechen, nur schweigend leiten. Der Geführte hatte ebenfalls stumm zu bleiben. Sehen, ohne zu sprechen; fühlen/hören, ohne zu sehen: ganz interessant. Das könnte man allerdings auch im Kindergarten machen oder bei einem Waldspaziergang, kostenlos.

Später erfährt man, dass Konstantin Naphta, der zerebrale Schnelldenker, seine abhängige Ophelia Litumlei bei dieser Gelegenheit per Schenkeldruck geleitet hatte, was dann stracks zur Vereinigung von weiteren Körperteilen (und auch der beiden Seelen) führen sollte. Einsam ist das Geschäftsleben, und *s Bärner Oberland isch schö-ö-ön.* Insgesamt haben im Verlaufe der Woche drei

Paarungen stattgefunden. In den Hotelzimmern, die anfangs nur von einer Person bezogen wurden, standen zur Sicherheit immer zwei Betten. Man kann sich gehenlassen. Der Stress ist weg. Man muss sich nicht verstellen wie beim Geldverdienen, momentan niemanden übers Ohr hauen. Durch die verschiedenen Psychoübungen wird das Unterste nach oben gekehrt und plötzlich sichtbar. Man kann aber auch, wie praktisch, die Liebe wieder abbrechen ohne Reue, wenn man nach dem Seminar auseinandergeht. Man schaut sich in die Seelen-Kochtöpfe und wird von Bernd & Barbára, den beiden Blindenführern, zum Psycho-Strip ermuntert.

Es entstehen sogar Freundschaften auf diesem überdüngten Äckerlein, muss man zugeben. Wutausbrüche, Trauermanifestationen, Lachkrämpfe, wer kann sich das im Berufsleben leisten? Wie leben diese tüchtigen Geldverdiener in ihrer normalen Umgebung, wie grausam werden sie behandelt und handeln sie auf ihrer Karriereleiter, um diese *plastic feelings,* synthetischen Gemütsvibrationen, diese teuer bezahlten Spässchen als befreiend empfinden zu können? Den Lützelschwab und Frau Zollikofer-Spelterini und Undine Leverkühn, welche sagte, sie habe jede einzelne Minute genossen, möchte ich auch im profanen Leben gern wieder treffen. Auch den gescheiten Spontanelli, welcher auf meine während des Fussatmens geäusserte Bemerkung, die Lungen befänden sich doch wohl eher im Brustkasten als in der Wade, erwidert: Woher ich das wisse. Und auf meine Antwort: «Von den Röntgenbildern» entgegnet: Warum man diesen vertrauen solle.

Am Abend: Chakra. Auf dem Boden ausgestreckt. Die Partnerin/der Partner kniet daneben, fährt mit der Hand, etwa 10 cm über dem jeweiligen Körper kreisend, den sieben Chakras entlang, Rollentausch. Es sollte einem jetzt warm werden in den Energiezentren. Wird mir aber nicht. Als Nachtgebet wäre jetzt der Urner Alpsegen das Richtige: «Phüet üss dä liäb Härrgott und di Jumpfrou Mariiiii-a.» Energien spüren. Gschpürsch mi. Phüetigott. I ghöre nes Glöggli. Jetz gang i is Doppelbett.

Am nächsten Morgen der Vorturner Bernd/Bernardo in Shorts. 55jährige schöne Beine. Jetzt wird's ernst. Jetzt ist Chakra-Breathing (Breezing wäre erträglich). Das Frühturnen der röhrenden Hirsche, auch Barbára wild entschlossen. Die beiden greifen sich zwischen die Beine, ans Wurzel-Chakra, stossen zuerst tiefe, dann die Tonleiter hinauf, den sieben Chakras entlang, bis sie nach zehn Minuten beim Kron-Chakra sind, immer höhere orgiastische Laute aus, immer heftiger, Bernardino pumpt mit den Armen, schliesst die Augen, Becken vor und zurück. Wir sollen auch, die meisten tun es, mit den Becken wackeln wie die Dackel. Aber bitte keine Berührungen! Barbára macht wedelnde Bewegungen mit ihren Ärmchen, hüpft im Raum umher, fährt den Meridianen der verblüfften Leute entlang, von hinten scheucht sie die Energie, wie wenn sie Geister vertreiben wollte, von den Beinen bis in die Krone, die sinnliche Heilsarmistin beim Veitstanz. Ein echter Orgasmus kommt, wenn man die flachen Turnhosen von Bernardo sieht, trotzdem nicht zustande. Oben angekommen, verzückt wie irgend ein gepfählter Märtyrer, lässt er, eine Tonbandstimme sagt: *«Sie haben jetzt zwei Minuten, um wieder ins unterste Chakra zu gelangen»*, die Arme lampen, und dann geht's wieder obsi. *He did it again!* Schwitz Schweiss Schwitz dir einen herunter.

Nach dem Morgenessen die Besprechung des Röhrens. Alle sitzen etwas bedeppert im Kreis. Dr. Umberto Spontanelli hat, leider nur privat, geäussert, dass er da nicht mitmachen wolle, bei Bhagwan seien diese Übungen das Vorspiel zum Geschlechtsverkehr gewesen, man könne das nicht so isoliert sehen. Undine Leverkühn bricht plötzlich in Tränen aus, es gehe ihr sehr schlecht heute morgen – kein Wunder, vor kurzem ist sie von ihrem Freund verlassen worden, und das Stöhnen hat sie an etwas erinnert. Später dürfen sich je zwei wieder auf Stühlen gegenübersitzen und mitteilen, was sie füreinander fühlen, nur reden und zuhören, dann Rollentausch. Keine Diskussion, Auskotzen ist Trumpf. Die hübsche Ancilla sagt, ich sei nicht so schlimm, wie sie angesichts meiner Reputation gedacht habe, bei weitem nicht, durchaus menschliche Züge liessen sich auch bei mir entdecken.

Am Abend Nachtessen zu zweit. Vielleicht wird es jetzt erotisch: *Candle-light-dinner.* Frau Zollikofer-Spelterini geht mit mir. Es ist feierlich gedeckt, und eine Kerze brennt, Achtung Gefühl. Mittelmässiger Frass, Konversation nett, Romantik auf Befehl. Im normalen Leben könnte das ganz interessant werden. Darauf Gruppenbesprechung der *Candle-light-Gefühle.* Virgil Aschenbach, der Allgemeinpraktiker, ist ganz aufgewühlt. Ancilla von Tscharner hat ihm zugesetzt, es ist über ihn gekommen, *c'est plus fort que lui.* Und dann: ein kleiner Aufstand. Wir machen von der Freiheit Gebrauch, die uns das Seminar bringen will. Drei oder vier finden das Röhren unästhetisch, und Lützelschwab sagt, auf diese gängelnde Art könne man heute keine Erwachsenenbildung mehr betreiben. Er wolle lieber joggen am Morgen. Das hören die beiden Gurus nicht gern, Bernd wird heftig. Man will ihm seinen Robinson-Spielplatz wegnehmen, er droht mit dem Abbruch des Seminars, wenn morgen die Gruppe nicht geschlossen zum Röhren erscheint. Auch Barbára wird ganz menschlich, redet sich ins Feuer, ohne Chakra-Übungen, drei in der Woche, sei das Seminar sinnlos. Die beiden sind den Tränen nahe, und am nächsten Morgen wird Bernd sogar richtig weinen. Aus Mitleid mit der tief verletzten Seminarleitung gibt die Opposition schliesslich nach, die Delinquenten werden, wie in der Schule, einzeln aufgerufen: Kommst du, oder kommst du nicht?

Am nächsten Morgen sind alle da. Bernd hat immerhin einen Chakra-Schalldämpfer eingebaut und seufzt nur noch leise bei den Übungen. Die zurückgestaute Energie hinterlässt einen Ausdruck des unbändigsten Schmerzes in seinem Gesicht. Am Samstag wird er wieder den gewohnten Lärm machen und Brunst markieren, und Barbára wird fragen: Muss er leiser werden? Worauf die Gruppe gemeinschaftlich krähen wird: Nein! Nein! Lass ihn nur!

14 intelligente Leute, im privaten Gespräch reizend bis interessant, manchmal auch intellektuell, als Gruppe gehorsam und glücklich. Alle mit ziemlich viel Lebenserfahrung, nicht unvital, erfolgreich, bei den meisten alle Tassen im Schrank – was hat sie in dieses Seminar verschlagen?

Undine Leverkühn kann sich alles leisten, wonach ihr Herz begehrt, nur keine Freunde. Ihre Arbeit ist hart, *Mergers & Acquisitions,* ein vermintes Terrain. Um vorwärtszukommen und aufwärts, hat sie in der letzten Zeit alle zwei Jahre den Standort gewechselt, so dass sie nicht mal beim gleichen Analytiker bleiben konnte, von dauernden Freundschaften keine Rede.

Ihr Freund war mit dem Lebenstempo der überbeschäftigten *career woman* nicht einverstanden und hat sie verlassen. Sie besitzt andererseits 70 (siebzig) Blazers, die geben ihr einen Halt. Sie ist religiös und findet keinen Rückhalt in den bestehenden Religionen, sentimental und kann das Gefühl in ihrem Business nicht investieren: Aber im Seminar entdeckt sie eine Abart der Erotik und ein Surrogat für Religion; und wäre doch scharfsinnig genug, die Scheinhaftigkeit dieses Angebots zu durchschauen. Die esoterische, weltentrückte Woche gibt ihr die Möglichkeit, einmal tief aufzuschnaufen, öffentlich zu weinen, von ihren Macken zu reden – auch guten Bekannten erzählt man sonst wohl nichts von den 70 Blazern. Und nachher kann sie weitermachen wie vorher.

Huldrych Zeitblom ist Psychologe und muss immer andere Leute psychologisch behandeln. Er wird auch gerne einmal behandelt und getriezt. Besitzt sieben teure Autos und sieben teure Motorräder, u.a. auch Oldtimer. Er unterwirft sich auch mal gern, nachdem er sonst immer den *wise guy* gespielt hat.

Barbára ist, als Zwinglianerin, im Ödland aufgewachsen. In ihrer angestammten Religion hat sie keine Emotionen vorgefunden: strenge, puritanische, bilderlose, amusische Praxis ihrer langweiligen Pfarrer. Abgeschnitten von den Gefühlswurzeln. Hingegen war der Vater sehr intellektuell, hat sie schon mit 12 Jahren in Nietzsches Werk eingeführt. Supergescheite Familie. Extremer Rationalismus, der in Aberglauben umschlagen kann. Der Marxismus kommt ihr vermutlich auch nicht sehr heimatlich vor, speziell heute.

Am dritten Seminartag ist endlich von wirtschaftlichen Problemen die Rede. Das Fallbeispiel: Aus einer Privatschule, die nicht mehr rentiert, soll ein Seminarhotel gemacht werden, damit Seminare wie das eben stattfindende optimal über die Bühne gehen und nicht immer nach wechselnden Hotelräumlichkeiten gesucht werden muss. Da wird nun handfest kalkuliert, gevoranschlagt, werden Rückstellungen gemacht, Rentabilitäts- und Renovationspläne ausgetüftelt. Die alte Schule gibt es wirklich, mit Umschwung (in Kaltbrunn SG), Swimmingpool, Hirschstall und anderen Gebäulichkeiten. Auf der Flip-Chart darf man, ohne zu sprechen, Ideen niederbringen, unter *«Lichtseiten des Projekts»* schreiben einige brav, was sie gelernt haben: *umfangreiches Anwesen, ganzheitlicher Ansatz, Schulungshotel als Begegnungsstätte, Gemeinsamkeit, gewolltes Miteinander, positives Umfeld,* während andere schreiben: *Umnutzung des Hirschstalls zum*

Chakra-Brunstschreiraum, Akzeptanz der neuen Töne aus dem Hirschstall bei den einheimischen Jägern.

Das finden die ernsthaften unter den Projektmachern nicht lustig. Schliesslich darf man, auf einem neuen Zettel, Gemütspostulate notieren, alles, was das Herz begehrt im Hotel zur fröhlichen Wissenschaft, seinen Wünschen soll man freien Lauf lassen, und da schreibt einer: *Stöhn, Föhn, Schleck, Küss, Cuss, Cörper, Percussionist,* was bei vielen keineswegs Anklang findet. Der Allgemeinpraktiker Dr. Aschenbach weigert sich, seine Gedanken auf demselben Papier erscheinen zu lassen. *Graf Dracula statt Gräfin Chakra* fand auch nicht die Billigung der Mehrheit.

Wie harte Konflikte in den Betrieben gelöst werden können? Bernd sagt, dass es nicht gelte, die Welt zu verändern, sondern sich selbst. Wie verhält man sich, wenn Führer und Geführte aufeinanderprallen, Stärkere und Schwächere? Wenn einer objektiv und subjektiv im Recht ist, aber keine Macht hat? Dann müsse sich der Schwächere einfach vor Augen halten, dass er im Kleinen spiegle, was er im Grossen sehe und beanstande. Alles sei nur eine Frage des Spiegels und Spiegelns. Und des gereinigten Kanals. Die Seminarteilnehmer schlucken, mit zwei Ausnahmen, diese bündige Auskunft ohne Murren.

Unvergesslich bleibt die «Rituelle Übergabe der Vergangenheit an die vier Elemente» (vierter Seminartag, Abteilung Herzensbereich). Bei dieser Veranstaltung waren ursprünglich vier Altärchen vorgesehen, auf denen die Vergangenheit symbolisch verbrannt werden sollte. Weil aber kürzlich, anlässlich des vorletzten Seminars, sechs kath. Teilnehmer aus der Firma Kestlé ostentativ verreist waren, weil es ihnen bei diesem Ritual, das ausgerechnet am Fronleichnamstag stattfand, *gschmuech* geworden war, reduzierte man den Apparat auf vierzehn herzförmig angeordnete Votivkerzlein. Verglichen mit dieser Zeremonie müssen die Wallfahrten nach Einsiedeln und sogar jene nach Lourdes als voltairianisch-rationalistisches, aufklärerisches Teufelswerk eingestuft werden. Man musste sich auf dem Spannteppich ausstrecken, entspannen, lockern, den Kanal reinigen, die Augen schliessen. Dann hauchte Barbára mit einer Stimme, die ihr vermutlich magisch vorkam, eine Reiseanleitung in den Lautsprecher: *Habt keine Angst, ich werde euch sicher wieder nach Hause bringen, überlasst euch ganz meiner Stimme.* Diese führte uns an einen grünen, reinen, tiefen Kratersee, auf dessen Grund man sich sinken lassen durfte, ohne zu ertrinken. Auf dem Seegrund angekommen, hatte man ein Tor zu öffnen, das in eine museumsartige Halle führte (die Rationalisten stellten sich das in die Halle strömende tiefgrüne Bergseewasser vor). Dazu gab es Sphärenmusik. In der Halle waren Glaskästen aufgestellt, darin lagen Briefumschläge, beschriftet mit BEZIEHUNGEN, DIE ICH ÄNDERN MÖCHTE oder so ähnlich. Die konnte man behändigen und, das Museum verlassend, an einen Strand gelangen, wo die Reise zu Ende war. (Manche hätten da gerne noch ein Schiff bestiegen.)

Ein bisschen Gral im «Steigenberger»-Hotel? Tauchen mit Cousteau?

Wer unbeschädigt auf dem Spannteppich gelandet und nicht eingeschlafen war, wurde jetzt, mit einem Zettelchen und einem Faden beschenkt, auf sein Zimmer geschickt, wo er eine Stunde lang alle Unarten des verflossenen Lebens auf den Unwunschzettel notieren, diesen rollen und mit dem Faden umwickeln durfte und dann wieder in den Kreis sich einzugliedern geheissen wurde, der sich gehorsam um die vierzehn Votivkerzlein bildete, worauf man, in stiller Versenkung, nochmals über die vergangenen Sünden sinnieren konnte. Fast alle verbrannten darauf, mit langen Pausen zwischen den einzelnen Opfern, ihre kleinen Schriftrollen, mit oder ohne Kommentar. Virgil Aschenbach, der Allgemeinpraktiker, kniete nieder und sagte mit ersterbender Stimme, er *verbrenne jetzt seinen inneren Feigling.* Undine Leverkühns Papierchen wollte nicht recht brennen, worauf sie in Tränen ausbrach und den Raum schluchzend verliess. Sie hatte ihre gescheiterte Beziehung verbrennen, ihren Liebeskummer in Asche verwandeln wollen.

Die beiden Gurus werteten das als einen Erfolg ihrer Therapie und fühlten sich nicht bemüssigt, sie zu trösten.

Vorspiise: Chalberhöniplatte. Vrenis Härdöpfoutätschli. Pflanzplätzterrine. Guschtis Rindfleischsalat. Gröichti Bachforällefilet. Homberger Wurschtsalat. Chlöpfer-Ännis Hörnligratin. Rougemont-Tommekrapfen. E Gablete Salat. Grosis Fleischsuppe. Geissholzer Sunntigssuppe: kamen am Tag vor der rituellen Übergabe der Vergangenheit auf den Tisch des Hotels «Steigenberger».

Und als *Houptgricht:* Fischrugeli mit Sänfsosse. Saaner Bachforällefilet mit Chrütersosse. Lamm-Cassole. Schwinger-Tätschli. Turbachtaler Chrutwickel. Louener Mocke mit Späck und Schwümm. Hamme im Teig mit Saanesänf. Älpler Schwiinsfilet. Senneròsti. Chnöpfli. Chrutstiele an Niidlessauce und Rüebli.

So die Speisekarte, auf der ein verwitterter Oberländerbauer und drei grasende Kühe abgebildet waren.

Härdöpfoutätschli, Schwinger-Tätschli. Eins für Barbára, eins für Bernardo. Und für beide einen Homberger Tätsch.

Kleine Leute

Jo Siffert (1936–1971)

«Das Ganze ist das Wahre.»
Georg Wilhelm Friedrich Hegel

Siffert war ein Freiburger, Deutschfreiburger. Er hat sich als Freiburger gefühlt, war seiner Heimat zeitlebens verbunden, und heute, da er in die ewige Heimat abberufen worden ist, infolge Unglücksfalls, erkennt sich die «Berümbte Catholische Statt Fryburg» in ihrem Seppi wieder. Wer Siffert begreifen will, muss Freiburg kennen, mit allem Zubehör. Diese Stadt hat ihn produziert, und heute hängt er reproduziert in den Freiburger Spelunken, als Poster. Wir sind also gezwungen, zuerst ein Konterfei oder «Abconterfactur» von Freiburg zu skizzieren (wie es auf dem Freiburger Stadtplan aus dem 17. Jahrhundert heisst). Fribourg/Freiburg sampt seiner «Gelegenheit» (Umgebung), was uns bereits in den Spalten der «Freiburger Nachrichten» aufleuchtete. Der vorbildliche Seppi soll im Zusammenhang gesehen werden, eingebettet in seine Familie, sein Quartier, seine Schule, seine Klasse und Religion. Dann wird man sehen, warum er sich anders betten musste, als er ursprünglich lag, und warum es ihn auf allen Rennbahnen der Welt mit 300 und mehr Stundenkilometern im Kreis herumtrieb. Bis es in Brands Hatch dann an der falschen Stelle geradeausging, in der Kurve namens «Mike Hawthorn», und er mit den Rädern in der Luft zur Ruhe kam, am 24. Oktober 1971, weil die Schaltung klemmte. Bei der Abdankung kam das «Ave Verum» zur Aufführung.

Wahrhaftige und Eigentliche Abconterfactur der Berümbten Catholischen Statt Fryburg im Üechtland sampt ihrer Gelegenheit

Die Stadt Freiburg zerfällt in Unterstadt und Oberstadt. Aus der Oberstadt gelangt man mit einer Drahtseilbahn, dem Funiculaire, in die Unterstadt. Die Abwässer der Oberstadt füllen einen Behälter, welcher unter der Kabine angebracht ist, wodurch diese an Gewicht zunimmt und ihre Korrespondenzkabine in die Höhe zu ziehen vermag, sobald der Kabinenführer die Bremse lockert. In der Unterstadt werden die Abwässer entleert, und dadurch erfolgt eine solche Erleichterung, dass es dank der abermaligen Beschwerung der Schwesterkabine mühelos in die Höhe geht. Auf diese Weise lassen die barmherzigen Einwohner der Oberstadt die Mitbürger in der «basse ville» schon seit Jahrzehnten an ihren Exkrementen profitieren. Und diese Energiequelle gestattet einen bescheidenen Fahrpreis, dem schmalen Einkommen der Unterstädtler angepasst.

In der «basse ville» hat man einen guten Blick auf den Turm der Kathedrale St. Nicolas, mit seinen Leitflossen eine Freiburger Variante der Weltraumraketen von Cape Kennedy. Der Blick aus der Unterstadt schweift auch hinauf an die Häuserzeile der Grand'Rue (Reichengasse), welche hart am Abgrund gebaut ist. Dort wohnten früher, und teils heute noch, die führenden Familien der Fribourgeoisie und hatten eine befriedigende Aussicht auf das Niedervolk der Unterstadt. Dieses Volk kann auch den Berg hinauf zur Loreto-Kapelle pilgern und von dort weiter zur Muttergottes von Bürglen/Bourguillon und dort seine Gebresten heilen lassen. Auch in der Kirche der Kapuzinerinnen von Montorge kann gebetet werden oder bei den Zisterzienserinnen in der Mageren Au, welche Hostien backen und vier Arten von Likör destillieren, oder in der Augustiner-Kirche oder der Johanniter-Kirche. Trinken kann die Bevölkerung im Soleil Blanc, Ours, Paon, Trois Rois, Cigogne, Tanneur, Tirlibaum, Fleur de Lys und so weiter. Und zwar einheimisches Bier aus der Brauerei Cardinal oder Beauregard. Der Name Fleur de Lys bringt die traditionell guten Beziehungen zwischen Freiburg und Frankreich zum Ausdruck, Frankreichs Bourbonen-Lilien im Wirtshausschild. Die Söldner aus Freiburg taten sich stets in französischen Diensten hervor. Als Ludwig XVI. schon längst nicht mehr auf seine einheimischen Soldaten zählen konnte, blieb ihm noch das Schweizergarderegiment, welches ihn im Juli 1792 vor seinem Volk schützte. Der Oberkommandierende war ein Freiburger, Graf Louis Augustin d'Affry, Grosskreuz des St.-Ludwig-Ordens, Ritter des Ordens vom Heiligen Geist, und drei der vier Bataillone wurden von Freiburgern geführt. Das Kanonenfutter kam aus den untern Schichten, die Kommandostellen waren von Adligen besetzt. Für die Unterprivilegierten von damals die gängige Art, sich ausbeuten zu lassen. Für die herrschenden Familien eine Möglichkeit, am französischen Hof das Regieren zu lernen und von königlichen Pensionen zu leben. Seit die Leichen der Freiburger Söldner nackt und verstümmelt auf den Pariser Plätzen gezeigt wurden, nach der Erstürmung des Tuilerienpalastes, spürt man in Freiburg Angst vor revolutionären Bewegungen in Frankreich. So erklärte die freiburgische Kantonsarchäologin Hanni Schwab dem «Blick»: «Was die Studenten in Frankreich gemacht haben, war einfach schlimm. Ich würde von der Regierung verlangen, dass sie abstellt, was in irgendeiner Form Schaden bringt, z.B. Unterrichtsstörung. Besonders, wenn von aussen gelenkt. Wenn die Störer nicht gutwillig zum Aufhören gebracht werden, muss Gewalt angewendet werden. Dazu haben wir Polizei. Und wozu haben wir die Armee?» Reaktionäre und Monarchisten haben schon immer in Freiburg Asyl gefunden, führende Terroristen der OAS zur Zeit des Algerienkrieges, der in Frankreich als Kollaborateur verurteilte ehemalige Direktor der Nationalbibliothek (Faÿ) und neulich Hunderte von südvietnamischen Studenten, welche ihr Familienvermögen in die Schweiz transferieren und in Sportwagen anlegen. Ein Professor aus Nanterre ist als Lehrbeauftragter an der Universität installiert – in Freiburg kann er noch in aller Ruhe dozieren (Yves Bottineau).

*

Während die Oberschicht auf diese Weise ihren Kontakt mit dem reaktionären Teil Frankreichs über die Jahrhunderte hinweg pflegte, blieb dem arbeitenden Volk Freiburgs nach dem Absterben des Söldnerwesens nicht einmal die Möglichkeit, sich als Maschinenfutter verheizen zu lassen und dementsprechend ein neues Klassenbewusstsein zu entwickeln. Denn die herrschenden Familien lebten auch im 19. Jahrhundert weiterhin auf ihren Landgütern und in ihren Stadtpalais, verpachteten ihre Latifundien und bezogen Grundrente. Nur ganz wenige begriffen, dass Machtausübung in der Industriegesellschaft identisch war mit dem Besitz von Produktionsmitteln. Die seltenen Fabriken, welche sich etablierten, wurden meist von nichtfreiburgischem Kapital beherrscht. Industrie war dem Freiburger Patriziat schon deshalb nicht geheuer, weil es ein Proletariat erzeugt, welches ihrer Kontrolle entgleiten könnte. So wanderte die überschüssige Landbevölkerung aus, in industrialisierte Kantone, aber auch bis nach Brasilien, wo ein «Nova Friburgo» entstand. Die herrschende Minderheit von Patriziern und Aristokraten behauptete unterdessen ihre Macht dank drei konservativen Gewalten: den Zeitungen «Liberté» und «Freiburger Nachrichten», der vom Klerus geleiteten konfessionellen Schule und dank der Kirche im allgemeinen, welche in Freiburg bis in die letzten Jahre alle Lebensäusserungen zu beherrschen schien. Freiburg, und besonders auch seine Universität, war denn auch bis vor kurzem ein Treibhaus für ständestaatliche Ideen (Bundesrat Musy, Gonzague de Reynold) und ein Hort der theologisch-philosophischen Reaktion, wo die thomistischen Dominikaner ihre letzten Rückzugsgefechte liefern. Die Kader des politischen Katholizismus, kaum den Klosterschulen entwachsen, wurden hier geschult und in den Studentenverbindungen dressiert (von denen heute nur mehr die Neuromania, genannt Neuro-Mania, in alter burschenschaftlicher Blüte steht, in vollem Braus und Suff, mit Zotenabend, Stammbuch, Altherren, Füchsen, Ehrendamen, Trinksprüchen und langen Trinktouren in der Unterstadt, welche «grosser Rosenkranz» oder «kleiner Rosenkranz» genannt werden).

Während die Universität die Stadt Freiburg zu einem Zentrum des nationalen und internationalen Katholizismus machte und eine konservative Elite züchtete, wurde die Erziehung der breiten Massen vernachlässigt. Noch im Jahr 1970 konnten nur 50 Prozent der Sechstklässler eine Sekundarschule oder ein Gymnasium besuchen. Hingegen zieht eine Anzahl von Instituten mit internationaler Besetzung und religiöser Direktion immer noch diese seltsame Fauna von höhern Töchtern nach Freiburg, welche von ihrer Familie in eine gutkatholische Umgebung geschickt werden. Und auch die Flora der buntbewimpelten Orden ist noch präsent, wenn auch mit rückläufiger Tendenz: die Väter vom Heiligen Sakrament, Redemptoristen, Salvatorianer, Salesianer, Palottiner, Marianhiller, Marianisten, Weissen Väter, Kleinen Brüder vom Evangelium, Gesellschaft vom Göttlichen Wort, Missionare von Bethlehem.

Also immer noch: «Freiburg, das Schweizer Rom, Pfaff an Pfaff und Dom an Dom», wie Gottfried Keller sagte? Nicht mehr ganz. Zwar gibt es noch den «Cercle de la Grande Société» an der Reichengasse, welcher nur Patrizier und Aristokraten aufnimmt, einen Lesezirkel der Guten Gesellschaft, wo die de Weck, de Diesbach und von der Weyd Bridge spielen und ihre Töchter verkuppeln. Zwar gibt es immer noch konservative Ideologen an der Universität, wie den pechraabenschwarzen Historiker Raab oder den Pädagogikprofessor Räber, welcher den Begriff der Autorität so definierte: Sie sei etwas Gegebenes, dem man sich füge, eine Befehlsvollmacht, die an ein Amt gebunden sei, denn nur Macht könne das Gute durchsetzen, etwas Angeborenes, das man nicht beschreiben könne, das von innen herausstrahle.

*

Soweit der Hintergrund, vor welchem sich die Biographie des Seppi Siffert entfaltet. Ein Leben in Freiburg im Üechtland, wo das Konservatorium gleich neben dem Schlachthaus steht: Sonaten und Präludien begleiten die Tiere auf ihrem letzten Gang. Der Friedhof liegt nahe beim Sportstadion. In der Unterstadt wird das Proletariat langsam von Künstlern und Studenten verdrängt. Unvergessliche Menschen wohnen dort, wie jener Jacob Fleischli, cand. phil. und Tristanforscher, der sich regelmässig am Freitagnachmittag von seinen Büchern fortstiehlt und im Schlachthof als Pferdemetzger arbeitet, mit seiner blutbespritzten Schürze. Oder jener Jean-Maurice de Kalbermatten, dessen Schwester eine Nebenbeschäftigung als Leichenwäscherin gefunden hat, obwohl sie hauptamtlich Sekundarlehrerin ist.

Ein kleines Frankreich mitten in der Schweiz, dieser Staat Freiburg. Frankreich im Jahr 1788. Eine Revolution hat hier noch nicht stattgefunden, nur die Bauernrevolte des Nicolas Chenaux, 1781, schnell abgewürgt, sein Kopf wurde auf der Porte de Romont ausgestellt. Was in Frankreich die Bretagne, ist im Staate Freiburg der Sense-Bezirk (zum Teil auch der See-Bezirk). Eine sprachliche Minderheit, welche von der französischsprachigen Mehrheit oft wegwerfend behandelt wird. Daher vielleicht der Drang vieler Sensler nach Anerkennung und ihr Hang zur Hyperintegration. Der Chefredaktor der «Freiburger Nachrichten» ist Sensler, auch Seppi Siffert ist Sensler. Die Französischfreiburger haben eine Tendenz, sich als Staatsvolk und Kulturvolk zu betrachten, sie verlangen von den Deutschfreiburgern die Beherrschung des Französischen, können sich aber auf deutsch kaum ausdrücken. Ein Staat mit 200000 Einwohnern, 40000 davon in Freiburg. Ein derart gutes Musikkorps, «Landwehr» genannt, dass es sich der Schah von Persien nicht nehmen liess, die Feste in Persepolis von Landwehrklängen begleiten zu lassen. Die ganze Musik war nach Persien geladen. In der «Liberté» stand: «Une merveilleuse aventure au pays du Shah.» Wenn man nicht mehr an den Hof von Louis XVI kann, dann wenigstens an den Hof des Grosstürken. Eine Verwandtschaft mit Frankreich auch in bezug auf Mythenbildung: dort de Gaulle als Kristallisationspunkt der frustrierten Massen, hier Jo Siffert. Beide kompensieren eine Unterentwicklung, beide Mythen werden von den Herrschenden manipuliert. Beide sind mit katholischer Kultur gedüngt worden. Und genau wie bei de Gaulle ist auch Jo Siffert die Realität nur noch schwer von der Legende zu unterscheiden. Aber einige Lebensdaten kann man im jetzigen Stadium der Mythenbildung doch noch festhalten. Teilansichten von Jo Siffert, aufgezeichnet bei Gesprächen mit Mama Siffert, Papa Siffert, dem Mechaniker Oberson, der Freundin Yvette, dem Freund Bochenski, der Primarlehrerin, dem Lehrmeister Frangi, dem Schuhmacher Salvatore Piombino. Leider konnte ich nicht mit Bischof Mamie sprechen. Ich hätte gern von ihm gewusst, ob er sich als Verwalter der eigentlichen Religion bedroht fühle, wenn die klassischen Andachtsformen vom Siffert-Kult verdrängt werden. Bischof Mamie sagte mir fernmündlich, er antworte nur auf schriftlich formulierte Fragen und möchte auf jeden Fall den Artikel vor der Publikation noch sehen, zwecks Korrektur.

Mutter Siffert, geb. Achermann

Mama Siffert in ihrem Eigenheim bei Freiburg. Gleich im Vestibül ein Siffert-Plakat, eingerahmt von zwei brennenden Kerzen, ein Heiligenbild. In der Stube die Trophäen vieler Siege. Ein Wechselrahmen, darin ein Artikel aus dem «Blick»: «Mama Siffert ist stolz auf ihren Sohn.» Sie kennt sich aus mit Formel-I- und Formel-II-Wagen, mit Prototypen, Porsches und Alfa Romeos. Wenn sie von den Trophäen spricht, sagt sie: Als ich den Preis gewann. Frau Siffert ist gebürtig aus Willisau, wo sie ihren Mann kennenlernte. Kurz nach der Heirat liess sich Fam. Siffert-Achermann in der Unterstadt nieder, in dem Teil, der früher «Tanzstadt» hiess, neben dem Restaurant «Tirlibaum» an der Place Petit St-Jean. Dort betrieben sie ein Milchgeschäft, zwei Jahre, es rentierte nicht. Seppi kam dort zur Welt. Der Vater sei bald keiner geregelten Beschäftigung mehr nachgegangen, entmutigt vom Misserfolg des Milchladens. Ein darauffolgender Mineralwasserhandel habe auch nicht recht funktioniert. So habe sie in der Schokoladenfabrik Villars gearbeitet, auch als Seppi schon erwachsen war, und sei vor Müdigkeit oft mit den Fingern in der Schokolade steckengeblieben (600 Franken im Monat). Auch habe sie für 1.10 Franken pro Stunde die Räume der Universität geputzt. Dazu noch der Haushalt mit den vier Kindern (Seppi und drei jüngere Schwestern). Eine Zeitlang hat ihr Seppi beim Lumpensammeln geholfen, «id Hudle gange», und später haben die beiden Narzissen verkauft an der Reichengasse. «Mein Mann hat Seppi sehr streng gehalten, um 18 Uhr musste er zu Hause sein, auch sommers.» Die Ehe war nicht harmonisch, die Gatten leben heute getrennt. Bei den familiären Auseinandersetzungen scheint Seppi immer die Partei der Mutter ergriffen zu haben. Sie hat es ihm vergolten durch intensive Förderung seiner Rennkarriere. Als er noch keinen Namen hatte, fuhr sie mit ihm quer durch Europa an die verschiedenen Rennplätze und besorgte ihm den ambulanten Haushalt, zusammen mit Yvette, seiner ersten Freundin. Seppi war auf Sparsamkeit angewiesen, hatte im Gegensatz zu fast allen Rennfahrern kein Startkapital und keinen reichen Vater. Frau Siffert wusste, wie gefährlich die Rennen sind, sie hat deshalb ihren Sohn immer ermahnt, bei besonders schwierigen Stellen zu beten. Sie glaubte ihn durch eine besondere Fürsprache des Himmels geschützt, hatte kaum je Angst, auch nicht nach dem Renntod von Jim Clark und Jochen Rindt. «Siehst du, Mama», habe ihr Seppi auf dem Nürburgring einmal gesagt, «heute in dieser besonders schwierigen Kurve habe ich nicht an den Tod gedacht, sondern an einen Wagen, den ich besonders günstig zu verkaufen hoffe.» Die Familie habe zwar manchmal gedarbt, aber nie gebettelt; Vikar Moser von St. Peter habe ein Erstkommunionkleid für Seppis Schwester schenken wollen, aber das hätten sie nicht akzeptiert. Seppi habe unter einem brutalen Primarlehrer gelitten, «war oft wie im Schneckenhaus, hat es auch mit dem Vater nicht leicht gehabt». Als er zu Frangi (Unterstadt, Nähe Gaskessel und Gefängnis) in die Lehre ging, hat er abends schwarzgearbeitet, so dass die Nachbarn wegen Nachtlärm klagten. Der Polizist, welcher die Sache untersuchte, sagte abschliessend: Da kann man nichts machen, man muss dankbar sein, wenn ein Jüngling so viel Fleiss zeigt, auch nachts. Der Fleiss ist so selten bei den Jungen! Mit Seppis sukzessiven Frauen scheint Mama Siffert keine schlechten Beziehungen gehabt zu haben. Nur vermochte sie sich nie recht an das bourgeoise Milieu von Seppis letzter Frau Simone, der Tochter von Bierbrauer Guhl (Brasserie Beauregard), zu gewöhnen. Mit Yvette, der Tochter aus dem Volk, ging es besser. Yvette war die erste Freundin, aus der «basse ville» stammend, Seppi lebte ohne Formalitäten mit ihr zusammen. Nach den ersten Erfolgen in England lernte er das Mannequin Sabine kennen, das er zivil heiratete. Und als der ganz grosse Ruhm einsetzte, da kam auch die Bierbrauerstochter Simone, welcher er zivil und kirchlich angetraut wurde. Einerseits die Simone Guhl von der Brasserie Beauregard, andererseits der Paul Blancpain von der Brasserie Cardinal, welcher die gutgehende Garage neben dem Bahnhof für Seppi in Schwung hielt: In Freiburg entgeht man den Bierbrauern nicht. Arbeitsbeschaffung für die Proleten in der Unterstadt, welche sich nach Feierabend vom gleichen Bier benebeln lassen, das sie tagsüber produzieren. Beauregard und Cardinal bilden heute mit Wädenswil, Salmen et cetera eine Holding, welche den Markt in einzelne Kuchenstücke aufteilt. Zuvor hatte Beauregard einen Umsatz von 13 Millionen Franken und einen Ausstoss von 160000 Hektolitern. Einheirat in die wirtschaftlich herrschenden Kreise Freiburgs: Es war dem Seppi nicht an der Wiege gesungen. Aufstieg von den Untern zu den Obern.

Herr Alois Siffert, Vater
Alois Siffert raucht dicke Zigarren, fährt Mercedes und packt mich zur Bekräftigung seiner Aussagen immer wieder am Arm. Er könnte aus der Dreigroschenoper stammen, ist aber tatsächlich aus Liebistorf im Sensebezirk gebürtig (einer Landschaft mit vielen schönen Dörfernamen: Lustorf, Wünnewil zum Beispiel). Alois, 1910 geboren, musste auswandern, der Hof produzierte nur genug für eines der fünf Kinder. Als Käser im Luzernischen, Verdienst 25 bis 30 Franken pro Monat. Die Eltern streng konservativ, sparsam,

Butter nur an Sonntagen. Als Alois aus dem Luzernischen zurückkam, mit etwas weniger konservativen Ideen, und er vor den Wahlen politisieren wollte, sagten ihm die Eltern: «Lis d'Friburgere (= «Freiburger Nachrichten»), da steht drin, wie du stimmen musst.» Als er heiratete, sagte der Pfarrer: «Man glaubt es kaum, dass du einen protestantischen Meister hattest, bis noch gut katholisch.» Die Frau brachte eine Aussteuer in die Ehe. Der Milchladen ging bankrott, weil die Arbeiter nicht zahlen konnten und monatelang aufschreiben liessen. In Spanien war der Bürgerkrieg, in Freiburg herrschte Staatsrat Piller, in der Unterstadt darbten die Arbeiter und Siffert mit ihnen. Dann der Weltkrieg, Aktivdienst, 1400 Diensttage, im Urlaub eine Vertretung für Henniez-Mineralwasser. Dann der Bub. Seppi war 1936 «struppiert» zur Welt gekommen (Sensler Dialekt, abgeleitet vom französischen estropié = verkrüppelt). Alois hat keine Kosten gescheut, damit der krumme Fuss wieder normal wüchse. Als Seppi 1952 die Karosseriespenglerlehre begann, wechselte auch Alois vom Mineralwasser zu den Unfallwagen über. Er kauft den Versicherungen und Garagen preiswerte Unfallwagen ab (Einzugsgebiet Westschweiz), lässt sie von Seppi ein bisschen ausbeulen und verkauft sie (Absatzgebiet Aargau/Zürich) an Garagisten, manchmal mit einem Reingewinn von 4000 Franken pro Wagen, innerhalb von 48 Stunden. Seppi kann sich ein Motorrad kaufen, fährt sein erstes ausländisches Rennen in Karl-Marx-Stadt, Ostdeutschland. Aus Karl-Marx-Stadt brachte Seppi ein Tafelservice für zwölf Personen zurück. Und so sei es aufwärtsgegangen mit Seppi, immer schneller, in den letzten drei Jahren hätte er mindestens zwei Millionen pro Jahr verdient, ein Herr Maerkli von der Ziegelei Düdingen habe ihn bei seinen Investitionen beraten. Wenn Seppi kein Testament hinterlasse, erbe seine Witwe das ganze Vermögen, etwa acht Millionen.

«Ist es nicht traurig, dass er jetzt sterben musste, wo er sich in Posieux eine neue Villa bauen liess, für eine gute Million, und wo der Renditenbau an der Rue de Romont jeden Tag so schön wächst», sagt Alois Siffert. Die Büros sind zum voraus vermietet, und kurz vor seinem Tod hat man ihm noch einen zusätzlichen Stock bewilligt. 5,5 Mio. hat der Bau gekostet, 2,5 Mio. als erste Hypothek. Büros und Läden. Direktor Musy vom Schweizerischen Bankverein hat sich bei der Schweizerischen Volksbank dafür verwendet; der Kredit wurde bald bewilligt. Ist es nicht traurig, dass er gerade jetzt sterben musste?

Josephine Huber, pens. Lehrerin
«O Gott, du hast in dieser Nacht/So väterlich für mich gewacht,/Bewahre mich auch diesen Tag/vor Sünde, Tod und jeder Plag», wurde bei der Primarlehrerin J. Huber im Burgschulhaus, beim Schlachthaus, jeden Tag gebetet. Es wurden auch Schulwallfahrten nach Bürglen veranstaltet. Seppi hat die erste und zweite Klasse bei Josephine Huber besucht, 1941–1943. Er sei grad so knapp durchgekommen in der Schule, habe nie aufgemuckt, sich immer beim grossen Haufen befunden. Ein Träumer, wenn sie ihn aufrief, sei er immer leicht erschrocken. Die Leute aus der Unterstadt, sagt sie, das war ziemlich hoffnungslos. Die meisten stammten vom Land, aus kinderreichen Familien, es gab keine Geburtenbeschränkung. Taglöhnerfamilien, in die Stadt ausgewandert. Die Pfarrer gaben Almosen oder schickten sie nach Freiburg. Die Unterstadt war damals voll von Läusen, Flöhen, Ratten, Alkoholikern. Das Gaswerk ist dort und das Gefängnis. Alles, was man aus der Oberstadt entfernen wollte, stopfte man in die Unterstadt. Im Auquartier wohnten die Sensler, die waren unpolitisch und tranken dafür, in der Neuveville wohnten die welschen Arbeiter – ein richtiges Sozialistennest, da wurde politisiert und gegen die Reichen gehetzt. Arbeiten konnte man in der «Dreckfabrik» (Düngerfabrik), in der Schokoladefabrik Villars, in den Brauereien. Die Patrizier und reichen Bürger haben sich aber immer christlich um die armen Unterstädtler gekümmert. Natürlich sind die de Maillardoz, de Weck, Guhl und so weiter nicht persönlich in die «basse ville» hinuntergestiegen, aber sie haben den Leuten von der Vinzenzkonferenz Geld gegeben; das waren Leute aus dem Mittelstand, die haben den Armen dann Almosen gebracht. Aber trotz der Wohltätigkeit wollten die Armen nicht aus ihrem Sumpf heraus, der Alkoholismus ging nicht zurück. Ein reicher Freiburger habe testamentarisch eine Summe für die Anschaffung von Holzschuhen für die Kinder hinterlassen (sogenannte Schlorgge). Auch die Schulsuppe, Holz und Kartoffeln seien gespendet worden. In ihrer Klasse sei Seppi durch Sauberkeit aufgefallen. Arm und geflickt, aber sauber! Einfluss der Mutter. Manche Kinder aus der

Unterstadt seien verlaust und mit Schorf zur Schule gekommen, in den Schulheften fand sie Läuse. Vernachlässigt wie streunende Hunde waren die Kinder aus der Unterstadt, mit wenigen Ausnahmen. Seppi sei dann in der 3. Klasse zu Herrn K. gekommen, der ihn oft geschlagen habe, und später zu Herrn A., ebenfalls rabiat.

Herr C. Frangi, Karosseriespengler

Der Lehrling benötigt folgendes persönliches Werkzeug: 1 Doppelmeter, 1 Bleistift, 1 Notizbüchlein. Besondere Regelungen: Aufräumen nach Arbeitsschluss. Als freie Tage im Sinne der gesetzlichen Bestimmungen gelten alle katholischen Feiertage sowie Karfreitag, Ostermontag, Pfingstmontag. Der Lehrling erhält für seine Arbeitsleistung folgenden Lohn: 1. Lehrjahr per Stunde Fr. –.40; 4. Lehrjahr per Stunde Fr. –.65 / –.70.

So und ähnlich lautet der Lehrvertrag zwischen dem Karosseriespengler Frangi und dem Lehrling Josef Siffert, Sohn des Alois, gültig von Mai 1952 bis Mai 1956. Frangi sagt: Ich war meinen Lehrlingen eine Art Vater. Die waren so unkultiviert. Musste ihnen beibringen, dass man das Messer in der rechten und die Gabel in der linken Hand hält. War streng, aber gerecht. Habe gewusst, dass Siffert Schwarzarbeit macht, liess ihn aber gewähren. Hat ein schönes Begräbnis gehabt, nur das von General Guisan hat mir noch besser gefallen. Hat mir 14 Tage vor seinem Tod noch das Du angetragen. Und immer, wenn ich ihm begegnete, grüsste er freundlich. Ist ein einfacher Mensch geblieben. Hat sich nie gegen mich aufgelehnt, immer seine Arbeit gewissenhaft gemacht. Er war ein einfacher Mensch, hat nie geblufft wie sein Vater. Seppi hat seine Familie aus dem Dreck gezogen. Bei mir unten hat er auch die Yvette kennengelernt, sie wohnte gegenüber dem Atelier.

Aufnahmeprüfung bei Frangi. Siffert musste 20 Fragen beantworten, eine Frage nach dem höchsten Punkt der Schweizer Geographie und eine Frage nach dem höchsten Punkt der politischen Landschaft (Dufour Spitze und Bundespräsident Etter).

Yvette P.

Sifferts Jugendfreundin Yvette P. hat die schwierigen Anfänge des Rennfahrers Siffert miterlebt und miterlitten, beobachtete die Entwicklung des Vornamens: Aus dem senslerischen Seppi wurde ein französisch oder welsch angehauchter Joseph, zurechtgestutzt für den linguistischen Gebrauch der Oberstadt, und aus Joseph wurde Jo, was auf französisch und englisch ebenso gängig ist. Yvette hat auch der Metamorphose beigewohnt, welche Seppis Charakter nach den Formel-I-Erfolgen durchlief. Ein ganzer Weibertross sei ihm da plötzlich auf den Fersen gewesen, und all die aktiven Freunde, Paul Blancpain und ähnliche Leute aus der guten Gesellschaft; Paul Blancpain, welcher früher die Kirchen des Freiburger Architekten Dumas in Frankreich verkauft habe, wollte jetzt Siffert verkaufen.

Seppi sei wenn immer möglich vor den Rennen zur Messe gegangen, während sie, Yvette, eigentlich nur an die Muttergottes glaube und deshalb in Bourguillon ihre Opferkerzen entzündete. (Im Restaurant neben der Wallfahrtskirche hängt heute ein Andachtsbild von Seppi.) In der Nacht vor Seppis Tod nahm sie das Unglück im Traum voraus. Und am Unglückstag, um 14.40 Uhr, hatte sie den Eindruck, als ob Seppi sie riefe.

Yvette ist verheiratet, mit einem Baumeister, der mindestens so gefährlich lebt wie Siffert. Sie hat Kinder und wohnt immer noch in der Unterstadt. Den Siffert-Kult findet sie lächerlich. «Er war vielleicht ein ausserordentlicher Typ, aber ein Held war er nicht.»

Bochenski, Freund

Als Siffert zur Prominenz gehörte, machte er nicht nur Reklame für Marlboro, Bio-Strath und Chronometer-Heuer, verdiente er nicht nur mit Porsche- und Alfa-Romeo-Prototypen und mit Alfa- und Porsche-Vertretung und ebenfalls im Rennstall von BRM (= British Racing Motors), frequentierte er nicht nur jene höhere Tochter (Simone Guhl), bewohnte er nicht nur eine Villa in Belfaux, sondern hatte auch Freunde, die seinem Lebensstandard entsprachen, nämlich Niki de Saint-Phalle und Jean Tinguely und den Eisenplastiker Luginbühl und sogar den Hochleistungsphilosophen Joseph Bochenski von der Universität Freiburg. Die beiden ergänzten sich sehr schön, der Dominikanermönch mit dem Raubvogelprofil und der philosophische Sensler mit seinem Todestrieb. Während Siffert den Freiburger Kantonalrekord im Geldscheffeln hielt, fährt Bochenski in Rekordzeit mit einem Jaguar E-Type von der Universität Freiburg ans Ost-Institut in

Köln. Während Seppi dem Freiburger Kapitalismus auf die Beine hilft, gibt Joseph dem Kommunismus in der Bundesrepublik Deutschland den Gnadenstoss (er wurde von der Adenauer-Regierung zum Thema Kommunismus konsultiert und glaubt, das Kommunistenverbot sei auf seinen Ratschlag zurückzuführen). Während Siffert von Rennen zu Rennen fliegt, huscht Bochenski von Vorlesung zu Vorlesung, von Symposium zu Seminar. Der eine besucht des andern Rennstall, der andere des einen Universität. 1964 lädt Rektor Bochenski den Siffert als Ehrengast an den Dies academicus, an die gleiche Universität, wo seine Mutter noch für Fr. 1.10 Stundenlohn putzte. 1963 will Siffert dem Bochenski einen Aston-Martin andrehen, Bochenski merkt aber, dass es sich um einen Unfallwagen handelt.

Der Mönch Bochenski lebt in evangelischer Armut, darf aber alles haben, was er zum Leben braucht. Dazu gehören auch schnelle Autos und ein Flugbrevet, das er mit 70 Jahren noch absolviert hat. «Siffert ist ein Genie des Steuerrads. Während ich mit 100 in eine scharfe Kurve gehe, nimmt Siffert sie mit 130.» Die Rennfahrer geben ihr Leben hin für die normalen Autofahrer: all die technischen Verbesserungen, die wir ihnen zu verdanken haben! Als Bochenski 1918 seinen ersten Wagen fuhr, zur Zeit, als er noch Bierbrauer war, vor seiner Konversion, welche er mit 26 Jahren vollzog, als er noch in Polen residierte und als Kavallerist die Reiterarmee des russischen Generals Budjonny bekämpfte – zu jener Zeit also waren die Autos noch nicht perfekt, die ständigen Reifenpannen ärgerten ihn. Nur durch den Hochleistungssport sind die Autos unterdessen besser geworden, meint Joseph Bochenski OP, *ex ordine praedicatorum,* der Dominikaner aus dem Prediger-Orden.

Der Logiker und Philosophiegeschichtler, Hegel-Kenner und Antikommunist («Der Kommunismus ist eine internationale Plage»), welcher in Freiburg eingebürgert wurde, der scharfdenkende Bochenski hat am Siffert-Kult nichts zu kritisieren. Es stört ihn nicht, dass Pater Duruz OP bei der Abdankung verkündete: «Wahrlich, wahrlich, ich sage Euch, wenn das Weizenkorn nicht in die Erde fällt und stirbt, bleibt es für sich allein, ist es aber abgestorben, so bringt es viele Frucht. Wer sein Leben liebhat, verliert es, wer dagegen sein Leben in dieser Welt hasst, wird es für das ewige Leben retten.» Und er stösst sich auch nicht an der Erklärung der Freiburger Regierung, welche nach Sifferts Tod verlauten liess: «Er wird für alle der Inbegriff des perfekten Sportlers bleiben und für die Jugend ein Beispiel für den Erfolg sein, welcher einem unerschütterlichen Willen und unablässiger Arbeit entspringt.»

*

Das war der Seppi Siffert aus der Unterstadt, aus dem Elend in den Erfolg getrieben, in früher Jugend drangsaliert von Vater, Milieu und Lehrern, via Nürburgring und Monza in die Oberstadt verschlagen, zur Welt gekommen neben dem Restaurant «Tirlibaum», aus der Welt gegangen in Brands Hatch, begraben wie seine Vorfahren, die Söldner.

*

Folgende Aufsätze entstanden am 10. Dezember 1971. Der Lehrer hatte ausser dem Thema «Jo Siffert ist tot» keinerlei Hinweise gegeben und den Kindern völlige Arbeitsfreiheit gelassen.

Mein Vater kannte Jo Siffert ser gut, weil er im gleichen Jahr, Monat und Tag. Als das mein Vater erfuhr, da stotterte mein Vater: Jo Siffert ist tot, das kann doch nicht möglich sein. Aber noch vor ein paar Monaten hatte er auf BRM den Österreicher Preis gefonen. Jetzt ist alles futsch. Er hat noch einen Laden. Was will jetzt seine Frau damit machen. Als er starb, da brannten um im 250 l Bensin. Wenn nur die Feuerwerr nur die Feuerlöscher hätten dann bebte er heute noch. (...)

*

Am Freitagmorgen war die Beärdigung des tötlich verunglückten Jo Siffert. Sie beärdigten ihn auf dem Friedhof in St. Lonard. Am Samstagnachmittag gingen meine Mutter und ich auf den Friedhof um Blumen auf das Grab von meinen Grosseltern zu setzen. Nicht weit weg vom Grab von dem Grossvater war das Grab von Jo Siffert.

Alle Grabe waren eingetzaunt damit die Leute nicht alles vertrampeln. Die Leute Filmten und Fotogravierten das grosse Grab. Ein junger Mann der nicht an die Beärdigung konnte, flog am

Sonntag mit einem Helikopter über das Grab und liess einen Kranz fallen. (...)

*

(...) Nach der fünfzehnten runde konnt er bei einer Kurfe nicht mehr zurukschalten und das Stockwerk klemte. Der Wagen nahm Feuer. Jo Siffert er stickte. Das Feuer war zu heiss und die Feuerwermänner konnten nicht zum Feuer. (...)

*

Ich war nicht dabei als sie Jo Siffert begraben haben aber ein Mädchen hat gesagt dass sie ihn mit einem Auto begraben haben.

Als er gestorben war sang die 2. Sek:
Jo Siffert ist gestorben
Jo Siffert war ein Held
Jo Siffert ist geboren in einem Kinderbett.

*

Jo Siffert lebte noch eine Minute, aber dann war er tot. (...)

*

(...) Es ist jetzt schon der zweite schwere Verlust der BRM in diesem Jahr. Petro Rodriguez ist auch tot. Im Frühling dieses Jahres verunglückte er. Es war der erste Verlust. Jetzt Jo Siffert im Herbst dieses Jahres. Die Leiche wurde nach Zürich geflogen, von dort aus nach Freiburg wo er begraben wurde. Jo Siffert ist tot.

*

Es indressiert mich nicht. Denn Siffert hat selber den tot haben wollen.

*

(...) Als Jo Siffert im Auto darin erstickte, da prostierten viele Leute, denn sie hätten eine Minute Zeit gehabt, Als Siffert in Freiburg war, kamen 6 Totenwagen ganz beladen mit Kränzen, und im letzten war Jo Siffert.

Fritzli und das Boxen

Äusserungen von und über Fritz Chervet, der am 27. April 1974 zum Weltmeisterschafts-Fliegengewichtsboxkampf antrat, notiert und montiert nebst einigen Zitaten aus schriftlichen Quellen und kurzer Beschreibung von Örtlichkeiten, welche Fritz gelegentlich aufsucht.

Grimm Walter, Boxjournalist
(erste Auskunft am Telefon): Ja, der Fritzli kommt wie alle Boxer aus der unteren Schicht; er hat sich durchgeboxt und hinaufgeboxt. Mit der ersten Börse hat er seiner Mutter eine Waschmaschine gekauft. Er kommt von ganz unten wie Cassius Clay und Sonny Liston. Er ist der erste Schweizer, der gegen einen Weltmeister antritt, früher haben wir es nur bis zum Europameister gebracht. Früher haben die Arbeiter in der Schweiz massenhaft geboxt, heute gibt es mehr und mehr Fremdarbeiter in unseren Boxklubs, unsere einheimischen Büezer sind nicht mehr hart genug zum Boxen. Sie haben nicht mehr soviel Mumm. Der Fritzli boxt bei Charly Bühler im Boxkeller gegenüber dem Bundeshaus. Aber Achtung, dort gibt es zweierlei Kundschaft, einesteils die feinen Leute, die tagsüber ein wenig boxen und sich damit fit halten wollen, Diplomaten, Geschäftsleute, Advokaten, und andernteils am Abend die Amateure und Profis, welche hoffen, mit dem Boxen einmal Geld zu verdienen. Die feinen Leute sind Luxusboxer und brauchen kein Geld mit dem Boxen zu verdienen, weil sie es schon haben. Die können auch in irgendeinen Fitnessklub gehen, aber Boxen macht sich besser. Es gibt auch Boxen für Kinder bei Charly Bühler, das sind dann auch Kinder von besseren Leuten, solche, die zum Beispiel auf dem Pausenhof immer verhauen werden und nicht zurückschlagen, die sollen bei Charly Bühler die Hemmungen verlieren. Sie verlieren dann auch ihre Minderwertigkeitskomplexe und schlagen zurück. Leider ist der Boxsport in der Schweiz als grob verschrien, das sollte man einmal berichtigen. Es ist im Gegenteil ein sehr feiner Sport. Man muss nur den zarten Fritzli sehen, wie sensibel der boxt. Fritzli ist auf der ganzen Linie sensibel; er wohnt immer noch bei der Mutter in Bern, wo auch seine

vier Brüder wohnen, und alle haben sehr viel Familiensinn. Das kommt ja nicht oft vor, dass vier erwachsene Männer soviel Familiensinn haben und bei der Mutter wohnen bleiben. Der Vater ist schon lange tot, man weiss nicht viel über ihn. Die Mutter hat die ganze Familie durchgeschleikt. Alle fünf Brüder boxen oder haben geboxt. Es ist eine richtige Boxerfamilie. Nur die Mutter und die zwei Schwestern boxen nicht.

Geschichtlicher Rückblick
(«Das grosse Lexikon des Sports»): Boxen, eine der ältesten Zweikampfarten der Menschheit, über deren sportliche Ausübung bereits aus dem antiken Griechenland schriftliche Zeugnisse vorliegen. In Homers «Ilias» werden z.B. Faustkämpfe geschildert, die von den Griechen anlässlich der vor Troja veranstalteten Leichenfeiern ausgetragen worden sind. Zur Vorbereitung auf einen Kampf wurde das Schlagen an Geräten geübt, die den heute verwendeten etwa ähnlich waren. In späterer Zeit wurden die Faustkämpfe nur mehr von Berufsathleten ausgetragen; die früher als Bandagen verwendeten, weichgegerbten Lederriemen wurden durch hartgegerbte und mit Metalldornen versehene Riemen ersetzt, die jeden Faustkampf zu einer Auseinandersetzung auf Leben und Tod werden liessen. Mit dem Untergang Roms als politischer Macht verschwanden die beim Publikum beliebten Gladiatorenkämpfe und damit auch vorübergehend der Faustkampf.

Bühler, Charly, Trainer und Manager des Fritz Chervet.
(In seinem Boxkeller in Bern. Kommen und Gehen von Boxfans in Bühlers Büro. Es werden Ringplätze für den Weltmeisterschaftskampf gekauft, für 250 Franken das Stück. Das Büro ist mit moderner Malerei ausstaffiert: meist Geschenke von Künstlern, die bei Charly geboxt haben, im Zeichen der Fitness. Ein Poster von Fritzli mit rührendem Ausdruck, als ob er einen Schlag erwarte. Im Ring boxt Fritzlis Bruder Werner, haut kräftig auf Bundesrichter Cholidon ein. Dieser wird in die Ecke gedrängt. Werner könnte den grauhaarigen Cholidon leicht zerschmettern. Überall wird geboxt, auch viel Konditionstraining, dumpfes Aufklatschen von Boxhandschuhen auf Fleisch oder auf andere Boxhandschuhe. Manche hüpfen mit dem Springseil, das gibt einen sausenden Ton. Andere liegen

am Boden und stossen ihre Beinchen kolbenartig in die Luft. Meist weisse Beine, wie sie in Büros wachsen. Zur Vorbereitung auf den Kampf wird das Schlagen an Geräten geübt, die den in Griechenland verwendeten ähnlich sind. Im Hintergrund der Umkleideraum, wo weisse Männerhaut blinkt. Duschtöne. Von weit her Erinnerungen an ein Internat, an einen Männerbund weitab der Welt.)

Ja sehen Sie, das ist der Sport der Armen. Die grossen Boxer kommen aus der Dritten Welt, Südamerika, Thailand, Afrika, oder wenn sie aus den hochentwickelten Ländern kommen, dann gehören sie dort zu den Unterprivilegierten. Sie wissen, die Neger in Amerika oder die Sizilianer in Italien oder die Spanier aus den armen Gegenden. Leute, die im Schatten geboren sind, können sich hinaufboxen zu einem Platz an der Sonne. Dabei ein fairer Sport, frank und frei, jeder hat die gleichen Chancen. Und dabei von einer choreographischen Schönheit. Die Selektion geschieht wie in der Natur nämlich so, dass der Stärkste überlebt. Eine Gesellschaft, wo nicht mehr geboxt wird, ist dekadent. In unseren hochentwickelten Gesellschaften verschwindet der Boxinstinkt mit dem Luxus. Das Boxen ist eine Charakterschule, auch hier das Fitnessboxen. Da herrscht Gleichheit, der Millionär kann mit dem Büroangestellten boxen. Und man kann die Welt draussen vergessen. Man kann abstrahieren von der Welt draussen.

Aufruf (an der Wand von Bühlers Boxkeller diskret aufgeklebt): Freisinnig-Demokratische Partei des Kts. Bern. Auf der Liste der Grossratswahlen unserer Partei hat sich Herr Markus Vuillemin, Liegenschaftsverwalter, als Kandidat aufstellen lassen. Er ist Ihnen als Mitglied Ihrer Vereinigung bekannt, und sicher sind Sie mit uns der Meinung, dass er volle Unterstützung verdient. Wir bitten Sie, wenn möglich alle Mitglieder Ihrer Vereinigung auf die bevorstehenden Wahlen und insbesondere auf diese Kandidatur aufmerksam zu machen und eine neutrale Empfehlung an alle Mitglieder zu richten, unserem Kandidaten bei den bevorstehenden Grossratswahlen die Stimme zu geben.

Bühler, Charly: Dabei ein fast ungefährlicher Sport. Hart und schmerzvoll, aber weniger gefährlich als viele andere Sportarten.

Vor allem eine Schulung des Charakters und der Reaktion. Man lernt Schläge einstecken, auf die Zähne beissen.

Geschichtlicher Rückblick (Sportlexikon):
Boxunfälle, tödliche, werden sorgfältig registriert. Allein nach 1945 bis Ende 1968 sind über 240, nach anderen Statistiken sogar über 260 Boxsportler (Amat. und Profi) den Kampffolgen zum Opfer gefallen. Im deutschen Berufsboxen 3 Todesfälle: Paul Völker (1932), Karl-Heinz Bick (1957) und Jupp Elze (1968). In anderen Sportarten Verlustzahlen höher, insbesondere beim Motorsport und amerik. Football.

Hui, Ernst, Boxjournalist: In der Schweiz wurden seit Bestehen des Schweizerischen Box-Verbands (SBV) noch keine toten Boxer notiert, also seit 1913. (Es gibt keine Untersuchungen über die Spätfolgen des Boxens in der Schweiz, über Gehirnschäden, Verblödung usw.) Heute gibt es etwa fünfhundert Amateurboxer, die in den Ring steigen, und fünf Profis in der Schweiz: Blaser, Hebeisen, Nussbaum, Vogel, Chervet. Bei einer so geringen Zahl von Boxern gibt es naturgemäss auch kaum Tote. Die Amateure boxen fast gratis, für 35 Franken den Auftritt. Jeder hofft, ein bisschen Geld zu verdienen, und gross herauszukommen, aber nur ein Prozent steigt in die Profikategorie auf. Auch von den Profis verdienen bei uns die meisten nicht viel, vielleicht 2000 Franken pro Match, wenn's hochkommt, bei etwa 6 Kämpfen pro Jahr. Ein einziger verdient bei uns recht, aber auch noch nicht lange, das ist der Fritzli. Alle möchten einen Platz an der Sonne erboxen, aber es gibt nur *einen* Platz.

Chervet, Fritz, Boxer und Sänger. (Auszug aus einer Schallplatte, die er auf Veranlassung des «Blicks» Anfang April 1974 besungen hat. «Blick» griff dabei auf das bewährte Team Pepe Ederer und Gerd Gudera zurück. Es gibt auch T-Shirts mit Fritzlis Namenszug und Autoreklamen, die mit seinem Namen werben. Alles, seit er an der Sonne sitzt.)

Das schönste Mädchen auf der Welt
hat mich heute ausgezählt,
und weil mein Herz gleich Feuer fing,

werf' ich das Handtuch in den Ring.
Ich war k. o. im ersten Augenblick.
Das war mein Glück.
Als ich sie dort in der ersten Reihe sah,
dachte ich, was will das kleine Mädchen da.
Festgenagelt stand ich an einem Fleck
und hatte gleich ein blaues Auge weg.

Hui, Ernst, Boxjournalist: Die meisten Boxer haben eine normale Unfallversicherung abgeschlossen, welche Sportunfälle deckt. Es gibt aber gewisse Klauseln, wonach Geistesgestörtheit infolge von K.-o.-Schlag nicht gedeckt ist. Dann gibt es meines Wissens auch eine Klausel, wonach aufgrund eines Enzephalogramms (= Aufzeichnung der Hirnimpulse) die Versicherung gekündigt werden kann, das heisst, wenn das Hirn nach einem besonders kräftigen Schlag oder Fall als beschädigt betrachtet werden muss, läuft die Versicherung aus. Auch muss einer schon eine bestimmte Fertigkeit im Boxen haben, damit er eine gute Versicherung abschliessen kann. Die Versicherungen können ja nicht riskieren, dass sich einer zum Idioten schlagen lässt und nachher bei der Versicherung kassiert. Da würde noch vielleicht manchem einfallen, auf diese Art zu Geld zu kommen.

Medizinischer Rückblick: Im Rahmen einer britischen Untersuchung wurden die Gehirne von 15 ehemaligen britischen Boxern – darunter zwei Weltmeistern –, die in den vergangenen sechzehn Jahren gesammelt und konserviert worden waren, im Laboratorium genau untersucht. Einige der Boxer waren in Heilanstalten gestorben. In dem Gutachten mit dem Titel «Späternte des Boxens» heisst es, in zwölf von fünfzehn Fällen sei die Scheidewand zwischen den beiden Grosshirnhemisphären zerrissen gewesen. (...) Obwohl viele Schläge an den Kopf die Struktur des Gehirns nicht sichtbar verändern müssten, bestehe immerhin die Gefahr, dass «zu einem unvorhersehbaren Zeitpunkt und aus unbekannten Gründen ein oder zwei weitere Schläge ihre Spuren hinterlassen». Dann habe die Zerstörung von Hirngewebe, das niemals ersetzt werden könne, eingesetzt. Der Gehirnschaden kann, wie in dem Gutachten weiter zum Ausdruck kommt, zu Gedächtnisverlust,

Sprach- und Gleichgewichtsstörungen, Tobsuchtsanfällen und schliesslich zum Schwachsinn führen.

Witwe Chervet. (In ihrer Wohnung an der Schwarzenburgstrasse in Bern. Wir hatten sie auch im Restaurant «Schönegg» in Wabern gesehen, wo sie mit ihren fünf Söhnen für die Familienfotos posierte. Dieses Restaurant-Hotel wird von zwei Chervet-Brüdern geführt. Man sagt, Fritzli sei finanziell auch beteiligt, das Unternehmen habe erst mit seiner Hilfe in Schwung gebracht werden können. Die «Schönegg» ist eine Quartierbeiz mit sehr gemischtem Volk. In der Familienstammwohnung an der Schwarzenburgstrasse stehen Siegespokale auf dem Büchergestell, Miniaturboxhandschuhe baumeln an der Wand, Souvenir eines Fritzlifans, auch Bilder sind da, die dem Champion geschenkt wurden. Die beiden Söhne Walti und Werni sind auch da, nehmen der Mutter das Wort von der Zunge, wenn ihre Antworten stockend kommen. Später kommt noch der Sohn Paul mit Freundin. Nur die Söhne Fritz und Ernst fehlten an diesem Abend.)
Ja, ich bin keine Rednerin, wüsseter. Soll ich einen Birnenschnaps aufstellen? Also wenn der Fritz am Fernsehen kommt, dann stelle ich ab, ich könnte nicht zuschauen, wie er vermöbelt wird. Nur Aufzeichnungen schaue ich an, wenn ich weiss, dass er schon gewonnen hat, dann habe ich nichts mehr zu fürchten. Mein Mann war Schreiner, auch der Schwiegervater war gelernter Schreiner. Wir haben früher in Ausserholligen gewohnt, einem Arbeiterquartier, nicht für verwöhnte Leute. Heute ist jetzt das ganze Quartier abgerissen worden, und es hat dort Hochhäuser gegeben. Gottlob hatte ich eine Bürolehre gemacht, da konnte ich 1951, als der Mann starb, wieder eine Büroarbeit annehmen. Nicht sofort, als er gestorben war, sonst hätten sie mir die Familie auseinandergerissen, weil der Jüngste noch klein war, aber einige Zeit nach dem Tod des Mannes habe ich dann beim Bund in der Statistik gearbeitet und habe 1955 etwa 600 Franken im Monat verdient, nicht sehr viel für sieben Kinder. Was Ferien machen heisst, haben wir erst erfahren, als der Konsumverein und die Schweizerische Reisekasse uns einmal einen Aufenthalt in Amden ermöglichten, das war der Wahn. Dass die Kinder in die Sekundarschule hätten gehen können, daran war nicht zu denken, oder gar aufs Gymnasium, waren sicher auch

nicht gescheit genug, und das Geld hatten wir auch nicht. So haben alle Kinder neun Jahre Primarschule gemacht. Der Älteste ist Schwachstromapparatemonteur geworden, der nächste Karosserieschlosser, der Fritz Möbelschreiner, der Walter Kaufmann und der Werni Feinmechaniker. Es sind alle zufrieden.

Chervet, Werner: Wenn ich mir so überlege, dass wir heute zwei, drei Wochen nach Mexiko oder Amerika reisen können, wenn wir Lust haben, so haben wir es doch weit gebracht, verglichen mit früher. Wenn früher einer aus den Ferien in Rimini zurückkam, staunten wir. Das konnte man sich in Ausserholligen gar nicht vorstellen, wo Rimini war.

Witwe Chervet: Mir sind armi Chaibe gsy, wir haben uns nie vorgestellt, dass wir höher hinaus könnten. Heute haben wir jetzt ein schönes Verhältnis zueinander, es wird eigentlich nie gezankt in der Familie. Dass die Buben noch alle zu Hause sind (alle im Alter zwischen 25 und 33 Jahren), ist ein Zeichen, dass es ihnen passt.

Chervet, Werner: Der Mensch neigt heute dazu, dass er zu weich ist. Die Menschen sollten mehr boxen, denn Boxen ist brutal, das täte den Leuten gut. Aber es ist eine faire Brutalität.

Chervet, Walter: Aus der weniger bemittelten Schicht gehen die grossen Boxer hervor, nicht aus der verwöhnten Schicht. Wir haben alle geboxt in der Familie, es hat uns gutgetan. Wir haben es bis zum Schweizer Meister gebracht, der Fritzli dann noch weiter.

Chervet, Werner: Dass der Charly Bühler als Manager 30 Prozent von Fritzlis Bezügen erhält, ist einfach übertrieben. Wollen dem Bühler die Qualitäten nicht absprechen, aber auch ich oder Sie könnten ein Erfolgstrainer werden mit einem Fritzli in der Ecke. Der schneidet sich ein viel zu grosses Stück vom Kuchen ab. Aber leider geht es nicht ohne Manager, schon wegen der vielen Schreibarbeiten, die nicht jeder erledigen kann. Wir haben uns schon oft gesagt: Auch unser Paul könnte Fritzli manageren.

Witwe Chervet: Der Charly Bühler profitiert viel zu viel am Fritz, das habe ich schon oft gesagt. Aber das Problem ist: wo trainieren? Der Bühler hat eben einen Boxkeller mit allen Einrichtungen, und wir haben keinen.

Chervet, Werner: Der Mensch will im Leben immer gewinnen, will den anderen besiegen. Man muss den anderen nicht unbedingt grad k.o. schlagen, man muss nur gewinnen. Das gibt sauberen Tisch.

Chervet, Walter: Hart ist das Boxen, pickelhart. Da kann man keinen Birnenschnaps kippen zwischenhindurch. Nur der Fritzli war hart genug, die andern vier haben nicht genug Willen gehabt. Wir sind nur Schweizer Meister geworden, und dem Ernst haben sie die Boxlizenz weggenommen, der war in eine Schlägerei verwickelt. Ein guter Boxer darf nur im Ring boxen und gar nicht zu privaten Zwecken. Der Ernst hat zu wenig Disziplin gehabt, der Paul hat zu wenig lang durchgehalten, der Werni ist zu wenig konsequent. Wir waren nicht hart genug, wir haben zu wenig verzichten können.

Witwe Chervet: Der Fritz wird jetzt manchmal von noblen Leuten eingeladen, aber er ist nicht wohl dabei, der Bundesrichter Cholidon und der Bierbrauer Hess laden ihn ein, und diese wollen dann immer vom Boxen reden. Einmal war er auch von einem reichen Zahnarzt eingeladen, der es immer vom Boxen hatte. Da hat ihm Fritz gesagt: Wollen wir heute nicht von den Zähnen reden? Aber die alten Freunde hat er behalten, er besucht immer noch Schreiner Messer in Gümligen, den Ernst Messer, wo er einmal gearbeitet hat. Und der Lehrer Lüthy schickt ihm nach jedem Kampf eine Schwarzwäldertorte, pünktlich nach jedem Kampf. Und der Herr Wanzenried kümmert sich wie ein Vater um ihn. Das ist ein richtiger Vater – und nicht der Charly Bühler. Ich muss immer lachen, wenn die Zeitungen schreiben, Charly Bühler sei eine Art Vater von Fritz.

Chervet, Werner: Das Leben geht schnell vorbei, und von den Mädchen muss man die Schönsten nehmen; ein guter Braten kommt nicht alle Jahre wieder.

Witwe Chervet: Du sollst die Mädchen nicht «Bräten» nennen.

Chervet, Walter (legt die Chervet-Platte auf):

Das schönste Mädchen auf der Welt
hat mich heute ausgezählt,
und weil mein Herz gleich Feuer fing,
werf' ich das Handtuch in den Ring.
Ich war k. o. im ersten Augenblick.
Das war mein Glück …

Fritzli beim Abendtraining im Boxkeller. Hier gibt es keine Worte zu berichten, Fritz bleibt stumm. Aber man kann etwas sehen. Die Fitness- und Luxusboxer in Charlys Boxkeller treiben ihr Konditionstraining. Fritz ist tänzelnd und hüpfend mit den Vorbereitungen zum Schlagen beschäftigt. Er wirft die Beine von sich, wirft die Beine in die Höhe, rudert mit den Armen, wackelt locker mit dem Kopf. Er lässt den Kopf ganz locker baumeln. Dann schlagen seine beiden Handschuhe wie Dampfhämmer gegen einen Trainingsball. Gespannter, etwas leidvoller Ausdruck. Hochgezogene Augenbrauen. Fritzli gewinnt den Kampf gegen die Gummibirne. Die Unterhosen schauen unter den Turnhosen hervor. Er trägt einen Eierschoner und weissrote Stiefelchen. Jetzt haut er einer zweiten Gummibirne rechts und links eins um die Ohren. Wie am Fliessband haut er die Birne maschinell immer wieder. Jetzt geht es dem grossen hängenden Sack zu Leibe, schnaubend. Er hat einen guten Atem. Er geht dem grossen Sack gegenüber in Verteidigungsposition. Gleich wird der Sack angreifen. Gesenkter Kopf, die Sehnen treten hervor. Klatschend haut er den Sack. Jetzt steigt er in den Ring, nimmt den Zahnschutz ins Maul, wechselt die Handschuhe. Einer tritt an gegen Fritzli, aber nur zum Schein, Fritzli langt nicht richtig zu, er wetzt nur seinen Kampfgeist ein wenig am Gegenüber. Dann gibt Charly Bühler noch technischen Unterricht. Mit gespitztem Maul schwingt Fritzli dann das Springseilchen, das sirrt so sausend durch die Atmosphäre. Gehupft und gesprungen. Noch eine Runde getänzelt im Folterkeller. Ab geht Fritzli, pisst und duscht.

Messer, Ernst, Möbelschreiner: Fritz Chervet war 1969 und einen Teil von 1970 bei mir beschäftigt. Im Jahr 1969 hat er insgesamt 9000 Franken verdient, sieben Franken fünfzig im Stundenlohn.

Habe ihm jeweils freigegeben, wenn er trainieren wollte. Er war ein einfacher Bursch, und so bescheiden. Er hat in den Betrieb hineingepasst, konnte sich überhaupt gut anpassen, war bescheiden, still, sparsam, ruhig, auch lieb und fein als Mensch, hat von halb sieben bis siebzehn Uhr regelmässig gearbeitet, nie einen Tropfen getrunken. Fritz hat auch Särge gezimmert, wobei er wie überall eine besondere Akkuratesse bewies. Dann hat er als Chauffeur den Leichenwagen gefahren, denn meine Firma besorgt auch Beerdigungen. Und was so anfällt im Betrieb, Kücheneinrichtungen, Fauteuil reparieren, den Umbau im Schloss von Gümlingen. Noch gut ist mir in der Erinnerung haften geblieben, wie der winzige Fritz affengleich auf dem Gehäus der Orgel von Gsteig herumturnte, hat meine Firma in Gsteig doch das Orgelgehäuse neu gerichtet. Eine besondere Liebe für antike Möbel hat bei Fritz durchgeschlagen im Laufe seiner Schreinertätigkeit; notabene ein Schrägbüro, wie sie die alten Stehpulte im Bernischen nennen, hat er mit Geschick wieder in seinen alten Zustand gebracht. Einen Luxus hat er sich nie geleistet; er legte alles zurück; nur einmal hat er mich zu einem Meerfrüchtesalat eingeladen. Später ging er dann zum Auto-Senn, eine Firma für Autozubehör, die wollten einen berühmten Namen haben. Dort hat es ihm nicht gefallen. Danach hätte er ein «Wimpy»-Restaurant in Bern übernehmen können, als er die Wirteprüfung gemacht hatte. Er wollte ja einmal wirten, als er vom Boxen die Nase voll hatte. Das hat dann aber auch nicht funktioniert. Streit kann man mit ihm eigentlich nicht haben, und ich glaube nicht, dass er jemandem eins draufschlagen kann, ein so lieber, feiner, stiller Mensch.

Aufzeichnung von Chervets Kämpfen (gegen Atzori und Sperati, Archiv des Schweizer Fernsehens): Der liebe, feine Fritz hat ein Aug' von Atzori blau und wund geschlagen, hat Atzori in die Seile geschmettert und bleibt in Atzoris Arme verkettet liegen, bis der Schiedsrichter sie trennt. Er würde ihn sicher töten mit seinen schnellen Hämmern, wenn Atzoris Verteidigung nachlässt. Mörderschläge teilt er aus, ein tänzelnder Mörder, es fliesst Blut, aber es ist ja Sport, einer für den Charakter. Fritzli geht zu Boden, steht in der siebten Sekunde wieder auf, der Kampf ist aus, die Kämpfer tätscheln sich gegenseitig die Rücken, organischer wäre jetzt der

Tod mindestens eines Boxers, nach dieser Verbissenheit. Es ist unnatürlich. Wenn sie zum Schluss sich nicht töten, dann war der ganze Kampf unehrlich. Er müsste im Tod gipfeln, denkt man.

Dr. Heinz Kellner, Spez.-Arzt für innere Med. FMH (besonders Magen-, Darmkrankheiten und Hämorrhoidalleiden; ärztlicher Betreuer des Fritz Chervet): An Verletzungen hat Fritz Chervet ganz generell nur Riss- und Quetschwunden gehabt und einmal eine Augenbrauenverletzung und einmal eine angeknackste Rippe. Die Nase wurde ihm nie eingeschlagen, die Ohren nie abgerissen, einen Leberriss hatte er nie, soweit mir erinnerlich, auch keine Hirnerschütterung. Fritzli hat eine ausgezeichnete Verteidigung und schützt seinen Kopf. Der Kopf ist nämlich das einzige Organ am Körper, das man gegen Schläge nicht abhärten kann. Die Bauchwand zum Beispiel kann man durch geduldiges Bauchmuskeltraining bretterhart machen. Natürlich, wenn man einen Kopfschlag erwischt, so gibt es, weil das Hirn ja eine andere Trägheit hat als der Knochen, einen Contrecoup, eventuell Quetschungen und Zerstörungen von Hirnsubstanz, auch Blutungen, welche mikroskopisch sein können oder auch etwas grösser, und auch Verwachsungen kann es geben, aber erst später. All das darf jedoch nicht dem Boxsport als solchem generell angelastet werden, sondern bedauerlichen Einzelfällen innerhalb dieses Sportes. Wenn man eine Stufenleiter erstellen will von den das Hirn betreffenden Möglichkeiten, so muss man an erster Stelle die *Kontusion* nennen. Die nächste Stufe wäre eine sogenannte *Commotio,* also eine Erschütterung, die mit Bewusstlosigkeit verbunden sein kann. Aber oft kommt es vor, dass einer nicht k.o. geschlagen wird. Es kann auch *technischer* K.o. sein (einer ist oberflächlich, jedoch spektakulär verletzt und wird kampfunfähig) oder ein Sieg nach Punkten. Häufig sind die darniederliegenden Kämpfer nur benommen. Dann – die letzte Stufe wären die *Hirnblutungen.* Der Kopf wird bedeutend heftiger mitgenommen, wenn er auf den harten Bretterboden aufschlägt, als wenn ihn ein weicher Handschuh trifft. Und jeder Beruf ist schliesslich mit einem Risiko verbunden. Es zwingt ihn ja niemand, Profi zu werden.

(Dr. Kellners Dienstmädchen schenkt Kaffee ein, in Kellners sehr gediegenem Eigenheim, während Kellner diese Worte spricht. Kost-

bare Bilder, Möbel etc. Kellner war nicht gezwungen, Profi zu werden.)

Der Kunstharzplastikeinsatz für die Zähne bewirkt zwar, dass der einzelne Zahn grösseren Widerstand leisten kann, ist jedoch keine Garantie gegen Verletzungen, man kann trotzdem einen Kieferbruch haben wie Cassius Clay beim letzten Kampf. Auch wenn man den Daumen nicht gut einschlägt im Handschuh, kann man ihn leicht brechen. Andrerseits gewährt der Eierschoner einen totalen Schutz. Immerhin, seit der Schweizerische Boxverband besteht, seit über 60 Jahren, hat es in der Schweiz keinen Boxtoten abgesetzt. Über die Spätfolgen weiss man allerdings in der Schweiz nichts. Die obligatorische ärztliche Kontrolle vor dem Kampf bietet Gewähr, dass die Kämpfer in durchaus intaktem Zustand antreten. Eine Kontrolle nach dem Kampf ist nicht obligatorisch. Es werden jeweils die Augen inspiziert, der Hals, die Lunge auskultiert, der Blutdruck gemessen, der Bauch betrachtet. (Ist vielleicht die Leber fünfmal grösser, als sie sein dürfte?) Hingegen entfällt die Blut- und Urinkontrolle. Um einen Boxerorganismus aufzubauen in der Trainingsphase, braucht es in der ersten Etappe eiweissreiche Kost, damit die Muskulatur gehätschelt wird, und dann in der letzten Etappe eine Nahrung, welche Kohlehydrate zuführt und leichtverdauliche Sachen, damit der Organismus vollgetankt wird, so dass er sich im Kampf verausgaben kann bis zum Erschöpfungszustand. Den Erschöpfungszustand kann man daran erkennen, dass die Boxer nicht mehr voneinander loskommen. Fritzli ist aber so zäh, dass er erst in der zehnten Runde in den Erschöpfungszustand fällt, wenn überhaupt. Von Fritzlis Körper kann generell gesagt werden, dass er viel gute Muskelsubstanz hat, aber nicht viel Muskelvolumen, sehnig, aber kein Grämmchen Fett. Wenn man Fritzlis Körper in der Badeanstalt begegnete, so würde man kaum sagen: Das ist ein Boxerkörper. Man könnte nur sagen: Grazil, aber athletisch, sieht einfach sehr gut aus, gleichmässig durchtrainiert, ohne Hypertrophie einzelner Muskeln. Fritzlis Körper besitzt gute Sprunggelenke, die Boxer müssen bekanntlich auf den Fussballen ihr Körpergewicht verlagern, das macht elastisch und schlagfertig. Deshalb soll auch der tägliche Dauerlauf auf den Fussballen erfolgen. Wichtig ist ausserdem ein gutes Lungenvolumen und eine hohe Durchströmungsgeschwindigkeit des Blutes in der Lunge. Mit einem 2- bis 4stündigen Training morgens und einem ausgedehnten Dauerlauf nachmittags sowie mit dem Verzicht auf Nikotin und Alkohol kann die gewünschte Körperbeschaffenheit erzielt werden. Was den Geschlechtsverkehr betrifft, so ist generell zu sagen, dass Fritzli sich so oder so verhalten kann, es gibt noch keine gesicherte Relation zwischen Häufigkeit des Beischlafs und boxerischer Leistungsfähigkeit.

Was den psychologischen Gewinst des Boxens betrifft, so kann ich als Fitnessboxer folgende generelle Feststellungen machen: Viele Geschäftsherren, die im harten Konkurrenzkampf stehen, boxen bei Charly Bühler regelmässig, etwa der Juniorchef der Bauunternehmung Losinger, und präparieren sich so für das Boxen im wirtschaftlichen Überlebenskampf. Denkt man an das riesige Volumen der Firma Losinger, so leuchtet ein, dass Losinger sich boxend fitten will. Er lässt ja sogar in Israel bauen. Zugleich hat Losinger in Charly Bühlers Keller Kontakt mit dem Volk. Andrerseits gestatten viele Geschäftsleute, die dem Boxen gegenüber aufgeschlossen sind, ihren Büroangestellten, dass sie während der Bürozeit im Boxkeller trainieren. Die verlorene Zeit wird dann am Abend nachgeholt. Auf diese Weise kann man eine friedliche Büroatmosphäre und den Abbau der innerbetrieblichen Aggressionen, Frustrationen und anderweitiger Stauungen erzielen.

Chervet, Fritz, Champion. (In seinem Landhaus in S., Kanton Fribourg, woher die Familie Chervet ursprünglich stammt. Fritz hat in S. eine ausgediente Käserei gekauft, die er jetzt eigenhändig und mit Hilfe seiner Brüder in der Freizeit umbaut. Das Haus liegt am Fuss eines Rebbergs, grüne Fensterläden, hinten ein Schweinekoben, nicht schlecht. Witwe Chervet findet, er hätte einen Trax bestellen sollen, das alte Haus zerstören und grosszügig neu bauen lassen. Fritzli erscheint verschlafen an der Tür, hat den Mittagsschlaf unterbrechen müssen. Er ist ein schmaler Wurf mit seinen 1,64 Meter und seinem einzigen Zentner Gewicht. Er sieht vielleicht wie 23 aus. Seltsam, ihn «Herrn Chervet» zu nennen.)
Als ich in Thailand war und gegen Chartchai Chionoi boxte, wurde ich dort in seine Familie eingeladen. Er kommt aus ähnlichen Verhältnissen wie ich. In Thailand trifft man überall Boxer auf öffentlichen Plätzen, aber die boxen auf thailändisch, mit Hän-

den und Füssen. Richtig angefangen als Amateur habe ich 1958, 1961/62 war ich Schweizer Meister, 1963 wurde ich Profi. Seit drei Jahren kann ich vom Boxen leben, vorher lebte ich vom Schreinern. Wenn es gutgeht, kann ich noch zwei Jahre boxen, dann will ich wieder zurück zur Schreinerei, möchte mich auf antike Möbel spezialisieren.

Chervet, Ernst (später im Restaurant «Schönegg» in Wabern angetroffen): Der Fritzli will doch nicht im Ernst von der Schreinerei leben, der sammelt doch nur alte Möbel aus Plausch. Leben will der Fritzli von den Zinsen aus dem Renditenhaus in Bern, das er demnächst kauft. Der Vertrag mit dem Immobilien-Gerber, Sie wissen doch, der Hausi Gerber von «Herd & Haus», ist schon bald reif. Der Fritzli *muss* jetzt die Weltmeisterschaft gewinnen, damit er das Renditenhaus kaufen kann. Die muss er einfach gewinnen. Wenn er sie nämlich gewinnt, dann muss nachher sein Herausforderer 100000 Dollar zahlen, soviel wie jetzt Chionoi erhält.

Chervet, Fritz: Am 27. April schauen für mich vielleicht 30000 Franken netto heraus. Ich habe grosse Spesen, das Trainingslager in Vals ist teuer, die Sparringpartner auch. Wenn Sie mich fragen, wie meine Beziehungen zu Charly Bühler sind, so müsste ich bei dieser Frage passen. Er hat 30 Prozent vom ganzen Betrag. Sehen Sie, Boxen, das ist wie der Lebenskampf. Man muss immer kämpfen. Gegen früher bin ich reich, und so hab' ich mir ein Haus gekauft. Das ist jetzt meines, da kann mich niemand verjagen.

Chervet bietet Valser Wasser und alkoholfreies Bier zum Trinken an. Eine Frau kommt die Treppe hinunter; es scheint, als ob sie einen asiatischen Einschlag hätte. Auf die Frage, ob seine Freundin aus Thailand komme, sagt Chervet:

Nein, bloss aus Fribourg.

Schweigen. Ich erkläre, dass ich schon einmal einen Champion behandelte, den Rennfahrer Siffert aus Fribourg. Siffert habe zuerst, als er noch unbekannt war, eine Freundin aus der Unterstadt gehabt, mit dem ersten Ruhm habe er dann übergewechselt zum Mannequin Sabine E., und schliesslich, als er ganz berühmt war, habe er die Tochter eines Patrons aus der Oberstadt geheiratet. So habe er den sozialen Aufstieg aus kleinen Verhältnissen vollzogen.

Chervet schaut mich währenddessen erstaunt an, sagt nichts. Ein wenig Schweigen. Dann:

Als Arbeiter wird man es nie zu etwas bringen, da kann man nur knapp leben. Wenn man in dem Arbeiterquartier von Ausserholligen geboren ist, so bleibt man immer Arbeiter. Man ist nicht für eine längere Schulbildung gemacht, man bleibt Büezer. Und boxen können auch nicht alle.

Eine Woche nach dem Besuch bei Fritz Chervet erfahre ich, dass seine Freundin Sabine E. die ehemalige Freundin des verunglückten Jo Siffert ist. Aber Chervet hat der Presse erklärt: «Ich habe es mit der Heirat nicht eilig. Da geht es mir wie meinen vier Brüdern. Wir wohnen alle noch bei unserer Mutter. Daheim ist es halt am schönsten.»

Bleiben Sie am Apparat, Madame Soleil wird Ihnen antworten

«Ich bin nicht Madame Soleil!»
Georges Pompidou bei einer Pressekonferenz

«Georges Pompidou, geb. am 5. Juli 1911, wird vom Stern Sirius beschützt. Dieser Stern verspricht Ehre, Ruhm und Geld allen, die unter seinem Einfluss geboren sind.»
Madame Soleil in «France-Dimanche»

Immer am frühen Nachmittag, wenn die französischen Hausfrauen sich ans Abwaschen machen, können sie ihre Hantierungen von der Stimme der Grossen Schwester aus der Rue François Premier begleiten lassen. Dort sitzt Madame Soleil, geborene Soleil, im Studio von «Radio Europe Nr. 1» und schickt sich zwischen 14.10 und 15 Uhr an, die arbeitenden Massen im Kosmos zu integrieren. Seit zehn Monaten traktiert sie nun die Republik mit ihren Ratschlägen. Jeden Tag (ausgenommen Samstag und Sonntag) findet sie zwischen vier und fünf Millionen Zuhörer, eine anständige Zahl für die flaue Nachmittagsstunde. Kein Politiker und kein Publizist vermag so viele Leute so regelmässig in Bann zu schlagen. Und niemand wird von den Massen so heimgesucht wie Madame Soleil, ausgenommen vielleicht die Muttergottes von Lourdes oder in guten Jahren die Muttergottes von Einsiedeln. Etwa siebzehntausend Anrufe erhält unsere Liebe Frau von «Europe Nr. 1» jeden Tag vor dem Mittagessen und etwa fünfhundert Briefe. Daneben lauern ihr noch manche Anhänger vor dem Studio auf, um einen exklusiven Ratschlag zu ergattern.

Viele rufen an, doch wenige sind auserwählt. Nur etwa tausend kommen durch, die anderen bleiben im überlasteten Telefonnetz hängen. Die tausend Privilegierten dürfen den zwanzig Assistenten der Madame Soleil in aller Eile Geburtsdatum und -stunde durchgeben und ihre Frage skizzieren. Dann werden aus dem grossen Haufen die originellsten oder verzweifeltsten Korrespondenten herausgepickt, und diese werden ab 14.10 Uhr vom «Radio

Europe Nr. 1» zurückgerufen. Nun sind sie endlich über die Nabelschnur des Telefons mit der GROSSEN MUTTER verknüpft – ein gutes Dutzend von den siebzehntausend, die es täglich versuchen. Sie wiederholen ihre Frage, die Oberassistentin antwortet mit der rituellen Formel: «Bleiben Sie am Apparat, Madame Soleil wird Ihnen antworten.» Es ist alles zur Vesper gerüstet.

Soviel Ehrfurcht, wie da in den Stimmen der Ratsuchenden mitschwingt, haben wohl auch die Parzen des alten Germanien oder die griechische Pythia kaum provoziert (und vielleicht nicht einmal die legendäre Eva Perón). Die Weissagerinnen und Eingeweidebeschauer des Altertums mussten mit vorindustriellen Mitteln arbeiten und konnten ihre fernhintreffenden Sprüche nicht radiotechnisch reproduzieren. Bescheidene Mythen von damals, alles noch im handwerklichen Rahmen. Bescheiden auch die unregelmässigen Einkünfte der orakelnden Priester von Delphi, im Vergleich mit dem Salär der Madame Soleil, welche allein bei «Europe Nr. 1» ihre 10000 Francs pro Monat einstreicht. (Ausserdem: Entschädigungen für ihre Mitarbeit bei den Zeitungen «France-Dimanche» und «Un Jour» und ihre Mitwirkung bei gesellschaftlichen Anlässen und Entgelt für private Konsultationen: alles in allem etwa 30000 monatlich).

Wie bringt man es auf diesen grünen Zweig? Man muss unter einem guten Stern geboren sein; man muss die Sprache des Volkes sprechen (angereichert mit wissenschaftlichem Rotwelsch); man muss blitzschnell kombinieren können; man muss von einem Radiosender engagiert werden, welcher in hartem Konkurrenzkampf mit einem andern Radiosender liegt («Radio Europe 1» contra «Radio Luxembourg»); man muss die tiefen Bedürfnisse der verunsicherten Kleinbürger intuitiv erfassen; man muss Sicherheit verströmen und den Glauben an handfeste Dinge vermitteln; und zugleich muss man den Durst nach überirdischen Koordinaten stillen.

Herkunft und Lebenslauf haben Madame Soleil gut präpariert. Ihre Biographie tönt wie ein Abriss der französischen Geschichte der neuesten Zeit. Germaine-Lucie Soleil hat das Licht der Welt in Paris erblickt, am 18. Juli 1913, vier Tage nach dem Nationalfeiertag. «Bei uns daheim wurde immer gesungen. Dieser Frohmut und Optimismus waren wunderbar. Die Eltern liebten sich stets wie am ersten Tag.» Der Vater war Arbeiter, wurde im Ersten Weltkrieg schwer verwundet, zog dann als Zivilstandsbeamter nach Algerien. Dort bricht aber gerade der Rifkabylen-Aufstand los, und die Familie kehrt schleunigst ins Mutterland zurück, installiert sich auf dem Land, in der Nähe von Blois. «Ich war sehr lernbegierig und konnte schon mit drei Jahren lesen. Die Kinderbücher hatte ich schnell satt und verschlang statt dessen wissenschaftliche Werke.» Wissenschaftliche Werke, das heisst Bücher über Astrologie. Der Grossvater erläuterte ihr abends den gestirnten Himmel: ein begnadeter Sterngucker. Mit neun Jahren kennt sie die Planeten schon recht gut. Der Grossvater betätigte sich als Wunderdoktor, heilte durch Handauflegen. Man nannte ihn «den Hexer». Grossmutter war *auch* in die Mysterien eingeweiht. 1922 wird die neunjährige Germaine-Lucie getauft. Den Eltern pressierte es nicht, sie waren sozialistisch angehaucht. Das aufgeweckte Kind entwickelte eine Vorliebe für Friedhöfe, wo es Irrlichter und Grabesflammen zu sehen hoffte. Gern spielte es zwischen den Grabsteinen und Totenmälern. Auf einem Friedhof hatte es seine erste kosmische Erleuchtung. In einer abgekürzten Genesis sah es das Sonnensystem, die Geburt der Planeten, ihren Übergang vom gasförmigen in den flüssigen und festen Zustand vor dem innern Auge. Im Alter von neun Jahren, kurz nach der Taufe, sass sie wieder einmal auf einem Grabstein. Da brach ein Gewitter herein. Plötzlich spürte sie einen Stoss in der Magengrube, es schien ihr, als hätte sie Elektrizität geschluckt. Eine grosse Kraft wuchs in ihrem Gekröse. Ein Fluidum hatte sich in ihr ausgebreitet. Von Stund an, so deutet sie es heute, war sie verwandelt. Friedhof, Blitz und Himmelskräfte, Grabesflammen, Wissenschaft, Entrückung ...

Aber erst mit 17 hatte sie ihre erste Erscheinung: «Ich spazierte bei sehr schönem Wetter mit gleichaltrigen Freundinnen. Plötzlich schien mir eine von ihnen wie von Flammen umzüngelt. Ich sagte ihr: Du wirst lebendig verbrennen. Und richtig, einige Tage darauf fing ihr Morgenrock Feuer, als sie an einem Réchaud hantierte. Sie konnte natürlich nicht mehr gerettet werden.»

Da der Vater mit neununddreissig stirbt, muss Germaine-Lucie als Älteste für die fünfköpfige Familie sorgen. Sie zieht nach Paris, akzeptiert eine Sekretärinnen-Stelle bei der Zeitung «La Volonté», dem Organ der Radikal-Sozialisten. Sie beobachtet das politische

Gefummel in den Kulissen, die Skandale der III. Republik, Stavisky usw. Ihre Vorliebe fürs Makabre wird vollauf befriedigt, sie kann nicht klagen, vom ländlichen Friedhof direkt ins politische Beinhaus. 1933 heiratet sie den Kino-Operateur Fargeas, welcher neben ihr ein wenig blässlich wirkt, der Mann wird 1940 von den Deutschen gefangen, und Madame Fargeas-Soleil schliesst sich, wie alle guten Französinnen, der Résistance an; sagt sie jedenfalls heute. Nach dem Krieg kommt die Mercerie-Bonneterie der Familie Fargeas zum Erliegen. Konkurs, Scheidung.

Nun kann sich ihre eigentliche Berufung erst entfalten. Sie zieht als Wahrsagerin auf die Jahrmärkte, Batignolles oder «Foire du Trône». Landstörzerin mit vier Kindern im Schlepptau. Die neuen Geschäfte florieren viel besser als die Mercerie-Bonneterie. Als freischaffende Künstlerin besitzt sie zwei Jahrmarktwagen und eine hingerissene Kundschaft. Ein Radiomanager hört von ihren Auftritten, lässt sich fesseln und bewerkstelligt ihren ersten Auftritt am Radio. 1951 wird sie sesshaft, 9, Place du Commerce, Paris XV. Der Sonnenaufgang ist nicht mehr aufzuhalten. Im Erdgeschoss steht auf einem Firmenschild S.O.L.E.I.L. Das macht sich besser als Soleil ohne Pünktchen. Die polyvalente Madame begnügt sich nicht mit dem Erstellen von Horoskopen, sie ist auch mit dem Verströmen von Vitalität beschäftigt. «Ich habe die Kraft eines Gorillas», sagt sie. «Ich kann nichts dafür. Ich flicke auch völlig kaputte Menschen wieder zusammen.» Sie fühlt Heilkräfte in ihrem Innern: «Alle Menschen mit guter Milz sind fähig, andere zu heilen. Denn die Milz speichert Sonnenenergie.»

Doch solange sie an der Place du Commerce ihre privaten Konsultationen betrieb, war Madame Soleil noch nicht im Zenit ihres Ruhms. Da half Ménie Grégoire ein bisschen nach. Ménie Grégoire, das ist die psychologisierende Briefkastentante von «Radio Luxembourg». Der Programmdirektor von «Europe Nr. 1» wollte nicht untätig zusehen, wie die populäre Ménie immer mehr Hörerinnen für «Radio Luxembourg» in Beschlag nahm. Die Hörerfrequenz von «Europe Nr.» 1 ging bedenklich zurück, die Radioreklame magerte entsprechend ab, wie bei einer Zeitung mit sinkender Auflage. Ohne Reklame aber können die privaten Sender nicht prosperieren. Es musste dringend ein Gegengewicht zu Ménie Grégoire gefunden werden.

Und so kam Madame Soleil im September 1970 auf ihr Plätzchen bei «Europe Nr. 1». Ein weiter Weg von den Friedhöfen ihrer Kindheit und ihrem primären Elektrizitätserlebnis bis ins Radiostudio. Lucien Morisse, der sie engagierte, hat vierzehn Tage vor ihrem ersten Auftritt Selbstmord begangen, aber Madame Soleil vermochte darin kein schlechtes Zeichen zu sehen. Im Gegenteil: «Als ich das erstemal ins Mikrophon sprach, merkte ich, wie Lucien Morisse mir zur Seite stand, ich sah ihn, ich hörte seine Stimme.» Sie sieht auch alle Frauen, die bei «Europe Nr. 1» anrufen, ganz leibhaftig vor sich, als wär's noch auf dem Jahrmarkt. Die Anonymität und Geisterhaftigkeit des Radios ermöglicht ihr eine Präsenz, welche sie am Fernsehen nicht hätte. Sie hört nur diese Stimmen, die von irgendwoher auf sie zukommen, über die Telefonnummer ALMa 90-00, Stimmen von weit her, aus allen Provinzen Frankreichs, aber auch aus der Schweiz und Belgien. Sie prüft die Stimmen sorgfältig, achtet auf ihr Timbre, untersucht Rhythmus und Klangfarbe. Meist sind es Frauenstimmen zwischen dreissig und achtzig, oft gehetzt und atemlos oder mit einem Anflug von Verzweiflung, manchmal quäkend und scheppernd, aber immer voll Dankbarkeit und ungläubigem Staunen, fassungslos, weil es wirklich Madame Soleils Stimme ist, die ihnen entgegenkommt. Man kann das rührend oder lächerlich finden, je nachdem, oder sich empören über das leichtgläubige Volk und ein hochfahrendes Communiqué veröffentlichen, wie es die «Union der französischen Rationalisten» tat. Aber man kann auch nachdenken über das Glücksbedürfnis und die Ratlosigkeit der gequälten Leute und über das trostlose Leben, welches die Stimmen-Audienz bei Madame Soleil als momentane Erleichterung erscheinen lässt.

Denn viele von denen, die da anrufen, können nicht mehr anders oder haben niemand andern – obwohl ihre Probleme alle andern auch haben. Jede meint, sie sei als einziges Individuum von ihrem individuellen Problem betroffen, und jede will von Mutter S.O.L.E.I.L. einen ganz persönlichen Bescheid. Und die stösst ihnen auch wie erwartet Bescheid.

Da sind (laut Schätzung von «Europe Nr. 1») an erster Stelle die wirtschaftlichen Probleme. Die kleinen Kolonialwarenhändler werden von den Warenhäusern verdrängt, die letzten handwerklichen Erzeugnisse weichen Serienfabrikaten, die bäuerlichen Kleinbetriebe verschwinden, der Mann muss den Beruf wechseln. Anders ausgedrückt: Die Kapitalkonzentration auf der einen und die Pauperisierung auf der andern Seite bilden zwei Pole. Durch diesen Prozess wird vor allem das Kleinbürgertum mitgenommen, eine Schicht, die sich nicht gerade durch Dynamik auszeichnet und hartnäckig an ihren eingebildeten Privilegien festhält. Kein Proletariat mit Klassenbewusstsein, aber auch kein Bürgertum mit reellen Privilegien. Viele Kleinbürger (Kolonialwarenhändler, Schuldenbauern) haben sogar weniger verdient als ein qualifizierter Arbeiter, aber ihr Bewusstsein schwebte weit oberhalb ihrer ökonomischen Wirklichkeit, und sie hatten lange vom Anschein der Selbständigkeit gelebt. Nun gab der immer gnadenlosere Konkurrenzkampf ihrem Rationalismus einen Stips – und da war er aus Gips.

Jetzt sind sie reif für eine Audienz bei Madame Soleil. Wenn sie nicht selbst mit ihrer Stimme bis zu «Europe Nr. 1» vorstossen, so hören sie doch wenigstens die Ratschläge, welche Madame Soleil ihren Leidensgenossen gibt. Es sind meist Ratschläge, die sich ein jeder selbst geben könnte, diktiert von einem rauhbeinigen oder verschmitzten «bon sens», einer Sekretion des gesunden Menschenverstandes. Sie zielen immer auf ein isoliertes Individuum und nie auf eine Gruppe. Für Madame Soleil gibt es keine wirtschaftlichen Probleme, welche durch eine kollektive Aktion zu lösen wären, zum Beispiel via Enteignung der Enteigner durch die Enteigneten. Es gibt nur menschliches Versagen, Glück, Pech, Verhängnis und Fügung. Denn das Schicksal, so hanebüchen es auch sein mag, steht in den Sternen geschrieben und entzieht sich unserer Kontrolle. Es erscheint paradox, dass Madame Soleil angesichts des Schicksals noch von «menschlichem Versagen» sprechen kann. Aber dieses besteht eben darin, dass man nicht auf die Sterne achtet und ihren unveränderlichen Gang nicht kennt, so wie man die ehernen Gesetzmässigkeiten im irdischen Bereich missachtet. Die Stärke von Madame Soleil besteht nicht in der Qualität ihrer Ratschläge, sondern in der Verknüpfung von irdischen Banalitäten mit überirdischer Erhabenheit, in dem Bezug, welchen sie zwischen der Verpachtung eines Kolonialwarenladens und dem Planeten Saturn herstellt. Da wird eine Dimension zurückgewonnen, welche den meisten seit dem Wunderglauben ihrer Kindheit verlorengegangen ist. Viele möchten zurück in diesen Kosmos, in eine schmucke und ordentliche Welt. (Das griechische «kosmein» kann zugleich «ordnen» und «schmücken» bedeuten: was geordnet ist, ist schmuck, und umgekehrt.) Angesichts der chaotischen Welt, der sie jetzt gegenüberstehen, ist der Kosmos von Madame Soleil eine Erlösung. Und das Vertrauen in die eigene Willensanstrengung ist wohltuend, auch wenn diese Anstrengung nur dahin tendiert, den eigenen Willen möglichst schnell aufzugeben, um sich in die ewige Ordnung der Dinge einzufügen. Umsturz der Verhältnisse, Revolution, gibt es für Madame Soleil nur im Sinne der Umdrehung: die Kleinen drehen sich um die Grossen. Ewige Wiederkehr des Gleichen, festgelegter Zyklus, am Himmel wie auf Erden.

Das Elend des deklassierten Mittelstandes muss gross sein, wenn gerade er Zuflucht bei überirdischen Dingen sucht. Denn die antiklerikalen Kleinbürger, das republikanische Fussvolk von gestern, waren sonst immer auf einen wackeren Rationalismus abonniert, hatten solide Überzeugungen und hielt nicht viel von Mystik. Und jetzt gebärden die sich plötzlich religiös und entwickeln eine verspätete Art von Frömmigkeit; die Aufklärer gehen zur Beichte, die Voltairianer frequentieren die Vesperandacht. Der Beichtmechanismus wird auf die Stimmenaudienz bei Madame übertragen.

Während die klassische Ohrenbeichte am Aussterben ist, hat Madame Soleil der katholischen Kirche ihr Ritual entwendet und für den Eigengebrauch neu zugerüstet. Zuerst stellt man sich vor, dann bekennt man die Sünden, darauf gibt die Priesterin den Zuspruch, dazwischen erfolgt die Zerknirschung des «Beichtkindes», dann kommt die Absolution, zum Schluss ein Segensspruch («danke, danke, Madame Soleil»). Madame Soleil sieht man so wenig wie früher den Priester im abgedunkelten Beichtstuhl. Alle Transaktionen erfolgen von Stimme zu Stimme. Der Name des Beichtenden ist der Priesterin nicht bekannt, nur die Umstände, welche den Tatbestand erläutern. Wie der Beichtvater früher Mittler war zwischen Gott und Beichtkind, so ist Madame Soleil heute Mittlerin zwischen dem Kosmos und der unbekannten Stimme. Nur *ein* wichtiger Unterschied besteht: Die Beichte bei Madame Soleil ist zugleich intim und exhibitionistisch.

Niemand von den Millionen Hörern weiss, welcher Name und welches Gesicht zur unbekannten Stimme gehört – aber alle nehmen an ihren Bekenntnissen Anteil. Der Inhaber der Stimme ist zugleich prostituiert und keusch, zugleich exponiert und gedeckt. Und «Radio Europe Nr. 1» wahrt das Radiogeheimnis ebenso peinlich wie die Priester das Beichtgeheimnis. Als ich für meine Dokumentation die Telefonnummer einer der anrufenden Frauen eruieren wollte, wurde das Ansinnen mit einer fast religiösen Entrüstung abgewiesen.

Es wäre falsch, Madame Soleil zu unterschätzen und sie, wie es die «hysterischen Rationalisten» tun, einfach als Scharlatan und Hochstaplerin zu katalogisieren. Sie hat eine schnellere Intelligenz als mancher Programmierer. Ihr Detailwissen ist enorm, ihre sprachliche Formulierungskraft etwa auf der Höhe eines Literaturprofessors. Vielleicht kommuniziert sie mit Schichten, an welchen die meisten Rationalisten nicht teilhaben. Doch ihre Individualität ist weniger interessant als ihre politisch-gesellschaftliche Rolle. Es sieht nämlich so aus, als ob Madame Soleil in ihrer gewaltigen Person alle reaktionären Antworten auf die progressiven Bewegungen enthielte, welche heute in Frankreich fermentieren. Für alle Herausforderungen der libertären Sozialisten, der Maoisten und Trotzkisten usw. hat sie eine konservative Parallel-Lösung zur Hand. Je mehr diese Gesellschaft von alles in Frage stellenden Bewegungen «bedroht» ist, desto lieber flieht sie unter Madame Soleils Schutz und Schirm. Je stärker die geltenden Werte attackiert werden, desto impulsiver geht unsere Sterngucker in für Arbeit/Familie/Vaterland auf die Barrikade. Allerdings kann Madame Soleil wirklich zu den Massen sprechen, zu den tatsächlich existierenden Massen mit all ihren konservativen Instinkten, während es in ganz Frankreich sonst niemanden gibt, der jeden Tag über 50 Minuten Sendezeit verfügt. Und wenn die Sendezeit noch gewährt würde: Gibt es zum Beispiel Linke, die den richtigen Ton finden und ihr elitäres Vokabular vergessen?

In gewisser Weise ist Madame Soleil die Populärphilosophin des Pompidolismus, jener wunderlichen politischen Wissenschaft, welche auf dem «Extremismus des Zentrums», auf der rasenden Mittelmässigkeit und wildgewordenen Statik beruht. Nachdem diese schleichende Variante des Gaullismus bis jetzt vergeblich ihren Ideologen gesucht hatte, ist endlich Madame in die Bresche gesprungen. Dort steht sie. Sie kann nicht anders.

Sie flösst dem Mittelstand die Gewissheit ein, dass die individuellen Probleme rein individuell im eigenen Schneckenhaus zu lösen sind. Wo der politisierte Kolonialwarenhändler Gérard Nicoud seine Leidensgenossen zur Solidarität gegen den Monopolkapitalismus (in Form der Warenhäuser) auffordert, hausiert Madame Soleil mit rein buchhalterischen Ratschlägen. Sie glaubt, die Kleinkrämer kämen mit Schlauheit und reiner Willenskraft zu ihrem Recht. Während der Philosoph Michel Foucault die Zustände in den Gefängnissen ändern will, legt Madame Soleil einer unglücklichen Mutter ans Herz, ihrem gefangenen Sohn eine maximale Anpassung ans Gefängnisreglement anzuraten. Während sich die Frauenbefreiungs-Bewegung für die Vermenschlichung der Frauen einsetzt, rät Madame Soleil den frischgebackenen Ehemännern, ihre Frauen zu kujonieren. Während die jungen Revolutionäre alle Probleme in den politischen Zusammenhang stellen möchten, löst Madame Soleil diesen Zusammenhang allenthalben auf.

*

… Hören Sie jetzt Madame Soleil
(jeweils Montag bis Freitag zwischen 14.10 und 15 Uhr)

Madame Soleil, ich habe einen grossen Sohn. Er macht mir solche Sorgen. Er ist eher ein Bohèmetyp. Er trägt lange Haare und macht eine Fotografenlehre. Seine Zukunft beunruhigt mich. Wie sieht seine Zukunft aus?

Oh! Sie sorgen sich mit gutem Grund. Die Zukunft Ihres Sohnes ist düster. Sein Jupiter und sein Saturn stehen konträr zueinander. Das heisst, Ihr Sohn wird missraten. Hat er gute Freunde?

Nein, nicht sehr, eben Freunde im gleichen Alter.

Eben! Madame, Ihr Sohn ist auf der schiefen Ebene, welche ihn – ich sage es nicht gern, aber es ist meine Pflicht! – geradewegs ins Gefängnis führen wird. Er ist aus Verbrecherholz geschnitzt und wird eventuell noch auf dem Schafott enden. Ich glaube, Madame, Ihr Sohn sollte sich für einen härteren Beruf entscheiden, zum Beispiel für die Armee.

Aha!

Kennen Sie jemanden, der Ihren Sohn dahingehend beeinflussen könnte, dass er sich freiwillig zur Armee meldet?

Leider nicht.

Also, dann könnten Sie die Sache vielleicht mit der Gendarmerie (gehört in Frankreich zur Armee) einfädeln. Sie könnten ihn unter dem Vorwand eines kleinen Vergehens auf die Gendarmerie zitieren lassen, und dort wird man ihm dann erklären, dass es besser für ihn ist, wenn er sich freiwillig zur Armee meldet. Man muss streng mit ihm sein und ihm Angst einjagen. Die Armee wird ihm guttun.

Danke, Madame Soleil.

*

Madame Soleil, es handelt sich um meinen Sohn, der am 26.6.1951 geboren ist. Er hat eine Liaison mit einer Frau, die älter ist als er, gegenwärtig lebt er mit ihr zusammen. Ich möchte wissen, wann sich eine Lösung anbahnt.

Eine ähnliche Affäre hat in den Zeitungen kürzlich viel Staub aufgewirbelt (es handelt sich um die Gymnasiallehrerin Gabrielle Russier, welche einen ihrer Schüler liebte, von den Behörden unter Druck gesetzt wurde und sich umbrachte. N.M.). Nicht er ist zu beklagen, sie ist das Opfer ihrer eigenen Illusion, ihrer Liebe, sie wird es teuer zu bezahlen haben. Der junge Mann wird in die Familie zurückkehren, er wird frei werden, und das wird ein grosser Moment in seinem Leben sein. Er wird sie verlassen und zu jüngeren Frauen gehen. Die ältere Frau wird aber in seiner Erinnerung haften bleiben. Sie hat diese Situation gewollt. Aber beunruhigen Sie sich nicht, Ihr Sohn wird von ihr ablassen und zu Ihnen zurückkommen.

Danke, danke, Madame Soleil.

*

Ich bin am 25.5.1936 geboren, meine Frau am 1.11.1944. Wir stecken in einer Ehekrise. (Einer der seltenen Männer, die bei Madame Soleil anrufen. N.M.) Ich bin seit einigen Monaten arbeitslos. Meine Frau wirft mir das vor, und die Eheatmosphäre ist entsprechend. Meine Frau schlägt eine vorübergehende Trennung vor. Das beunruhigt mich sehr.

Sehen Sie, eine vorübergehende Trennung, das gehört sich nicht, entweder bringt Ihre Frau den Mut auf, diese Situation zu ertragen, oder sie bringt ihn nicht auf. Die richtige Lösung besteht darin, dass Sie wieder Arbeit finden. 1971 wird ein schwieriges Jahr werden, aber Sie werden bald Arbeit finden. Ihre Frau ist im Zeichen des Skorpions geboren, das ist ein schwieriges Zeichen. Haben Sie Kinder?

Nein, aber ich möchte gern.

Aber nicht jetzt! Zuerst brauchen Sie eine Stelle. Ihre Frau hat es nötig, dass sie von Ihnen beherrscht wird. Sie muss bewundern können, fürchten können. Sie müssen sich bei Ihrer Frau durchsetzen. Sie muss stolz sein können auf ihren Mann. Lassen Sie sich nicht entmutigen, und vor allem, sagen Sie nichts von Ihren Schwierigkeiten. Sie müssen Herr und Meister sein, wenn Sie Ihre Frau behalten und wieder erobern wollen.

*

Ich telefoniere wegen meiner Tochter, die am 20.1.1948 geboren wurde. Wir haben Schwierigkeiten mit ihr. Sie studiert, vorläufig mit Erfolg. Seit Januar hat sie eine Liaison, die uns nicht gefällt, aber unsere Vorwürfe schlägt sie in den Wind. Mein Mann muss aus beruflichen Gründen den Wohnsitz nach Savoyen verlegen, und sie wird allein in Paris zurückbleiben. Wie stellt sich Madame Soleil dazu?

Ihre Tochter ist eine brillante Studentin, sie ist intelligent und ehrgeizig. Von Ihren Vorwürfen lässt sie sich nicht beeindrucken, obwohl sie sich auf einem sehr bedenklichen Pfad befindet und ihrem Unglück entgegenrennt. Der betreffende Mann ist verheiratet, er hat zwei Kinder.

Aber er ist geschieden.

Ja, aber er hat trotzdem Verpflichtungen. Auch wenn er Ihre Tochter heiratet, so sehe ich nur Unglück auf sie zukommen und schmerzhafte Erfahrungen.

Ach!

Haben Sie Geduld, warten Sie ab, Ihre Tochter wird zurückkehren und Ihren Trost dringend benötigen.

*

Mein Mann ist am 27.3.1931 um 1 Uhr geboren, ich am 4.4.1932 um 7 Uhr. Wir haben unsern Gemischtwarenladen verpachtet und betreiben jetzt Viehzucht. Ich möchte wissen, ob wir dabei Erfolg haben.

Die Konstellation im Horoskop Ihres Mannes ist sehr gut. Er ist auf dem richtigen Weg. Die Viehzucht ist einträglich. Ihr Mann ist dynamisch. Er hat einen ausgeprägten Charakter, aber die geringste Widerwärtigkeit bringt ihn aus dem Konzept. Sie selbst hingegen haben mehr Standvermögen. Folglich ergänzen Sie sich. Das ist die richtige Mischung, um Erfolg zu haben.

*

Madame Soleil, ich möchte wissen, ob Cassius Clay den Match gewinnt.

Es ist mir unmöglich, für diesen Match etwas vorauszusagen, denn ich kenne das Horoskop seines Gegners nicht. Immerhin, wenn Clay gewinnt, so wird es ein schwer errungener Sieg sein.

NB 1975: Madame Soleil spricht jetzt nicht mehr am Radio. Giscard d'Estaing hat in gewisser Hinsicht ihre Funktionen übernommen; in seinen periodischen, vom Fernsehen ausgestrahlten «Plaudereien am Kaminfeuer» verheisst er den Franzosen eine glückliche Zukunft, falls sie eine entsprechende Willensanstrengung unternehmen.

Herr Engel in Seengen (Aargau) und seine Akkumulation

Wer sich mit den Bildern des Adolf Engel in Seengen beschäftigt, muss sich ein wenig auf den Tod vorbereiten. Jedenfalls die Experten, welche seine Kunstschätze begutachteten, sind fast alle kurz nach dem Gutachten verstorben, eines unnatürlichen Todes. Man geht also am besten gruppenweise zu Herrn Engel, dann weiss man nicht, wen es trifft. Und doch steht das Schloss des Herrn Engel nicht in den Karpaten oder in der schottischen Heidelandschaft, sondern im heiteren Seetal, mit Blick auf den Hallwilersee. In einer Gruppe trifft es gern den Ältesten. Aber das ist keine feste Regel, Herr Engel macht auch einmal eine Ausnahme. Bei Herrn Engel gibt es keine festen Regeln.

*

Vor dem Schloss eine Flugabwehrkanone aus dem letzten Weltkrieg, aber noch gut erhalten, vermutlich eine Bührle, und ein neuer Buick, wie man sie in dieser ausladenden Pracht heute kaum mehr sieht. Nach langen Verhandlungen haben wir mit Adolf Engel einen Termin ausgemacht und stehen nun an diesem Nachmittag im Mai vor seiner Tür. Man kommt da nicht ohne weiteres hinein, Herr Engel scheut die Öffentlichkeit, es wurde wenig über ihn publiziert. WARNUNG VOR DEM HUNDE steht dort geschrieben, doch Simmen, der Älteste in unserer Gruppe, hat mir erklärt, es müsste eigentlich heissen: WARNUNG VOR DEN WÖLFEN, denn die Schätze würden von Wölfen bewacht, die Herr Engel notdürftig gezähmt habe. Wenigstens bei seinem letzten Besuch seien es noch Wölfe gewesen, eine seltene Erscheinung in der Schweiz. Diese würden dann an den Händen der Besucher auf eine überraschend zutrauliche Art lecken. Simmen hatte auch gesagt, dass wir den Alten nicht sofort zu Gesicht bekämen, zuerst träten die Pflegesöhne in Erscheinung, um die vorübergehende Unpässlichkeit des Vaters zu entschuldigen. Wir läuten. Nach einigen Minuten geht die Tür auf, ein knorriger Mann öffnet und sagt: «Dem Vater ist es gerade nicht wohl, aber kommen Sie nur fangs herein.» Eine Stiege hinauf, an Bildern und Spiegeln vorbei, es ist kalt, man fröstelt nach der Maiwärme draussen. Eine erste Zimmerflucht, nur eine von vielen kommenden. Diese eigenartige Kälte, welche die Gegenstände hier verströmen, eine Kälte des Antiken und Antiquierten, die uns augenblicklich mumifiziert. Wir werden ganz kalt zwischen diesen Gegenständen, die da beziehungslos hängen, einer neben dem andern, die Wände tapeziert mit alten Bildern, hageldicht hängt alles voll Bilder, dazwischen alte Uhren, Musikautomaten aus der ersten Hälfte des 19. Jahrhunderts, einige spielen noch ihre scheppernden Weisen, Nähzeug und Geldsäckel aus dem 17. Jahrhundert, Fayencen, Glasscheiben, immer wieder tote Uhren und kalte Tische und mitten in dieser Kälte der Pflegesohn mit seinen Erklärungen, wie alt und in welcher Periode und welcher Meister, hier von dieser Uhr gibt es nur ganz wenige Exemplare. Jeder Gegenstand mit einer Geschichte behaftet, noch der letzte klapprige Fächer hat seine Biographie. Einige grosse Namen beiläufig fallengelassen, hier ein Rubens, dort ein früher Grünewald, und das hängt hier so bescheiden neben ganz drittklassigen Aktstudien aus irgendeiner Münchner Schule. Die Rubens sehen wirklich aus wie Rubens, einige haben Zertifikate, alle sehen aus, als ob sie Zertifikate haben könnten, und manche sind schön, haben diese saftige Rubenshaftigkeit, ob echt oder nicht, vermitteln enorm viel Lüsternheit. Aber alles eingewickelt in die Kälte dieser Zimmerflucht.

Ob die alten Meister echt sind oder ob es sich um derart gute Fälschungen handelt, dass sich auch wieder eine Art von Echtheit ergibt, ob sie von Rubens-Schülern, Rubens-Zeitgenossen stammen, ob Rubens sich selbst kopiert hat und es also von manchem Rubens mehrere Rubens gibt: das können wir nicht entscheiden, es ist auch nicht so interessant, wir haben keinen Chemiker und Rubens-Fachmann bei uns, und die Spezialisten, welche wir zu unserer Expedition eingeladen haben, schweizerische Museumsdirektoren und andere begnadete Fachleute, wollten nicht kommen, hatten Angst, sie könnten sich blamieren, sie hatten von Engels Bildersammlung gerüchteweise gehört, die Bilder sind umstritten, kein gesichertes und ewig verbürgtes Kulturgut, keine hundertprozentig mit Sicherheit einzustufende Ware, keine todsicheren Wertpapiere und Wertleinwände.

Also waren die Fachkräfte nicht gekommen, wir mussten uns als Laien den Atem verschlagen und die Kälte aus vier Jahrhunderten in uns hochkriechen lassen. Viel Kitsch liegt da herum, aber auch der wird jetzt kostbar bei den neuesten Entwicklungen auf dem Kunstmarkt. Den Marktwert der Uhren konnte ich ungefähr veranschlagen, mein Vater war ein Uhrensammler und hat mir einen Begriff vom Wert alter Uhren mitgegeben, hat mir auf diesem Gebiet den Unterschied zwischen echt und falsch eingeschärft, so dass ich Engels gesammelte Uhren mit einiger Kompetenz auf eine halbe Million Schweizer Franken schätzen darf.

Jetzt taucht ein zweiter Pflegesohn auf, führt uns in den Turm zu weiteren Schätzen. Dabei sieht man die Sicherheitsvorkehrungen: den uneinnehmbaren Turm, von Vater Engel und Pflegesöhnen eigenhändig gebaut, um ihre Schätze herumgebaut, und die beiden kräftigen Hunde, welche den Zugang fletschend versperren. Die Wölfe sind gestorben, Engels müssen sich mit scharfen Wolfshunden behelfen. Die beiden Tiere spielen auf der Terrasse mit einem Plastikeimer, welcher schnell zu einem unkenntlichen Lappen verarbeitet wird. Die Hunde sind derart pflichtbewusst, dass sie auch Mitglieder der Familie Engel anfallen, wenn diese nicht durch die reglementäre Türe in den Turm gehen und zum Beispiel über die Terrasse klettern würden. Sie sind auch unbestechlich, lassen sich durch Fleisch und gute Worte nicht irreführen. Nur wenn Anschi und Badi, die beiden Pflegesöhne, ihnen sehr gut zureden, werden die Fremden nicht gerissen, kommen mit einem Frösteln davon beim Anblick der gesträubten Haare und sabbernden Lefzen. Besonders eindrücklich die Reisszähne. Auf der Terrasse ausserdem eine kleine Infanteriekanone. «Wie wir sie noch im WK hatten», sagte der Badi. Sie steht aber als Sammlerstück hier, wird wie die Flugabwehrkanone nicht mehr geladen, die Munition ist antiquarisch kaum mehr aufzutreiben.

Im Turm geht es gleich weiter mit der Alexanderschlacht von Rubens, dann einige Rembrandts, immer ganze Serien vom selben Maler. Soweit ich mich erinnern kann, hängt auch noch ein Velasquez im Turm droben. Weiter unten im Turm eine Waffensammlung, Rüstungen, Langgewehre, seltene Haubitzen, Kutscherpistolen. Mit diesen Pistolen, die mit Salz und Schrot geladen waren, schossen die Kutscher die Wegelagerer an, so dass sie Wundbrand bekamen und sich verarzten lassen mussten; auf diese Weise konnte man die Räuber im nachhinein eruieren und der verdienten Strafe zuführen. Badi gibt sachdienliche Hinweise zu jedem Gegenstand. Nicht nur der ästhetische Wert interessiert ihn, auch der Gebrauchswert. Im Schrank neben alten Uniformen aus dem Sonderbundskrieg eine Maschinenpistole aus dem Zweiten Weltkrieg, mit dieser hat Badi oft in der Freizeit geschossen, auch heute könnte man damit noch auf Räuber schiessen. Und in der Ecke dort der Richtblock mit dem Henkersbeil ist auch noch funktionstüchtig. Wenn die Hunde an den alten Rüstungen entlangstreichen, läuft ein Zittern über die Eisenplättchen.

Durch einen Renaissanceschrank hindurch, der eine geheime Tür verdeckt, geht es weiter den Turm hinunter. Vater Engel hat seine Unpässlichkeit jetzt überwunden, er steht im Atelier zum Empfang bereit.

Das Atelier ist ein grosser Raum, mit Beleuchtungskörpern und vielen technischen Einrichtungen, und Adolf Engel steht mitten drin, als ob er das zentrale Sammlerstück wäre. Die Vorderzähne fehlen weitgehend, nur die gut ausgebildeten Hauer sind noch da, wenn auch etwas abgeschliffen. In seiner weissen Schürze sieht er aus wie ein Laborant. Hinter ihm eine Sammlung von Totenköpfen, besonders in die Augen stechend ein mit Wasserstoffsuperoxyd gebleichter Schädel mit lückenlosen Zahnreihen, ein besonders schönes Stück aus der Grippeepidemie von 1918/19, dieser war ein neunzehnjähriger Rekrut. Die übrigen Schädel leicht gelblich angelaufen. Dann das vollständige Skelett eines Kretins, Ende 18. oder Anfang 19. Jahrhundert, deutlich erkennbar die verkrümmte Wirbelsäule und die querstehenden Zähne, noch im Tod als Kretin erkennbar. An den Wänden riesige Bilder, vermutlich schon wieder Rubens. Auch eine frisch restaurierte heilige Magdalena mit verzücktem Ausdruck. In den Regalen allerlei Mixturen und Präparate, was man so braucht zum Restaurieren, ein Topf mit Zyankali unter anderem. Farbtöpfe mit Wagenblau, Kasselerblau, Sienagebrannt, Englischrot, Heimatschutzgrün, Signalrot, Züriblau, Marsrot, Theaterrot. So steht es auf den Töpfen angeschrieben. Und überall die Plakate, worauf Stücke von den Landtheatern angekündigt sind, eine ganze Sammlung, «Uf Frömdem Hof» (Theater Oberentfelden), «De Micheli uf de Gschoui», «Der verkaufte Grossvater», «Der Fiaker von Grinzing», «Buurebluet» (von Frau Ineichen-Schüpfer), «Der Graf von Monte-Christo», «S Evi vom Geissbärg».

Und mitten drin also Adolf Engel. Theatermaler im Hauptberuf, Sammler aus ihm unbekannten Gründen («I ha äifach müesse»), Restaurator seiner gesammelten Bilder, Bühnenbauer, Beleuchter. Adolf Engel ist jetzt siebenundsiebzig Jahre alt und müsste nach Ansicht seines Hausarztes längst tot sein, er habe soviel Gift im Blut, dass er mit einem Tropfen seines Blutes mindestens zehn Menschen töten könne. Das kommt vom Umgang mit den giftigen Mixturen. Er erzählt wahllos und doch nicht zufällig, wie die Einrichtung im Atelier. Beim Restaurieren der Frauenbildnisse müsse er sich eine Beziehung schaffen zur Gestalt, mache sich behutsam an sie heran, lerne sie kennen, verliebe sich, erst dann könne er sachgemäss restaurieren. Das Handwerk habe er auf der Kunstakademie in Wien gelernt, den Umgang mit alten Lasuren, deren Geheimnis heute verlorengehe. Wenn man den alten Stil beherrsche, mache es auch keine Schwierigkeiten, im Stil von Picasso zu malen. Diese Manier sei ihm so täuschend gelungen, dass man ihm zwei Picassos zu je 100 Franken abgekauft habe. Die Bühnenmalerei sei nicht sehr rentabel, ein 45 Meter langes Bühnenbild bringe nur 1500 Franken ein, hingegen könne man ein solches Bild x-mal verwenden. Dann kommt er plötzlich auf Lenin, eine richtige Christusfigur, habe im «Odeon» und in der «Schmitte» mit ihm gesprochen, für den Zarenmord sei er nicht verantwortlich. Den Landesstreik habe er als Unteroffizier erlebt, der Oberst hätte ihn vor einem Restaurant postiert, wo die Sozialisten Bringolf, Klöti und Bratschi komplottierten. Man habe ihm eingeschärft, er dürfe das Feuer auf diese Komplotteure nur eröffnen, wenn sie das Volk offen aufwiegelten, aber er habe seinen Leuten befohlen, Bringolf, Klöti und Bratschi sofort abzuknallen, wenn sie auftauchten. Sie seien dann nicht aufgetaucht.

Für drei Batzen Sold pro Tag habe er damals Aktivdienst geleistet, er hätte es auch für weniger gemacht, dem Vaterland zuliebe. In Wien habe er später Rudolf Hess kennengelernt, den Stellvertreter des Führers, und in Sankt Moritz habe er im Hotel «Palace», weil er den Padrutt gekannt habe, die Vierfarben-Alternativdeckenbeleuchtung eingerichtet. Auch im Hotel «Kulm» habe er die Dekoration besorgt. Bevor die Kaiserin Zitta von Österreich gestorben sei, könne er nicht viel erzählen über seine Bildersammlung, weil viele Bilder aus ihrem Besitz stammten. Er sei ein guter Christ, dürfe das weiss Gott von sich behaupten, und Leute wie Martin Luther King hätten von ihm aus längst an den Galgen gehört. (Einen Galgen führt er in seiner Sammlung nicht, dafür eine Peitsche, mit der die Frauen von Seengen ausgepeitscht wurden, die ein uneheliches Kind hatten; bis über die Mitte des 19. Jahrhunderts hinaus, ausgepeitscht von Engels Grossvater, der Untervogt war.) Weiss Gott. Beim Restaurieren sei es manchmal ganz eigenartig, ein Bild komme unter dem andern hervor, fünf Christusköpfe habe er auf derselben Leinwand aufeinandergem alt entdeckt, vier habe er entfernt, der fünfte habe ihm dann gefallen ...

So strömte es ungehemmt und bunt aus Engels Erinnerungen hervor. Er war nicht zu halten, wenn ein Stichwort fiel, kam vom Hundertsten ins Tausendste, Revolution, Restauration, Umgang mit Gräfinnen, all die Herrschaften, die er beleuchtete, unter anderem die Beleuchtung des Schlosshofes Vaduz bei der Heirat des Thronfolgers, er bekam einen Dankesbrief des Fürsten. Während Engel in seinen Erinnerungen kramte, sekundierten Anschi und Badi, waren mit Präzisierungen zur Hand, wenn dem Vater etwas entfiel. Die Hunde waren auch immer dabei, strichen mit ihren Schwänzen über die kostbaren Bilder, die da herumstanden. Als wir in den Rittersaal hinaufgingen, wo zwei geschnitzte romanische Stühle stehen, die dem König Michael von Rumänien gehörten, welche dieser dem schweizerischen Gesandten schenkte, bevor er von den Kommunisten verjagt wurde, in diesen Rittersaal, wo sich ein Van Dyck, ein Rembrandt und das handgenietete Panzerhemd eines verstorbenen Kreuzfahrers befinden und anderes mehr, fiel mir auch ein sehr wehmütiger Täuferkopf auf, abgeschnitten und auf einer Schale liegend, so wie ihn Herodes der Salome präsentierte, ein Bild aus dem 17. Jahrhundert. Adolf Engel sah mich vor diesem Bild verweilen und sagte: «Herr Meienberg, Sie haben eigentlich auch einen schönen Charakterkopf.»

Wir kamen auch an einer Falltür vorbei, wo es fünf Meter in die Tiefe geht, hinunter ins Verlies. Ein achtzigjähriger Besucher ist dort einmal hinuntergefallen, aber mit dem Leben davongekommen. Vielleicht bleiben dort die Knochen jener Besucher, die allzu genauen Aufschluss über das Schicksal der Bilder haben wollten. Herr Engel lässt sich ungern ausfragen, gibt über die Details der Bilderwerbung nie präzisen Aufschluss, sagt nicht, was er zahlte und durch wessen und wie viele Hände die Bilder gingen, bevor sie bei ihm hingen. Einiges lässt er durchblicken, das meiste verschweigt er. Diese Gräfin, welche ihm sagte, er könne alles von ihr haben, wirklich alles – darauf habe er die drei schönsten Bilder genommen und sei damit verschwunden. Wie hiess die Gräfin? Weiss er nicht mehr. Oder diese Frau Doktor aus Luzern mit dem Diplomatenpass, welche 1945, als die Nazis das zusammengestohlene Raubgut billig abstossen mussten, einen Rembrandt in die Schweiz einschmuggelte und ihm diesen Rembrandt günstig verkaufte … Den Namen kann er nicht verraten, die bekannte Frau Doktor wäre dann kompromittiert. Man hat ihm die Bilder im Vertrauen verkauft. Er ist ein richtiger Vertrauensmann. Oder das Schloss in Süddeutschland, wenn man hinter Stuttgart auf der Strasse nach München bei der dritten Kurve links abschwenkt, wo er eine ganze Ladung günstig einkaufte, er habe einfach immer ein bisschen Geld, wenn es etwas Wertvolles zu kaufen gebe, das sei Fügung. Wenn er kein Geld habe, sei auch nichts Wertvolles zu kaufen.

Das wenige flüssige Geld, über das er verfüge, habe er mit Erfindungen gemacht, Strassensignierfarbe zum Beispiel und andere Schöpfungen, wovon er das Patent verkaufte. Eins von den Patenten habe er dem Zeiler verkauft; das war der letzte grosse Teilhaber der Hero-Konservenfabrik, dieser Zeiler hat die Erklärung der 200 Schweizer mitunterzeichnet, welche für eine bessere Zusammenarbeit mit Hitler kämpften, er selbst habe die Erklärung ebenfalls unterschrieben, der ehemalige aargauische Staatsarchivar habe ja auch unterschrieben, Hektor Ammann im Eichberg droben, von dem er noch eine schöne Truhe habe, und auch der Oberst Frick, der bei ihm im Atelier eine Zeichnung von Mussolini gesehen habe, Mussolini-Porträt von einem Engel-Schüler, das der Oberst Frick unbedingt haben wollte, weil er ein Freund und Verehrer von Mussolini gewesen sei.

Von den vielen schönen Gegenständen und Bildern in seinem selbstgebauten Schloss habe er nie etwas verkauft; auch wenn immer mehr hinzukomme, allein an Bildern besitze er etwa vierbis fünfhundert, so genau wisse er es nicht, werde es ihm nicht zuviel, er sammle aus Liebe zur Schönheit, nicht aus Geldgier, er lebe von der AHV und dem Theaterbau. Übrigens, wenn wir schon von Obersten sprechen, da kommt ihm noch der Oberst Rotplätz in den Sinn, aus dessen Besitz hat er etruskische und römische Bronzestatuetten, die der Oberst in grossen Mengen ausgegraben hatte. Also in bezug auf Statuen hat er auch chinesische Elfenbeinsachen aus dem dritten Jahrhundert nach Christus, aber nur wenige. Und aus dem Nachlass von Oberst Rieter (oder war es Oberst Abibärg?) hat er Tausende von Briefen aus der Helvetik, Berichte der kantonalen Stellen ans Eidgenössische Kriegskommissariat, gestempelt mit einem Signet aus der Präphilatelistenzeit, als es noch keine Marken gab, und darum besonders wertvoll. Die sind noch nicht sortiert.

So stapeln sich die Gegenstände im Schloss, unübersehbar-ungezählt, unendlich wie die Geschichten in Engels Gedächtnis. Nicht Museum, sondern Lagerhaus. Nicht versichert, das würde astronomische Summen kosten, aber gesichert durch dicke Mauern, raffinierte Schlösser, Fallgruben, Notausgänge für den Brandfall, wachsame Hunde und Pflegesöhne, Maschinenpistolen, Peitschen, Hellebarden, Richtblöcke, Infanteriekanonen. Im Rittersaal verweilen wir einen Augenblick, ziemlich abgestumpft durch die Monotonie der Unglaublichkeit. Da macht sich Badi an einer Wand zu schaffen, zieht einen Stift heraus und noch einen, dann schiebt er die Mauer zur Seite, siehe da, eine Schatzkammer mit Monstranzen, Kelchen, vielleicht irgendwo in einem aargauischen Kloster geraubt, die Krone Eduards des Zweiten mit Originalkiste, eine Prinzessinnenkrone, eine goldene Uhr mit 580 Rubinen und noch mehr so Glitzerzeug. «Hier auf diesem Sockel, wo jetzt die Marienstatue ist, wird dereinst die Urne mit meiner Asche stehen», sagt Engel, «und nach meinem Tod wird die Grabkammer versiegelt. Weil ich alles selber verdienen musste, weil mir niemand etwas gab und mir niemand half, nehme ich die wertvollsten Objekte mit ins Grab, ich, der ich auf einem Strohsack geboren wurde, arm und ziemlich verschupft, werde hier meine letzte Ruhe finden. In hundert Jahren wird man die Grabkammer öffnen, und kommende Generationen werden sehen, dass es zu meiner Zeit noch Sammler gab.» – «Aber Sie wissen doch, wie es den Grabkammern der

Pharaonen in Ägypten ging?» wende ich ein. – «Natürlich», sagte Engel, «sehen Sie hier das Buch von Carter, handschriftlich gewidmet vom Entdecker der Pharaonengräber. Carter war ja ein Freund von Padrutt, der auch in Ägypten ein paar Hotels besass, und Padrutt war ein Freund von Engel.»

Badi schiebt die Wand wieder zurück, verriegelt die Wand, der Rittersaal hat wieder sein bieder-kommunes Aussehen von vorher. Die Asche Adolf Engels wird sich freuen, wenn sie in hundert Jahren von Schatzsuchern entdeckt wird. Aber die Schatzsucher hätten vielleicht mehr Freude an einem perfekt erhaltenen Skelett im versiegelten Gelass. Vielleicht lässt sich Engel schliesslich sitzend in seiner Grabkammer einschliessen, unkremiert, thronend auf dem romanischen Stuhl des Königs Michael, auf dem Schädel die Krone Eduards des Zweiten, eine römische Tuba griffbereit zur Hand (denn er hat auch römische Tuben gesammelt, echte altrömische Kriegstrompeten, gleich eine ganze Serie). Im Rittersaal befällt uns wieder diese Kälte. Wir kommen zum Abschluss in ein kleines Zimmer mit geschlossenen Läden, muffig und vollgestopft. In einem Schrank liegen schwarze Kästchen, aufeinandergestapelt, so dicht im Schrank eingeklemmt, dass man sie kaum herausnehmen kann. «Gib mir jetzt noch eine Stradivari herunter», sagt Engel zu Anschi. Der gibt sie herunter, dazu auch eine Cornelius, Maschini, eine Steiner. Die Geigen sehen alt aus und sind lateinisch signiert, *Stradivarius cremonae fecit* oder so ähnlich. Die Saiten sind gesprungen. Engel sagt: «Es ist wie mit den Frauen, man muss sie regelmässig benützen, sonst sterben sie ab.»

Aus dem andern Schrank nimmt er eine Froschauer-Bibel, macht uns auf handschriftliche Marginalien aufmerksam, behauptet, sie stammten von Zwingli. Selbstverständlich hat er wieder mehrere alte Bibeln. Mit diesem ständig wiederholten Serieneffekt führt Engel den Begriff des Originals, an dem er doch so sehr hängt, ad absurdum: Er besteht auf dem Einmaligen der vorindustriellen Kreation und hat doch immer mehrere, fast identische Exemplare zur Hand. Auch von diesem Wein namens «Muskat Ottonel» aus der Hofkellerei des Fürsten von Liechtenstein, aus Wilfersdorf in Niederösterreich, gibt er uns mehrere Exemplare mit auf den Weg. Dann begleitet er uns vor die Tür, sagt zum Abschied: «Mein Vermögen wurde vom Steuerkommissär auf 50000

Franken geschätzt»; und winkt uns freundlich nach, umrahmt von seinen Pflegesöhnen.

*

Zwei Tage später kamen wir wieder nach Seengen, noch ganz verwirrt von der ersten Begegnung mit Engel. Ich wollte einen weiteren Nachmittag mit ihm reden, ohne von den vielen Gegenständen abgelenkt zu werden, und der Fotograf Schmid hatte noch in der Schatzkammer zu tun. Engel hatte verschiedene Dokumente und ein Familienalbum hervorgesucht. Vielleicht ist daraus abzulesen, welche geheime Feder seine Sammlerwut antreibt? Engel wird bei diesem Gespräch von seinen Pflegesöhnen nie allein gelassen, abwechslungsweise ist immer einer dabei, es kommt mir vor wie eine milde Beaufsichtigung. Oder vielleicht brauchte er sie als Echo.

Dieses Geschlecht der Engel war schon immer in Seengen sesshaft, ist bereits im Buch «Die Helden von Sempach» verzeichnet, ein Hartmann Engel hat dort gekämpft. Ein anderer war Oberst im Villmerger-Krieg; Vögte und Offiziere, habliche Leute, noch der Grossvater war Untervogt, in welcher Eigenschaft er wie gesagt die fehlbaren Frauen auspeitschen liess. Mit Adolfs Vater ging es dann leicht abwärts, er wurde von seiner Mutter verstossen, weil er heiraten musste. Das passte nicht zur Familienehre, obwohl er das vorzeitig geschwängerte Mädchen dann geheiratet hat und alles in die Ordnung kam. Der Vater war vorübergehend nach Arizona ausgewandert, wo er eine Arbeit als Steinschleifer und Prospektor fand, ist dann wieder nach Seengen zurückgewandert, hat immer den Colt auf sich getragen, obwohl der Dorfpolizist ihm das ausreden wollte. Auch auf dem Nachttisch habe immer dieser Colt gelegen. In seiner aufbrausenden Art habe er einmal nachts, nur mit diesem kurzen amerikanischen Leibchen bekleidet, einem Holzdieb quer durch Seengen nachgesetzt, habe wild um sich geschossen. Der Vater sei ein böser und finsterer Mann gewesen. Im Familienalbum sieht er auch so aus, mit drohendem Stalinschnauz und abweisendem Ausdruck. Die Mutter eine ziemlich selbstsüchtige Frau, herrisch und bös auch sie; als sie im Alter von 69 Jahren aus Amerika zurückkam und Adolf sie am Flugplatz abholte, sei sie gleich keifend über ihn hergefallen. Jedenfalls war kein Geld da für Adolfs Ausbildung. Verglichen mit den Grosseltern, lebten die

Eltern ärmlich. Diesen Niedergang des vormals angesehenen Geschlechts scheint der sippenbewusste Adolf nicht verwunden zu haben, er hat sich geschworen, dass es durch ihn und mit ihm wieder aufwärtsgehe, und zwar in solche Höhen, wie sie die Engels auch in ihren Glanzzeiten nie erklommen. Überall schimmert bei ihm die Trauer durch über eine Familie, auf die er nicht stolz sein kann, auf die er aber stolz sein möchte. Die eine Schwester sei ein Satansbraten, eine Sektiererin, die andere denke nur ans Geld, offengestanden. Item, er habe dann die Tochter eines Bauunternehmers in Seengen geheiratet und sich das Geld für die Ausbildung als Maler und Dekorateur am Mund abgespart. Schon 1918 habe er zu sammeln begonnen, zuerst Sachen seines Grossvaters, dann habe sich das Weitere so ergeben durch Geduld und Zupacken am richtigen Ort. Es sei ja eine schöne Aufgabe, überall bei den letzten Nachkommen von aussterbenden Adelsgeschlechtern die schönen Gegenstände zu sammeln, welche sonst verlorengingen, diese untergehende Welt hinüberzuretten. Item, seine Frau habe zwei Töchter geboren, aber keine Söhne, da sei er nach dem Zweiten Weltkrieg einmal ins Tessin hinuntergefahren und habe den Anschi mitgenommen, der sich als Lehrling im Geschäft sehr anstellig gezeigt habe, ein flotter Bursch, später habe er auch noch seinen Bruder Badi (mit dem richtigen Namen Battista) geholt, auch ein Halbwaise, ihr Vater sei von den Kommunisten bei Kriegsende erschossen worden, er war ein bekannter italienischer Faschist. Anschi hat später die Ruth geheiratet, eine von Engels Töchtern. Badi ist ledig gebhieben, auf seinen Namen würde in kurzem die ganze Sammlung mit allem Drum und Dran überschrieben, aber nur unter der Bedingung, dass alles beisammenbleibe und nichts verkauft werde. Diese Überschreibung sei vielleicht nur provisorisch, die ganze Sammlung werde eventuell der Gemeinde übermacht. Item, die Stiftungsurkunde werde eben jetzt von einem Advokaten entworfen.

Engel erklärt die Vergangenheit, dabei holt er immer neue Dokumente und Fotos aus einem Stoss alter Papiere. Der Lehrer im Dorf bettle schon lange, er solle ihm doch diese Papiere überlassen, dann werde er Engels Biographie schreiben, aber dazu sei der Lehrer nicht fähig, das sei eine komplizierte Biographie. Er hat Umgang gehabt mit allen Klassen, ist selbst aufgestiegen aus dem ländlichen Proletariat zum Fast-Aristokraten, wäre unermesslich reich, wenn er einen Teil der gehorteten Sachen verkaufte. Nächstens wird er umsteigen aus dem selbstgebastelten Schloss in ein altes Schloss mit Patina, Schloss Wildenstein ist nämlich zum Verkauf ausgeschrieben («Das chaufed mer jetzt»), dort hat er Platz für seine Gegenstände. Ein Schlossherr, aber mit herzlichem Kontakt zu den Bauern, denen er die Kulissen malt für die ländlichen Theateraufführungen, ihnen die gesicherte Theaterwelt herstellt mitten in einer erschütterten Umwelt. Guten Kontakt auch zu den Faschisten, die auf ihre Art eine gesicherte Welt wiederherstellen wollten und auch in ganz Europa Bilder sammelten auf ihre unkonventionelle Art. Nachhaltige Kontakte zu den Aristokraten, die er wehmütig beschreibt.

Nur mit den Kunstsachverständigen sind die Beziehungen weniger gut. Sie weichen aus, wollen sich nicht festlegen, verlangen ein Heidengeld für Expertisen und täuschen sich dann noch. Das sind Vögel, man kann ihnen nicht trauen. Sie lassen Engel spüren, dass er doch nicht ganz zu der Kaste der arrivierten Galeriebesitzer gehört. Seine Bilder sind ja nicht einmal inventarisiert, hängen in wilder Reihenfolge an den Wänden, und die früheren Besitzverhältnisse sind oft unklar. Die Experten sterben ihm weg, bevor sie ein definitives Gutachten geben können. Einer aus Brasilien ist so gestorben, kurz nach einem Besuch bei Engel, auch einer aus Albanien, auch der Experte Scheidegger aus Bern, der sich mit der Amazonenschlacht befasste, und eine ganze venezolanische Kunstkommission ist auch abgestürzt auf dem Rückflug nach Amerika, nachdem sie ihm ein Angebot von 22 Millionen Franken gemacht hatte. Der Störri aus Zürich ist an einer Lungenentzündung gestorben in Italien, er hat noch Fotos von den Bildern mitgenommen, die sind jetzt verschwunden, dann der Steinmayer aus Genf ist auch tot. Den Störri hatte er immer in Brugg abholen müssen, wenn er nach Seengen kam zur Expertise, musste ihm sofort eine Flasche Wein aufstellen, ohne die er nicht expertieren konnte.

Einmal hat ihm der Störri ein Bild für 60000 Franken auf einer Londoner Auktion verkauft und ist dann gerade so lange in den teuersten Hotels von London geblieben, bis die 60000 aufgebraucht waren; Störri kam zurück und sagte: «Was meinen Sie, ich habe in einem Keller gewohnt?» Als das grosse Angebot von den

Venezolanern kam, hat Engel seine Familie versammelt und sie gefragt: «Was wollt ihr lieber, das Geld oder die Bilder?» Die Frau sagte: «Das Geld.» Die Pflegesöhne sagten wie aus einem Mund: «Die Bilder.» «Item, alle Bilder sind im Haus geblieben, das Geld haben wir anders gemacht, insgesamt 180000 Franken mit Patenten. Und auch das Kino im Dorf, das ich einige Zeit führte, war kein schlechtes Geschäft. Ich habe noch alte Filmrollen mit der deutschen Reichswochenschau von damals, die wir nicht mehr zurückschicken mussten, weil das Reich zusammenkrachte.» Item, er habe sein Leben lang gekrampft.

Frau Arnold reist nach Amerika, 1912

Mein Freund R. Gretler, Fotograf, der leider nicht Schriftsteller geworden ist, denn mit seinen Geschichten, welche durchwegs aus dem Leben gegriffen sind, könnte er zahlreiche Bücher füllen, die sich ihrerseits sehen lassen könnten – Gretler hat mir, wieder einmal, eine Geschichte erzählt, welche ihm eine seinerzeit in Zürich wirkende Putzfrau urnerischer Herkunft vor etwa fünfzehn Jahren erzählt hat und welche ich mich weiterzuerzählen bemüssigt fühle, um der Flatterhaftigkeit jener mündlichen Überlieferung eine schriftliche Verfestigung zu geben, damit das Andenken an Frau Arnold selig, welche schon im Jahre 1912 hätte sterben können, effektiv aber erst im Jahre 1970 gestorben ist und heute auf dem Friedhof Sihlfeld, wie Gretler vermutet, begraben liegt, nicht untergeht, denn die mündliche Überlieferung hat zwar auch ihr Schönes, cirkuliert jedoch nur im kleinsten Kreis, dort aber ungehemmt; und ihr Vorteil ist, dass sie von Mund zu Mund ausgeschmückt und angereichert wird und prächtig gedeiht und immer neue Entwicklungen erlebt, während die schriftliche Fixierung eines Tatbestandes etwas Definitives, fast Tödliches hat, was hier aber guten Mutes in Kauf genommen sei, weil die Geschichte selbst auch etwas Tödliches hat, wenn ich so sagen darf; und etwas Wässriges.

Er habe also in seinen Fotografen-Lehrlingsjahren, sagt Gretler, eine Putzfrau kennengelernt, welche unauffällig und pünktlich ihren Dienst versehen habe beim patron, wo er dazumal in Stellung gewesen sei. Eben eine Putzfrau, steinalt, aber rüstig, so ein Wesen, das zum Mobiliar, das sie abstaubte, gehört und kaum gegrüsst wird und das man eigentlich nur bemerkt, wenn es nicht mehr putzt, so wie man die Kehrichtmänner zur Kenntnis nimmt, wenn sie den Kehricht nicht mehr fortschaffen. Vermutlich hat man sie Fräulein genannt; Fräulein Arnold. Ihr Vorname war vielleicht Emerenz oder Kreszenz – sagen wir Emerenz, und kam sie jedenfalls aus dem Kanton Uri, das ist verbürgt, vielleicht aus dem hintersten Schächental. Wie war das damals im Schächental? Grosse Familien, Emerenz das zwölfte, nehme ich an, von 16 Kindern, nichts zum Beissen auf dem kleinen Hof, also weg. In der Gummifabrik Dätwyler – aber gab es die damals schon? – wurden vor allem Männer gebraucht, drum weiter von Altdorf nach Luzern, wo in der Fremdenindustrie immer auch tüchtige, verlässliche Frauen eingestellt wurden. Im Hotel «Metropol», wo die blutjunge Emerenz sich als Zimmermädchen verdingt hat, fällt das Augenmerk eines begüterten amerikanischen Paares, das immer in Luzern zur Sommerfrische weilt, nennen wir es doch Mr. und Mrs. Mortimer, auf Emerenz: und ob sie dem Paar nicht nach Zürich folgen wolle, wo Mr. Mortimer aus geschäftlichen Gründen sich zeitweilig niedergelassen hatte?

Zürich! Zürich!

Nun muss sofort präzisiert werden, dass weder die Geschichte mit Luzern noch die mit dem Schächental quellenmässig verbürgt ist; als sicher kann nur gelten, sagt Gretler, dass Frau Arnold aus dem Kanton Uri zu einer amerikanischen Herrschaft nach Zürich gelangt ist, wo sie als Küchenmamsell oder so etwas in Stellung war; und alles Weitere habe ich mir erlaubt mit quasi logischer Phantasie auszuschmücken, denn man kommt ja kaum auf einen Hupf vom Urnerland nach Zürich, und wenn man einen Film über Emerenz Arnold machen will, muss man die fehlenden Zwischenglieder notgedrungenerweise selbst einsetzen.

In Zürich, vermutlich am Züribärg, habe Emerenz zur vollsten Zufriedenheit der Familie Mortimer ihren Dienst in der betreffenden Villa versehen, immer treu und pünktlich, auch diskret; eine Perle. Ob die Umgangssprache (Dienstsprache) Englisch war oder Pidgin-Deutsch, muss dahingestellt bleiben, diesbezüglich hat Emerenz Gretler gegenüber keine Angaben gemacht. Jedenfalls sei das Vertrauensverhältnis zwischen Fam. Mortimer und Frl. Arnold schliesslich so weit gediehen, dass die Amerikaner ihr anerboten hätten, sie nach Amerika, wohin Mr. Mortimer aus geschäftlichen Gründen zurückzukehren gedachte, mitzunehmen, welche Proposition Emerenzens Herz höher habe schlagen lassen, bedeutete dieses doch eine Lebensstellung und Sicherheit bis ins hohe Alter hinauf. Als zusätzliche Vergünstigung sei ihr in Aussicht gestellt worden, dass die Überfahrt auf einem Schiff der neuesten und luxuriösesten Bauart erfolgen sollte, darauf könne sie sich schon in Zürich freuen. 45 000 Tonnen Wasserverdrängung, 882 Fuss lang, dreifacher Schraubenantrieb, the

Queen of the Ocean! First sailing of the latest addition to the White Star fleet!

Emerenz, welche bisher nur die Raddampfer auf dem Vierwaldstättersee und Zürichsee kennengelernt hatte, sah der Fahrt mit Interesse entgegen und soll dann auch wirklich nicht enttäuscht worden sein, als sie den gewaltigen Ozeanriesen im Hafen von Southampton bestieg, am 10. April 1912. Einmal an Bord, wurde sie von ihrer Herrschaft getrennt und ins Zwischendeck gewiesen, wo sie mit Auswanderern zusammen eine simple Koje bezog, welche nun allerdings sehr neu, aber nicht so luxuriös war wie versprochen; wobei sie sich mit dem Gedanken tröstete, dass wenigstens die Mortimers, welche von schiffseigenen Bediensteten umsorgt wurden, glanzvoll aufgehoben waren in der 1. Klasse. Dort nämlich, so hat es ein deutscher Dichter später beschrieben –

Wir setzen unsere Führung fort und gelangen jetzt
in den Palmensaal, der Verwendung findet für kleinere Bälle.
Die herrlichen Wandgemälde sind eigens angefertigt für die «Titanic»
von einem bekannten Salonmaler, im orientalischen Stil.

Dinner First Class
14. April 1912
Caviar Beluga
Hors d'œuvres variés
Turtle Soup

Die Flügeltüren, die Sie hier sehen, führen zum Türkischen Bad,
Vorsicht Stufe, wo Ihnen Heilmassagen und Wasserkuren jederzeit zur Verfügung stehen unter ärztlicher Aufsicht, beachten Sie bitte die Säulen in rotem Carrara-Marmor.

Consommé Tapioca
Lobster American Style
Baked Salmon with Horseradish Sauce
Curried Chicken
Almond Rice Tropical Fruit

Die beiden Bronze-Nymphen am Eingang des Grossen Foyers sind in klassischer Renaissance-Manier gehalten.
Die eine stellt den Frieden, die andere den Fortschritt dar.
Wir dürfen nunmehr die Damen und Herren zum Dinner bitten.

Die Menus im Zwischendeck, welche Emerenz verzehrte, sind nirgends aufgezeichnet worden, vermutlich waren sie nicht der Rede wert, d.h. von der einfachsten Art. Ob sie wohl seekrank geworden ist? Es war vereinbart, dass sie erst kurz vor dem Einlaufen in den Hafen von New York wieder zu ihrer Herrschaft stossen würde und dabei noch einen Blick auf die Herrlichkeiten der 1. Klasse werfen könnte. Hat sie sich mit den Auswanderern im Zwischendeck angefreundet? Kann man sich gar eine Liebesgeschichte vorstellen zwischen Emerenz Arnold und, sagen wir, einem polnisch-russischen Juden, der wegen der Pogrome nach Amerika auswandert? Oder weilte sie in Gedanken bei ihrer Herrschaft in der 1. Klasse?

Wer weiss.

Jene Geschichten.

America! America!

Wurde ihr das Essen serviert? Oder Selbstbedienung? Ist sie zum ersten Mal im Leben bedient worden, die verlässliche Dienerin aus dem Schächental? Musik dringt leise gedämpft von oben herab; Ragtime. Irländer gab es auch unter den Auswanderern, derbe Kerle, zum Teil auch geile, und die polnischen Juden rochen nach Knoblauch, ein bisschen weniger hätten sie schon riechen können, und waren in lange schwarze Röcke gehüllt, die sahen aus wie Soutanen. Und diese Kringellocken! Kinder wurden gestillt und mit alten Liedern in den Schlaf gelullt, und die Liebesgeschichte zwischen Emerenz und dem polnisch-russischen Juden hat vielleicht doch eher nicht stattgefunden.

Am 14. April, um 23.50 h, machte es Knirsch. Das war in der Nähe der Neufundlandbänke, und der Rumpf war auf eine Länge von gut 100 Metern von dem bekannten Eisberg aufgeschrammt worden. In der 1. und 2. Klasse spürte man die Erschütterung kaum, man war am Festen, teilweise auch recht besäuselt, und manche von den Herrschaften fanden die Sache mit dem Eisberg einen netten Gag. Was sich dieser Käptn doch alles einfallen lässt, um die Passagiere bei Laune zu halten! Aber unter der Wasserlinie, im Zwischendeck, hat man weniger gelacht, vielleicht schwappte auch schon das Wasser an manchen Stellen herein –

ganz unten, wo man, wie immer, zuerst kapiert,
werden Bündel, Babies, weinrote Inletts
hastig zusammengerafft. Das Zwischendeck
versteht kein Englisch, kein Deutsch, nur eines
braucht ihm kein Mensch zu erklären:
dass die Erste Klasse zuerst drankommt,
dass es nie genug Milch und nie genug Schuhe
und nie genug Rettungsboote für alle gibt.

Emerenz Arnold mit den andern nichts wie hinauf an Deck und dort in ein Rettungsboot. In einem Rettungsboot, so schien es Emerenz, würde man am ehesten gerettet werden, nur hatten manche von den vornehmen Passagieren das noch nicht gemerkt, wollten ihre lässige Art und ihre Nonchalance nicht aufgeben, wie das bei diesen coolen Leuten halt der Brauch ist; auch während eines Schiffsuntergangs. Immer sportlich geblieben! Und wussten überdies die technisch versierten Passagiere ganz genau, dass die Titanic nicht sinken konnte, das war wissenschaftlich erwiesen, dank diesem sinnreichen Abschottungssystem konnte sie unmöglich sinken. Aber Emerenz hatte den Knirsch gespürt dort unten, der war ihr wie eine Knochensäge durch Mark und Bein gegangen. Also verlässt man am besten das Schiff, Emerenz war keine Sportlerin. Nun gab es bekanntlich nicht genug Rettungsboote, und viele aus dem Zwischendeck sollen gezögert haben, sich vorzudrängen und den Reichen einen Platz streitig zu machen, und sollen geduldig dagestanden und gewartet haben; aber zu diesen gehörte Emerenz nicht. In der Eile unterliess sie auch ganz, nach ihrer Herrschaft Ausschau zu halten und ihr den bereits ergatterten Platz im Rettungsboot abzutreten. Mit Interesse sah sie, wie das Rettungsboot an einer sinnreichen Vorrichtung abgefiert, will sagen ins Meer heruntergelassen, wurde, was allerdings nicht ohne heftiges Schwanken vor sich ging, welches sie nun überhaupt nicht schätzte. Das war nicht so vereinbart gewesen mit den Mortimers, dieses Abseilen zu nächtlicher Stunde, versprochen gewesen war eine reibungslose Seefahrt, und sie war ihrer Herrschaft gram wegen dieses unprogrammgemässen, den Abmachungen nicht entsprechenden Verlaufs der Reise. Als sich das mit Matrosen und Leuten aus dem Zwischendeck gefüllte Boot von der «Titanic» entfernte, welche sich auf eine doch eher ungewohnte Art, wie es Emerenz schien, aufstellte und schliesslich gurgelnd versank, samt Caviar Beluga, Turtle Soup und Türkischem Bad, erregte der Umstand, dass in dem Rettungsboot keine Decken vorhanden waren, ihren Unmut, man war der ungewohnten Kälte schutzlos ausgeliefert. Das machte keine Gattung, dieses Schlottern in der Kälte. Ringsherum sei ein Schreien gewesen über dem Wasser, und manch einer habe leider vertrinken müssen. Wahnsinnig laut hätten diese geschrien, bis sie dann nicht mehr geschrien hätten, und sei es dann ziemlich ruhig gewesen, vielleicht seien die Mortimers selig auch unter den Schreienden gewesen, aber eventuell seien diese auch *ruhig* versunken und hätten nicht lange leiden müssen, Gott hab' sie selig, jedenfalls seien sie nicht mehr zum Vorschein gekommen, definitiv. Das Rettungsboot sei natürlich ganz voll gewesen und haben sie leider keine von den im Wasser herumschwimmenden und hin und wieder um Hilfe rufenden Herrschaften berücksichtigen können, im Gegenteil; wenn ein solcher das Boot gefährdete, indem er sich an dieses klammerte, hätten sich die Matrosen verpflichtet gefühlt, ihm eins mit dem Ruder drüber zu prätschen auf die Hände, evtl. auch auf den Kopf, und habe sie volles Verständnis gehabt für die Verhaltensweise der Matrosen, denn das Boot sei wirklich schon ganz gefüllt gewesen mit Leuten, und der Spatz auf dem Trockenen besser dran gewesen als die Tauben im Wasser.

Item, nach ca. 8 Stunden in der unanständigen Kälte, ohne Decken, seien sie dann aufgenommen worden von einem in der Nähe befindlichen Dampfer, welcher sie in Ellis Island, der New York vorgelagerten Einwanderer-Kontroll-Insel, abgeliefert habe, und da ihr nunmehr die Lust, nach Amerika auszuwandern, nach diesem Ugfell vergangen und auch ihre Herrschaft so plötzlich verschwunden und nicht mehr aufgetaucht sei, wodurch sie in eine schikanöse Lage gekommen sei, habe sie sich entschlossen, damals, nach Europa zurückzukehren, was wiederum nicht ohne lästige Umtriebe möglich gewesen sei, denn sie habe ja nur ein Hin- und kein Rückfahrbillett gehabt; so dass sie im Endeffekt ihre Amerika-Reise als eine Serie von Scherereien bezeichnen müsse.

Später hat Frau Arnold dann an der Schipfe in Zürich gewohnt, als das noch keine teure Adresse war, und hätte einen schönen Blick aufs Wasser gehabt, wenn sie nicht ihr flusswärts gelegenes Zimmer mit Schachteln und allerlei Grümpel vollgestellt gehabt und als Abstellkammer benützt hätte; so erinnert sich Gretler, welcher mit ihr gut bekannt gewesen ist und mir alles erzählt hat anno 1982, als Frau Arnold schon zwölf Jahre lang tot war, während die Mortimers jetzt gut und gerne 70 Jahre tot sind.

Die Aufhebung der Gegensätze im Schosse des Volkes

Die Wochenendgesellschaft von Wagenhausen am Rhein

«Da wird der Wolf zu Gast sein bei dem Lamme und der Panther bei dem Böcklein lagern. Kalb und Löwe weiden beieinander, und ein kleiner Knabe leitet sie. Kuh und Bärin werden sich befreunden, und ihre Jungen werden zusammen lagern, der Löwe wird Stroh fressen wie das Rind. Der Säugling wird spielen an dem Loch der Otter, und nach der Höhle der Natter streckt das kleine Kind die Hand aus.»

Isaias 11, 6–8: Das kommende Friedensreich

Wagenhausen bei Stein am Rhein. Vier Hektaren Wiesland, leicht abfallend von der Landstrasse zum Rhein hinunter, links und rechts begrenzt von zwei Bächen. Oben beim Haupteingang eine Schweizer Fahne im Sonntagmorgenwind, die erste von ungezählten Schweizer Fahnen auf diesem Gelände. Drei Ellen gute Bannerseide. Dann gleich links der erste Wohnwagen mit angebauter Gartenlaube. Hin und wieder ein Apfelbäumchen, barmherzige Natur, aber insgesamt mehr Wohnwagen als Bäume. Eine Barriere, die nachts geschlossen wird, auch in den Landesfarben gehalten. Immer mehr Wohnwagen mit Vorzelten, Anbauten, Überdachungen, Verzierungen. Familien beim Aperitif in Gärtchen, die peinlich streng eingefriedet sind. Erinnerungen an Lebewesen, die ihr Territorium mit Duftmarken abstecken. Die Wohnwagen haben etwa fünf Meter Abstand vom Nachbarn, vielleicht sechs Meter. Der Rasen akkurat geschoren in der englischen Manier. Kein Papierchen am Boden, aber hochglanzpolierte Autos in den knapp bemessenen Gärtchen. Wie Haustiere lagern die Autos in den Gärtlein, die Kargheit der Häuslein wird durch die glänzende Autopracht eklatant. Grillierende Familienväter in kurzen Hosen. Auch recht viele Gartenzwerge, die fast immer lachen. Eine wunderbare Gartenzwergvermehrung den Abhang hinunter. Die Räder bei manchem Wohnwagen schamhaft verdeckt: sesshaft gewordene Wagen. Hufeisen und Rehgeweihe an den Wänden, Hollywoodschaukeln in den Gärtchen-Gärtlein-Gärtli, Geranien von Autopneus eingefasst, Rosenrabatten und manchmal ein Staubsauger zum Auslüften vor die Tür gestellt. Lockenwickler in den Haaren mancher Frau, überall Dackel und Kanarienvögel. Und alles so eng aufeinander, auf vier Hektaren 250 Behausungen, in der Hochsaison vielleicht tausend Menschen. Und gerade deshalb keine Gleichheit, sondern jedes Eigenheim scharf individuell tätowiert und unverwechselbar gemacht, hier eine Klosettschüssel vor dem Haus, worin Geranien blühen, dort eine elektrifizierte Sturmlaterne oder eine verschnörkelte Inschrift an der Wand: «Die Leute sagen immer/die Zeiten werden schlimmer/ich sage aber nein/denn es trifft viel besser ein/die Zeiten bleiben immer/nur die Leute werden schlimmer.» Auch die Strassen und Wege dieser Puppenstadt haben ihre Individualität: Bahnhofstrasse, Am Wasser, Hohenklingensteig; es sind richtige Strassenschilder, die in der Aussenwelt gestohlen wurden. Unten am Rhein die Bootsstege. Nach soviel Miniatur an Land erwartet man auch auf dem Wasser ein paar Diminutivbötlein. Aber nein, es gibt richtige Flusskreuzer, grösser als die Häuslein an Land, und normale Aussenbordmotoren. Planschende Kinder im Wasser, Hundegebell und ein Duft von gebratenem Fleisch. Manchmal fährt ein Dampfer langsam den Rhein hinauf, der Reiseführer erklärt über den Lautsprecher die Gegend: «Hier haben wir den schönstgelegenen und saubersten Wohnwagenplatz im Bodenseegebiet.» Die Leute auf dem Platz freuen sich.

*

Herr Näf freut sich auch. Herr Näf ist das Scharnier zwischen Aussenwelt und Innenwelt, der Besitzer dieser vier dichtbesiedelten Hektaren. Zugleich eingewurzelt in der alten Gemeinde Wagenhausen, wo er im Gemeinderat sitzt (Abteilung Flurkommission), und Monarch im neuen Dorf Wohnwagenhausen. Das alte Dorf hat etwa 500 Einwohner, das neue Dorf doppelt soviel, wenigstens übers Wochenende und in der Hochsaison. Herr Näf hat die vier Hektaren nach und nach zusammengestoppelt und seinen Besitz in listiger Kleinarbeit all die Jahre hindurch abgerundet. Von Beruf ursprünglich Metzger, hat er vor fünfzehn Jahren zuerst eine Tankstelle an der Strasse droben gebaut, hat dann einen kleinen Zeltplatz eröffnet, hat seinen Besitz ölfleckenartig zum Rhein hinunter ausgedehnt. Die Bauern hätten ihm das Land von sich aus angetragen, sagt er. Was er nicht kaufen konnte, hat er von der Gemeinde gepachtet. Mitten im Platz steht ein Bunker, hübsch unter Sträuchern versteckt, aber früher im weiten Umkreis von Stacheldraht umgeben. Da ging Näf einmal nach Bern zum Oberst von Wattenwyl, den er aus dem Aktivdienst kannte, und bat ihn, seinen Einfluss geltend zu machen. Der Stacheldraht ist dann bald verschwunden. Herr Näf hat viel auf dem Platz investiert, hat ein Restaurant gebaut und zwei Toilettentrakte, hat eine Kläranlage improvisiert und am Ufer eine Verbauung errichtet, so dass auch bei Hochwasser die Rheinanstösser nicht mehr überschwemmt werden. Manchmal kommt ein Regierungsrat auf den Platz und kontrolliert, ob alles mit rechten Dingen zugeht, ob die Natur genügend geschützt wird und ob der Status des Campingplatzes auch nicht verletzt wird. Offiziell handelt es sich immer noch um einen Campingplatz, obwohl nur noch ganz wenige Zelte da sind und die meisten Wohnwagen vom April bis zum Oktober ihren festen Platz haben, manche auch den Winter hindurch. Aber solange keine Fundamente gelegt und keine Dächer mit Ziegeln gedeckt werden, bleibt es ein Campingplatz, müssen keine Baubewilligungen eingeholt werden. Herr Näf dringt darauf, dass die Häuslein einstöckig bleiben und eine gewisse Höhen- und Breitennorm respektiert wird. Es gibt nämlich auch Häuslein auf dem Platz, die sich selbständig gemacht haben und nicht mehr bloss Wohnwagenanbau sind.

Herr Näf liefert nicht nur die Infrastruktur, sondern auch den gedanklichen Überbau für seine Kolonie. «Wenn es die grossen Städte längst nicht mehr gibt, wenn Zürich im nächsten Krieg untergegangen ist, so wird man hier immer noch leben können», sagt er. Von diesen Städten wird bleiben: der durch sie hindurchging, der Wind. Wenn es in den Städten immer unmenschlicher wird, haben wir in Wagenhausen immer mehr Menschlichkeit. Irgendwo muss der einfache Mann das Gefühl haben, etwas Eigenes zu besitzen, muss er seine privaten Blumen und seinen Garten haben. Ein eigenes Ferienhaus mit Seeanstoss oder Alpenblick kann nicht jeder haben, der Boden ist zu knapp und zu teuer, und die individuellen Verbauungen zersiedeln die Landschaft weit mehr als eine dichtgedrängte Wohnwagenkolonie. Wenn man also dem einfachen Mann etwas bieten will, den Arbeitern und Angestellten, dann ist die Kolonie von Wagenhausen die beste Lösung. Die Leute zahlen zwischen 400 und 800 Franken für ihren Standplatz vom April bis zum Oktober, das macht für Herrn Näf etwa 120000 Franken im Jahr. Allerdings, er hätte noch mehr profitieren können, wenn er den Platz als Bauland verkauft hätte. Der Verkauf hätte ihm aber nicht dieselbe seelische Befriedigung gebracht wie seine Gouverneurstätigkeit in der Kolonie. Herr Näf beklagt sich über die Umweltschützer, die seine Kolonie verwünschen und den privaten Grundbesitz an Bodensee und Rhein natürlich finden. Sein Platz ist am Rhein nicht abgesperrt, er hat im Gegenteil noch einen Uferweg für die Öffentlichkeit gebaut. Abfallprobleme gibt es auch nicht, die Leute bringen ihren Kehricht jeden Tag selbst in Plastiksäcken zu den zwei Sammelplätzen. Herr Näf reibt sich auf für seine Gäste, hat vor zwei Jahren den ersten Gehirnschlag erlitten. Er ist wie ein Vater zu ihnen: streng, aber gerecht. Die gleichmässige Strenge des Herrn Näf ist wie ein Schmelztiegel, wo Klassenunterschiede eingeschmolzen werden. Seinen Anordnungen ist unbedingt Folge zu leisten. Vor allem die Reinlichkeit ist zu beachten, die allgemeine Hygiene, dann die Einhaltung der Nachtruhe von 22 bis 7 Uhr und die Mittagsstille von 12 bis 14 Uhr. Herr Näf patrouilliert als Nachtwächter auf seinem Areal, klopft unerbittlich auch bei reichen und befreundeten Gästen an die Fenster, wenn die Zimmerlautstärke nicht respektiert wird. Geld verschafft in dieser Hinsicht keine Privilegien. Die Leute sehnen sich danach, gleich behandelt zu werden wie der Nachbar, sie streben nach Gleichheit und Brüderlichkeit, weil sie im Leben draussen nur Ungleichheit und Rücksichtslosigkeit erfahren haben. «Ist das nicht schön?» sagt Herr Näf.

*

Auf der Ufermauer sitzt Herr Kaspar, von Beruf Magaziner und Chauffeur, aber hier vor allem anwesend als Mensch, und beaufsichtigt die Kinder im Wasser. Manchmal ertrinkt eins, aber das kommt überall vor. Herr Kaspar sagt, dass man hier keinem Menschen den Direktor oder Akademiker anmerke, jeder sei hier ganz einfach, aber auch nicht übertrieben leutselig. Eine grosse Hilfsbereitschaft sei zu erleben, gegenseitige Hilfe beim Legen von Wasserleitungen, wenn ein neuer Wohnwagen angeschlossen werde, und überhaupt jede Art von Handreichung. Herr Kaspar hat in der Kolonie einen zweiten Haushalt, der Wagen ist seit acht Jahren fest auf dem Platz, jedes Wochenende vom März bis in den Oktober hinein verbringt Familie Kaspar in Wagenhausen, bei jedem Wetter, daneben machen sie auch noch Ferien an andern Orten. Am ersten August war hier wunderbar bekränzt, sagt er, Las Vegas war ein Dreck dagegen. Wo soll eine Familie mit vier Kindern heute noch gemeinsame Ferien machen? Hier ist ein kinderfreundlicher und billiger Platz, und die Leute sind nicht eingebildet. Zu Hause hat er eine Zweieinhalb-Zimmer-Wohnung, hat mit den Leuten im Haus kaum Kontakt, obwohl er schon jahrelang am gleichen Ort wohnt. Am Sonntagabend freut er sich schon wieder auf den nächsten Samstag, er lebt mit Pausen von Wochenende zu Wochenende. Hier im Wohnwagen besorgt er alle Küchenarbeiten, während die Frau Ordnung macht. Man kann hier fischen, Pilze sammeln und Velotouren machen, auch sehr schöne Wanderungen. Für die besseren Leute sei es auch schön, hier auf dem Platz mit einfachen Büezern zu verkehren. Oder was meinst du, Johnny, sagt er zu einem älteren Herrn mit Kapitänsmütze, unter der Mütze ein nachdenkliches Eulengesicht.

Wie es der Zufall so bringt, ist Johnny im Berufsleben bei der Polizei tätig, in Zürich als Kripowachtmeister, Wachtmeister Kindlimann für die Verbrecher. Aber in Wagenhausen ist er als Mensch, hier ist er der Johnny. Über den Beruf mag er hier nicht sprechen, obwohl er auch dort immer versuche, Mensch zu sein. Über Johnny wird manches gemunkelt, er will nämlich nicht verraten, was genau er bei der Polizei zu tun hat. Manche sagen, er sei Chef oder Sous-Chef der Sittenpolizei, andere behaupten, er leite den Spezialdienst an der Stampfenbachstrasse, so eine Art politische Polizei, und sei ein ganz Hoher. In der Kolonie ist er Spezialist für Härdöpfelsalat, den er überall rüstet, wo man ihn braucht. Auch Pilzgerichte kocht er vorzüglich, während es andern gegeben ist, die giftigen von den ungiftigen Pilzen zu unterscheiden. Johnny sagt: «Bei den eingesessenen Leuten in Alt-Wagenhausen hat es anfänglich saure Reaktionen gegeben, als sich die ersten

Wohnwagen installierten, die Bauern im Dorf meinten, es seien Vaganten, merkten aber bald, dass es sich um anständige Menschen handelte.» Johnny hat seinen Wohnwagen als Occasion gekauft für 3000 Franken, dazu ein Stoffvorzelt für 2000 Franken. Johnny musste «tüüf unedure» in den dreissiger Jahren, als er noch Koch war mit einem Monatslohn von 80 Franken; damals gab es keine Ferien, den bescheidenen Wohlstand und die Musse heute schätzt er darum besonders; er ist mit Staat und Gesellschaft ganz zufrieden. Der Vater war Eisenbahner, Grütlianer, das heisst kämpferischer Sozialdemokrat vor dem Ersten Weltkrieg, trotzdem aber guter Schweizer, und habe keiner fremden Ideologie angehangen. Wenn er es noch hätte erleben können, zu welchem Wohlstand die einfachen Leute es heute gebracht haben, wenn er die Wochenendresidenzen hier unten hätte sehen können: dann hätte sein Vater gesehen, dass er als Sozialdemokrat nicht vergeblich kämpfte, dass seine sozialdemokratischen Wunschträume Wirklichkeit geworden sind. Schade, dass der Vater es nicht mehr erleben konnte.

Johnny, seine Frau (eine Buchhalterin) und ihr Ferienbub haben jetzt Hunger, laden mich zu Risotto und Pilzen. An Blumenrabatten und rasenmähenden Vätern vorbei führt der Weg zu Kindlimanns Wohnwagen. Ein bescheidener Einachser, mobiles Gartenhäuschen mit ein wenig Komfort, Kühlschrank, Waschtrog, gemütliche Ecke, Herrgottswinkel, Kleiderschrank, Bettstatt, alles in einem Raum. Eine Vergrösserung wurde erzielt durch den Anbau des Vorzeltes. Kindlimanns gehören zu den wenigen Leuten, die noch kein Fernsehen haben. Gerade genügend Platz, um sich einmal umzudrehen, auch ziemlich niedere Decke. Im Garten neben dem Auto wird gegessen, Klapptisch mit Chromhintergrund. Autos könnte man zwar auch oben auf dem Parkplatz stehenlassen, aber so ein Auto hat für Johnny eine andere Bedeutung als für die Jungen, er kann sich noch erinnern, wie er 1960 das Geld fünf- und zehnfrankenweise gespart hat, um seinen ersten VW zu kaufen. Es war ein grüner mit rotem Polster. Jetzt hat er einen hübschen japanischen Wagen, wenn ich mich recht erinnere. Das Pilzgericht wird gelobt, ist auch ganz trefflich gelungen. Die Sortierequipe hat alle giftigen Pilze eliminiert. Sobald im Tischgespräch eine Spur von Kontroverse aufblitzt, wird die Diskussion abgebogen. Man will den Frieden haben hier im Grünen, nebst der guten

Luft und der Ruhe, die eine ewige ist, so andauernd penetrant still bleibt es hier. Die Leute sind ja mit dem festen Vorsatz gekommen, einen Kontrast zum normalen Leben zu finden, und den suchen sie angespannt, manchmal fast krampfhaft.

Ein Freund taucht auf, Herr Husistein aus Neuhausen, der grosse Sportler. Es gibt ständig Einladungen, hinüber und herüber, man bittet in die gute Stube oder ins gepflegte Gärtlein. Dabei wolle man aber nicht protzen oder hervorstechen mit einer besonders schönen Einrichtung; Protze würden nicht geduldet; wenn einer die andern mit seiner teuren Ausstattung übertrumpfen will oder mehr sein will als die andern, so wird er vom Platz geekelt, wie das auch schon vorgekommen ist. Es gibt eine demokratische Norm und ein Mittelmass in dieser überschaubaren Gemeinschaft (manche sagen: in dieser Familie), man kann sich nicht darum foutieren. «Eine gute Charakterschulung», nennt Herr Husistein das. Als Belohnung für die Rücksichtnahme die schöne Hilfsbereitschaft der andern, der Fernsehtechniker richtet die Gemeinschaftsantenne ein, der Automechaniker repariert kleine Defekte, der Elektriker zieht Leitungen. Die Arbeitskraft wird nicht verkauft wie im gewöhnlichen Leben, sondern gegen eine andere ausgetauscht oder einfach aus Freundschaft angeboten. Da hat ein Arbeiter zum Beispiel ein Schiff, das ihm auf dem Bodensee abgesoffen ist, nachdem er die Ersparnisse darin investiert hat. Herr Husistein hat sich um die Bergung bemüht und als gelernter Schreiner das Schiff wieder flottgemacht, ringsum war grosse Freude. «Soll ich etwa nach Spanien in die Ferien, zu Franco, dem Verbrecher, wenn ich es hier schön und freundlich haben kann?», sagt Husistein und lädt uns zum schwarzen Kaffee ein. Hier ist er glücklich, nur vielleicht die Erotik ist vernachlässigt, wo so viele Leute aufeinander leben und dabei die Wohlanständigkeit pflegen müssen (oder wollen?). Husistein bringt das auf die kurze Formel: «Wenn ich ein Eunuch wäre, würde ich Vielweiberei betreiben.»

Von Husisteins weiter zu Kramers, eine Feier aus Anlass des 51. Geburtstags von Hauswart Kramer. Bei Herrn Kramers Behausung ist nicht einmal ein Anschein der Mobilität mehr vorhanden, kein stillstehender Wohnwagen, sondern ein putziges Gartenhäuschen, komplett mit der ganzen Einrichtung für 27000 Franken gebaut. Man könnte das Häuslein zwar in kürzester Zeit abbrechen, das ist Vorschrift, aber an Abbruch denkt niemand. Auch bei Kramer der Wille zur Ruhe, politische Diskussionen auf gar keinen Fall, höchstens «wenn so ein paar Flegel ein Botschaftsgebäude besetzen, dann reden wir natürlich darüber». Kramer kommt von sich aus plötzlich auf «den Gruppensex» zu sprechen, den es hier selbstverständlich nicht gebe. Dafür gibt es Witze, die auf erotische Verklemmung und Abtötung deuten, völlig unlustige Witze, ziemlich traurig. Eine Flasche Wein wird geöffnet, die hat Kramer zum letzten Geburtstag geschenkt bekommen, vier Fremdarbeiter, denen er zu Hause ein Lokal zum Musizieren überlassen hat, wollten ihm eine Freude machen. Zum letzten Geburtstag wurde ihm vor seinem Häuschen ein Ständchen vom Männerchor Albisrieden dargebracht, «Die alten Strassen noch» haben sie gesungen. Getrunken wird anscheinend ziemlich viel in der Kolonie Wagenhausen, auch kräftig gefressen, Johnny ist schon wieder unterwegs für einen neuen Härdöpfelsalat. Zur Feier erscheinen auch ein Rasenmähervertreter und ein Bauführer. Die vierzig Arbeiter, die er «unter sich hat», wie seine Frau sagt, und die er «in den Fingern haben muss», haben vorzeitige Ermüdungserscheinungen bewirkt; er ist erst fünfunddreissig Jahre alt und doch schon sehr überreizt, hat einen schlechten Schlaf, dirigiert die Arbeiter noch im Schlaf herum. Jetzt sitzt er zum Ausgleich oft still am Rhein und schaut aufs Wasser.

Vom Tonband unaufhörlich Musik, ein Schlager-Potpourri. Ein Prosit, ein Prosit der Gemütlichkeit. Vor dem Nachbarhaus die Halbwüchsigen, in Mickymaus-Heftchen vertieft, ganz absorbiert. Dieses bandwurmartige Potpourri taucht alles in Melancholie, obwohl die Leute aufgeräumt sind. Freut euch des Lebens, ein Befehl. Aufgeräumt wie die reinlichen Gärtchen, die sauberen Wege. Nicht die kleinste Unordentlichkeit. Woher kommt angesichts des stillvergnügten Lebens plötzlich der Eindruck, es stünden da nicht Wohnwagen, sondern lauter kleine Mausoleen und Totendenkmäler auf dem Gelände, Totenhäuslein wie auf alten französischen Friedhöfen? Vielleicht kommt das von der weissen Farbe. Und die stille Hoffnungslosigkeit, welche durch alle Ritzen dieser Ordnung dringt, sie ist nicht auf diesem entrückten Hang gewachsen, sie grüsst herüber aus der Arbeitswelt, der man wieder einmal für zwei Tage entkommen ist. «Weg aus dem Zeug» heisst der Refrain, fort aus der verdreckten Stadt, fort aus der Vereinzelung, hinein in die Solidarität beim Mäuerchenbauen, Rasenmähen, Aufräumen. Am Samstag fängt das Leben an, am Montagmorgen hört es auf. Melancholie, weil alles so definitiv ist, weil man sich dauernd in der Wochenendkompensation einrichten muss, die Eigenheimchen sehen so unverrückbar aus, früher zog man sie mit dem Auto noch über die Strassen, wechselte den Platz, aber bei dem heutigen Verkehr ist das den meisten vergangen. Jetzt ist man sesshaft geworden, der Horizont hat sich geschlossen, viel Neues wird sich nicht mehr ereignen. Ein Prosit, ein Prosit der Gemütlichkeit.

*

Ein Tagesablauf in der Kolonie. Späte Tagwacht, kein Lärm weckt die Schläfer. Sich erheben, ein bisschen Ordnung machen, Rasen mähen, Boden wischen, spazieren, sinnieren, grillieren, schwatzen, fernsehen, aus. Es gibt sehr wenige junge Leute, denen dieser Rhythmus passt, kaum ein Paar unter dreissig auf dem Platz. Der Hauptharst zwischen vierzig und sechzig, aber auch siebzigjährige Witwen, die hier mehr Anschluss finden als im Wohnblock. Halbwüchsige, die mit ihren Eltern hier sind und am Strand unten ihre eigene Gruppe bilden, auch nachts bis um 11 Uhr im Jugendkeller von Stein am Rhein bleiben können. Früher gab es am Sonntag einen protestantischen Feldgottesdienst in der Natur, das hat jetzt aufgehört. Was die Jungen wohl am meisten stört: dass die Alten nicht richtig ausspannen können oder auf eine angespannte Art ausspannen. Immer wieder hört man von älteren Leuten, die im Garten «krampfen», die einen «Krampf» hatten mit ihrem Blumenbeet und dafür auch wünschen, dass ihre Blumen geschützt werden; daher vielleicht die Sehnsucht nach Einfriedigungen. Oder die ständige Betriebsamkeit, ständig «läuft» etwas. Einfach gammeln, das gibt es nicht, das ist für die Moral nicht gut, und Ausschweifungen sind verpönt, ausser die vom kleinbürgerlichen Moralkodex stillschweigend akzeptierten, Räusche werden toleriert; die Toilettenfrau weiss etwas davon zu erzählen, weil sie nämlich die verschmutzten Toiletten reinigen muss. Die Toilettenfrau sagt: «Im ganzen Lager gibt es nicht einen einzigen Wohnwagen, wo man sagen könnte: Da sind zwei drin, die nicht zusammengehören. Da ist Herr Näf sehr streng. Wenn einer hierherkommt, um etwas zu erleben, der rennt sich die Nase ein, da spielt sich nichts ab.» Ledige unter sechzehn Jahren dürfen das Restaurant auf dem Platz nicht allein besuchen, sagt die Toilettenfrau. Junge Mädchen, die vorübergehend von ihren Eltern allein auf dem Platz gelassen werden, sind der Obhut des Herrn Näf empfohlen, der sie denn auch nachdrücklich in seinen Schutz nimmt. Wenn sie etwa Flausen hätten, schickt Näf sie vom Platz. Noch nie hat sich jemand seinen Anordnungen widersetzt; Herr Näf hat eine absolute Autorität. Der Chef ist wie ein Vater für alle. Es ist ein friedlicher, familiärer Platz, von hinten bis vorn. Die Toilettenfrau wird von den Leuten verwöhnt, kaum ein Aufrichtfest eines Wohnwagens geht vorbei, ohne dass sie eingeladen wird. Obwohl sie Deutsche sei, habe man sie nach anfänglichem Zögern gut aufgenommen. Vom Chef werde sie «gehalten wie ein Eigenes». «Wo gibt es das im normalen Leben, dass eine Toilettenfrau von ihren Kunden eingeladen wird», sagt sie. Die Tochter kommt mit ihrem Mann zu Besuch, der verfolgt ab 1 Uhr nachmittags das Nürburgring-Rennen am Fernsehen, während ringsum die Autos poliert werden. Vom nahen Schiessstand knallt es lustig durch die Natur. Herr Näf hat das jährliche Kleinkaliberschiessen für die Bewohner der Kolonie organisiert. Die Frauen machen begeistert mit, an vielen Brüsten sieht man ein Schützenabzeichen baumeln. Die Gleichberechtigung am Gewehr ist in Wagenhausen eingeführt, auch in den Wohnwagen funktioniert sie besser als zu Hause.

«Nach der Pensionierung werde ich die meiste Zeit hier unten verbringen, in der gesunden Luft am Rhein», sagt der Werkmeister Schäfer aus Oerlikon, von dessen Balkon aus man die Lärchen, Weiden, Buchen, Tannen schön vor Augen hat. Der Balkoneffekt entsteht, weil der Vorplatz auf einer Anhöhe liegt. Man sieht auch die Schwäne und Möwen am Rhein von hier aus sehr deutlich, und gegenüber die Rebberge. Herr Schäfer und seine Frau, beide ihrer Firma seit je vierzig Jahren treu und kurz vor der Pensionierung stehend, gehen einen Schritt weiter als die Wochenendurlauber oder die Ferienaufenthalter in Neu-Wagenhausen, sie denken daran, hier ihre Hauptresidenz aufzuschlagen. Sie finden die Gegend hier schöner als in Oerlikon, auch billiger. Sie zählen auf, was man hier treiben kann. Den silbergrauen Fischreihern zuschauen, die majestätisch lauernd auf den Bäumen hocken. Den Schiffen zuschauen, die majestätisch den Rhein befahren. Beeren suchen im Wald. Die Ruhe geniessen, keine lauten Radios, keine herumkrähenden Kinder, obwohl man die Kinder hier gern hat, sind doch alle wohlerzogen, sauber, hinterlassen keine Unordnung. Schiffchen fahren, gratis, weil sie einen Freund haben, der Aktien bei der Rheinschiffahrtsgesellschaft hat, der schenkt ihnen Abonnements. Gute Beziehungen zu den Nachbarn haben, die alle ungefähr gleich sind, denn «geistig Minderbemittelte können wir hier nicht brauchen». Sich in die Hollywoodschaukel setzen und schaukelnd die Landschaft geniessen. Mit dem Staubsauger saugen, im Backofen backen, die Bechergarnitur abstauben, die Stofftierlein auf den Schränken in Reih und Glied rücken, sechs Fernsehprogramme sich leisten. Die Vorhänge ziehen und ruhig schlafen. Am Samstag- und Sonntagmorgen die frischen Gipfeli; Herr Näf karrt sie aus Diessenhofen heran. Grosse Einladungen und Pouletbratereien für Dutzende von Gästen. Und im kleinen Umfang Gartenbau betreiben. Die Schäfers brauchen keine Platzmiete zu bezahlen, weil Frau Schäfer Herrn Näf unentgeltlich die Buchhaltung besorgt.

Seit die Frau regelmässig nach Wagenhausen kommt, hat sie kaum mehr mit dem Herzen zu tun, hat keine Krämpfe mehr in der bekömmlichen Luft. Auch Herr Schäfer hofft auf eine endgültige Ruhe hier unten, denn auch er hat «einen Haufen Arbeiter unter sich gehabt», das ging nicht spurlos an diesem Werkmeister vorbei. Im Garten wartet der Opel Kapitän, mit dem sie zwischen Oerlikon und Wagenhausen pendeln. So ist für alles gesorgt, nur wenn Herr Näf stirbt, wird die Lage schwierig. Alles hier unten ruht auf den Schultern von Herrn Näf, eine Pyramide, die auf dem Kopf steht. Er kann wegsterben oder den Platz verkaufen, einen langfristigen Vertrag haben die Mieter nicht. Vielleicht gibt es auch plötzlich grössere Schwierigkeiten mit den Behörden, wer weiss. Jedenfalls eine breite Basis hat Wagenhausen vorläufig nicht. Deshalb reden einige Mieter von der Genossenschaft, die jetzt zu gründen wäre. Aber wie soll man die Monarchie in eine Demokratie verwandeln, ohne dass die künstliche Ruhe kaputtgeht? Da müsste plötzlich heftig diskutiert werden, die Gegensätze könnten aufeinanderprallen wie im gewöhnlichen Leben, man wäre nicht mehr in

Watte verpackt, und der Reiz von Wagenhausen schmölze dahin. Wagenhausen wäre keine Gegenwelt mehr.

*

Man zögert bei jedem ironischen Wort, das man über Wagenhausen sagt, und doch kann man nicht anders. Man zögert, weil man das abgeschirmte Wochenendglück und Ferienglück der Leute am Rhein nicht verletzen möchte und weil die Leute hier erst richtig leben und den alten Menschen abstreifen können, weil viele hier zum erstenmal einen Anflug von Brüderlichkeit erleben, zum Beispiel auch physisch und mental behinderte Kinder, die man besonders gut aufnimmt. Und man kann nicht anders als bitter ironisch werden, weil sich die Brüderlichkeit auf einen Feriennationalpark beschränken muss, weil alle Sehnsucht aus der Arbeit weg ins Wochenende verlagert wird, wie die Sehnsucht aber auch am Wochenende hängenbleibt im Gestrüpp der hässlichen Gewohnheiten, die einer haben muss, wenn er ausserhalb von Neu-Wagenhausen nicht sofort vertrampt werden möchte.

Überwachen & Bestrafen (II)

Besuch in Pfäffikon, Bezirksgefängnis. Von aussen ein friedlicher Anblick, sieht aus wie irgendein Verwaltungsgebäude, neusauber, knappe Architektur. Moderne Verwaltungsaufgaben werden hier wahrgenommen, verschiedene Verwaltungszweige, rechts Kantonspolizei, links die Tür zum Gefängnis. Keine Gitter, keine Inschrift «Bezirksgefängnis», nur eine Gegensprechanlage:

– *Grüess Gott, ich möchti dä Härr Schtürm bsueche.*

– *Äs isch offe.*

Es war offen, aber nur bis zur nächsten Glastüre. Auch hier wieder keine Gitter. Eine Art von erstem Wartezimmer, neusauber. Man sieht durchs Glas geradeaus einen Korridor, rechts im Korridor eine Türe. Die geht nach vielleicht fünf Minuten auf, ein Wärter erscheint, ohne Uniform, schliesst die Tür umständlich ab, nimmt einen anderen Yale-Schlüssel, schliesst die Glastüre, das heisst die Panzerglastüre, zum ersten Wartezimmer auf, lässt den Besucher aus der ersten in die zweite Schleuse, schliesst die Glastüre, das heisst Panzerglastüre, wieder ab:

– *Chönd Sie sich uuswyse?*

Ich kann. Herr Weilenmann, Sekretär der Justizdirektion des Kantons Zürich, hat mir Besuchserlaubnis erteilt und den Gefängnisverwalter Isenschmid, der wirklich so heisst, avisiert; darum bin ich nicht schon von der Gegensprechanlage abgewiesen worden. Herr Weilenmann erhofft sich, wie er durchblicken lässt, einen wohltätigen Einfluss von mir auf den Gefangenen. Darum darf ich ihn besuchen. Normalerweise dürfen ihn nur Familienangehörige besuchen. Ich möchte den Stürm, mit dem ich einen Briefwechsel führe seit Monaten, jetzt endlich einmal treffen (sehen, hören, erleben). Ich habe ihn noch nie gesehen.

Der Wärter steckt wieder den Schlüssel in die Eisentüre im Korridor, aus welcher er gekommen ist. Die Tür geht nicht sofort auf, sie gibt einen leise murmelnden Ton von sich, irgend etwas klinkt ein, Rädchen schnurren, dann geht sie auf; Banksafe. Ein weiteres Wartezimmer. Der Wärter schliesst die Eisentüre, durch die wir gekommen sind. In dieses zweite Wartezimmer (Vorwartezimmer) münden drei Eisentüren. Der Wärter gibt einer dieser Türen ein

Klopfzeichen, steckt einen dritten kleinen Schlüssel in eine andere Türe, klick-klick, die Tür geht auf, der Wärter sagt:

– *Dä Härr Schtürm chunnt grad.*

Jetzt bin ich im eigentlichen Wartezimmer, der Wärter hat hinter mir abgeschlossen, und vor mir ist eine Glaswand, Panzerglaswand mit Löchern zum Hindurchsprechen. Ruhe. Im andern Abteil auch eine Türe und ein Fenster, das auf den kleinen Hof geht. Im Hof blühen Blumen, und oberhalb der Blumen vergittert ein Gitter den Himmel, damit die Blumen nicht fliehen können. Das Gitter ist nicht für Stürm, der kann durch das Panzerglasfenster trotz aller Geschicklichkeit nicht zu den Blumen hinausdringen.

Ruhe. Ich bin allein mit dem Panzerglas und den Löchern darin. Es ist so ruhig, dass man die Blumen wachsen hören könnte, wenn das hermetisch verriegelte Fenster einem Ton den Eintritt in das Wartezimmer gestatten würde. Die Löcher im Sprechquadrat des Panzerglases sind keine einfachen Löcher. Die kleinen sind so klein, dass man nicht den kleinen Finger hindurchstecken könnte, die grossen sind so angebracht in der Mitte der Panzerglaswand, welche Mitte aus zwei Panzergläsern, das heisst hintereinander gestaffelten Panzergläsern, besteht, dass das Loch auf meiner Seite keine Entsprechung auf der andern Seite hat, verglichen mit meinem Loch ist das andere Loch verschoben und also nicht deckungsgleich.

Ruhe.

Solche Gefängnisse werden wir bald überall haben. Pfäffikon ist ein Pioniergefängnis.

Still ist es hier in diesem Seelenkühlschrank. Nach 10 Minuten, Stürm ist noch nicht gekommen, dröhnt die Ruhe in meinem Kopf. Rauchen darf man auch nicht. Die Wände sind glatt und sauber, der Blick bleibt nirgends haften. Aufenthaltsort für reine Geister, vergeistigte Menschen, verinnerlichte Wesen. Für den Körper gibt es hier kaum mehr einen Anhaltspunkt. Vom Körper muss man abstrahieren. Nur noch die unsichtbarste Körperfunktion, die Stimme, hat hier etwas zu suchen: durch die Sprechlöcher hindurch. Wie spricht man mit dem Gefangenen? Frontal oder sitzt man sich leicht schräg gegenüber?

Die andere Tür geht endlich auf, wird hinter dem Gefangenen wieder geschlossen, man nimmt Platz. Intimität wie in einer Bank,

Kassier und Kunde besprechen miteinander durchs Glas hindurch den Wechselkurs; jeder hat ein Brettglas oder Glasbrett vor dem Kopf:

– *Sali.*

– *Sali.*

Vermutlich sei die Abhöranlage eingeschaltet, sagt Stürm, wie auch alle meine Briefe an ihn und seine Briefe an mich von Herrn Weilenmann, Justizdirektion, gelesen worden seien. Die Briefe, welche er seiner Mutter schreibe, kriege sie nicht zu Gesicht; nur Photokopien davon. Das wirke dann ein bisschen unpersönlich. Im Originalbrief könnte er nämlich mit unsichtbarer Tinte eine Botschaft an seine Mutter schreiben, welche dann einen Befreiungsversuch unternehmen oder anstiften könnte; denkt sich die Justizdirektion.

– *Tschau.*

– *Tschau.*

Wir haben eine Stunde gesprochen, wenn man das Sprechen nennen kann hinter dieser Trennscheibe, und wir haben viel geschwiegen. Seinen Eltern hat er abgeraten, ihn an diesem Ort zu besuchen, besser kein Besuch als so. Seine Mutter würde es nicht aushalten, sagt er, und eine Freundin könne man sich schon gar nicht vorstellen hinter Glas. Er ist ein Abgesonderter, lebt in der Quarantäne, die Siechenhäuser des Mittelalters waren eine offene Begegnungsstätte, verglichen mit Pfäffikon ZH und ähnlichen Orten. Bald wird er verlegt nach Regensdorf, dort ist der Hochsicherheitstrakt jetzt fertiggestellt. Er hat zwar niemanden umgebracht, keine Frau vergewaltigt, sich nicht an Leib und Leben der Mitbürger vergangen, sondern nur am Eigentum (Autos geklaut und Geld). Was man ihm nicht verzeiht: seine Ausbrüche, sein Freiheitsdurst. Zwar hat er bewiesen, dass er gesund ist und initiativ, indem er das einzige Gesunde tut, was ein Gefangener tun kann: ausbrechen. Das ist frech, und deshalb sperrt man ihn immer raffinierter ein, verlegt ihn in todsichere Käfige. Die Käfige, die er im Laufe seines Käfiglebens erlebt hat, werden immer besser, die Elektronik macht Fortschritte, das Schlüsselwesen auch. Seine Seele wird dressiert, sein Geist gefügig gemacht, die Auflehnung soll bitte verdunsten. Wenn er ausbricht, muss er sich, er kann nicht anders, auf krummen Touren etwas Geld beschaffen, um weiterzukommen. Das gibt dann weitere Strafen. Wenn er nicht ausbricht, wird er versimpeln und stumpf werden, unbrauchbar für das Leben draussen, nach dem Käfig.

Herr Weilenmann von der Justizdirektion, auf dieses Dilemma angesprochen, sagte mir am Telefon: Er wisse natürlich, dass im Strafvollzug nicht alles sei, wie es sollte; jedoch sei er jetzt im Dienst, immer von 8 Uhr morgens bis 5 Uhr abends, Montag bis Freitag, und habe jetzt nur eine dienstliche Meinung zu diesem Thema. Wenn ich jedoch einmal nach fünf Uhr mit ihm zusammensitzen wolle, könne er mit mir als Mensch sprechen, ohne weiteres.

Der Garagefriedensbruch oder les mots et les choses

Für Margrit Sprecher,
die integre Gerichts-Chronistin
gegen Lutschino Valsantschuggermo,
den Liebediener der Justiz

Der Angeklagte Werner S., Zivilstand ledig, Zahl der Kinder keine, Vormund keiner, Grösse 176 cm, Haare blond/schulterlang, Statur schlank, Augen graugrün, Sprache Zürichdeutsch, vermischt mit TG-Ak., besondere Merkmale Narbe auf dem Handrücken – der Angeklagte W. S. erschien pünktlich um halb acht Uhr morgens, am 26. 1. 81, begleitet von seinem Anwalt Michael A. vor Gericht und antwortete der Richterin N., welche ihn ganz mütterlich befragte, im höflichsten Ton der Welt, gefärbt vorn TG-Ak. Gegen diesen Werner S. hatte bisher nichts vorgelegen, Leumundsbericht gut, Vorstrafen keine, geregelte Arbeit (kaufm. Angestellter), Schulrepetitionen keine. Wenn man in Zürich an eine Demo geht und dabei verhaftet wird, will es die Polizei ganz genau wissen und Auskunft haben über «Schulbesuche, Repetitionen, Leistungen», wie es in Punkt 2 des Formulars heisst. Unter Punkt 8 heisst es unter anderem: «Geisteskrankheiten in der Familie – Rauchen, Alkoholkonsum – Freunde und Bekannte». Das ist ein sehr vernünftiger Punkt, denn wenn man die falschen Freunde und Bekannten hat, wird man schneller zu einer Demo verführt, als wenn man die richtigen hat, und wenn man eine Klasse repetieren musste, ist man schon auf dem Weg ins Gefängnis. (Der Lehrer als Vorläufer des Polizisten, der Richter als Nachfolger des Lehrers.) Bei solch einem Menschen, der als Demonstrant ertappt wird, muss ein bisschen Ahnenforschung getrieben werden, vielleicht liegt es in der Familie (Geisteskrankheiten in der Familie), ein Grossonkel oder ein Urgrossvater wurden eventuell schon im letzten Jahrhundert an Demonstrationen gesehen, es könnte ja erblich sein, rein biologisch (mildernde Umstände).

Auch die Akzenterforschung ist wichtig. Dem vernehmenden

Linguisten von der Stadtpolizei Zürich, Krim Kom II, ist die Vermischung des Zürichdeutschen mit dem TG-Ak. sofort aufgefallen. Weil der Angeklagte aber glaubhaft versichern konnte, er sei im Thurgau lediglich geboren, in Zürich jedoch wohnhaft, was durch eine polizeiliche Nachfrage bei der Einwohnerkontrolle erhärtet wurde, war sein Fall nicht ganz so schlimm, als wenn er ein echter Auswärtiger gewesen wäre.

Über das Alter des Angeklagten gehen die Ansichten auseinander. In der Anklageschrift steht «geb. 28. Dezember 1980». Diese Jahreszahl wurde dann später handschriftlich korrigiert: «geb. 28. Dezember 1956». Da es bei der Abfassung der Anklageschrift offensichtlich pressierte, die «Neue Zürcher Zeitung» hatte auf eine schnelle Aburteilung der Delinquenten gedrängt, sind solche Details entschuldbar. Dem federführenden Bezirksanwalt, lic. iur. E. Frei, war noch rechtzeitig aufgefallen, dass einer, der am 28. Dezember 1980 geboren wurde, am 30. August 1980 noch nicht an einer Demonstration, derentwegen er angeklagt war, teilnehmen konnte, es sei denn im Bauch seiner Mutter; und fehlen vorläufig noch die gesetzlichen Grundlagen, um die Teilnahme an einer Demo im ungeborenen Zustand zu ahnden.

Die Anklageschrift ist auch sonst ganz interessant. Der Zeitdruck war wirklich enorm, darum werden auf Seite 3 die Namen ein bisschen verwechselt, dort heisst es jetzt plötzlich: «Der Angeklagte Fritz Kummer hat an einer öffentlichen Zusammenrottung teilgenommen, ausserdem fremde Sachen beschädigt, zerstört oder unbrauchbar gemacht» etc. Fritz Kummer ist der Geschäftsführer jener Tiefgarage an der Nüschelerstrasse, in welche der Angeklagte Fritz Kummer eingedrungen ist, um Sachbeschädigungen und Unbrauchbarmachungen vorzunehmen, darum hat Fritz Kummer gegen Fritz Kummer Klage erhoben. *Isn't that interesting!* In Zürich kann man sich auf niemanden mehr verlassen, auch die Geschäftsführer kommen ins Rotieren, demolieren ihre eigene Tiefgarage und erheben dann Klage gegen sich selbst.

Der kleine Fehler der Bezirksanwaltschaft ist der Richterin erst aufgefallen, als sie vom Anwalt des Werner S. darauf hingewiesen wurde. Da allerdings zeigte ihre Miene eine deutliche Betretenheit.

Keine böswillige Frau, die Richterin N. Der Angeklagte erhielt ausführlich das Wort, durfte sein Einkommen schildern (2100 netto) und den Wohnungszins (800 Franken). Vermögen? Keines. Es ging ja um eine Wohnungsdemo an diesem 30. August 1980, und einer, der so viel für seine Zweizimmerwohnung an einer lauten Strasse zahlt, ist genügend motiviert, um auf die Strasse zu gehen, dachte der Demonstrant. Allerdings war die Demo verboten, aber der Angeklagte kannte das zürcherische Baugesetz aus dem Jahr 1894, auf Grund dessen die Demos verboten werden können, leider nicht. (Unwissenheit schützt vor Strafe nicht!) Aber hat denn der Angeklagte nicht gemerkt, dass Maskiertüchlein, Zitronen und andere Utensilien, welche auf bevorstehende Gewalttätigkeiten deuten, an der Demo mitgeführt wurden? Nein; und er selbst hat nichts dergleichen mitgeführt, ganz unmaskiert war er dabei.

Bekanntlich wird mit den Zitronen und den Maskiertüchlein immer so brutal auf die Polizei eingeschlagen. Daher auch die schweren Augenverletzungen auf seiten der Polizei.

Und musste der Angeklagte nicht annehmen, dass es im Verlauf der Demo automatisch zu Sachbeschädigungen und Schmierereien kommen würde? Nicht automatisch, sagt der Angeklagte; erst, wenn die Schmier einfährt. Beim Wort «Schmier», Zürcher Dialekt für «Polizei», zuckt es ein wenig im Gesicht der Richterin. Das Wort fährt ein. Und wie steht Werner S. der Bewegung gegenüber? Sehr positiv, sagt der Angeklagte wahrheitsgemäss. Vielleicht wäre es für die Strafzumessung besser, wenn er negativ gegenüberstünde. Aber der Angeklagte ist eine ehrliche Haut. Welche Funktion haben Sie in der Bewegung, fragt die Richterin. Keine, sagt der Angeklagte und lacht. Vermutlich stellt sich die Richterin vor, dass es in der Bewegung einen Aktuar, einen Präsidenten und Kassier gibt, eventuell auch einen Pförtner. Wenn man in einer Richterhaut steckt und in diesem Haus, wo jedermann seine genau umschriebene Funktion hat, ist es vermutlich nicht einfach, sich die Bewegung vorzustellen. Vielleicht sollte die Richterin N. einen Bewegungs-Stage absolvieren, bevor sie weiter richtet; dann wird sie auch die Zitronen besser verstehen.

Und wie ist es mit der Narbe auf dem Handrücken des Angeklagten? Die hat er sich zugezogen, sagt er, als er auf der Flucht vor der Schmier durch eine zerbrochene Scheibe in die Tiefgarage an der Nüschelerstrasse geflohen ist. Ausser ihm sind noch ein paar Dutzend Demonstranten in die Tiefgarage geflohen. Weil Werner S. aber der einzige war, der an der Hand blutete, schloss die Polizei messerscharf bzw. glasscharf, dass nur er die Scheibe eingeschlagen haben könne; daher die Zivilklage des Tiefgarage-Geschäftsleiters Fritz Kummer gegen Werner S., von dem 5200 Fr. Schadenersatz verlangt werden, obwohl die Scheibe in der Abrechnung nur mit 1000 Fr. veranschlagt wird. Woher die Differenz von 4200 Fr.? Der Einfachheit halber werden die leicht demolierten Autos in der Tiefgarage auch noch auf das Konto von Werner S. gesetzt. (Einige Demonstranten sind auf die Kühlerhaube von parkierten Autos gestiegen, um aus einem Fenster zu fliehen; sie hatten Angst. Und andere versuchten vergeblich, immer auf der Flucht vor der Schmier, einen Notausgang aufzuwuchten; auch diese Reparatur wird dem Werner S. in Rechnung gestellt.)

Bewiesen ist nichts, weder das Einschlagen der Scheibe durch den Handrücken des Werner S. (schlägt man Scheiben nicht besser mit dem Schuh oder mit dem Ellenbogen ein als mit der Hand? noch die Beschädigung der parkierten Autos und des Notausgangs durch Werner S. Beweisen kann man ihm nur die Teilnahme an einer Demo und das Eindringen in die Tiefgarage. Die Demo wurde übrigens auf die bekannt schnelle Art «aufgelöst», und doch «entfernte Werner S. sich in pflichtwidriger Weise nicht», heisst es in der Anklageschrift. Wie darf man das nun wieder verstehen? Die Demo war aufgelöst, und trotzdem haben sich die Demonstranten nicht entfernt? Dann war sie nicht aufgelöst. Jedermann in Zürich, ausser vielleicht die Richter in ihren Richterburgen, weiss, wie schnell das geht bei diesen Auflösungen: Man zischt in alle Richtungen auseinander. Das geht wirklich sehr schnell, schon der Ton einer Sirene genügt für die ersten Auflösungserscheinungen. Auch Werner S. ist offensichtlich davongesprungen, er hat gebührenden Respekt vor der Polizei. Das wird ihm jetzt auch vorgeworfen. «Zudem floh er vor der Polizei unberechtigterweise in die Parkgarage Talgarten.» Das einzige, was demnach ein Demonstrant legal tun kann, wenn die Trachtengruppe Urania in ihrer blauen Reizwäsche angedonnert kommt, ist, im Boden zu verschwinden oder sich in Luft aufzulösen. Stehenbleiben ist strafbar, und davonseckeln ist strafbar.

Nun ist er also angeklagt des Landfriedensbruchs (Stadtfriedensbruch?), der Teilnahme an einer nicht bewilligten Demonstration, des Hausfriedensbruchs (Garagenfriedensbruch?), der Sachbeschädigung, «wofür er angemessen zu bestrafen ist», wie es in der Anklageschrift heisst, welche 30 Tage Gefängnis bedingt und 100 Fr. Busse verlangt. Hinzu kommen die Zivilklage von 5200 und die Gerichtskosten von etwa 500 Fr. Der Anwalt plädiert demgegenüber auf Freispruch und 700 Fr. Entschädigung für seinen Klienten (soviel hat ein Polizist kürzlich gekriegt, der von einem Demonstranten angeklagt war). Der Stadtrat, so argumentiert der Anwalt, stützt sich beim Verbot der Demos jeweils auf Art. 12 des Stadtratsbeschlusses vom 12. Juni 1972, welcher sich auf das kantonale Baugesetz aus dem Jahr 1894 stützt, welches nicht mehr in Kraft ist; mit der Berufung auf dieses nicht mehr existierende Gesetz kann der Stadtrat keine Demo verbieten und schon gar nicht die Grundlage für die Bestrafung von Demonstranten schaffen. Dem Angeklagten sind keine Sachbeschädigungen nachzuweisen, nicht mal Sprayereien alias Schmierereien. In die Tiefgarage ist er geflohen, weil er ein Rechtsgut, nämlich seine Gesundheit und leibliche Unversehrtheit, schützen wollte (die Demonstranten sind aus begründeter Angst vor der Polizei ins nächstliegende Mauseloch verschwunden; sie flohen nicht in der Absicht, die Scheibe der Tiefgarage einzuschlagen, sondern um sich vor Verletzungen zu schützen).

700 Fr. Entschädigung möchte der Anwalt für seinen Klienten, weil dieser grundlos verhaftet worden ist. Er wurde nämlich nach der Einkreisung in der Tiefgarage, weil er stark blutete, ins Spital transportiert, nachdem seine Personalien überprüft worden waren, und im Gegensatz zu den andern Demonstranten nicht von der Stelle weg abgeschleppt. Dafür holten ihn eines Morgens um 06.20 Uhr – die Freundin stand unter der Dusche, er selbst döste noch ein bisschen – zwei Detektive an der Adresse, die er ordnungsgemäss angegeben hatte, ab und brachten ihn zur polizeilichen Vernehmung, die bis etwa um 11 Uhr dauerte. Man hätte ihm auch eine Vorladung schicken können …

Der Angeklagte S. wird umlernen müssen, er muss neue Wörter lernen. Die verfassungsmässig garantierte Versammlungsfreiheit heisst im Gerichtsdialekt Zusammenrottung, der Kampf für billige Wohnungen Landfriedensbruch (es war eine Demo, keine Hausbesetzung), die Flucht vor der Polizei Pflichtwidrigkeit, das Schutzsuchen in einer Garage Hausfriedensbruch. Die Garage heisst jetzt Haus, obwohl kein Haus dazugehört, es ist eine Tiefgarage, die Stadt wird zum Land, und der Friedensbruch, obwohl er sich in der Stadt ereignete, wird jetzt Landfriedensbruch genannt. Das ist ein feierliches Wort und bedeutet traditionell Mord und Totschlag, Brandstiftung und Gemetzel, man erinnert sich an Kleist, Michael Kohlhaas hat Landfriedensbruch begangen. Werner S. hat, obwohl er laut Gerichtsakten kein schlechter Schüler war und auch kein Heimaufenthalt in seinem Leben vorgekommen ist, zuwenig Jus studiert. Er wird sich überlegen, ob er nochmals an einen Landfriedensbruch beziehungsweise an eine Demo gehen soll, weil er dann in Versuchung kommen könnte, sich gegen die blauen Schläger zu wehren beziehungsweise Gewalt gegen Beamte anzuwenden, wenn er verprügelt wird (wem kommt das Wort «Beamte» in den Sinn, wenn man die wilden Horden durch die Strassen schletzen sieht?).

Werner S. ist ein Bagatellfall, einer von Hunderten von Landfriedensbrechern und Hausfriedensbrechern und Sachbeschädigern. Andere Demonstranten (Gewalt gegen Beamte!) müssen naturgemäss mit viel härteren Strafen rechnen und werden die ganze Strenge des Gesetzes zu spüren bekommen und ihrer verdienten Bestrafung zugeführt werden. Es muss endlich durchgegriffen werden von seiten der Justiz, damit auch garantiert ein heisser Sommer kommt.

Urteil in Sachen Bezirksanwaltschaft Zürich und Parkgarage Talgarten gegen Werner S. in vier Wochen.

4.12.79 alte Kirche Wollishofen

Begräbnisse in unseren Gegenden sind obszön, eine Zupfstube oder der Stützli-Sex ist nichts dagegen. Da kann man nichts machen. Das liegt in der Natur der Sache und im Wesen des Todes – des Todes, wie er bei uns Mumien verstanden wird. Wir schlucken bekanntlich die Trauer herunter, bis der Magen verkrebst, wie wir auch die Freude verschlucken, bis das Gekröse vertröchnet. Offenes Trauergeheul gibt's bei uns nicht, wohin kämen wir auch, die Kirchenscheiben, die teuren, von der Kirchgemeinde für gutes Geld gekauften, gingen in Brüche, die Trauer würde das kostbare Glas zersingen. Man rauft sich nicht die Haare, schreit nicht gellend, zerreisst sich nicht die Kleider, streut keine Asche auf den Kopf, bestreicht das Gesicht nicht mit Trauerfarben.

Die Trauer, oder was wir dafür halten, rieselt inwendig herunter, bröckliger Verputz, vielleicht darf man ein wenig still briäggen, aber bitte nicht ohne Nastuch, und dann alles im Magen-Darm-Trakt versickern lassen. Die wenigen noch intakten Stämme in Afrika oder auch die brasilianischen Mischvölker haben mehr Anstand, und noch an der Rue Ferdinand Duval in Paris bei den Arabern ist es besser, mehr Würde, spüren und feiern die Festlichkeit des Todes, schluchzen und wimmern und lassen das Heulen in Ekstase übergehen, schreien die Trauer heraus und kaputt und läutern sich und kommen müde, aber glücklich von den Begräbnissen zurück, und oft gibt es noch, anschliessend nach dem Besäufnis, eine allgemeine Copulation. *Miel et Cendres,* wie der Ethnologe sagt. Auf dem Land bei uns haben sich noch bescheidene Rückstände erhalten, Totemöli etc., aber grossartig ist das auch nicht mehr.

In diesem Zwingli-Zürich jedoch: brrrrr. Da ist der Tod etwas, das den Erwerbsfleiss stört, man muss ES unter einer Decke von Wohlanständigkeit begraben. Da kann man auch gar nicht sterben, weil man nie richtig gelebt hat. Mitten im Leben sind wir schon tot. *Media in vita mortui sumus.* Drum sind Abdankungen/Begräbnisse hier eine Sache, die mehr tötelet als der Tod selbst, der ja durchaus eine normale, manchmal auch willkommene, oft sanfte, aber umwerfend gewaltige Erscheinung ist. Tod und Liebe stören den Geschäftsgang, darum wird hier nicht heftig geliebt, aber auch nicht festlich abgedankt, das würde nämlich einige Tage brauchen; und wird nicht vital gestorben. Gar den Zusammenhang zwischen LIEBE und TOD aufleuchten lassen an einer Abdankung, wie es im Barock noch gang und gäbe war – eine der schönsten der erotischen Arien von Bach heisst: ICH FREUE MICH AUF MEINEN TOD, womit nicht Selbstmord gemeint ist, eine andere: KOMM O TOD DES SCHLAFES BRUDER ..., nein, das kommt schon gar nicht in Frage, da tömmer nöd, diese Suppe ess' ich nicht. Lieber Krebs.

Also, dass die Bürgerlichen sich todlangweilig begraben lassen, die *Plastic people* vom Züribärg, ist begreiflich. Das passt zu Zorn* und anderen Biographien.

Aber dass der linke Diggelmann, der in gesunden Tagen die Bürgerwelt verlachte – (Oder wollte er schon immer von ihr anerkannt werden?)

Es war schauderhaft.

Niemand hat geschrien. Niemand hat geschrien aus Trauer über Diggelmann, niemand hat geschrien aus Wut über die obszöne Veranstaltung. Alle hockten belämmert in den Bänken und lutschten privat an ihrem Träuerchen. Nicht einmal ein Choral – es gibt furchtbar schöne Choräle –, der gemeinsam gesungen worden wäre. Nichts. Auch die Internationale wurde nicht gesungen. Da taar me nöd i de Chele.

Statt dessen, auf ausdrücklichen Wunsch des Verstorbenen, aber den Wunsch hat er vermutlich in sehr reduziertem Zustand geäussert, ein Lebenslauf, verlesen vom Pfarrer, der allen konkreten Aufruhr daraus entfernte, alles Gefährliche vergass, und eine Rede von – aber das kommt gleich. Der liebe Verstorbene habe «in einem Roman eine Zürcher Werbeagentur beschrieben» – welche war das doch gleich? Hat die keinen Namen? Hiess doch Farner, wenn ich nicht irre, und Farner hat alle Hebel in Bewegung gesetzt, damit das Buch nicht richtig besprochen werden konnte. Und Diggelmann hat jahrelang mit den Folgen seines Romans zu tun gehabt. Und vermutlich ist er auch ein bisschen verbittert, weil die The-

* Fritz Zorn, Mars, München 1977 («Ich bin jung, reich und gebildet, und ich bin unglücklich, neurotisch und allein ...»)

men, die er aufwarf, gar nicht richtig diskutiert wurden. Und weil sich nichts verändert hat, nicht mal in den Köpfen, in bezug auf die Werbeagenturen. Bekanntlich hat er dann angefangen zu saufen wie ein Loch. Das darf man aber auch nicht sagen, dass der arme Kerl gesoffen hat, obwohl es alle wissen. Ist Saufen eine Schande, wenn's einem schlechtgeht? Wenn man in die fürchterliche Tiefkühltruhe der Literarizität gesteckt wird und/oder zur Sau gemacht wird, wie es allen Schriftstellern hierzulande passiert, wenn sie etwas Konkretes aufgreifen, ist dann Saufen eine Schande? Von den guten Schriftstellern in diesem Land saufen drei Viertel. Zwei Drittel davon waren an der Abdankung.

Vielleicht denkt man, jetzt kommt nach dem Pfarrer der Jazz, etwa das Negerbegräbnis von Louis Armstrong zum Beispiel wird gespielt? Ach nein. Jetzt kam Professor Dr. Werner Weber, alt Feuilletonchef – er passte in die alte Kirche Wollishofen – der NZZ, schritt durch den Kirchenchor, wand sich an den Kränzen, welche die DEUTSCHE DEMOKRATISCHE REPUBLIK gestiftet hatte, vorbei – der Verstorbene, zu Hause im Exil, hatte auswärts eine Heimat gesucht; ausgerechnet dort, wo fast alle seriösen Schriftsteller verjagt werden, und hatte in den letzten Jahren für die DDR geschwärmt, wo man unsere Dissidenten liebt, während man die eigenen weniger liebt –, wand sich an den Kränzen vorbei, kletterte auf die Kanzel, hielt, ausgerechnet er, der den Aufruhr des W. M. Diggelmann immer unfein gefunden hatte und zu wenig literarisch, solange Diggelmann gefährliche Sachen geschrieben hatte, eine metaphysische Ansprache, verglichen mit der die Trosteswörtlein des Pfarrers direkt unpfäffisch wirkten. Natürlich nichts Konkretes, wie hätte er auch können. Der Vertreter jener Zeitung, welche den Vietnamkrieg bis zum Gehtnichtmehr verteidigte, dankt den Diggelmann ab, der die Amerikaner immer vehement bekämpfte.

Dann ging er, vorbei an den Kränzen, wieder zu seiner Kirchenbank. Kirche, DDR und NZZ. Weltweit herrschende Orthodoxie, wie Urs Herzog sagen würde. Enge Zusammenarbeit. Wäre Diggelmann im lebenden Zustand mit einem gefährlichen Manuskript zu Werner Weber gekommen, er hätte sich auslachen lassen müssen: So was gehört nicht ins Feuilleton, und in die andern Sparten schon gar nicht. Man kann Weber aber keinen Vorwurf machen,

Diggelmann wollte von ihm abgedankt werden. Die bürgerlichen Wünsche, seine eigenen, haben ihn zum Schluss gefressen, weil es in diesem Land scheint's keine Alternative zur Bürgerlichkeit gibt. Verschluckt hat ihn das Gemüt einer herzlosen Welt, Re-li-gioooon.

Oder was man in Zürich dafür hält.

Da war keiner, der geschrien hätte. Oder dem Weber die Kränze der DDR über den Kopf gestülpt hätte, mit höflicher Empfehlung des jungen Diggelmann, der «Das Verhör des Harry Wind» geschrieben hat.

Reisen

Blochen in Assen, und auch sonst

Für André Pieyre de Mandiargues

«Das einzig Starke an Dir
ist Deine Moto-Guzzi
Aber sonst bist du ja
so ein Fuzzi»
Udo Lindenberg

Das greift so seltsam ans Herz, wenn man diese lederverpackten rasenden Typen unter den mittelalterlichen Topfhelmen, kauernd auf ihren Maschinen mit angezogenen Beinen wie der Fötus im Mutterbauch, mit 260 Stundenkilometern über die Rennbahn von Assen blochen sieht hört riecht spürt.

In Daytona Beach geht's noch schneller, dort fetzen die schweren Siebenhundertfünfziger mit 330 km/h, aber 260 ist auch ein Erlebnis, wenn man's noch nie gesehen hat und selbst nie über 190 hinausgekommen ist auf einer Serienmaschine. Es sind Fünfhunderter, 500-Kubik-Maschinen, welche diese Spitze erreichen, aber vielleicht sind es auch 280 km/h, auf den Kilometer genau weiss man das nicht, die haben keinen Geschwindigkeitsmesser, nur einen Tourenzähler aufmontiert, damit der Fahrer weiss, bis in welche Höhen er den Motor hinauftreiben soll, bevor es ihn verjagt.

Wie der Agostini wieder vorbeigeschletzt ist in der zehnten Runde an der Zieltribüne auf seiner bärenhaft dumpf brummenden MV-Agusta mit ihrem Orgelton, die so vorteilhaft kontrastiert mit den japanischen Heulern (Suzukis, Yamahas)! Die sind ihm auf den Fersen, aber er hat das Feld schon in der zweiten Runde abgehängt, König Ago, wie sie ihn nennen, lässt keinen an sich herankommen, Präludium und Fuge über das Thema Kurvenschneiden, Präzisionsarbeit in der Schräglage, da kann man allerhand lernen für den eigenen Gebrauch, die Schätzungen gehen auseinander und *schwanken* zwischen 50 und 60 Grad Neigung in den Kurven, und wie er das wieder gemacht hat dort in der S-Kurve, wo er zuerst ganz links aussen, zwei Zentimeter vom Pistenrand, hart neben der

Grasnarbe, die Maschine tief zu Boden drückte, mit abgewinkeltem linkem Knie, sie dann wieder emporriss, die Mitte der Rennbahn anvisierte, ganz kurz senkrecht stand und sich darauf nach rechts fallen liess, mit abgewinkeltem rechtem Knie in die Rechtskurve fegte, wumm!, und dabei die Verschalung und ein Auspuffrohr den Boden kratzten, wahrscheinlich auch die ledergeschützte Kniescheibe, ein hartes schnelles Knirschen, aber Agostini schon wieder aufgerichtet, Agostini fest im Sattel, dann stark fötal gekrümmt auf der Zielgeraden mit Vollgas, fünfter, sechster, siebenter Gang, wie der schaltet mit seinem hurtigen italienischen Fuss, ein König, begleitet von Musik aus den Lautsprechern, die den ganzen Parcours säumen, aber die Musik hört er nicht: I CAN'T GET NO SATISFACTION. Die Auspuffe, welche nach hinten aggressiv in die Luft stechen wie Maschinengewehre oder geil aufgestellte Schwänze, verbreiten eine Bewölkung aus Benzin und Rizinusöl, das dem Rennöl zur Leistungssteigerung beigemischt wird, wovon die Zuschauer nicht genug haben können: günstige Anästhesie, die den Lärm verdauen hilft, nochmals gut durchatmen, das begast die Nerven und hilft, die permanent hundertzwanzig und mehr Dezibel vier Tage auszuhalten.

Noch ein Schluck! Genug ist nicht genug! Die Gase, zusammen mit Hitze, Lärm und Musik, speeden die Zuschauer in einen höheren Zustand hinauf. I DO WHAT I WANT ist jetzt die Melodie, und SAY GOODBYE IT FEELS SO STRANGE, und jetzt kommt eine Gruppe von lauter Suzukis, im Volksmund «Sugi» genannt, in allen Tonarten zwischen h-Moll und F-Dur heranmusiziert. Die Maschinen preschen als zusammenhängender Klumpen in eine weidlich scharfe Kurve, wie aneinandergeklebt, zwanzig Zentimeter oder weniger Abstand von Mann zu Mann, mit einem Hundertdreissiger (tief geschätzt), und berühren sich nicht, die Artisten, es verscherbelt keinen einzigen, bravo, der Tod pulsiert in den Kurven und natürlich auch die Libido, und *it feels so strange.* Dennoch gab es heuer nicht einmal Knochenbrüche in Assen, nur weiche Verletzungen, Schürfungen/Prellungen/Hirnerschütterungen, und nur wenige kamen vorübergehend ins ZIEKENHUIS, wie die Spitäler in den Niederlanden heissen.

Alles funktionierte sportlich, auch Angel Nieto hat sich gemässigt; der Bodensurri aus Spanien auf seiner Bultaco-50-Kubik hat seine Konkurrenten, wenn sie ihn überholen wollten, nicht mehr bei 180 km/h in die Schienbeine gekickt oder in die Lenden, mit seinen hart kickenden Beinchen, hat niemanden unsportlich auf die Piste geworfen, auch keinen Wutanfall bekommen und seinen leichten Töff nicht mehr nach dem Rennen an die Wand geschmettert wie auch schon: Er wurde nämlich Sieger der 50er-Klasse und stand befriedigt und ausgepumpt in der Sommerhitze auf dem Podest, während die spanische Nationalhymne und ein Lorbeerkranz, der ihm bis zu den Knien hinunterhing, den Sieg verdeutlichten und er die Huldigung der Massen entgegennahm wie Franco bei der Siegesparade 1939 in Madrid, mit leicht winkendem Fetthändchen. Aus der Vorratskammer unter dem Siegespodest hatten die Pfadfinder, welche den Lorbeer betreuten, nach einigem Suchen den zutreffenden Kranz hervorgenestelt, jenen mit der Inschrift: Grosser Preis der Niederlande, 50 ccm. Er sah aus wie ein Beerdigungskranz, auf der violetten Schleife hätte auch stehen können: Für treue Dienste unserem unvergessenen Mitarbeiter Nieto, die Firma Bultaco. Angel Nieto hatte sein Lederkombi bis zu den Hüften hinuntergerollt. Es war heiss. Sein Oberkörper schwitzte.

Andere konnten die Siegerehrung nicht mehr im Vollbesitz ihrer körperlichen Kräfte entgegennehmen. H. Schmid, Beisitzer oder Beilieger von J. Martial in der Seitenwagenklasse, ein Gespann aus Zwitserland, wie dem Programm zu entnehmen ist, Start 16.15 Uhr am Samstag, vierzehn Runden auf Yamaha, hundertacht Kilometer in knapp dreiviertel Stunden, hat durchgehalten bis zur letzten Runde, hat den ersten Rang gemacht mit seinem Partner, musste, weil anscheinend in den Zustand der tiefsten Erschöpfung gefallen, unter den Klängen von TRITTST IM MORGENROT DAHER direkt vor der Zieltribüne in einen Krankenwagen versorgt und ins Ziekenhuis geschafft werden. Sein Zustand wurde als befriedigend angegeben. Schmids Müdigkeit sei derart gewesen, hiess es, dass er sofort nach dem Ausrollen vom Seitenwagen auf den Zement fiel wie tot, aber glücklich. SEH ICH DICH IM STRAHLENMEER.

Einen andern konnte man treffen, der lag nach dem Rennen zusammengekrümmt und japsend im Gras, stand eine Stunde lang nicht mehr auf, schnappte nur still nach Luft und suchte Kühlung. Auch einer von den Seitenwagenfahrern, auch auf seinem Gesicht ein Reflex von Glück, nachdem der Sanitäter ihm gesagt hatte, er sei gut plaziert. Seitenwagenfahren stellt besondere Ansprüche. Auf den geraden Strecken liegen die Beifahrer bäuchlings ausgestreckt auf ihrem länglichen Gefährt, die Füsse ragen hinten über den Rand hinaus, Fussspitzen wenige Zentimeter über der Piste, sieht aus wie ein rasender Sarg. In den Kurven wird gekniet und beidseitig weit hinausgelehnt. Hosenboden wieder knapp über dem Zement, manchmal auch leicht darauf schleifend. Eine Kunst.

Die Motoren dieser Klasse sind immer überbeansprucht: fünfhundert Kubik, so viel, wie einem Solisten sonst zur Verfügung steht, müssen jetzt zwei Mann und das schwere Gefährt bewegen. Also ständig ENGINE TROUBLE, wie der Kommentar aus den Lautsprechern sagt, Maschinenpech, die Hälfte der Konkurrenten fällt aus, klemmende Kolben, ausgeleierte Lager, Melancholie auf den Gesichtern der Fahrer, welche ihre Gespanne selbst zusammengebastelt haben und voll Zärtlichkeit speziell frisierte Bootsmotoren und andere Fabrikate auf die niederen Chassis pfropften, und dann in der achten oder neunten Runde, wie bei Rudi Kurth und seiner in den Kurven akrobatisch turnenden Gefährtin, die auf einer wirklich genialen Maschine mit revolutionären Neuerungen in den Kampf blochen: Schluss, *Engine trouble,* alles für die Katz. Das Gespann Rudi Kurth / Dane Rowe steht immer kurz vor dem grossen Durchbruch, ihre Maschine wird immer revolutionärer (sagen die Spezialisten), die Bewunderung für ihren Durchhaltewillen ist gross, das Mitgefühl der Zuschauer wegen der nicht errungenen, ganz knapp verpassten Siege auch.

Man sieht die beiden in den Pausen zwischen den Trainingsläufen angestrengt vor ihrer Maschine hocken, sie reden ihr gut zu, die Zündkerzen, Lager, Kolben, Vergaser werden beschwichtigt und geputzt, der ganze Mechanismus demontiert, neue Teile eingefügt, der Ton wird nach Unregelmässigkeiten detektivisch abgehorcht; was für den Laien nur ein wüstes Brüllen ist, wird in den zarten Öhrchen der Liebenden eine Symphonie ... Da geht die ganze Liebe hinein in die Maschine, und auch die ganze Zeit.

Neben ihrer Maschine steht im Fahrerlager der Transporter, auch selbst gebastelt, darin wohnen sie, mit dem fahren sie und ihr

YAMAHA wie die Landstörzer von Rennen zu Rennen zwischen März und September, ausgebucht fast jedes Wochenend, von ihrer Heimat bleibt ihnen nur die Nationalhymne, wenn sie doch einmal gewinnen. Ihre eigentliche Heimat ist der Töff, ein rasendes Vaterland mit Pannen. Drei oder vier Tage in der Woche wird trainiert, und samstags oder sonntags dann gilt es jeweils ernst: das Rennen in Hockenheim oder auf der Isle of Man oder in Imola oder Spa oder Barcelona oder Clermont-Ferrand.

So kommt man in die Welt hinaus, ringelum, irgend etwas treibt sie auf allen europäischen Rennbahnen im Kreis herum. Das Geld? Nicht der Rede wert, die Startgelder und Prämien sind bescheiden, damit kann man kaum die laufenden Unkosten berappen. Der Kitzel? Sie empfinden die Schnelligkeit nicht als Kitzel, sondern als Rohmaterial für Präzisionsarbeit. Der Ruhm? Nur ganz wenige können sich einen Namen machen, wie man sagt, die andern bleiben namenlos im Schatten. Wer dann einen Namen hat, wie Barry Sheene oder Phil Read, der kommt wie diese beiden tatsächlich mit dem Rolls-Royce angefahren und mit vier, fünf Ersatzmaschinen, einem Camion voll Ersatzteilen und einem halben Dutzend Mechanikern, alles von Herrn Suzuki oder Harley Davidson bezahlt oder von Gauloises und Marlborough gesponsort, wie man sagt. Da schläft man auch nicht mehr im Fahrerlager (im Wohnwagen, den die meisten mit sich schleppen), sondern im Hotel, und hat einen ganzen Tross von Griten und Gritli bei sich, fast wie die Autorennfahrer; die Schönheit der Begleitmädchen nimmt mit dem Erfolg zu, versteht sich. Agostini hat in Assen die meisten, Barry Sheene die schönsten.

Und der Ruhm, wie kommt der? Am ehesten dort, wo die beste Maschine sich mit dem tüchtigsten Fahrer paart zu einem rasenden Zentaur. Die besten Maschinen muss man, bevor sie dem tüchtigsten Fahrer von einer Firma samt Zubehör und Mechanikern gratis gestellt werden, kaufen, eine Fünfhunderter-Suzuki für ca. dreissigtausend Franken, und dann die teuren Ersatzteile: Kolben nach 600 Kilometern oder schon vorher durchgescheuert, ständig neue Lager, Vergaser, Ketten usw. Ein reicher Vater kann auch in diesem Sektor nicht schaden, Leute wie Sheene oder Agostini konnten schon immer verschwenderisch mit ihrem Material umgehen, während die ärmeren Kollegen sparen und ihre Maschine nicht selten bis zur äussersten Risikogrenze belasten müssen. Klassenkampf, auch im Reich der Zentauren. Und dann: *survival of the fittest,* der Mutigste überlebt, wenn er nicht verstirbt wie Pasolini, von dem es im Motorrad-Guide (Ausgabe 1974) heisst: Renzo Pasolini wurde Werkfahrer bei Benelli, die mit ihren neuen Vierzylindermodellen viel Erfolg zu versprechen schienen. Bei den letzten Rennen des Jahres war die Sensation perfekt, als er mit einer aufgebohrten 350er in Vallelunga die 500er-Klasse vor Ventura auf Gilera gewinnen konnte und Agostini beim Versuch, den Benelli-Spitzenmann zu überholen, zu Fall kam ... Endlich schien ihm der Durchbruch zur internationalen Spitze, zu der er von der fahrerischen Seite her schon längst gehörte, zu gelingen. Sein Ziel war es, auf einer italienischen Maschine einmal Weltmeister zu werden. Er verunfallte, vor Saarinen liegend, in Monza tödlich.

Es war eine der seltenen Massenkarambolagen, bis zu zwanzig Maschinen sollen ineinandergebumst sein, das Rennen wurde abgebrochen, die rote Fahne geschwenkt: als Zeichen für den Abbruch. Die dabei waren, sprechen nicht gerne davon. Vom legendären Jarno Saarinen (1945–1973) heisst es im Motorrad-Guide: Wenn ein ganz Grosser des Sportes sein Leben verliert, so erschüttert das Millionen. Saarinen war ein ganz Grosser, man sprach von ihm als einem der grössten Fahrtalente aller Zeiten, und er besass die Sympathie der ganzen Welt, wie jeder in der Rolle Davids, der Goliath (= Agostini) bezwingt. Er hatte kämpfen müssen um seine Karriere. Wenn andere schliefen, überholte er spät nachts eigenhändig den Motor seiner Maschine mit der Liebe zum Detail eines Uhrmachers, statt im Hotel nächtigte er in seinem Lieferwagen im Fahrerlager, er nahm alle Entbehrungen der Welt auf sich, um es zu etwas zu bringen, um Bester zu werden ... Jarno Saarinen hatte schon einmal Ende 1972 von einem möglichen Rücktritt gesprochen. Die Angebote, die er für die Saison 1973 erhielt, und die damit verbundene Aussicht, einem Haus und einer Familie etwas näher zu kommen, liessen ihn seine Rücktrittsgedanken vergessen. Mit demselben Kampfgeist, der ihn schon zuvor beflügelt hatte, stürzte er sich in die Saison 1973 und gewann, was zu gewinnen war – und verlor am Ende doch alles.

Nicht viele enden so dramatisch wie diese zwei und bleiben öffentlich als Helden in der Erinnerung kleben; den meisten geht mit dem Alter der Schnauf aus, das Kurvenfräsen wird ihnen unheimlich, ab Mitte dreissig wird's kritisch, man zieht sich in den Beruf zurück, aus dem man gekommen ist. Garagist, Werkzeugmacher, Mechaniker, Schlosser, Motorradhändler; sozialer Abstieg ist selten. Aber wenigstens hat man einmal gelebt, bevor man in den Alltag zurückfällt. Man hat das Lebensgefühl gesteigert. Geschwindigkeit und das schräge Blochen in die Kurven ist Lebensgefühl; der Alltag ist für manche so trüb, dass man ihm gar nicht schnell genug entblochen kann. Man kommt vom Fleck, man bewegt sich, wenn auch nur zum gleichen Fleck zurück, man rast sich selbst und seinen Bedingungen davon, man ist frei, provisorisch. Man wird befördert mit einer unheimlichen Wucht, und man ist gleich wie die andern in der betreffenden Kubik-Klasse, wenn auch einige noch etwas gleicher sind. Und Brüderlichkeit gibt es auch, man hilft sich mit Ersatzteilen aus.

In den Kreisen, aus denen die meisten Fahrer kommen, kann man auch mit grosser Tüchtigkeit fast nie Unternehmer, Kardinal, Dirigent, Autorennfahrer, Schriftsteller werden, aber Töffrennfahrer, das liegt vielleicht drin, da ist ein Ausbruch möglich, wie auch in andern proletarischen Sportarten, wenn man den Rank findet und keine Angst (z.B.) vor dem SPEED-WOBBLING hat, wie man das leichte Schwabbeln des Lenkers nennt, durch welches ein bevorstehendes Abschmieren der Maschine angezeigt wird, meistens.

Es gibt auch Unfälle ohne Vorwarnung: Die überaus heiklen Antriebsketten können reissen. Wenn die Kette wegspickt, hat man Glück, sonst schlingt sie sich eventuell um die Radspeichen, das ist weniger glücklich. Oder der profillose Hinterpneu, sogenannter Slick, profillos, um höhere Geschwindigkeit zu erzielen, kann platzen, oder die stark beanspruchten Kolben können sich festbrennen, was ein geübtes Ohr allerdings einige Sekunden vorher hört, wird doch der Ton deutlich um einen Halbton tiefer, dann muss man nur noch auskuppeln und kann so das abrupte Blockieren der Räder und das anschliessende Überschlagen der Maschine vermeiden. Oder ein Ölfleck kann die Strasse glitschig machen, aber dann steht jeweils bald schon ein Rennfunktionär mit der Flagge da, welche bedeutet: Achtung! Ölfleck!, und dirigiert die Fahrer, wenn das noch geht, an der schlüpfrigen Stelle vorbei.

Oder man erwischt die Kurve nicht mehr, weil man, um einige Sekundenbruchteile zu gewinnen und in falscher Einschätzung der Fliehkraft, das Gas nicht zurückgenommen und nicht heruntergeschaltet hat, aber für diesen Fall stehen überall an den kritischen Punkten Strohballen bereit, so dass die Zuschauer vor der Maschine und dem Fahrer, die wie ein Geschoss auf sie einschlagen könnten, geschützt sind. In Assen waren die Strohballen mit Plastiktüchern umwickelt, damit sie auch nach einem eventuellen Regen noch brauchbar gewesen wären. Dreimal habe ich an jener Strecke erlebt, wie die Strohballen funktionierten; an derselben Stelle hat es dreimal hintereinander Maschinen verschiedener Klasse aus der Kurve gejätet (gejettet), und jedesmal sind die Fahrer elegant wie Ballettänzer abgesprungen, vielleicht auch abgepurzelt, man sah es nicht genau, so schnell ging's. Die Maschinen fetzten ins Stroh und die Fahrer zum Teil hintendrein, doch alle konnten sich noch aus eigener Kraft davonschleppen, und die Sanitäter, welche alternierend mit den Strohballen alle paar hundert Meter bereitstanden, mussten nicht allzusehr schockiert werden. Motorradunfälle haben gegenüber Autounfällen den Vorteil, dass sich der Mensch im kritischen Moment von der Maschine trennen und geschmeidig der ihn umgebenden Natur anpassen kann.

Mittwoch, Donnerstag, Freitag: Training. Das Fahrerlager liegt im Herzen der Rennstrecke, begrenzt von den rasend ringsherum fegenden Mauern aus Töffs. Es ist ein Wohnwagendorf plus aufgebockte Maschinen vor den Autos. Seltsamer Kontrast zwischen den strotzenden Vollblütern und dem gemächlich schleichenden Leben in den Wohnwagen. Gardinen und Kanarienvögel, Lockenwickler in den Haaren der Gattinnen, und ihre Knirpse fahren auch schon Töff, speziell giftige Knirpstöffe, alles dreht sich um die heiligen Maschinen, den ganzen Tag werden Zündungen eingestellt, profillose Pneus mit Feilen leicht abgeschmirgelt, Kolben überprüft. Metall wird geschliffen, dann wieder werden Maschinen im ersten Gang ausprobiert zwischen den Wohnwagen, so dass einen der peitschenknallartig helle Ton in die Nerven beisst.

Der Auspuffrauch kommt bläulich aus den Auspufftöpfen. Rizinusöl. Es ist nicht ein Geräusch wie bei serienmässigen Strassenmaschinen, sondern ein hundertfach verstärktes Gesumm von

Libellenflügeln, Falsett-Töne der japanischen Exportindustrie, yam, yam, yaaaam, mit an- und abschwellendem hellem a, bis einem das Wasser in die Augen springt; nur die Europäer tönen anständiger, vor allem die MV-Agusta und die unvergleichliche Morbidelli, welche in der 125er-Klasse die zwei ersten Plätze belegte.

Morbidelli – im Namen steckt das ganze Programm fürs Rennen.

Die haben alle nur den Töff im Kopf, es geht vermutlich nicht anders, nur Monomanie bringt sportlichen Erfolg. Einer kam in die Kantine, setzte sich, bestellte ein Bier, legte die rechte Hand auf den Tisch, schloss die Hand um einen imaginären Gasgriff, während die linke Hand eine Zangenbewegung manisch wiederholte: kuppeln, auskuppeln. Ob sie nachts, wenn sie bei ihren Frauen in den Wohnwagen liegen, auch immer kuppeln, schalten, Gas geben und die betreffenden Körper mechanisch traktieren? Ihre Maschinen jedenfalls streicheln sie manchmal so, wie man Frauen streichelt, und beim Start bespringen sie ihre Töffs, denn diese haben keinen elektrischen Anlasser und müssen also angeschoben und dann besprungen werden.

Das ist ein phallokratischer Anblick, wenn achtundzwanzig Fahrer im gleichen Moment ihre Maschine bespringen und dann loszischen, nachdem die Stute Feuer gefangen hat. Dazu im Hintergrund die Fahnen, nicht nationale Flaggen der Rennfahrer, sondern multinationale Symbole des Imperialismus: Chevron-, Shell-, Esso-Fahnen.

J'ATTENDRAI LE JOUR ET LA NUIT TON RETOUR singen die Lautsprecher, und – die Knappen, Steigbügelhalter, Mechaniker, Vasallen und Zeitmesserinnen, welche die Maschinen ihrer Herren zum Start begleitet haben, warten, bis sie die Tiere nach der 16. Runde wieder in Empfang nehmen und in die Karawanserei zurückstossen dürfen. Wenn ein Renner während des Rennens vorzeitig aufhören muss – Maschinenpech, verfrühte Erschöpfung–, streckt er das rechte Bein hinaus zum Zeichen, dass er ausschert, damit die andern ihm nicht von hinten in die Maschine wetzen.

Wenn sie dann schwitzend bei den Fahrerboxen sich aushülsen, kommen überraschende Figuren ans Licht, unter kriegerischen Helmen und der windschlüpfrigen Lederrüstung stecken Sprenzel und magere Buben, selten richtige Fetzen. Sie sind jetzt geschrumpft, ohne Helm, Jockeyfiguren, besonders für die unteren Kubikklassen. Damit man mit einer 50er-Maschine, die soviel Kubik hat wie ein normales Moped, eine Spitze von 200 km/h erreichen kann, und die erreichen die Fahrer tatsächlich, muss man sehr leicht sein, schon fast körperlos, ein reiner Geist. Auch ihre hochfrisierten Mopeds sind vergeistigte, zierliche Insekten. Körperlich an ihnen ist nur der Ton. Der fräst sich hinein bis ins Gekröse. Den wird man wochenlang nicht mehr los. Wenn man vier Tage lang beim Start das Aufheulen aller Klassen erlebt, kann man Gehörschäden davontragen.

Im Schlachtenlärm von Assen kommt mir die eigene Maschine in den Sinn, Erinnerung an die Natur, welche meine 750er vermittelt. (Assen ist eine abstrakte Maschinenwelt.) Sie ist in Auxerre geblieben, Engine trouble vor kurzem auf der Autoroute du Sud, bei 180 ein Kolben festgegangen, wenn rechtzeitig ausgekuppelt wird, kann man das Blockieren der Räder vermeiden. Kein Vehikel vermittelt die Welt so intensiv wie eine anständige Maschine: Man sitzt nicht eingesperrt in den eigenen vier Wänden wie die seltsamen Autofahrer, man riecht die Jahreszeiten und hat eine volle Rundsicht auf Werden und Vergehen, der Wind massiert die Haut und schlüpft gelegentlich in die Kleider; man ist auch nicht eingesperrt im Verkehr, bewegt sich frei noch in den schmalsten Korridoren zwischen zwei Wagenkolonnen, Hindernisse gibt es nicht ausser den Verkehrsampeln, man lernt auf dem sensiblen Siebenhundertfünfziger spielen wie auf einem Instrument, mit ihm spielen, Körper und Instrument beginnen zu harmonieren, die Maschine instrumentiert den Körper, der Körper die Maschine.

Vielleicht sollte man es einmal gespürt haben, bevor man leichtfertige Urteile über das Töff-Fahren abgibt, eine Passfahrt im Sommer über Oberalp und Furka, oder ein Ausflug ins Elsass, vielleicht auch die Landschaft zwischen Rocamadour und Montségur, oder die Cevennen. Sich in die Landschaft einfühlen, Bewegungsfreiheit spüren, die Natur wie am Film-Montagetisch beschleunigt abrollen lassen als RUSH, *dann wieder sanft vorübergleiten lassen, nichts um sich spüren als Licht und Wind, den man kräftig oder mild wehen lassen kann, dabei die Körperstellung verändern vom Liegen zum*

Schräg- und Aufrechtsitzen, bei einsamen Strecken die Füsse auf den hinteren Fussrasten, und dann wieder ein Spurt auf geeigneten Strassen mit dem Gefühl der Allgegenwärtigkeit bei dieser Beschleunigung: Man ist sofort überall, in fünf Stunden von der Schweiz in Paris. Man wird nicht befördert wie im Auto, man befördert sich, man ist bei der Sache in einem Zustand höchster Wachheit und Konzentration, die man im Auto nicht braucht, eine Mischung aus Lustgefühl und Kurvenberechnung und leichtem Überschwang, den man hin und wieder drosseln muss, manchmal auch Lachen vor lauter Wohlbefinden, doch das eigene Lachen hört man nicht bei den Geschwindigkeiten, es wird sofort aus dem Mund gerissen.

Verschmelzung mit Maschine und Natur, abends nach einer langen Fahrt hineingeritten in die grossen Städte, überall durchgeschlüpft und noch schnell über die Grands Boulevards geblocht, die Stadt ist befahrbar und erlebbar, man sieht wieder ihre Monumente und wie schön sie gebaut ist, eine grosse Synopse aller Sehenswürdigkeiten, alles zugleich bei dieser Geschwindigkeit: Zusammenschau, fast eine Flugaufnahme. Und dann einfach parkiert auf dem Trottoir, keine Parkprobleme (aber Eigentumsprobleme: mit einer dicken, auch von starken Beisszangen nicht zu öffnenden Kette die Maschine anbinden am nächsten Baum, sonst wird sie gestohlen, die serienmässige Lenkerblockierung genügt nicht).

Da steht sie dann, ruhig, aber strotzend, man kann sie wieder einmal betrachten, die Vorurteile bedenken, welche von Töff-Feinden, Philistern, Banausen, Nicht-Töff-Fahrern verbreitet werden: es handle sich um Kompensationsobjekte, Sexmaschinen, unbefriedigte Menschen müssten sich so abreagieren, wer keine Freundin hat, fährt Töff, und was man sonst alles zu hören bekommt, Potenz-Maschinen usw. Dabei gibt's, bitte sehr, nichts Innigeres, als mit einer Freundin zusammen verschmolzen durch die Stadt zu reiten, nachts auf der Zielgeraden der Rue de Vaugirard, dann eng geschmiegt und angenehm schräg noch um das Grab des Unbekannten Soldaten zu wetzen, das heisst um den Triumphbogen, die schönste Rundstrecke in Paris, und dann dem Fluss entlang, voie Express. Die Lust wird potenziert, nicht kompensiert. Und beim Bremsen die noch enger aufeinandergerutschten Körperchen! Auch hier Naturvermittlung. Schliesslich, nachdem sie beim Absteigen gesagt hat, es sei halt wie ein Rausch, noch eine Zwiebelsuppe in der Coupole, zur Ernüchterung.

Freitag nachmittag in Assen. Es ist soweit, die Trainingsläufe sind vorbei, der Fahrer Stadelmann liegt im Spital mit leicht erschüttertem Gehirn, aber sonst wohlbehalten, Maschine gestaucht im Zelt, wo sie jetzt ganz allein ist, im Fahrerlager sonst keine grossen Unfälle. Ueli Graf mit einer Sehnenzerrung, ein Kollege hat ihm den Lenker in den Oberschenkel gebohrt, zu nahe aufgeschlossen in der Kurve, vermutlich. Ein Geruch von Schweiss und Rennöl in der Luft, flimmernde Hitze über der Piste. Die berittene Königliche Reichspolizei, KONINKLIJKE RIJKSPOLITIE, mit langen, am Sattel herunterbaumelnden Schlagstöcken aus Gummi, hält die Ordnung aufrecht, ohne Schwierigkeiten, die Zuschauer friedlich, die Rocker aus Hamburg, welche früher jeweils herübergeprescht kamen und das Fest mit Schlägereien durcheinanderbrachten, werden dieses Jahr nicht erwartet. Hundertvierzigtausend Zuschauer waren es 1975, etwas mehr wurden diesmal erwartet. Die ersten sind schon da, eine gewaltige Armada aus ganz Europa ist unterwegs, es werden schliesslich hunderttausend Maschinen sein, die ihre Nachtmusik im Städtchen Assen veranstalten, später sieht man sie aufgebockt in ungeheuren, glitzernden Massen auf einer quadratkilometergrossen Wiese. Die Rennmaschinen der Rennfahrer ziehen magnetisch die Serienmaschinen der Strassenfahrer nach Assen, ein grosser Sog ist entstanden, und die Kawasakis, Hondas, BMW, Ducatis, Laverdas, Nortons, Harleys, Yamahas konnten nicht widerstehen, es sieht aus, wie wenn sie selbsttätig zusammengeströmt wären, alle Maschinen Europas, mit Vier-in-eins-Auspuffanlagen, die bei schlankem, unnachahmlichem Styling das Drehmoment verbessern, kraftvolle Beschleunigung und dynamisches Spurtvermögen, elastisch, ruckfrei, leiser Lauf und sichere Handlichkeit. Chrom und Leder, Auspuffe wie Orgelpfeifen bei der sechszylindrigen Benelli, gewaltige Verschalungen, Abänderungen, Frisierungen.

Aus Schweden und Italien, Deutschland und Frankreich, aus Dänemark und Luxembourg und der Schweiz sind sie herbeigeritten, viele mit ihrem Mädchen im Sattel, und tauschen Erfahrungen aus. Wie hast du es mit der 1000er-Honda? Solid, aber ein bisschen schwerfällig in der Kurve. Und die 1000er-Laverda? Unerhörtes Spurtvermögen, aber weniger solid, reparaturanfällig. Welche Verbesserungen bringt die Vier-in-eins-Auspuffanlage bei der Siebenhundertfünfziger-Honda gegenüber dem normalen, vierfach geführten Auspuff?

Aus Osnabrück ein ganzer Motorradklub, Arbeiter, Techniker, Handwerker, die gehen immer zusammen auf Reise, letztes Jahr waren sie im hohen Norden, einer von ihnen folgt im VW-Bus, dort sind alle Ersatzteile und das Campingmaterial. Der Moto-Club Lägern ist auch hier, von denen geht keiner ins Bett heut nacht, um 4 Uhr wollen sie schon an der Abschrankung stehen, für einen guten Platz. Die meisten blutjunge Geschöpfe um die Zwanzig, aber auch ehrwürdige Leute; der Hausi aus Aarau mit dem grauen Bart, ein Rentner auf BMW 650, ist die Autobahn von Basel heruntergekommen, hat eine gute Zeit herausgefahren. Wie die Kreuzfahrer ins Heilige Land sind sie nach ihrem sakralen Rennort unterwegs gewesen, Richard Löwenherz auf Kawasaki, Gottfried von Bouillon auf Laverda, auf den Strassen der Niederlande haben sie die andern Maschinen mit leicht majestätischer Handbewegung gegrüsst, die niederen Kubik grüssen zuerst, die höheren grüssen zurück, einige kommen aus Flandern oder der Lombardei. Manche haben blaugemacht und Geld gepumpt und andere Schwierigkeiten bewältigt und kommen buntgefärbt in ihren polychromen Helmen, eine glühbunte Prozession, anzusehen wie ambulante Ostereier, in das beschauliche Städtchen hineingeschletzt und geben dort mit ihren Motoren ein Konzert, das die Scheiben der holländischen Stuben klirren lässt, und morgen werden sie den grossen Tag haben.

Kleine Fussnote: Combloux, Haute Savoie, 28. Juli 1980, Schlag 14.00 Uhr. Hans Stürm, *on the road* mit Bea Leuthold, will auf unserer BMW 1000 (blau metallisiert, günstige Occasion!), die wir gemeinsam besitzen, bei Tempo so einem landwirtschaftlichen Gefährt ausweichen. Aber es hatte Rollsplit auf der Strasse.

Röntgenbild seiner rechten Hand, nachher (Frakturen Metakarpale II-IV). Ausserdem: Trümmerfraktur des distalen rechten Unterarms. Leuthold: unbeschädigt. Maschine: Totalschaden. Noch mit dem Arm im Gips: eine neue gekauft.

Châteaux en Espagne*

« Von hier sehe ich
Das trockene Antlitz Kastiliens
Wie einen Ozean aus Leder. »
Pablo Neruda, «España en el corazón»

Der Reisende sieht diese hochaufgetürmten Wahnsinnsgebilde über der Ebene schweben wie einen gleissenden Traum, der beim Näherkommen nicht zerrinnen will und immer drohender Gestalt annimmt, bis man ihn betasten abschreiten fühlen kann, den Machttraum und Angsttraum der Eingemauerten, die mit ihrer versteinerten Imponiergebärde die Landschaft beherrschten und immer noch beherrschen und dabei ihre Furcht vor dem Untergang dokumentieren, denn so grausam baut nur, wer sich ständig bedroht fühlt und die nächste Belagerung erwartet oder den nächsten Bauernaufstand oder einfach den Tod. Manche stehen noch über den Dörfern, als ob sich nichts geändert hätte seit dem Mittelalter, drohende Herrschaftswolken, die nicht verdampfen wollen, von weitem sieht das Gemäuer aus wie neu oder restauriert und ist doch nur gut erhalten und auf eine derart solide Art gefertigt, dass auch die nächsten Jahrhunderte fast spurlos an ihm vorübergehen werden. Nur die Weichteile dieser phantasmagorischen Bestien sind unterdessen vermodert, die Dächer längst eingefallen oder von den Dörflern abgetragen, die Balken verfault und alle Innereien verrottet, aber die *Steine* haben Widerstand geleistet und der Mörtel, es muss eine besonders hartnäckige Mischung gewesen sein, kittet die leeren Hülsen des Feudalismus immer noch zusammen. Die Herren haben für die Ewigkeit gebaut, oder bauen lassen, und haben sich riesige Grabsteine gesetzt über dem Land und ihre Herrschaft noch den Nachkommen der Dörfler, welche die Kastelle für sie gebaut haben, ins Gedächtnis graviert, und das macht nun den Eindruck, als ob die *Castillos* dem jeweiligen Dorf, das sie beschirmen sollten, den Lebenssaft herausgesogen hätten und zu

* Im Französischen gebräuchlicher Ausdruck für: Chimären, überrissene Projekte, Phantasmagorien, hoch hinaus (zu hoch).

einer monumentalen Parasitenpflanze herangeblüht wären; das Dorf sieht aus, als ob es sich für seine Existenz entschuldigen müsste, und das *Castillo*, dieser Machtpilz, demonstriert noch als Ruine die alten Omnipotenzphantasien. Die Bauleute, so scheint es, sind noch da in den geduckten, weissgekalkten Häusern am Fuss der Burgen in den winzigen Gassen, wo im Sonnenglast die Hunde träumen und schwarzvermummte Frauen die Kleider der Männer flicken vor den Hauseingängen, aber die Herren sind ausgezogen und nicht mehr heimgekehrt vom letzten Kreuzzug und sind vielleicht immer noch mit der *reconquista* von Spanien beschäftigt, das heisst mit der Wiedereroberung von Spanien, die auch ein Kreuzzug war, denn die Araber hatten das Land besetzt gehalten und sind von den christlichen Rittern in einem vierhundertjährigen Krieg zurückgedrängt worden bis in ihren letzten Stützpunkt Granada, den Isabella von Kastilien und Ferdinand von Aragón, welche man *los reyes católicos* nennt, die katholischen Herrschaften, schliesslich auch noch den Mohren weggenommen haben, 1492. Und seither ist das Land in seiner Gesamtheit christlich oder bildet sich das ein, mit den Arabern, moriscos oder Mohren, wurden die Juden vertrieben, alles Unspanische getilgt oder bekehrt, die Vorfahren von Elias Canetti zum Beispiel, welche auch von einer solchen Burg beschirmt worden waren und später bis nach Bulgarien hinunter auswanderten; sogenannte Spaniolen, die heute im Exil noch das Spanisch des 15. Jahrhunderts sprechen. Die Burgen verloren dann allmählich ihren militärischen Wert, viele waren als Festungen der Christen gegen die Araber oder als Festungen der Araber gegen die Christen gebaut worden, eine befestigte Grenzlinie teilte das Land und verschob sich langsam nach Süden, und nachdem die *reconquista* von Spanien abgeschlossen war, begann 1492, im alten Kreuzzug-Geist, der Drang nach dem Westen über die Meere und der Landraub in Amerika, die noblen Konquistadoren zogen an den Königshof und liessen sich einen Auftrag erteilen und beschlagnahmten im Namen der *reyes catolicós* die Neue Welt, und ihre Burgen in der spanischen Provinz begannen den Jahrhundertschlaf und verlotterten, allgemach. Nur wenige sind heute noch bewohnt. Im Gemäuer der Zinnen dieser Ruinen oder Halbruinen sind oft die Fernsehantennen der Dörfler aufgepflanzt wie kleine Freiheitsbäume. Eine späte Revanche der

Untertanen über die Herren, die *castillos* stehen ja gewöhnlich auf dem höchsten Punkt einer Erhebung, dort oben ist der Empfang besonders gut, und jetzt kommt die Botschaft der neuen Herren aus Madrid über die Burgzinnen in die bescheidenen Häuser geflimmert. Manchmal werden die Ruinen auch als Steinbrüche benutzt, und obwohl ein Burgenerhaltungsgesetz das heute verbietet, werden die Steine wieder in die Ebene hinuntergeschleppt, woher sie kamen, und neue Häuser gebaut mit den antiken Resten und profitieren die Bauern dergestalt ein wenig von der Anstrengung der Vorfahren, welche die Burghügel mit ihrem Schweiss getränkt haben. Es bleiben auch so genug *castillos* erhalten, etwa dreitausend dürften es noch sein, und wenn man alle Reliquien zählt und sämtliche bröckligen Burg-Grundmauern im Land dazurechnet, komme man sogar auf fünftausend, sagt der Verein der Freunde der spanischen Burgen (Barbara de Braganza 8, Madrid 4).

Kommt der Reisende heute nach Calatayud, südwestlich von Zaragoza, nach einer Fahrt durch das ausgedörrte, ockerfarbene Land, auf welches schon seit einem Jahr kein Regen mehr gefallen ist, dann sieht er auf felsigem Vorsprung die Burg leuchten von weitem. Darüber schweben Wolken in der harten Bläue. Ein Kieswerk liegt zwischen Stadt und Burghügel, man hört, wie Steine zerkleinert werden und Lastwagen dröhnen. Dann wird es ruhig und ruhiger. Die Burg ist nur von hinten zu nehmen, vorne ist der Felsen abschüssig. Ein paar alte, ungebrauchte Schuppen stehen da und baufällige Hütten, in denen wohnen Zigeuner. Dann nur noch die Steine der Natur, langsam ansteigender Burghügel, kärglich bewachsen, und die Steine der Geschichte; die sind auf weite Strecken nicht mehr voneinander zu unterscheiden. Alles vermischt, drunter und drüber. Kilometerlange Festungsmauern verbinden die Hauptburg mit einer Nebenburg. Ganz allein ist man hier oben, es ist keine spektakuläre Burg für spanische Verhältnisse, in der Stadt unten kümmert sich niemand um sie, und Touristen gibt es kaum. Den Wind hört man durch die alten Türme pfeifen und einen Motocrossfahrer den Burghügel hinunterknattern, sein Helm taucht zwischen Olivenbäumen auf und unter, ein mittelalterlicher Topfhelm, der vorzüglich in die Umgebung passt, das Motorrad nimmt die steilsten Hänge und belagert die Burg mehrmals und verzischt dann mit grosser Geschwindigkeit, als ob es die Lanzenreiter des Königs geweckt hätte, die nun spornstreichs hinter ihm herjagen. Dann alles wieder ganz ruhig, der Angriff ist abgewehrt, und der Mittag blaut still über den Jahrhunderten. Man kann sich noch vorstellen, teilweise, wie die Burg im Innern ausgesehen haben mag, verwinkelt, wenig Licht, Feuerstellen sind erkennbar, ein Verliess, eine Zisterne, und vielleicht gab es auch Prachträume für den Minnesang und ähnliche Zerstreuungen. Der Grundriss dieser Anlage mit ihren Umfassungsmauern ist so gross, dass die ganze Stadt Calatayud in ihrer heutigen Ausdehnung mehrmals darin Platz fände. Sehr bröcklig und auf eine angenehme Art dem Zerfall überlassen, nicht wie in Westeuropa, wo der Denkmalschutz schon lange durchgegriffen und alles herausgeputzt und zu Tode geputzt hätte.

In den alten Büchern steht, dass im Jahre 720 der Emir Kalat Ayub an dieser Stelle zum erstenmal habe bauen lassen. Orientalischer Luxus blühte auf, eine raffinierte Kultur hatte Spanien erobert. Die Befestigungsanlage soll sich bis zur Ruine von Másillan, etwa drei Kilometer nördlich von Calatayud, erstreckt haben, dort sind noch Gewölbe und Tore mit maurischen Hufeisenbögen erhalten. Das ausgedehnte Kastell, mit Vorwerken, Festungstürmen, Gräben, Gewölben, Fallen, natürlichen Hindernissen, Waffenkammern, sei erst im Jahre 1120 von einem christlichen Heer unter dem Befehl eines gewissen Alfons I. von Aragón erobert, dabei aber nur teilweise zerstört, neu aufgebaut, umgestaltet und erweitert worden, heisst es in einer Chronik, welche keine Auskunft gibt über das Schicksal der arabischen Verteidiger. Dieser Alfons I. sei dann bis zum Jahre 1140 in dem Kastell geblieben, es habe ihm dort recht gut gefallen, und den Arabern sei die Rückeroberung ihrer Burg, an der sie vier Jahrhunderte lang so liebevoll gebaut hatten, nicht mehr gelungen. Der grösste Teil dieser Architektur ist jetzt von Gras und Sträuchern überwuchert, irgendwo auf dem weiten Gelände soll auch ein Gottesacker sein, arabische und christliche Gebeine freundlich gemischt, und der Knochen, welchen der streunende Hund dort aus dem Boden zerrt, gehört vielleicht zum Skelett eines Streitrosses, das im Jahre 720 oder 1120 für die gerechte Sache gefallen ist, oder eventuell ist es ein Menschenknochen. Abgemagerte Hunde sind hier, soweit man sehen kann, die einzigen Archäologen, bekommen wenig zu fressen von den Spaniern und freuen sich über die bescheidenste Atzung. Und manchmal, so geht die Sage, werde Calatayud vom Geist des Emirs Kalat Ayub besucht, jammernd und schlummerlos treibt ihn der Stachel umher, und könne er sich immer noch nicht abfinden mit dem Verlust seines Territoriums und streife er seufzend über die Stätte der Verwüstung. Der Motocrossfahrer heult durch das Gelände und zieht eine Fahne aus rotem Staub hinter sich her. Der Himmel aber ist unterdessen von giftigen Wolken durchzogen, die wie Dampf aus einem der Festungstürme zu quellen scheinen. Von der Stadt tönen Glocken herauf.

Die Fahrt geht dann weiter durch das verdorrte Land nach Mesones, nördlich von Calatayud. Den Wasserläufen entlang wächst noch etwas Grün, dann hört die Vegetation abrupt auf. Viele Bäche und Stauseen sind vertrocknet, in den Kirchen betet man um Regen. Litanei beim Wettersagen, Bittgänge und Prozessionen werden abgehalten, Statuen der Jungfrau Maria über Land getragen und buntbestickte Fahnen. Die Bauern verfluchen das grausam schöne Wetter, welches vom Reisenden gelobt wird. Die Araber hätten, so heisst es, im Mittelalter ein vorzügliches Bewässerungssystem entwickelt, das später, wegen der extremen Parzellierung des Bodens und wegen der kleinbäuerlichen Engstirnigkeit, nicht mehr funktionierte. Seit Menschengedenken sei eine solche Dürre nicht mehr vorgekommen, sagen die Bauern. Vielleicht wären auch die maurischen Bewässerungstechniker hilflos gewesen und hätten ihren Gott anflehen müssen. Dass Du die Früchte der Erde erhalten wollest, Herr, wir bitten Dich, erhöre uns, heisst es in der Litanei.

Die Burg von Mesones sitzt wie eine fette Katze auf dem Dorf und bewacht die kleinen, einstöckigen Häuser. Sehr waghalsig ist sie auf den Felssporn hingepflastert worden, und die Bauern haben sich eins abrackern müssen, bis die Steine dort oben waren. Wie sind die riesigen Quader auf den Berg gekommen? Was haben sich die Bauleute gedacht? Konnten sie vor Anstrengung noch denken? Als Lohn hatten sie die Sicherheit im Krieg, und Krieg gab es oft, sie durften sich dann jeweils in die Burg flüchten. Aber den Krieg machten nicht sie, der war das edle Handwerk der Ritter, und eigentlich wären sie gut ohne ihn ausgekommen. Und wenn es ganz brenzlig wurde, verkrümelten sich die Burgherren nicht selten, die waren mobil mit ihren Pferden und liessen Kastell und Bauern auf der angestammten Scholle zurück. Ein kastilisches Klagelied aus der Zeit der Ritterfehden sagt:

Zu dieser Zeit ritten
die Adligen nach Kastilien
die armen Bauern
litten grosse Not

Man nahm ihnen alle Habe
aus Schlechtigkeit und Raffgier
die Felder lagen brach
aus Mangel an Gerechtigkeit

Sobald sie konnten, kehrten die Schutzherren
auf ihre Ländereien zurück
hörten nicht auf Krieg zu führen
wie gewohnt

Jeden Tag brachten neue Schwadronen
den geringen Leuten Verwüstung
und raubten das Land
und töteten die Bauern.

Bevor man die Ruine von Mesones sehen kann, lässt man sich in einer Dorfschenke zwei riesige Schlüssel aushändigen, wie sie früher für die Stadttore gebräuchlich waren, und hat ein seltsames Gefühl dabei. Nachdem eine Stadt bezwungen war, wurden jeweils den Siegern solche Schlüssel dargebracht. Auf einem Pfad mit Spitzkehren zum Felssporn hinauf, kreischend öffnet sich das Eichentor, Bergdohlen segeln über die Mauern, der zweite Schlüssel ist für die Kirche, welche in der Umfriedung steht. Dort drin flackert ein ewiges Licht, und sehnsüchtige Barockaltäre dämmern im Schatten, und Statuen warten auf das Gesinde, aber das Kastell liegt gottverlassen ausgeweidet in der Sonne, ohne Dach, Ansätze von gotischen Gewölberippen deuten ins Leere, unter den Kapitellen ein Wappen mit Halbmond und seitwärts zwei fast intakte Türme mit Wendeltreppen. Die führen in die Höhe zum Erker, wo eine steinerne Sitzbank eingelassen ist, darin sind zwei Löcher verschiedener Grösse, dort geht es gut fünfzig Meter in die Tiefe, unten klatschen die Fäkalien dann an die Fundamente der Burg, es geht auch heute noch. Die Latrine hat alle weltlichen Einrichtungen in diesem Kastell überlebt, ausser ihr funktioniert nichts mehr, Kemenaten, Söller, Wachstuben, Rittersaal, Waffenkammer, Küchen, Zisternenwinde, Zugbrücke, Vorratskammer, alles kaputt, vorbei, bemoost und vermodert. Nur für die Seele ist noch gesorgt, aber wer soll hier die Kirche benutzen; und auf die Entleerung der adligen und kommunen Leiber warten die beiden ungleichen Löcher. Man sieht von der Zinne weit ins Land hinaus, das Dorf dort unten scheint für Pygmäen gebaut, und der Burgherr wartet ungeduldig auf Gaukler und Spielleute oder den nächsten Krieg, ihm die Langeweile zu vertreiben. Gebückt arbeiten die Bauern auf den dürren Feldern, der Zehntenvogt bringt die Abrechnung vom letzten Jahr, und ein Düsenjäger fliegt den Horizont entlang. Der nächste Krieg wird die Langeweile vertreiben und den geringen Leuten Verwüstung bringen. Ungeduldig scharrt der Huf des edlen Rappen im Schlosshof. Turnier! Turnier! Und dann sofort ein Gelage.

Von Mesones ist es nur ein Katzensprung bis Illueca, ein paar Hügelzüge muss der Reisende überwinden, enge Dörfer (pueblos) mit vielen nähenden, vor den Haustüren sitzenden Frauen, vorsichtig durchqueren, unvermutet in der Dämmerung auftauchende Maultiere mit ihren Reitern (Sancho Pansa) nicht beschädigen, in Illueca den Pfarrer *(párroco)* finden. Der will zuerst die Abendmesse einläuten, schnelles nervöses Bimmeln, begleitet den Reisenden dann zu einer Mauer, welche die Dorfkinder am Betreten des Ruinengrundstücks hindern soll, schliesst eine Tür auf, sagt: *Natürlich* könne man das Gebäude dort hinten im Schatten besichtigen, *warum nicht*, aber auf eigene Gefahr *(peligro)*. Dann verabschiedet er sich mit auffälliger Herzlichkeit, als ob es für immer wäre, geht in die Kirche zurück, schon hört man das Bimmeln wieder: Wandlungs-, Feierabend-, Totenglöcklein? Das Gebäude zeigt eine langgestreckte, etwas verdrossene Fassade, halb Burg, halb Kloster, in der Mitte zwei schiefstehende Türme mit Rissen und abblätterndem Verputz, oben Galerien und zahlreiche Fenster, zerbrochene Scheiben. In Deutschland würde man sagen: Ein Juwel! Sofort renovieren! Hier nicht. Es hat zuviel davon. Eine schiefe Stiege mit halbzerstörten Stufen führt auf einen Treppenabsatz, das Feuerzeug gibt wenig Licht. Fledermäuse sirren durchs Gewölbe, die Treppe macht kehrt, die Stufen sind jetzt auf zwei Dritteln ihrer Länge zerbröckelt, und der obere Stock ruht nur noch auf drei leichten Säulen, nicht solid, aber elegant. Ungefähr Renaissance. Die hintere Wand fehlt, ein Stück vom Abendhimmel ist jetzt dort, das ist auch schön, und der Fuss tritt auf irgend etwas Weiches. Dieses huscht, einen klagenden Laut ausstossend, die Treppe hinauf, und oben wird das Rieseln im Gemäuer immer lauter. Viele Steine sind schon von der Decke auf die Treppe gefallen. Lohnt den Besuch! (Mit Helm.)

Molina de Aragón, Provinz Guadalajara. Abends sich der Festung genähert: uneinnehmbar. Kein Loch in der unendlichen Umfassungsmauer. Biblische Stadt auf dem Berg, Wolkenschatten auf brandrotem Boden. Alles gerüstet für die Belagerung, Fallgitter gesenkt, überall verriegelt und verpicht, keine Mauerritze, die den Blick freigäbe ins Innere. Ein besonders düsteres oder prächtiges Geheimnis muss hinter diesen Wällen liegen, eventuell die verbotene Stadt? Erst von der Zinne des frei zugänglichen Turmes auf der Hügelkuppe, Torre de Aragón, sieht man, dass die erste Umfassungsmauer nichts verbirgt als eine zweite Mauer mit Türmen, die ihrerseits einen leeren Innenhof umfasst. Nur roter Sand und Steine, aber alt. Die Türme sind allerdings recht gut gelungen mit ihrem gezahnten Oberteil. In der Stadt unten, die früher von der Burgmauer umfasst worden ist, interessiert sich niemand für die Militärarchitektur. Das ist vorbei, die Leute haben andere Sorgen. Nur Fortunato Martinez, der alte, von der Gemeinde beauftragte, aber nicht besoldete, freischaffende Burgwächter, könne die Tore öffnen und eine Führung machen.

Am nächsten Morgen steht er vor dem Haupteingang, drahtig und frisch, achtzig Jahre alt, kein Alter im Vergleich zur Burg, wie er sagt. Rüstig trippelt er voraus, hüpft beinahe, erklettert Mauerkronen, läuft über Wehrgänge. 1921 hatte er unter dem Kommando des Generals Franco die Rifkabylen bekämpft in Spanisch-

Marokko; weshalb, habe man ihm nie erklärt. Es sei ein anstrengender Krieg gewesen gegen die Araber, damals, und unbegreiflich lange habe er sich hingezogen, und wenn er sich richtig erinnere, hätten die Spanier schliesslich gesiegt, trotz der Hitze. Dann sei bald der nächste Krieg gekommen, diesmal im Mutterland, und alle wehrfähigen Männer in Molina de Aragón hätten begierig auf die Roten, *los rojos,* gewartet, 1936, die sich aber wohlweislich nur bis an den Stadtrand vorgewagt hätten und nach drei Tagen endgültig vertrieben worden seien für den Rest des Bürgerkriegs, «und nur die Schusslöcher in der blechernen Windfahne auf der Kirche dort unten sind uns als Erinnerung geblieben», sagt Martinez, bevor er die Funktion der Pechnasen erklärt und das schöne Becken zeigt, worin das Öl erhitzt wurde, welches man im Mittelalter auf die Araber heruntergoss oder auf die feindlichen spanischen Brüder in den vielen Kriegen. Heisses Pech und Öl aus den Pechnasen auf die Belagerer gegossen, das habe Wunder gewirkt, sagt der Kriegsveteran nicht ohne Begeisterung, und würde immer noch Wunder wirken, die Pechnasen seien noch im Stande, Öl könne man auch immer auftreiben.

Von den Zinnen herunter erläutert der Wächter die Stadt. Rechts aussen das Barrio de la Juderia, Judenvorstadt, die man immer noch Juderia nenne, obwohl die Juden vor fünfhundert Jahren vertrieben worden sind und seit 1492 kein einziger mehr dort gelebt habe. Dann das Stadtgefängnis, zwei oder drei Klöster, Asyl, Spital, die Kirchen San Gil, Aescolapius, Santa Clara. Ein wenig Industrie am Rand, garstige neue Blöcke, die Altstadt in der Mitte zusammengekuschelt. Während des Bürgerkrieges habe man versucht, Löcher für den Luftschutz in die Erde des Burghügels zu graben, was aber trotz maschineller Bearbeitung nicht richtig gelungen sei, dort unten zwischen erster und zweiter Umfriedung. Man sieht noch die Kerben. So hart sei hier die Erde. Den Ratten allerdings gelinge es immer wieder, sich durch den Boden zu nagen. Immer mehr Rattenlöcher in letzter Zeit auf seinem Territorium, das macht ihm Sorgen, auch die jungen Leute aus der Stadt, die manchmal nachts hier einbrechen und vagabundieren und aus Mutwillen eines der alten Tore angezündet hätten. Und dann zeigt der Wächter Martinez auch noch den Söller, von dem im dreizehnten Jahrhundert Doña Maria de Molina zu Tode gestürzt ist, ob zufällig, weil sie das Gleichgewicht verloren habe beim Kämmen ihres langen goldenen Haars, oder in selbstmörderischer Absicht, wolle er dahingestellt sein lassen.

Über der Festung ziehen die Wolken, ballen sich, wandern weiter, unter dem roten Boden ist ein Friedhof, 1808 sind die Franzosen durch das sogenannte Franzosentor ins Kastell eingedrungen, und Fortunato Martinez regiert jetzt allein auf Molina de Aragón, Don Fortunato de Aragón. *Dentro mi corazón,* sagt er, ein altes Gedicht zitierend, in meinem Herzen steht der Turm von Aragón. Das Grosse bleibt gross nicht und klein nicht das Kleine, die Nacht hat zwölf Stunden, dann kommt schon der Tag. Und Franco ist ja auch schon tot. Aber Fortunato lebt noch, der drahtige Veteran aller spanischen Kriege.

Belmonte steht in La Mancha, diese Ebene hat Cervantes hervorgebracht, der in arabischer Gefangenschaft seine Bücher schrieb, und gleich neben der Burg Belmonte steht eine Windmühle, und auch die Burg von Consuegra, Provinz Toledo, ist von Windmühlen umstellt, zahlreichen ungeschlachten Riesen, mit denen Don Quixote ein Treffen zu halten und ihnen sämtlich das Leben zu nehmen gedachte. Es war ein redlicher Krieg, und es geschah Gott zu Dienst und Ehren, wenn man solch böse Brut vom Angesicht der Erde vertilgte. Der Bürgermeister von Consuegra hat bei den letzten Wahlen seine Gegner vertilgen wollen, füllte die Urnen mit gefälschten Zetteln aus Angst vor der roten Brut, aber die Sache ist ans Licht gekommen, der Bürgermeister wurde blamiert, und eine grosse Demonstration zog durch das Dorf unter den Windmühlen. Der Fall ist in ganz Spanien bekannt geworden. Schon früher ist Consuegra einmal in die Geschichte eingegangen, weil König Alfons der Sechste von den Almoraviden, einer arabischen Dynastie, hier besiegt worden ist, als die Mohren noch in der Offensive waren. Und das war so gekommen: Der Mutamid von Sevilla hatte in der Hoffnung, seinen christlichen Widerpart Alfons den Sechsten zu besänftigen, diesem seine Tochter Zaida zur Frau gegeben, und Schloss Consuegra, das mehrmals den Besitzer wechselte, war Teil ihrer Mitgift gewesen. Zaida nannte sich fortan Isabel. Solche Toleranz war damals, vor 1492, nicht selten, die drei Religionen lebten in manchen Gegenden friedlich neben- oder miteinander, es gab christliche Enklaven im arabischen und arabische im christlichen Gebiet. Auch in den Köpfen gab es Enklaven. Mutamid war ein Dichter-König, vertraute mehr den guten und gescheiten Worten und der Versippung als dem unangenehmen Krieg. Jedoch sein Schwiegersohn verstand keinen Spass und blieb ein aggressiver Mensch, der sich von keiner Poesie besänftigen liess, und wollte weiter expandieren. Da musste der sanfte Mutamid den harten Yussuf, seinen arabischen Rivalen, zu Hilfe rufen. Dieser übernahm die Macht, schickte seine besten Truppen gegen den christlichen König in Consuegra, welcher sich schon bald geschlagen in die Burg zurückzog. In dieser Schlacht starb, 1079, der einzige Sohn des grossen Cid, ein sogenannter Nationalheld, und viele andere, weniger berühmte Söhne, deren Namen nicht überliefert sind. Die Almoraviden gaben jedoch auf und zogen sich zurück, vielleicht hat ihnen eine langwierige Belagerung nicht behagt. Erst dem nächsten Araberstamm, der von Afrika herüberkam, den Almohaden, gelang es, die Burg Consuegra zu brechen. Später ist sie von Alfons dem Siebten wieder zurückerobert worden und der Christenheit dann nie mehr verlorengegangen. Darüber sollen die historischen Steine sehr glücklich gewesen sein. Die Untertanen, so heisst es, hätten jedoch die arabische Herrschaft vorgezogen, weil Handwerk und Handel dort mehr prosperierten, und seien in ihres Herzens Grund noch lange Zeit keine rechten Christen geworden.

Belmonte, Sonnenuntergang mit Windmühle und Burg. Der Himmel ist ganz ausgefranst, strähnig, violett, rechts oben pathetische Ballungen, die Landschaft leicht gerippt, ruhig, ausgeglichen. Kein Hindernis für die Augen, ringsherum nichts Abruptes ausser dieser Burg. Hier hat Eugénie de Montijo gelebt, bekannt geworden als Frau von Napoleon III., Kaiser von Frankreich. Nur kurz soll sie hier verweilt haben, die preziöse Dame, ihre Familie besass so viele Schlösser, dass sie alle paar Monate den Wohnsitz wechseln konnte. Hat trotzdem einiges umgebaut, wollte den letzten pariserischen Chic in Belmonte haben, prunkvolle Kamine, schön gearbeitete Fenster, zweistöckige Spitzbogengalerie. Die Burg ist gut im Stande, danke, heizbar, bewohnbar, aber nicht bewohnt. Der Dorfpolizist schliesst auf. Unendliche Zimmerfluchten, alles bezugsbereit. Eine Burgbesetzung müsste man anzetteln, Instandbesetzung ist nicht nötig. Nach dem letzten Krieg war hier eine staatliche Mütterschule einquartiert, Vorbereitung der christlichen Mütter auf ein christliches Familienleben, oder was sich Franco darunter vorstellte. Die sind jetzt in ein anderes Schloss umgezogen. Wie es der Zufall so bringt, ist unter den Besuchern von Belmonte ein Ehepaar aus Barcelona, Stickereifabrikanten auf der Durchreise nach Madrid, wo sie ihrer adeligen Kundschaft die letzten Kreationen unterbreiten und Mass nehmen für neue Kleider, und die kennen zufällig die Besitzerin von Belmonte, eine Gräfin von Penaranda, und die wohnt in Madrid und werde den Reisenden gern empfangen, sobald ihn seine Geschäfte dorthin führen würden. Übrigens sei hier ganz in der Nähe ein bewohntes Schloss, Guadamur, die Familie stünde als Sehenswürdigkeit den Gebäulichkeiten in nichts nach. In Guadamur öffnet sich jedoch, solange man auch mit dem Türklopfer klopfen mag, keine Tür. Es ist ja auch schon dunkel. Warum ist der Wassergraben nicht gefüllt? Sehr unordentlich! Muss dem Verein der Freunde der spanischen Burgen gemeldet werden. Auf dem Bergfried flattert ein langer Wimpel. Vielleicht hat der Stickereifabrikant Guadamur mit Layos verwechselt, paar Kilometer weiter Richtung Toledo.

Und wirklich gibt's in Layos ein Schloss mit pulsierendem Inhalt. Der *jefe* sei abwesend, sagt eine Magd am Dienstboteneingang hinter dem grossen Hoftor, aber die Herrin *(jefa)* würde sogleich eintreffen, der Reisende möge sich doch bitte von dem Jungvolk, das sich übers Wochenende im Schloss aufhalte, in den Salon geleiten lassen; was er denn auch tat. Durch den Innenhof, den geschmackvoll restaurierten, rechteckigen, die Stiegen hinauf in den ersten Stock, wo in einer Wandelhalle Jagdtrophäen ausgestellt sind, vorbei an Elefantenzähnen, Hirschgeweihen, Wildschweinköpfen, Antilopenhörnern in den Salon. Hölzerne Decke in Zeltform, reich geschnitzt, ca. 14. Jahrhundert, *mudéjar:* so nennt man den Stil, welchen arabische Künstler unter christlicher Herrschaft herausbildeten. Alte tableaux, die nur in Schlössern recht zur Geltung kommen, grossflächig, auf Distanz zu betrachten, dazu knappes, modernes Mobiliar, auch ältere Möbel. Doch, das hat Geschmack. Die Marquise, welche bald erscheint, in gut sitzenden Reitstiefeln; jung-dynamisch, Innenarchitektin. Das Jungvolk aus

Madrid, Verwandte, welche hier, wie die Marquise selbst, das Wochenende zu verbringen pflegt, streicht sich die Gesichter mit schwarzer Farbe ein, um den Reiz der Mondscheinpartie zu erhöhen, gleich geht es hinaus auf die Latifundien, und der Reisende wird sich ungestört mit Carmen Icáza de Oriol, die ihm jetzt auch wirklich einen Wein kredenzt, unterhalten können.

Das ganze Dorf Layos, so beginnt die Marquise von O. ihre Erzählung, habe vor dem Bürgerkrieg einem gewissen Conde de Mora gehört. Illustre Familie! Der erste seines Geschlechts sei Botschafter des Ferdinand von Aragón in Rom gewesen, später habe eine Tochter des Suezkanal-Erbauers Lesseps einen Mora geheiratet, auch Eugénie von Montijo habe zur Sippe gehört, und die Herrlichkeit habe eigentlich erst 1936 ein Ende gefunden, als die Familie fluchtartig Dorf und Schloss verliess, sonst wären sie von den aufgebrachten Bauern, wohl nicht ganz zu Unrecht, sagt die Marquise, umgebracht worden, wie viele ihrer Gattung. Die Bauern hatten nämlich genug von den Grundherren, damals, und wollten sich dieselben definitiv vom Halse schaffen. Das Schloss oder *Schlösschen,* wie sie es nennt, eine Burg sei das nicht, weil zu wenig wehrhaft, sei dann von der republikanischen Armee besetzt gewesen, die leider etwas übel gehaust und alles brennbare Material verfeuert habe, rücksichtslos den kunsthistorischen Wert des Holzes einem krassen Materialismus opfernd, nur die hölzernen Mudéjar-Decken hätten den Vandalismus überdauert, wie, sei ihr schleierhaft. Später seien dann auch Teile der Internationalen Brigaden hier einquartiert gewesen, welche ebensowenig Sinn für die Schönheit der Gebäulichkeiten entwickelt hätten wie die Soldaten der Republik. Die Bauern aus dem Dorf hätten sich ausserdem verschiedentlich am Mobiliar schadlos gehalten. In einem der Zimmer des Schlösschens habe sie eine Wandzeichnung (Kreide, 20. Jahrhundert) obszönen Inhalts gefunden, zwei nackte, ineinander verschlungene Körper, signiert: John Cunningham, Chicago, diese sei höchstwahrscheinlich von einem internationalen Brigadisten hinterlassen worden; und sie habe den Dorfgipser von Layos ausdrücklich gebeten, weil sie nämlich den Originalitätswert des Gekritzels und auch seinen historischen Erinnerungswert schätzte, die Zeichnung bei der Renovation nicht zu zerstören. Der Dorfgipser jedoch, ein etwas kruder Mann, habe in der Annahme, ihr einen Gefallen zu tun, die Obszönität weggekratzt; bedauerlicher Mangel an Einfühlungsvermögen. Überhaupt seien die Leute hier auf dem Land etwas prosaisch und utilitaristisch eingestellt, an schönen Hunden sei ihnen nichts gelegen, man sehe fast nur Köter im Dorf, es würden nur Bäume gepflanzt, aus denen die Bauern unmittelbaren Nutzen zögen, vor allem Olivenbäume. Pferde gebe es auch kaum, nur Nutzesel, und an der Natur werde Raubbau getrieben; wenig ökologisches Bewusstsein, wenig Schönheitssinn. 1965 habe ihr Mann, der Architekt, welcher in Madrid gut und gerne vierzig Angestellte in seinem Büro beschäftige und internationales Ansehen geniesse und auf der ganzen Welt baue, aber auch jage, kürzlich wieder in der Äusseren Mongolei (Büffeljagd) – habe er also das heruntergekommene Schlösschen gekauft und fachgerecht restauriert, im gleichen Zug auch sozusagen alles Land im Dorf erworben, das ja traditionellerweise zum Schlösschen gehört habe, alles zu einem Preis, den man noch christlich werde nennen können; und habe den Dörflern dann, weil er nicht alle 1500 Hektaren selbst bewirtschaften möchte, 900 Hektaren zum Kauf angeboten, wodurch die Bauern zum erstenmal in den Besitz eigenen Landes gekommen wären. Die seien jedoch finanziell nicht in der Lage gewesen, das dergestalt angebotene Land zu erwerben, also habe die Regierung Geld lockergemacht und an Stelle der Bauern dem Marquis von O. eine gewisse Anzahlungssumme entrichtet; die Abstotterung des ganzen Betrags ziehe sich allerdings über Jahre hin, und die Bauern könnten dann ihrerseits wieder der Regierung den vorgeschossenen Betrag zurückzahlen. So sei es nun gekommen, dass die Familie Oriol nur noch 600, die Bauern aber 900 Hektaren besässen, und habe man ihnen auch grosszügig die Gründung einer Genossenschaft offeriert, an welcher der Marquis, der sich, wie sie selbst, in die agrarischen Belange überraschend gut eingearbeitet habe, sich auch beteiligen wollte. Die Bauern jedoch, misstrauisch gegenüber Neuerungen, wie sie nun einmal seien, hätten nicht mitmachen wollen in der Genossenschaft, deren Gründung dann unterblieben sei; leider. Der Marquis habe auf seinen Ländereien, welche nach den allermodernsten Methoden bewirtschaftet würden – 9500 Schafe, 200 Kühe und allerhand Kleinvieh obendrein –, grosse Bewässerungsprojekte realisiert, in deren Genuss auch die Dörfler gekommen seien, ausserdem habe er 30

Personen aus dem Dorf, die auf den Oriolschen Latifundien beschäftigt seien, Arbeit verschafft. Diese seien sehr gut gehalten und würden so mehr verdienen als auf dem eigenen Gütchen. In ihrer Abwesenheit, denn die Oriols seien nur über das Wochenende und einige Sommermonate auf den Ländereien, würden diese von einem tüchtigen Verwalter beaufsichtigt.

Erwähnenswert sei noch die Jagd (Rebhuhn), von der exklusiven Art, welche jährlich nur an zwei Wochenenden stattfinde, dafür aber stets mit netten Jagdgästen bestückt sei. Man müsse immer wieder Rebhühner züchten und aussetzen, damit die edlen Vögel nicht ausstürben. Die pauschalen Jagdarrangements über ein verlängertes Weekend – die Gäste wohnen und essen im Schlösschen, die Pflege der Geselligkeit ist inbegriffen – brächten einen weiteren Batzen in die Familienkasse, und auch den als Treibern angestellten Bauern ein Zubrot. Hansi sei auch schon hier gewesen, ein Hohenzollernprinz, auch Nando (von Hohenlohe) und der liebenswürdige Moritz (von Hessen), während Franzl (Burda) ihr eher etwas sauertöpfisch vorgekommen sei, er mache immer so ein Senatorengesicht. Aber Sven (Simon), der Sohn des Verlegers Springer, sei äusserst nett gewesen; schade, dass er sich entleibt habe.

Gleich hinter der Marquise hängen zwei Bilder, schön im Gesichtsfeld des Reisenden. Ein gemaltes; welches die Marquise vor ca. 20 Jahren darstellt, im Stil der spanischen Granden, und ein fotografisches aus neuerer Zeit (Porträt, farbig). Auf der Fotografie ist unten mit Filzstift eine längere Widmung hingemalt, am Schluss steht deutlich abgehoben ein R. Auf die Frage, was die Inschrift bedeute, sagt die Marquise, indem sie nochmals Wein nachgiesst, der König von Spanien habe das Bild geknipst und darunter geschrieben: «Meiner lieben Carmen, in der Hoffnung, dass mein nächstes Foto besser gerät, mit den besten Wünschen Dein Juan Carlos, R.» Das R steht für Rey (König). Ein besseres Foto könne man eigentlich kaum anfertigen, sagt die Marquise von O., und der König sei doch allzu bescheiden. Auch *er* sei schon zur Jagd auf ihren Gütern gewesen. Nicht nur sie selbst, auch Spanien insgesamt habe ihm viel zu verdanken, weil er doch kürzlich die Demokratie gerettet habe. Die alten Generäle aus der Franco-Zeit, diesen rabiaten Milans del Bosch und den dümmlichen Tejero und all die vulgären

Frankisten könne sie nicht leiden, die hätten kein Format und keinen Horizont, und bestimmt würden die wieder einen Putsch versuchen, aber seien wegen ihrer Dummheit zum Misserfolg verurteilt. Die Basken mit ihrem Terrorismus arbeiteten den altmodischen Trotteln leider in die Hände. Übrigens ihr Onkel, ein in der Elektrizitätswirtschaft führender Oriol, sei auch einmal von der ETA entführt, aber nach einigen Monaten unverletzt freigelassen worden. Der wisse eben, wie man mit Entführern umgehe.

Abschliessend müsse sie übrigens betonen, dass im spanischen Bürgertum und Adel keine wirklich bedeutenden Reichtümer angehäuft seien, alles sehr bescheiden, verglichen mit dem Geld der Reichen in Westeuropa. In Gstaad oder St. Moritz, während der Winterferien, käme sie sich immer vor wie Aschenbrödel. Schliesslich arbeite sie, ihr Mann auch. Und ob der Reisende, wenn ihn sein Weg nach Madrid führe, sie in ihrem kleinen Innenarchitekten-Betrieb besuchen wolle?

Versprochen.

Und jetzt wieder zurück über den rechteckigen, im zweiten Stock mit Holz verkleideten Hof (mudejar), vor dem Abschied noch ein Blick in die Stallungen. Die Magd steht wieder am Tor. Carmen Icáza de Oriol hat eine Vorliebe für die spanische Pferderasse, der Name der Spanischen Hofreitschule sei davon abgeleitet. Eigentlich zöge sie die Spanier den Arabern vor: mehr Charakter. Ein Blick auf die Pferde zeigt, welch sicheren Geschmack die Marquise auch auf diesem Gebiet hat. Die feinen Nüstern! Lebhaften Augen! Wohlgebildeten Kruppen! Die zwei Araber halten den Vergleich mit den Spaniern nicht aus. Temperamentvolle und doch verlässliche Tiere mit recht viel Blut, fein modellierte Köpfe. Ein solches sei heute ohne weiteres seine hunderttausend Dollar wert, umgerechnet. Ideal für Spazierritte, weniger für Dressur. Und grüssen Sie mir die schöne Schweiz, aber auch Deutschland!

Auf den Strassen von Layos lungern die Hunde im spärlichen Lampenschein, alte Männer mit ledrigen Gesichtern hocken noch immer vor den Haustüren, schweigend. Ein kleines Monument erinnert an die Gefallenen des Bürgerkriegs. Nur die Namen der gefallenen Frankisten sind eingraviert, die andern hatten vielleicht keine Opfer zu beklagen? Morgen ist ein staatlicher Feiertag, da wird die Entdeckung Amerikas gefeiert, *día de la hispanidad* nennen sie es. Die erdumspannende hispanische Völkerfamilie, von Spanien über Südamerika bis zu den Philippinen. Die Köter sind wirklich sehr hässlich, da hat die Marquise schon recht, kurzbeinig, triefäugig, struppig, sabbernd und räudig. Man wird ihnen auf den Pelz rücken müssen, wenn man die Dörfer verschönern will. In den Spelunken füllen sich die Gläser mit wohlfeilem Brandy, und im Hinblick auf den Feiertag lassen sich die Leute vollaufen, erzählen ein wenig von Arbeitslosigkeit, schlechten Löhnen, Auswanderung, abstumpfendem Landleben. Gstaad oder St. Moritz kennen sie aus der Perspektive des Servierpersonals, vielleicht haben sie die Marquise auch dort bedient. Aber besser kennen sie das Ruhrgebiet. Auf einer Mauer in Layos steht geschrieben LA MIERDA DE LA PROVINCIA. Noch bis in die Morgenstunden dringt der Lärm durch die dünnen Wände in die Schlafkammer des Reisenden herauf.

Morgen werden sie Amerika entdecken.

Liverpool

Es riecht so eigentümlich in der City, und nicht nur, weil die Müllabfuhr gerade streikt, und es tönt so ungewohnt, es läutet in allen Tonarten, bimmelt, klingelt, schellt, tutet wirklich sehr oft, es schwillt an und ab, die Passanten ficht das aber nicht an, und der Fremde denkt sich: Sind das Pausenglocken aus Schulhäusern, oder Alarmglocken? Dann müsste doch die Polizei kommen, wie sich das gehört. Polizei gibt es hier genug. Kommt aber nicht, und die klagenden, warnenden, jaulenden Töne verebben irgendwann. Der Geruch ist leicht brandig, für eine richtige Feuersbrunst aber zu schwach, wollen wir jetzt nochmals wittern –.

Eine leichte Brise fächelt von den Docks herauf. Die Königin Viktoria steht massiv und etwas tantenhaft auf ihrem Sockel, eine schwere Portion Erz, echt viktorianisch ist sie aufgebaut worden unweit der Piers. Zu ihren Füssen sitzt einer aus Fleisch & Blut mit Bartstoppeln und geflickten Hosen und verkauft zusammengerollte Abfallsäcke, brandneu, die aber keiner haben will, und ausserdem ist jetzt sowieso abends um sieben fast niemand mehr anzutreffen in diesen Strassen. Der Wind treibt Papiere und Abfall vor sich her. Die Königin Viktoria gibt es übrigens weiter oben in der Stadt nochmals, in einer etwas weniger fetten Version, sie hängt im Damensitz auf einem Pferd vor der St. Georges Hall, wo früher der königliche Gerichtshof tagte, und man glaubt es kaum, dass sie in ihrer Jugend einmal so schlank gewesen sein soll. In der St. Georges Hall, einem ungeschlachten, klassizistischen Monster, tagt heute nichts mehr, der bedeutende Säulenbau steht ungenutzt da, und auch das hinter ihm prangende Kriegerdenkmal, eine Erinnerung an die Eroberung von Burma und Indien und an den britischen Krieg in Afghanistan 1880 – wird kaum mehr zur patriotischen Aufpeitschung benützt, obwohl der eherne Kolonialkrieger, welcher gerade Südafrika erobert hat, wie man der Inschrift entnehmen kann, nach wie vor ergreifend wirkt. Auf den Parkbänken sitzen Bettler und junge Clochards. Manche liegen auch auf dem Rasen.

Gegenüber steht ein ausladendes Gebäude, neugotisch, mit blinden Fenstern. Das ist auch leer. Früher war es das zur LIME STREET

STATION gehörende Bahnhofhotel gewesen. (Ein Prachtsbau.) Man könnte bequem dreihundert Gäste dort einquartieren. Etwas weiter unten eine lange Reihe von Wohnhäusern. Der rote Backstein, aus dem sie, wie die meisten Häuser in Liverpool, gefertigt sind, ist sehr haltbar, aber der Dachstuhl scheint weniger resistent zu sein und modert schon lange. Sieht aber nicht so aus, als ob er gebrannt hätte; nur einfach zusammengebrochen. Weitere in sich zusammenfallende, einbrechende, sich verkrümelnde, bröckelnde Gebäude sieht man ein paar Schritte hinter der Fussgängerzone, gleich hinter den grossen Warenhäusern. Viele gähnende Fensterlöcher. Der Verfall ist nicht wählerisch, er trifft ehemalige Lagerhäuser, Geschäftshäuser, Wirtshäuser, Fabriken, Kirchen mit demokratischer Gerechtigkeit und macht alle gleich, nämlich kaputt. Dann kommt wieder eine gut erhaltene, ziemlich saubere Strasse mit geschäftigem Leben, und von weitem sieht auch der nächste Häuserblock ganz normal, sozusagen westeuropäisch aus, aber warum sind jetzt dort im zweiten und dritten Stock alle Fenster mit Läden aus Wellblech geschlossen? Es ist doch heller Tag. Aus der Nähe sieht man dann, dass es keine Läden sind, sondern dieses Wellblech auf die Fensterrahmen angenagelt worden ist. Wenn es Nacht wird, kommt der Zustand deutlicher zum Vorschein. In manchen Wohnblöcken bleibt die ganze Fassade dunkel bis auf drei oder vier einsame erleuchtete Fenster; der Rest ist Wellblech. Manchmal ist auch alles dunkel, aber trotzdem kein Wellblech vor den Fenstern. Das sind dann jene Häuser, die ganz ausgeweidet worden sind und wo der Wind hindurchpfeift, und man kein elektrisches Licht, aber manchmal ein Feuerchen sieht, das von ein paar Halbwüchsigen angefacht worden ist. Daran haben die jungen Arbeitslosen manchmal ihren Spass. Brennen können diese Blocks nicht mehr, alles verwertbare Holz ist von den Arbeitslosen daraus entfernt worden, die ganze Inneneinrichtung schon längst demontiert und dem Altwarenhändler verkauft, nur manchmal steht noch eine halbzerstörte Klosettschüssel an einem Ort, den man als ehemaliges WC entziffern kann. Im Stadtteil Everton – der sonst wegen seines Fussballclubs bekannt war – stehen z.B. drei solche riesige Blöcke nebeneinander, der Volksmund nennt sie *The three ugly sisters,* (die drei hässlichen Schwestern) oder auch *The Piggeries* (die Schweineställe). Niemand will sie kaufen, und der Abbruch würde ein Vermögen kosten. Den Leuten soll es in diesen Wohnblöcken nicht gefallen haben, erzählt man sich in Liverpool. Sie sind aus ihren traditionellen zweistöckigen Arbeiterhäusern im Stadtzentrum ausgesiedelt und vertikal gelagert worden, was sie als unmenschlich empfanden, worauf einige sehr bald mit der Zerstörung ihrer Wohnungen begonnen haben sollen und bald die ganzen Blöcke unbewohnbar wurden. Ausserdem hätten die Lifte auch nie richtig funktioniert, sowenig wie der nachbarschaftliche Kontakt. Was Millionen von Stadtbewohnern auf der ganzen Welt akzeptieren, nämlich das Leben im garstigen Hochbeton: Hier in Liverpool wurde es verweigert. Die Saboteure ihres verordneten Glücks wurden dann nochmals umgesiedelt, zum Teil – man meinte es wirklich gut mit ihnen – in adrette Schwedenhäuser gleich hinter den «Piggeries», die ihnen aber auch nicht durchs Band behagten. Das wird nach aussen sichtbar, weil zahlreiche Fenster mit Wellblech abgedeckt sind. Auf den «Piggeries» aber – es waren wohl katholische Bewohner irischer Abstammung – sind Willkommensgrüsse gesprayt: WELCOME TO OUR POPE. Der Papst hat leider bei seinem Besuch dieses Quartier nicht berücksichtigt.

*

Unterhalb der anglikanischen Kathedrale, welche ein prächtiger Klotz ist und ganz aus rotem Stein, eine erdrückende neugotische Erscheinung auf leerem Feld, weil die deutschen Bomben das Terrain abgeräumt haben (die Engländer sagen: *The area was blitzed)*, gibt es eine öffentliche Toilette. Dort arbeitet seit dem 20. Juni der ehemalige Arbeiter Phil Ash als Toilettenmann. Nachdem er fünf Jahre arbeitslos gewesen ist, hat er jetzt wieder Arbeit oder «wenigstens eine Beschäftigung», wie er sagt. Er ist in Liverpool verwurzelt. Ein richtiger LIVERPUDLIAN, wie man sie auf englisch nennt. Sein Grossvater war Docker und starb mit 39 Jahren, weil ihm ein Baumwollballen auf den Kopf fiel. Sein Vater war Akkordarbeiter und mit 21 Jahren zum ersten Mal arbeitslos, hat sich dann mit Gelegenheitsarbeiten durchgeschlagen. Phil Ash war nach Schulabschluss zuerst Ausläufer für eine Speditionsfirma, welche Kolonialwaren verfrachtete, als die Kolonien noch funktionierten. Von den Kolonien lebte halb Liverpool. Dann ging die Firma ein. Phil Ash hat darauf sechs Jahre lang Christbaumkugeln angemalt, bis die Christbaumkugelfirma einging. Dann war er neun Jahre lang Flascheninspektor in der Firma GARSTON BOTTLEWORKS, wo er im Jahre 1961 in der Woche 18 Pfund verdiente. 1970 wurde die Firma geschlossen, weil sie von einem amerikanischen Konzern gekauft worden war, der die Produktion verlagerte. Darauf ging Phil Ash zur Autofabrik BRITISH LEYLANDS, wo er gut verdiente und Vertrauensmann der Gewerkschaften wurde *(shop steward)*. 1978 wurde das Werk geschlossen: Rationalisierung, und Phil Ash wurde Milchmann. Er war zu dieser Zeit schon ein wenig vergrämt und hatte zu trinken begonnen, aber nicht nur Milch, geriet in eine Kontrolle und verlor den Führerschein für zwölf Monate. Da war er nicht mehr Milchmann, denn ohne Auto konnte die Milch nicht geliefert werden. Er ist dann trotzdem Auto gefahren, geriet wieder in eine Kontrolle und verlor den Führerschein für weitere zwölf Monate. Da war er endgültig nicht mehr Milchmann. Pro Woche kassierte er für seine fünfköpfige Familie 70 Pfund Arbeitslosenunterstützung, dazu noch Mietbeihilfe. Er suchte fünf Jahre lang Arbeit, trödelte zu Hause herum, nervte Frau und Kinder, grämte sich und hatte einen Herzinfarkt. Er sei sich nicht mehr als Mensch vorgekommen, sagte er, habe sich hintersonnen, und eine Arbeit sei beim besten Willen nicht aufzutreiben gewesen. Nun hat er den Job als städtischer Toilettenwärter gefunden, und sein Lohn ist etwas geringer als die Arbeitslosenunterstützung, die er bisher bezog, und es sei ein einsamer Job, aber besser als nichts, sagt der ehemals stolze Gewerkschaftler Phil Ash, der bei BRITISH LEYLANDS fünfhundert Kollegen und ihre Anliegen gegenüber der Firmenleitung vertreten hat. Nach drei Tagen Arbeit als Toilettenwärter wurde er vom vorgesetzten Obertoilettenwärter mit einer Flasche Bier in der Hand – das gute, alte, braune, bewährte Guiness! – angetroffen und zusammengestaucht.

Liverpool. Die vitale, strotzende, Rohstoffe aus allen Kontinenten aufsaugende, menschenverschlingende, die Weltmeere dominierende Hafenstadt des 19. Jahrhunderts, der Stolz des britischen Empire, die Perle des englischen Nordwestens. *Liverpool rules the waves.* Aus Irland kamen während der grossen Hungersnöte und Hungerrevolten die verarmten Bauern, wollten nach Amerika auswandern, schafften es nicht immer, blieben in der Hafenstadt hängen. Aus der Kronkolonie kamen mit den Waren die ersten Chinesen, die als Schiffsköche oder Matrosen angeheuert hatten und von ihrem Landgang in Liverpool nicht mehr auf die Schiffe zurückkehrten, allmählich ihre Wäschereien und chinesischen Restaurants aufmachten, in Chinatown gleich unterhalb der anglikanischen Kathedrale. Aus Indien kamen mit dem Tee die Inder, welche vom Reichtum des sagenhaften England gehört hatten, und versuchten sich in der wild nach allen Seiten expandierenden Stadt über Wasser zu halten. Aus dem englischen Norden kamen die Bauern, weil die Grossgrundbesitzer ihre Güter rationeller bewirtschafteten und weniger Arbeitskräfte brauchten. Menschenimport, Menschenexport: Hier schifften sich Millionen von Auswanderern ein, Polen, Deutsche, russische Juden, die Verfolgten und Verarmten aller europäischen Länder wurden hier in den Zwischendecks der Seelenverkäufer, wie man die Auswandererschiffe nannte, verstaut. Im 19. Jahrhundert wuchs die Stadt so schnell, wie sie heute schrumpft. Die erste Eisenbahn verkehrte zwischen Liverpool und Manchester. Baumwolle aus den Kolonien, aber auch aus den amerikanischen Südstaaten, wurde hier umgeschlagen, per Eisenbahn und auf einem Kanal – damals der besondere Stolz englischen Pioniergeistes – nach Manchester transportiert, dort zu Textilien verarbeitet und von Liverpool aus wieder verschifft. Koloniale Ökonomie, man importiert Rohstofe zu Tiefstpreisen aus den Kolonien und beglückt diese dann mit den Fertigprodukten. Alles hat sich in Liverpool aus dem Hafen heraus entwickelt. Heute liegt er an der falschen Stelle von England, europaabgewandt, der Norden Englands ist im Niedergang begriffen, die Textilindustrie kaputt, die Menschen- und Warenströme aus den Kolonien versiegt.

Als der Zweite Weltkrieg, welcher dem strategisch günstig gelegenen Hafen nochmals einen Aufschwung brachte, zu Ende war, gab es in den Docks 30000 Jobs. Heute sind es noch 2000, die Containerschiffe kommen mit wenigen Arbeitskräften aus, und die alten Stückgutfrachter sind selten geworden. Der Hafen sieht heute aus wie ein Denkmal seiner selbst, ein Museum des kolonialen Warenaustauschs. Die alte Herrlichkeit bröckelt ab. Im TOBACCO WAREHOUSE, einst das grösste Lagerhaus der Welt, ist schon lange kein Tabak mehr gestapelt, sondern nur noch etwas Schnaps. Dafür wurde es unter Denkmalschutz gestellt. Zucker wird kaum mehr umgeschlagen, die Raffinerie TATE AND LYLE ist geschleift worden, und die Arbeitslosen, welche im Arbeitslosen-Zentrum an der Hardman Street die Videotechnik gelernt hatten, konnten die Zerstörung der Raffinerie für die Nachwelt festhalten. Manche Docks sind verschlickt, in andern liegt etwa ein Kriegsschiff, das überholt wird. Überall Ruinen, Hebebrücken, die nicht mehr gehoben werden, Kamine, die nicht mehr rauchen, Lagerhäuser, in denen nur noch Staub lagert, Brackwasser und Melancholie. Sieben Meilen weit haben sich die Docks hingezogen, die Frachter mussten Schlange stehen im Mersey River, bevor sie einen Liegeplatz fanden, das Leben brodelte und wogte auf den Quais, und oben am Pierhead wurden die Passagierschiffe der Cunard Line vertäut, und die Passagiere konnten dort umsteigen in die Bahn, welche damals bis hinunter ans Wasser fuhr. Diesen Bahnhof gibt es auch nicht mehr. Immerhin stehen die imperialen Hafengebäude mit ihren Kuppeln und Türmen, fast schon Wolkenkratzer, noch am alten Ort, aber nur noch die Fähre, welche die Pendler über den Fluss nach Birkenhead bringt, legt in ihrem Schatten an, während früher der Tee aus Indien und Ceylon, die Seide aus China, die Baumwolle aus Ägypten, der Teer aus Stockholm, der Zucker aus der Karibik, der Tabak aus Virginia, die Edelhölzer und Sklaven aus Afrika und die noblen Passagiere aus aller Welt hier eingetrudelt waren.

Es ist traurig.

Aber die Arbeit in den Docks war auch traurig, eine rechte Sklavenarbeit, sagt der ehemalige Docker Harry Hanson, der so alt ist wie das Jahrhundert und von 1918 bis 1930 in den Docks geschuftet hat. Keine regelmässige Arbeit, man musste sich anstellen, wenn ein Schiff eingelaufen war, die Schiffseigentümer oder ihre Agenten suchten sich die stärksten Arme aus, man hatte Arbeit, bis das Schiff entladen war, und dann musste man wieder anstehen für den nächsten Job. Es wurde keine Arbeitskleidung zur Verfügung gestellt. Oft sei man in der Woche drei Tage beschäftigt und drei Tage arbeitslos gewesen, harte Konkurrenz unter den Dockern, ein ständiges Gerangel um Jobs. Die Schiffseigentümer hätten dabei den grossen Schnitt gemacht und sich die schönen herrschaftlichen Häuser in Toxteth bauen können. Später sei er dann aufgestiegen in der Docker-Hierarchie, durfte die Frachten kontrollieren, er erinnert sich noch genau an die erste Ladung, die er abhaken musste: 120000 Kisten Bananen, aus Afrika. Da musste jede Kiste genau notiert werden. Sein Sohn ist auch Docker geworden, hat aber gleich als Kontrolleur anfangen dürfen und die körperliche Plackerei nicht erlebt. Er arbeitet heute in der Aufsichtsbehörde des neuen Containerhafens, besitzt ein kleines Haus in ländlicher Umgebung, während der alte Hanson damals noch in einer typischen Docker-Gegend am Hafen gewohnt hatte. In der dritten Generation gibt es keine Docker mehr, ein Hanson ist bei der Royal Air Force als Techniker angestellt, während des Falkland-Krieges wurde er auf einem Container-Schiff, das mit Helikoptern beladen war, in den Atlantik geschickt, die Eltern verfolgten die Ereignisse am Fernsehen und fürchteten zuerst, er sei mit der ATLANTIC CONVEYOR untergegangen, er war aber auf einem Schwesterschiff, das zurückkam. Die Eltern haben damals jeden Abend vor dem Fernsehapparat gebangt, aber sie finden, dieser Krieg sei notwendig gewesen.

*

Die Agglomeration von Liverpool zählt 1500000 Einwohner, und davon sind etwa 20 % arbeitslos. Einige Gegenden hat es aber noch härter getroffen, in Liverpool selbst z. B. das Quartier Toxteth, früher die Wohngegend der Schiffseigentümer und heute ein schwarzes Ghetto. Es gibt keine genauen Statistiken über Toxteth, von den Bewohnern wird die Arbeitslosigkeit auf 80 % veranschlagt. Die Schwarzen haben keine Chance bei der Stellensuche, sagt Alex Bennet. Sein Vater ist von der karibischen Insel Antigua eingewandert. Die Mutter ist Engländerin mit weisser Hautfarbe, und weil der Vater Schiffsingenieur war, hat es Alex Bennet, der Mischling, bis an die Universität geschafft. Von den 40000 Schwarzen in Liverpool ist das nur einem Dutzend gelungen. Sie stammen zum Teil von den Sklaven ab, welche im 18. Jahrhundert nach England importiert worden sind. Sklavenhändler aus Liverpool schickten Expeditionen an die afrikanische Küste, verfrachteten ganze Schiffe voll in die Karibik, luden dort Rum und Zucker und brachten auch einige menschliche Ware ins Mutterland. Nach besonders ergiebigen Reisen wurden Dankgottesdienste in den Kirchen von Liverpool abgehalten. Wenn die Sklaven rebellierten oder wenn eine Windstille zu Wasserknappheit führte, wurden sie über Bord geworfen; ein anglikanischer Priester liess verlauten, die Neger gehörten in dieselbe Kategorie wie die Pferde. Auf dem Grabstein des Liverpooler Kapitäns Thomas Hughes, der im Juni 1777 gestorben ist, steht geschrieben: «Er war lange Jahre Kommandeur im Afrika-Handel, welche Aufgabe er mit grossem Fleiss und Integrität erfüllte. Er war ein liebevoller Gatte, ein zärtlicher Vater und ein ehrlicher Mensch.»

Alex Bennet sagt, die Schwarzen seien in jeder Hinsicht benachteiligt, eine Wohnung zu finden sei für sie schier unmöglich, ausser in den heruntergekommensten Häusern, und auch die linke Stadtverwaltung, der grösste Arbeitgeber weit und breit (32000 Angestellte), stelle sie höchst widerwillig an. Nur 0,7% der städtischen Angestellten sind Schwarze, während sie 9% der Bevölkerung von Liverpool ausmachen. Von den andern Betrieben ganz zu schweigen. Die meisten haben ohnehin dichtgemacht, Schweppes, United Biscuits, die Zuckerraffinerie Tate & Lyle, Dunlop, British Leyland, Metal Box, und von Ford, dem einzigen grossen Arbeitgeber, der übrigbleibt, könne keine besondere Freundlichkeit für die Schwarzen erwartet werden. Es sei wie verhext, mit dem Niedergang des Hafens – die Schiffswerften sind auch wegrationalisiert – habe eine allgemeine Abwanderung der Industrie eingesetzt. Die Bevölkerung von Liverpool sei in kurzer Zeit um 100000 Einwohner geschrumpft, und in dieser Krisensituation entlade sich die Aggression der Weissen in die falsche Richtung: auf die Schwarzen. Und man solle doch endlich die Legende, dass es in England keinen Rassismus gebe, abschaffen. Vermutlich werde es wieder, wie 1981, zu Aufständen im schwarzen Ghetto von Toxteth kommen.

Der Polizeichef von Liverpool hatte schon im Jahre 1978 erklärt, dass die Polizei bald nicht mehr ausreiche und in etwa zehn Jahren das Kriegsrecht über die Stadt verhängt werden müsse. Drei Jahre später explodierte Toxteth, und der latente Krieg zeigte sich eine Woche lang als sichtbare Rebellion: «Während vorne die Jugendlichen Steine werfen, Autos und ein paar verfallene Häuser in Brand stecken, beginnen gegen fünf Uhr morgens am oberen Ende der Upper Parliament Street, in der Lodge Lane, die Erwachsenen, Weisse und Schwarze, Hausfrauen und Rentner, die Läden auszuräumen. Die Frauen und Männer stehen Schlange, greifen sich in den Geschäften Einkaufswagen und sammeln vor allem Gegenstände des täglichen Bedarfs ein: Waschmittel, Konserven, auch Fleisch, das sie sich nur selten leisten können, Zigaretten. An der Kasse lässt man sich höflich Vortritt, während einer, bequem im Stuhl der Kassierin sitzend, immer den gleichen Betrag eintippt: *0 Pfund, 0 Pence.* Erst später werden Plünderungen im grossen Stil organisiert, mit geklauten Wagen, die an die Rampen gefahren werden und mit Teppichen, Videogeräten, Radios und Möbelstücken beladen werden.»*

Heute ist es in Toxteth wieder ruhig. Die Häuser bröckeln ruhig vor sich hin. Die Schwarzen fressen die Wut ruhig in sich hinein, ebenso die verarmten Weissen, die hier wohnen. Im *Carribean Center*, wo die Nachfahren der Sklaven sehr aufmerksam dem Kung-Fu-Unterricht folgen – sie können den Kampfsport vielleicht einmal brauchen –, sorgt ein Hauswart, von der Insel Barbados eingewandert, unter einer Fotografie von Königin Elisabeth II. für gute Verwaltung. Eine Kirche steht bröckelnd am Wegrand, auf einem Schild steht FOR SALE, weiss Gott, wer sie kaufen möchte. Die Polizei tigert unauffällig durch das Quartier. Der Polizeikommandant ist immer noch derselbe wie 1981, und die linke Stadtverwaltung hätte ihn längst abgesetzt, aber da hat die Regierung in London auch ein Wörtchen mitzureden. Ihr passt eine harte Polizei ins Konzept, und Ken Oxford ist ihr Mann. Es ist nicht mehr wie 1919. Da hatte die Liverpooler Polizei, weil sie höhere Löhne forderte und nicht gegen aufmüpfige Docker vorgehen wollte, gestreikt. Die Armee marschierte ein, verhaftete ganze Wagenladungen voll Polizisten, und sozusagen das ganze Polizeikorps wurde entlassen.

Ruhiges Toxteth, ruhige Oberfläche. Häuser, die man in Deutschland unter Denkmalschutz stellen würde, gelungener Jugendstil, auch englischer Landhausstil mit eindrücklichen Steinmetzarbeiten und Fachwerk, verrotten seit Jahren. Die Schiffseigentümer, welche hier wohnten, gibt es nicht mehr, und die Nachfahren sind nach London gezogen, verzehren dort still ihr

* Peter Wuhrer, Die Freiheit ist zäh und stirbt endlos. Liverpool, über die Zerstörung einer Region, Rotbuch-Verlag 1983.

Kapital. Die Schiffe gibt es auch nicht mehr. Es ist wieder dieser eigentümliche Geruch in den Strassen, leicht brandig, überall *bräuselt* es ein bisschen, Abfall wird verbrannt, und in den ausgeweideten Häusern glimmt hie und da ein Feuerchen, an dem die arbeitslosen Jugendlichen ihren Spass haben.

*

Es wird viel geklaut in Liverpool. Darum schellen und läuten, jaulen und heulen, klingeln und tingeln die Alarmsysteme so oft. Es ist immer eine entsprechende Musik in der Luft, und die Polizei kann nicht überall sein, die Ladenbesitzer helfen sich selbst. Junge rührige Arbeitslose setzen ihren Ehrgeiz darein, die ausgetüftelsten Sicherheitssysteme zu überlisten (zweiter Bildungsweg), und oft kommen sie ans Ziel ihrer Wünsche – es klingelt zu spät, und oft werden sie aber auch von den Ladenbesitzern verdroschen. Doch die allgemeine Stimmung scheint nicht darunter zu leiden. Manche Einwohner zeigen eine Gelassenheit, die erst am Nullpunkt entsteht: Man ist ruhig, weil es keine Hoffnung mehr gibt. Wie freundlich die meisten hier sind! Mausarm und zuvorkommend, man wird allenthalben zum *cup of tea* eingeladen, *milk or sugar?*, bekommt ein Bier spendiert von Leuten, die kaum einen Pence in der Tasche haben, alle möchten wissen, wie das Leben *in Europe* – England rechnen sie nicht dazu – sich so anlässt, und manche sagen, zwischen Beirut und Liverpool sei kein grosser Unterschied, Liverpool sei ein Beirut mit Arbeitslosenzentren. Davon gibt es viele, das grösste befindet sich in der Hardman Street. Ein ausnehmend schön renovierter, stattlicher Bau in wenig beschädigter Umgebung, früher Blindenheim, dann Polizeiwache und jetzt von den Gewerkschaften neu zurechtgemacht. Es gibt hier einen Videoraum, Bibliothek, Druckerei, ein kleines «Museum der Arbeiterbewegung», Theatersaal, Kindergarten, Sporteinrichtungen, Konferenzzimmer, eine Drogenberatungsstelle, Restaurant, Beratungen für Arbeitslose (wie füllt man die Formulare richtig aus, damit die staatlichen Unterstützungsgelder auch wirklich fliessen, etc.). Hier hilft man den Leuten, sich selber zu helfen. Keine Armenhausatmosphäre und kein bürokratischer Mief, die Arbeitslosigkeit wird nicht moralisch, sondern politisch erklärt. Wie kann man die Regierung Thatcher am besten bekämpfen, welche den Wohlfahrtsstaat (Sozialstaat) rücksichtslos auf Kosten der Schwächsten abbaut? Und mit ihrer Wirtschaftspolitik immer neue Arbeitslose schafft? Was konnte man für den Streik der Bergarbeiter tun?

Das Arbeitslosenzentrum wird durch die Gewerkschaften und die städtische Verwaltung finanziert und den *County Council,* der regionalen Behörde, welche von der Zentralregierung in London nächstens unter Kuratel gestellt werden soll, weil sie eine eigenständige Finanzpolitik verfolgt. Jedermann hier ist überzeugt, dass die lokalen Behörden in Liverpool von der Regierung dafür bestraft werden, dass sie links sind. Die Thatcher, so heisst es, möchte Liverpool am liebsten schliessen. Ausser einer tiefen Verachtung habe sie nichts übrig für die Arbeitslosen und Schwachen, und ihr Sozialdarwinismus sei von der grausamsten Art. Den Leuten, die dabei unter die Räder kommen, versucht man in diesen Arbeitslosenzentren wieder ein wenig Selbstrespekt zu geben, wenn man ihnen schon keine Arbeit verschaffen kann. Wie erklärt man ihnen, dass sie auch dann eine Menschenwürde haben, wenn sie nicht in der Produktion stehen? Es gibt z.B. einen Computerkurs für dreissig Frauen, der ein Jahr dauert. Dort nimmt man auch unverheiratete Mütter, Farbige, ältere Jahrgänge auf, die sonst nirgendwo eine Chance haben. Aber man weiss: Der Computer hat zur Vernichtung der Arbeitsplätze beigetragen ...

Liverpool schliessen. Die Industrie wird nicht zurückkommen. Die Arbeitskämpfe der letzten Jahre haben keine Betriebschliessungen verhindern können. Aber ohne Kampf wären sie vielleicht noch schneller erfolgt, und die Würde der *working class,* wie hier alle ganz unbefangen sagen, wäre verschütt gegangen.

*

Terry, Jack, Pete und Jane sind jung, so um die Zwanzig, und haben keine Arbeit und werden höchstwahrscheinlich nie eine haben, wenn sie in Liverpool bleiben. Sie glauben nicht mehr an die Arbeit. Aber es gefällt ihnen hier, die Stadt hat es ihnen trotzdem angetan. *They are not werking, out of werk,* wie sie es in ihrem lokalen Dialekt aussprechen. Es bestehen überhaupt keine Aussichten für sie, punkto *werk.* Was tun? Es gibt Spielautomaten, die man mit einem runden Stück Hartgummi überlisten kann: dann prasselt

Geld heraus. Man kann ein bisschen klauen, Kleider zum Beispiel, und sie dann weiterverkaufen. Man kann sich auf Videogeräte spezialisieren, die Ladenbesitzer erwarten nicht, dass einer die sperrigen Geräte einfach so unter den Mantel nimmt und abschleppt. Das ist dann immer eine Überraschung. Man kann gratis Bus fahren, wenn die Monatskarten geschickt zurechtgemacht werden, und lauter so Tricks, die ein kluger Kopf sich ausdenken mag. Man kann immer wieder Schnippchen schlagen und ein Hühnchen rupfen mit der Gesellschaft. Diese lernbegierigen, alerten jungen Leute nennen sich SCALLYS, mit einem Ausdruck, der in Liverpool erfunden wurde. Man kann auch auf die Wagen der Müllabfuhr warten auf der riesigen Mülldeponie in Dipsten, und muss dann bei der Entleerung sehr schnell zugreifen; Kupferdrähte bringen am meisten, es hat überraschend viele davon im Abfall. Dieses systematische *recycling* bringt manchen bis zu 80 Pfund im Monat ein, wenn auch nicht regelmässig. Man kann auch die Abwasserleitungen an älteren, aber manchmal auch an neueren Häusern demontieren oder die Metallplakette an der Drogenklinik, wo DRUGS CENTER drauf graviert war, abschrauben und einem Händler verkaufen, den Weg zur Klinik finden die Drogensüchtigen auch so, weil ihnen dort in schweren Fällen Heroin auf Rezept verschrieben wird und in leichteren die Entzugsdroge Methadon.

Wenn die Abflussrohre in verwüsteten Häusern stibitzt werden, so leiden allerdings die Familien darunter, die noch nicht ausgezogen sind. Im riesigen, langgezogenen, halbkreisförmigen Wohnblock LIONEL HOUSE sind nur zwei Fenster noch nicht von Wellblech verdeckt. Hartnäckig lebt dort die Familie Birchall, im zweiten Stock links; noch weiter links kommt nichts mehr, weil schon ein Teil des Hauses abgerissen worden ist. Die Abwässer der Familie Birchall sprudeln auf den Balkon des ersten Stockes, und das stinkt, aber die Ratten sind bisher nicht bis in den zweiten Stock vorgedrungen. Es sind echte alte freilebende Ratten, nicht gezähmte Kuscheltiere, wie sie in Deutschland jetzt modisch werden. Eine besonders grosse und fette haben die Kinder der Familie Birchall, welche in vier Zimmern leben, auf den Namen MARTINI getauft. Neun Kinder. Der Vater trinkt, wenn er etwas zu vertrinken hat, er fühlt sich zu Hause etwas eingeengt, und die Fernsehprogramme sind auch nicht so, dass man sie den ganzen

Tag anschauen könnte. Der Hund heisst PRINCE und ist sehr zutraulich.

Und manchmal guckt Maggie Thatcher, die grosse Schwester, aus dem Fernsehkasten und bringt der Familie Birchall etwas patriotischen Trost. Ein kleiner Krieg könnte Ablenkung bieten, aber die Falkland-Sache ist jetzt geritzt, und die Kolonien sind heutzutage dünn gesät, Hongkong wird man auch bald zurückgeben müssen. Königin Viktoria hatte es da leichter, Burma und Indien und Afghanistan, wo THE LIVERPOOL KINGS REGIMENT kämpfte, waren ein praktisches Abflussrohr für die Wut der Niederen.

PS: In dieser Stadt wird übrigens auch Fussball gespielt: FC Liverpool und FC Everton.

Rue Ferdinand Duval, Paris 4e

(Mein Standort)

Metro St-Paul. Den Perron entlang, die Stiegen hinauf, an der Billettknipserin vorbei, der ewig strickenden Penelope, Odysseus lässt grüssen, am WC-Urinoir vorbei, an der stämmigen Schuhwichserin vorbei, die faulige Luft aus der Unterwelt im Rücken, nochmals eine Stiege, frische Benzindämpfe in der Nase.

Oberwelt. Eine Bank mit Vetteln, Rücken an Rücken sitzen die jeden Tag auf dieser Bank, verhutzelt und mit langen Zehennägeln, kommen aus dem Quartier zur Bank gehumpelt, geschlichen, auf dürren Beinchen gehinkt, sobald die Sonne scheint, kriechen wieder in ihre Unterschlüpfe, wenn es Nacht wird. Zu einem Schnaps in den billigen Pinten reicht es nicht ganz, also sitzen sie auf der Gratisbank. Wenn die Ampel auf Rot steht, hört man ihr Keifen und Schnattern, irgendeinen arabischen Dialekt. Wenn der Verkehr bei Grün wieder flüssig wird, sieht man nur noch ihre zahnlosen Mäuler auf- und zuschnappen. Manchmal kratzen sie ihre unförmigen Leiber, manchmal bekämpfen sie einander, streiten um den besten Platz, fahren einander an die Gurgel. Dann auch wieder ein schöner Schluck aus der Flasche, Vin Nicolas oder Préfontaines oder Vin des Rochers. Ein Teil der verschupften Weiber schaut auf den Verkehr, der andere Teil auf den Bretterverschlag gerade vor ihrer Nase, auf dem steht: «ABAIXO GUERRA COLONIAL.» Eine Inschrift der portugiesischen Arbeiter, die mit ihren Presslufthämmern die Luft erschüttern. Auf der Männerbank gleich daneben liegt einer ausgestreckt. Wenn er noch ein bisschen weiter hinausrutscht, fällt er von der Bank. Interessiert bleiben die Passanten stehen. Richtig, jetzt schlägt der Kopf auf den Asphalt, während die Beine noch auf der Bank bleiben. Die Leute sagen: Was er wohl hat? und betrachten ihn gründlich. Dann kommt die Polizei und schleift ihn an den Armen weg. Der kommt jetzt nach Nanterre, ins Clocharddepot zur Entlausung. Am nächsten Tag liegt er frisch gereinigt wieder auf der Bank, und die Leute werden sagen: Der macht's nicht mehr lange.

«Farah bangt um das Leben des Schahs.» Schlagzeilen am Kiosk.

«Das Volk von Paris bereitet dem Genossen Breschnew einen warmen Empfang.» Im Studio Rivoli läuft «Il était une fois dans l'Ouest». Aus der Metro quellen die Leute, klauben ihre Batzen hervor und kaufen bei der Zeitungsfrau die tägliche Vergiftung. Abend will es wieder werden.

Am besten überqueren wir jetzt die Rue de Rivoli und schwenken beim Crédit Lyonnais rechts ab. Sodann dringen wir in die Rue Ferdinand Duval ein, vormals Rue de Juifs, im Jahr 1900 als Spätfolge des Dreyfus-Prozesses umgetauft, weil Jude ein Reizwort geworden war. Nach zehn Schritten wird die Rue Ferdinand Duval durchschnitten von der Rue du Roi de Sicile, so benannt nach Charles d'Anjou, König von Neapel und Sizilien, gekrönt Anno 1266, Bruder des heiligen Ludwig. Hier stossen wir sofort auf Martine, die triefäugige Hur, welche an der Hinterfront des Crédit Lyonnais auf den Strich geht. Sie ist abgetakelt und musste ihren Preis auf 30 Francs senken, Hotel inbegriffen, um im Geschäft bleiben zu können. Martine stöckelt regelmässig hinüber bis zur Rue Pavée, streicht dem alten Gemäuer entlang, wo unter der Monarchie das Hurengefängnis war, genannt «la petite force». Sie trägt einen Hut aus den frühen dreissiger Jahren. *Tu viens, chéri?* Der Patron der Bûcheron-Bar sagt von der hochbetagten Martine: Spare in der Zeit, dann hast du in der Not. Vielleicht kommt an einem Herbstabend der König von Sizilien, Arm in Arm mit Mackie Messer, und belohnt seine treue Untertanin Martine, welche seit 1927 in Wind und Regen ausharrt. Gott mach's ihr einmal wett.

In der Rue Ferdinand Duval selbst gibt es keine Huren mehr im engeren Sinn. Die vier Bordellchen, welche bis 1939 existierten, haben bankrott gemacht. Es hat sich alles an die Bastille oder an die Rue Quincampoix verlagert. Aber vielen ehrbaren Mädchen graust es hier auch ohne Huren. Suzanne sagt: Es ist so dunkel im Quartier, und Ellen meint: Es riecht, als ob man stirbt, und Judith sagt: Hier wird vergewaltigt! Doch die sanften Araber und die jüdischen Metzger mit ihrem koscheren Fleisch denken gar nicht daran. Hier ist nämlich Morgenland, mitten in Paris, aus Phrygien und Pamphylien, aus Korinth und Thessalonich, aus Bessarabien und Wolhynien, aus Litauen und Sankt Gallen, aus Tunis und Kabylien sind sie gekommen, um an der Rue Ferdinand Duval zu wohnen. Mit dem Duft von Hammelbraten und Kuskus und von gefüllten Karpfen steigen Gebete wie ein wohlgefälliger Opferrauch in die Luft, auf hebräisch, arabisch, lateinisch, Gebete zum Gott Jakobs, Abrahams und Isaaks. Jerusalem! Jerusalem! ist an die Mauern geschrieben worden, und auf den Briefkästen steht: Mandelbaum, Blumenfrucht, Rosenstiel, Eisenstein, Zlotnik, Davidowics und lauter so Namen, die auf -berg auslauten. Die alten Ost-Juden mit Kaftan, schütteren Bärten im Gesicht und den rituellen Hüten promenieren auf und ab, ab und auf. Ottomar Scholem sagt zu Abraham Loeweren: *Hanoten ne Kamoth begoim tholahoth beleoumin!* Worauf Abraham Loeweren antwortet: *Tholahoth, tholahoth.* Der Rest wird überdeckt von arabischer Musik, die aus dem Café-Restaurant «Bar Oriental» kommt. Dann die Juden aus Nordafrika, welche von den Arabern kaum zu unterscheiden sind. Auch einige Christen und Heiden. Und die Zigeunerin Anna aus dem Kaukasus mit ihren grellen Röcken, welche all diesen Stämmen aus der Hand liest. Für fünfzehn Francs werden Ferien an der Riviera in Aussicht gestellt, für zehn Francs eine günstige Erbschaft, für fünf Francs Glück in der Liebe. Die orthodoxen Juden lassen sich aber nicht aus der Hand lesen, das ist mit der Thora nicht vereinbar.

Um die Übersicht nicht zu verlieren, angesichts der vielen Völkerschaften, steigen wir jetzt in den fünften Stock im Nr. 7 der Rue Ferdinand Duval. Ein Gebäude aus dem 17. Jahrhundert, unter Denkmalschutz, die Fassade neigt sich deutlich. Wertvolles Treppengeländer (Schmiedeeisen), Plumps-Klosette aus dem 19. Jahrhundert, je eins für sieben Wohnungen. Auf jedem Treppenabsatz ein Messinghahn mit fliessendem kaltem Wasser, in allen Wohnungen Elektrizität aus dem 20. Jahrhundert. Die aus dem 6. Stock entleeren ihren Fäkalieneimer im fünften Stock, wenn sie nicht damit schon auf der steilen Stiege ausgerutscht sind. Badezimmer, Warmwasser, Duschen und ähnlichen Kram gibt es nicht, wenn man das einbauen würde, könnten die Leute ihre Miete nicht mehr zahlen und müssten in die Vorstadt auswandern, in einen Sozialbau. Da ist ihnen der gemütliche Dreck doch lieber. An menschlichen Lauten ist zu hören: «Ordure, tu me fais chier, je te coupe les couilles, fumier, je te pisse au cul, ta gueule.» Daran merkt man, dass die Alkoholiker im sechsten Stock zurückgekehrt sind und die ehelichen

Beziehungen wieder aufgenommen haben, indem sie algerischen Rotwein saufen. Es sind die einzigen lauten Menschen im Haus, sie haben noch nicht resigniert. François Villon war dabei und hat seine Eindrücke zusammengefasst:

Doch ab und zu, da schlag' ich aber mächtig Krach,
wenn Margot blank vom Strich kommt und sich zu mir legt.
Dann klau' ich ihr die Kleider, Gürtel, Mantel, was sie trägt,
und tobe, fluche, möchte sie am liebsten stracks vergiften.
Da stemmt der Teufelsbraten beide Arme in die Hüften
und kreischt und schwört bei unseres Heilands Leidenszeit,
das werd' ich bleibenlassen! Und drauf packe ich ein Scheit,
mit ungebrannter Asche tu' ich ihr den Schädel lausen …

Die anderen Bewohner schleichen still und vergrämt in ihr Gemäuer, grüssen kaum im Stiegenhaus, haben bei den vielen Stufen auch nicht mehr genug Atem, um etwas zu sagen. Es riecht nach feuchter Wäsche und Urin, auch nach Gemüse und Abfällen aus dem nordafrikanischen Laden im Parterre. Dafür sind die Wohnungen auch billig, hundert Franken im Durchschnitt. Es wird in letzter Zeit viel gestorben im Haus. Am schönsten starb der Stammvater der jüdischen Gemüsehändlersippe, Monsieur Dahn. Er hatte mit einem gebrochenen Herzen im Spital gelegen, hatte den Auszug aus Algerien nicht verkraften können, der Ärger mit der Entkolonisierung war dem Kolonialwarenhändler auf den Magen gefahren. Kurz bevor er den letzten Schnauf tat, brachten ihn seine Söhne ins Haus zurück, damit er in den eigenen vier Wänden sterben konnte. Dort starb er beruhigt und sofort. Da fing eine orientalische Totenklage an im ersten Stock, ein gewaltiges Wehklagen schallte aus den offenen Türen, die Söhne Simon und Maurice rauften sich die Haare und hatten viel Bekümmernis. Eine Stunde lang wurde verzweifelt und lauthals geschrien, an Wasserflüssen Babylons, an- und abschwellend die Trauer herausgeschrien, kaputtgeheult, dann war es plötzlich still, sie hatten ihren Schmerz liquidiert, am nächsten Tag standen die Gebrüder Dahn wieder aufgeräumt hinter ihren Lauchstengeln. Madame Pernelle frisst demgegenüber ihre französische Trauer in sich hinein, jeden Tag ein bisschen mehr, nachdem ihr der Mann weggestorben ist, und wird ganz bitter dabei.

Doch zurück in meine karge Wohnung, im fünften Stock, wo bei grossen Regengüssen das Wasser durch die Decke tropft. Hier hat früher Madame Cucu gewohnt, eine Normannin, die sich während des Krieges aufs Land verzog. Als Madame Pernelle 1944 im Auftrag von Madame Cucu einen Kontrollgang durch die Wohnung machte, fand sie die Tür offen und einen Partisanen am Fenster, welcher eben einen deutschen Soldaten erschoss, der mit erhobenen Händen unten an der Ecke stand. Madame Pernelle fand das unmenschlich. Heute wird in der Strasse sehr selten geschossen, seit ich 1969 die Wohnung bezog, erst dreimal, und jedesmal aus nichtpolitischen Gründen. Stellmesser tun's auch. Wenn die Dämmerung kommt, hört man oft den kriegsinvaliden (1914–18) Zeitungsboten, wie er seine Ware ausschreit. Er verkauft «France-Soir», hat es aber auf der Lunge und kann deshalb nur «France» rufen, für «Soir» reicht die Kraft nicht mehr. France!, ruft er, France, France, und lässt sein Holzbein auf dem Pflaster klappern. Die Metzger, Beizer, Patissiers, Schneider, Farbenhändler, Buchdrucker, Fischhändler, Rabbiner, Gemüsehändler, Bäcker, Tuchhändler kommen aus ihren Boutiquen und kaufen ihm den neuesten Dreck ab. Es kommt auch der Glaser mit schwerem Tritt und dem Gestell auf dem Rücken und ruft die Gasse entlang: Vitrieeeer! Vitrieeeer! Wer eine zerbrochene Scheibe hat, holt ihn von der Strasse weg, der Mann hat alle Zutaten auf seinem Gestell, Spachtel, Kitt und Scheiben, nimmt bescheidenen Nutzen. Einmal im Monat ist der Scherenschleifer mit seinem fahrbaren Laden zur Hand, die Metzger bringen ihre Hackbeile, die Halsabschneider ihre Stellmesser. Zwei Franken kostet so ein Schliff. Etwas seltener, vielleicht alle sechs Wochen, kommen die Strassensänger, ein blinder Mann mit Frau und Kind, und singen Lieder, wie sie auf keiner Schallplatte zu haben sind. Ach, das Lied vom früh verhurten Vorstadtmädchen, *c'était une fille de quinze ans,* die Eltern so arm, so arm, sie musste ihre Haut verkaufen. Oder «Un petit gamin au fond des Faubourgs» oder «La rôdeuse de barrières», auch das Lied von den Augen der Mutter, «Les yeux de maman sont des étoiles». Die Strassensänger, es sind die letzten von Paris, singen mit dünner Stimme, kommen gegen die automatische Musik in den Cafés nicht mehr an, aber viele hören doch noch zu, bringen dem Kind ihren Franken. Wenn die Polizei kommt, verkrümeln sich die Sänger, die nimmt ihnen sonst das Geld ab. Gegenüber von Jakobs

Brockenhaus (La brocante de Jacob) singen sie zum letztenmal «Il était une fois une fille de roi», dann werden sie vom Menschenstrom der Rue de Rivoli verschluckt.

*

Wenn der Verkehr in der Rue Ferdinand Duval gegen 21 Uhr erlischt, hört man das Tamtam und die klagende Arabermusik aus den drei morgenländischen Cafés. Modulationen aus dem gregorianischen Choral, immer die gleichen paar Töne, zum Verrücktwerden. Über den Dächern schwebt beleuchtet die Kuppel der ehemaligen Jesuitenkirche St-Paul. Als Bossuet dort die saftigen Leichenreden hielt, seinerzeit, mussten die Domestiken aus dem Quartier die Plätze ihrer Herren schon um sechs Uhr morgens besetzen, obwohl die *oraison funèbre* erst um 15 Uhr anhub. Über den Dächern schwimmt ein bleicher Mond. Bossuets Leichenreden verblassen gegenüber den Reizreden, welche ab Mitternacht unter dem Mond der Rue Ferdinand Duval geführt werden. Einmal pro Woche darf man damit rechnen, dass in der tunesischen Halunkenbar grad gegenüber ein Streit vom Zaun gebrochen wird. Die feindlichen Brüder Zapata und Baasino schaukeln durch gezielte Beschimpfungen ihre Wut hoch, ganz im Sinn und Geist des Hildebrandslieds. Es ist ein Familienzwist, innerhalb einer einzigen jüdisch-tunesischen Sippe ausgetragen, er berührt die andern Völker nicht. Du Hurensohn, sagt Zapata. Du verfaulte Leibesfrucht, antwortet Baasino. Du dreimal räudiger Hundsfott. Du syphilitischer Bastard. Wenn der Streit dann gar ist und die Stimmen schriller werden, gehen die Lichter an in der Rue Ferdinand Duval. Die Leute installieren sich im Schlafrock an den Fenstern, schieben ein Kissen unter die Ellbogen. Jetzt zerspellt Baasino eine Bierflasche auf dem Trottoir. Damit ist der Bann gebrochen, es kann von den Verbalinjurien zu den eigentlichen Tätlichkeiten geschritten werden. Meist umklammern Baasinos Frauen seinen Körper, damit er nicht zuschlagen kann. Doch Baasino-Laokoon schüttelt die Kletten ab, holt auf dem Bauplatz einen Prügel und zertrümmert die Flaschenbatterie in der «Bar Oriental». Baasino geht hierauf vor die Tür und nimmt den grossen Kehrichtkübel. Diesen wirft er durch die Scheibe, schon ist der Boden mit den stinkenden Überresten des Tages bedeckt. Die Musiker drücken sich in die

Ecken, versuchen ihre arabischen Trommeln und Lauten zu retten. Wenn der Kampf abflaut und Gefahr besteht, dass nichts mehr passiert, telefonieren die Zuschauer meist der Polizei – nicht vorher. Sobald diese erscheint, kann mit weiteren Prügeln gerechnet werden. So kommen auch die Allerärmsten im Quartier auf ihre Rechnung; sie können sich kein Kinobillett kaufen, um «Il était une fois dans l'Ouest» zu sehen, im Studio Rivoli.

Dabei liesse sich in der «Bar Oriental» so angenehm ein kleiner Rosé sec schlürfen! Hier wirken die besten Bauchtänzerinnen der Strasse. Zum Wein werden gratis gebackene Sardinen und Oliven gereicht, und wenn einmal die erste Flasche leer ist, wird reihum weiterspendiert. Früher wurde auch Haschisch geraucht, als Michels Bande hier verkehrte, *la bande à Michel,* manchmal wurde auch Heroin gespritzt. Leider machten sich die Bandenleute im Quartier unmöglich, weil sie ihre Mädchen an den Koch von Goldenbergs Restaurant verkuppelten und dazu, wenn der Koch es mit Daniele trieb, seiner Schublade fünfhundert Francs entnahmen. Sie wohnten gleich über dem Restaurant der «Bar Oriental». Sie lebten vom Mundraub und von Gelegenheitsarbeit. Der Dreck in ihrer Kommune stand so hoch, dass die Ratten kamen, schwarze fette Kanalratten. Wenn sie nichts mehr zu essen hatten, stahlen sie Enten in den öffentlichen Pärken. Diese haben sie über einem offenen Feuer in ihrem Zimmer gebraten. Dabei wurden sie von der Wohnungsinhaberin überrascht, und die Herrlichkeit hatte ein Ende.

Die *bande à Michel* ist verschwunden, unter Hinterlassung von Gestank und Dreck. Die Bauchtänzerinnen sind immer noch da, Allah & Jahwe sei Dank. Bauchtanz besteht darin, dass die Bewegungen des Oberkörpers von jenen des Unterkörpers streng getrennt sind. Der Körper wird in zwei autonome Hälften zerlegt. Demarkationslinie: knapp oberhalb des Bauchnabels. Die Bewegung der Arme muss schlangenhaft aus den Achseln fliessen. Darin haben es Baasinos Frauen zu Spitzenleistungen gebracht. Trommler Baasino und der arabische Lautenschlager befeuern das wogende Gewackel mit ihren Rhythmen. Auch die ungestalten Frauen dürfen. Man sieht sogar die sechzigjährige Fatima, meine geschätzte Putzfrau, ihren Hintern von den zwei Barstühlen herunterwuchten, welche dieser als Unterlage braucht, und ebendiesen Hintern in den harten Rhythmus versetzen. Auch eine kleine Dicke mit grosser Leibesfülle und Krampfadern ist dabei, der Tanz verklärt ihre Hässlichkeit. Immer wieder das Gestampfe wie beim Flamenco und die alten fetten Tunesier, welche ihre Bäuche einziehen und rhythmisch die Hüften rotieren lassen. Das geht so weiter bis morgens zwei oder drei Uhr, wenn gerade keine Prügelei vorgesehen ist. Nur Europäerinnen hat man bei Baasino noch nie bauchtanzen sehen. Sie schmatzen an ihrem Kuskus, schauen wehmütig auf die elastischen Bäuche.

*

Gleich rechts neben der «Bar Oriental» haben die algerischen Kabylen ihren Stammsitz. Knorrige Appenzellerköpfe, viel weniger aufbrausend als die Tunesier, in sich gekehrt und klagende Musik bevorzugend, fast kein Kontakt mit der «Bar Oriental», nur Fatima geht hinüber und herüber. Die andern bleiben unter sich und können stundenlang vor ihrem Bier hocken. Hier verkehren keine Halunken, Zuhälter oder Hehler, die Verhältnisse sind ziemlich klar. Alle arbeiten, als Dreher, Köche, Kellner, Maler, am Fliessband bei Renault. Im Musikautomaten ist eine Platte, die fängt mit dem Wort «Minijupe» an, geht dann arabisch weiter. Das Wort «Minijupe» kehrt am Anfang jeder Strophe wieder. Gefragt, was das bedeute, sagt Hocine, der Patron: Die Platte soll unsere algerischen Frauen vor den Gefahren des Minijupes warnen. Jede Strophe zählt eine neue Gefahr auf. Die algerischen Frauen bei Hocine tragen denn auch keine Minijupes, sondern lange farbige Hippieröcke. Wenn eine Frau in festen Händen ist (verheiratet oder in regulärem Konkubinat lebend), wird sie am Kinn mit einem blauen Streifen tätowiert. Französinnen verkehren hier kaum, im Gegensatz zur «Bar Oriental». Fast alle Kabylen sind dreisprachig: arabisch, kabylisch, französisch. Die Familie ist meist in Algerien geblieben. Ihre Sexualnot ist dementsprechend. Keine Rede davon, dass sie eine französische Freundin haben können. Unmöglich auch, mit den adretten Huren der Rue St-Denis zu schlafen, denn die sind alle rassistisch. Also gehen sie ins Araberbordell in der Gegend von Barbès-Rochechouart (zwanzig Francs), und das ist kein ungetrübter Genuss. Man muss sie sehen, wie sie Schlange stehen vor dem traurigen Puff. Auch politisch haben sie es nicht leicht.

Hocine war während des Algerienkrieges achtundzwanzig Monate eingesperrt, in Fresnes, ohne Gerichtsverhandlung. Dabei war er nicht mal FLN-Kämpfer. Viele von seinen Freunden wurden während der grossen Polizeirazzien gefesselt in die Seine gekippt, andere sind aus Helikoptern ins Meer geworfen worden. Er und die andern Algerier erleben täglich den Rassismus der Franzosen, für die sie arbeiten. Ihre religiösen Traditionen haben sich im Kontakt mit Frankreich oder schon vorher verflüchtigt. «Was wollen wir in die Moschee rennen und dort Leibesübungen auf dem Gebetsteppich absolvieren, Liegestütz und dergleichen, nach der Arbeit sind wir kaputt», sagen sie. Dagegen ist ihr politisches Bewusstsein stark entwickelt. Nur zehn Prozent der Kabylen respektieren noch den Fastenmonat Ramadan: Einen Monat lang essen sie vom Morgengrauen bis 18 Uhr nichts, trinken nichts, rauchen nichts, rühren keine Frau an. Sie sind das Proletariat der Rue Ferdinand Duval und zugleich die höflichsten Leute in der Strasse. Nach ihnen kommen nur noch die Lumpenweiber, die Krüppel, Blinden und Verrückten, welche hier in Freiheit leben. Noch weiter unten kommen die senegalesischen Fremdarbeiter, die auf Schleichwegen nach Frankreich geschleust wurden. Sie besorgen morgens um halb sieben die Kehrichtabfuhr und putzen die Strasse, trinken nachher einen Kaffee bei Hocine. Verglichen mit den Senegalesen, leben die Algerier im Wohlstand: Die meisten haben ein eigenes Hotelzimmer, während die Senegalesen in einer Art von Apfelhurde übernachten. Früher hat Frankreich aus dem Senegal Scharfschützen rekrutiert, die «tirailleurs senegalais», heute werden aus derselben Gegend die Schmutzarbeiter importiert. Manche tragen noch ihre Orden aus den Schlachten des Imperialismus.

*

Rue Ferdinand Duval, Paris 4^{e}. 120 Schritte lang, 8 Schritte breit, lauter kleine Ghettos. Die Tunesier verkehren nicht mit den Algeriern, der jüdische Inhaber von Jacobs Brockenhaus hat noch nie mit einem Araber gesprochen. Der polnische Jude Salomon Edel – «strikt koschere Metzgerei unter Aufsicht des Oberrabbiners von Paris» – kann den katholischen Polen vom «Ellen»-Hotel nicht riechen. «Denn», sagt Salomon Edel, der Metzger aus Verlegenheit (er hätte gern einen anderen Beruf gewählt, hatte aber als Emigrant keine Möglichkeit), «wir Juden sind ausgewandert, weil das polnische Volk antisemitisch war. Die haben uns doch alle den Deutschen verraten. Die SS hatte polnische Helfershelfer. Die Katholiken hingegen sind ausgewandert, weil sie das Regime nicht mochten. Sie sehen, ein gewaltiger Unterschied.» Gegenüber den Arabern hat Salomon Edel weniger Abwehrreflex als gegenüber den katholischen Polen (er nennt sie Polacken). Er steht ihnen indifferent gegenüber. Die Araber werden für ihn erst aktuell, wenn er nach Israel auswandert, ein Gedanke, mit dem er schon oft gespielt hat. Andererseits möchte er das Vaterland nicht schon wieder wechseln. Er hat französisch assimilierte Kinder und ist erst seit 1947 hier. Virulenten Antisemitismus hat er nicht kennengelernt. Er verkehrt vor allem mit orthodoxen Juden, geht am Sabbat in die Jugendstilsynagoge an der Rue Pavée (Rabbiner Rottenberg). Er hat einen schwermütigen Blick. In der Metzgerei steht neben dem Hackbrett eine Opferbüchse, die Spenden für Israel und den jüdischen Wohltätigkeitsverein aufnimmt.

Rue Ferdinand Duval. Der Rinnstein wird jeden Tag zweimal gespült, der Dreck geht in die Kanäle, jede Strasse hat ihren unterirdischen Kanal. Vor der Pâtisserie-Boulangerie des David Abitbol vergurgelt das Dreckwasser im Untergrund. Der Jude Abitbol wäre gern in Tunis geblieben, wo es ihm passte, aber als de Gaulle 1960 Bizerta durch die französische Flotte bombardieren liess (300 Tote), ging es ihm an den Kragen. Nicht so sehr, weil er Jude war, sondern wegen seines französischen Passes. So hat er seine Pâtissier-Wissenschaft nach Paris mitgenommen und den Laden des Monsieur Bellaiche übernommen, welcher vor kurzem Bankrott machte. Nun stehen all die kunstvollen Leckereien im Schaufenster, Slabia, Boulou, Bakloua, Deblah, Makroude, Yoyo, die marmorierten und glänzenden Errungenschaften des Orients. Eierteig mit Honig, Dattelteig, Sesamkorn, das klebrige Loukoum, meist ist Honigseim mit eingebacken. Er hat auch Mandelmilch auf Flaschen gezogen. Die Algerier kaufen hier das zopfartige Brot. David Abitbol sagt: «Ich würde lieber in Tunesien als mit polnischen Juden zusammenleben. Die sind ja so eingebildet, eine richtige Herrenrasse. Wissen Sie, dass die osteuropäischen Juden sagen, wir Mittelmeer-Juden hätten Schwänze wie die Esel?» David Abitbol praktiziert seine Religion ungefähr so intensiv wie die Kabylen die ihrige. «Ich habe nicht die Kraft, am Sabbat aufs Rauchen zu verzichten.» An hohen Festen geht er in die Synagoge, aber nur an wirklich hohen.

Während osteuropäische und arabisierte Juden sich herzlich nicht mögen, rümpft die französische assimilierte Jüdin von der Druckerei «Azur» ihr feines Näschen über die Orientalen insgesamt. Wie schön war das Quartier vor dem Krieg, als es hier nur die sauberen Ost-Juden gab, und wie schmutzig ist es nach der Einwanderung dieser Orientalen geworden. Gehen Sie bloss nicht in die nordafrikanische Synagoge an der Rue des Ecouffes, die schlampige Liturgie dort mit ihren You-You-Rufen würde Ihnen einen falschen Eindruck vom Judentum geben. Ein dreckiges Volk, diese Orientalen! Ihr Mann ist nichtjüdisch, sie betrachtet sich als Vollfranzösin, die Druckerei geht gut, danke, achtzehn Arbeiter, die nichtjüdischen sind leider ein bisschen antisemitisch, wenn es auch nicht brutal zum Ausdruck kommt. So spricht die Druckereibesitzerin, während sie die Bar-Mitzvah-Karten ordnet, die hebräisch und französisch beschriftet sind. Die Vorfahren sind nach dem deutsch-französischen Krieg aus dem Elsass nach Paris eingewandert. Elsässer, welche mit den südfranzösischen Juden zusammen den harten Kern des arrivierten Judentums bilden. In ihrer Synagoge an der Rue des Tournelles sahen die Elsässer die osteuropäischen Juden nicht gerne, welche nach den Pogromen von 1880 nach Frankreich strömten. Deshalb haben die Ostjuden ihre eigene Synagoge an der Rue Pavée. Weil sie an der Rue Pavée nicht willkommen waren, haben die Juden aus Nordafrika sich ihrerseits in der Synagoge der Rue des Ecouffes versammelt ... Rue Ferdinand Duval. In der Dachrinne gurren die Tauben, im Abfall schwänzeln die Ratten. Die Völkerschaften müssen miteinander auskommen, sich wenigstens nicht ausrotten, auch wenn sie einander nicht lieben und fast nicht kennen. Der Pied-noir-Kolonialwarenhändler in Nummer sieben, welcher vor den Algeriern die Flucht ergriff bei der Unabhängigkeit und nun ausgerechnet algerische Fremdarbeiter vor der Nase hat, darunter ehemalige Freiheitskämpfer. Der polnische Jude Salomon, welcher vor den katholischen Polen floh und 20 Schritte von seiner Metzgerei einen katholisch-polnischen Hotelier installiert bekommen hat. Der Tunesier, welcher sich von den polnischen Juden als Schwanzträger behandelt glaubt, muss gleich drei jüdisch-polnische Metzgereien in seiner Strasse ertragen. Ein prekäres Gleichgewicht. Die Situation ist nur deshalb nicht explosiv, weil keine eindeutige Mehrheit eine eindeutige Minderheit kujonieren kann, weil die Sympathien kreuz und quer durcheinanderlaufen. Die Feindschaften neutralisieren sich, der ökonomische Koexistenzzwang tut ein übriges. Und über allem wacht der französische Staatsapparat, welcher sich in Friedenszeiten nicht rabiat antisemitisch aufführt, das heisst nicht antijüdisch oder antiarabisch.

Aber Friedenszeiten sind nur Verschnaufpausen. Gegen die Juden hat Frankreich 1940–44 Krieg geführt, gegen die Araber 1953–62. (Und auch seit der Unabhängigkeit Algeriens spüren die algerischen Fremdarbeiter jede Verschlechterung der Beziehungen sofort am eigenen Leib.) Und wenn das beherbergende Land Frankreich einmal wirklich neutral ist gegenüber Juden und Arabern, dann gehen ausgerechnet Israel und die Araber im Orient aufeinander los. Der Sechstagekrieg von 1967 hat zwar in der Rue Ferdinand Duval keine Opfer gefordert wie im jüdisch-arabischen Quartier von Belleville, aber er hat die ohnehin kühlen Beziehungen zwischen Juden und Arabern unter den Gefrierpunkt sinken lassen. Kein Kabyle wollte mehr bei dem jüdisch-algerischen oder jüdisch-tunesischen Kolonialwarenhändler kaufen, und diese hätten ihm auch nichts mehr verkauft. Plötzlich entdeckten polnische und tunesische Juden ihre völkische Gemeinsamkeit. Die zionistischen Jugendgruppen in ihren Uniformen, welche aufgeregt durchs Quartier zogen, machten die Sache auch nicht besser. Und die antiarabischen Inschriften an den Hauswänden und der zionistische Triumphalismus nach dem Sieg und die vielen kitschigen Dayan-Bildchen im Herz-Jesu-Stil, welche bei den jüdischen Buchhändlern die Auslagen zierten, in der Rue des Rosiers und der Rue des Ecouffes … Eine erdrückende Allianz ballte sich im Quartier gegen die Araber zusammen: Juden jeder Herkunft, welche in normalen Zeiten fast nichts gemeinsam haben, dazu jene Franzosen, welche 1940–44 judenfeindlich waren, jetzt aber ihren eingefleischten Fremdenhass zum Antiarabismus umfrisierten. Denn die französische Rechte (Maurras, Drumont, Barrès) war mit den Zionisten immer darin einig gewesen, dass Israel das gelobte Land der Juden sei, dass die Juden auswandern sollten. Nur die jüdische

Macht *in Frankreich* war ihnen zuwider; jüdische Machtpolitik im fernen Palästina war ihnen gleichgültig oder erwünscht, wenn sie den Arabern schadete. Jenen Arabern, welche dem französischen Nationalstolz im Algerienkrieg die grösste Schlappe seit Dien Bien Phu eingebrockt hatten. Die Araber im Quartier hielten sich 1967 noch stiller als sonst ...

*

Rue Ferdinand Duval, Rue des Juifs, 120 Schritte Weltgeschichte, 8 Schritte Psychodrama, Weltgeschichte im Hochkonzentrat, grosse Politik im Reflektor. Überall noch die Gedenktafeln an deportierte Juden, jährlich mit frischen Blumen geschmückt. Ganz in der Nähe das «Mahnmal für den jüdischen Märtyrer». Und Miecyslaw Laski, der schnauzbärtige Russe, promeniert täglich durch die Gasse, zeigt jedem, der es sehen will, die eintätowierte Matrikelnummer aus dem Konzentrationslager Auschwitz und erklärt auf jiddisch, der angestammten Sprache der Ost-Juden (die mit hebräischen Lettern geschrieben wird): «Ich bin gekimmen vun Österreich, friher war ich in Birkenau bei Oberschlesien, speiter nuch Auschwitz, speiter in Keilengruben bis Ende im Jahr 1945. Evakuiert geworden nuch Grosshausen-Dachau, dann befreit geworden. Wenn die Krieg hot sich geendigt, war ich ein Monat in Budapest. Von Budapest vier Mol Transporten vun Menschen gemacht, welche emigrierten nach Osterreich. Musste bleiben in Osterreich, weil die Russen erkunnten mir. Drohten mir das nächste Mol, wenn ich mach noch Transport, dann bekumm ich zehn Johre.» Er wollte nach Mexiko auswandern, blieb 1947 in Paris hängen und wohnt in der Rue des Ecouffes, wo man ihn mit Uhren handeln sieht. Er möchte möglichst nicht auf dem Kontinent wohnen, wo Deutschland liegt, dem er immer noch eine imperialistische Fressgier zutraut. Er hat jüdische Freunde, die 1933 vor den Faschisten nach Paris flohen, wo sie sich geschützt glaubten – bis der Faschismus 1940 auf Besuch kam. (Die Familie Tenenbaum, 3. Stock, Rue Ferdinand Duval 7; Mutter mit drei Kindern im Konzentrationslager vergast, der Vater überlebte.)

Die Familie Tenenbaum – Witwe Pernelle im 6. Stock hat sie gekannt. Reizende Leute, guterzogene Kinder, man merkte kaum, dass es Juden waren. Eines Tages im Jahr 1941 war das Quartier von deutschen Soldaten und französischer Polizei umstellt. Viel Ungemach auch für die Nichtjuden, einen ganzen Vormittag konnte Madame Pernelle nicht in die Wohnung zurückkehren. Nachher stellte sie fest, dass die Tenenbaums verschwunden waren. Der Schuhmacher hatte noch Schuhe des jüngsten Tenenbaum-Kindes in Reparatur. Sie wurden nicht mehr abgeholt, er hat sie heute noch. Das Verschwinden der Tenenbaums wurde im Nr. 7 allgemein bedauert, sagt Madame Pernelle, während die Verhaftung eines kommunistischen Studenten im ersten Stock die Hausbewohner kaltliess (sagt Madame Pernelle). Hätte der nur seine Finger von der Politik gelassen! Politik ist schlecht, Monsieur Pernelle selig hat nie Politik gemacht. Die Tenenbaums auch nicht, und deshalb ist es ungerecht, dass sie vergast wurden. Madame Pernelle hat aber während des Krieges von den Vergasungen nichts gewusst, Monsieur auch nicht. Erst später hat sie am Fernsehen die Konzentrationslager gesehen. Furchtbar, furchtbar, sagt sie. Musste man sie denn gleich vergasen! Wenn man mit ihnen nicht zufrieden war, hätte man es doch bei Arbeitslagern bewenden lassen können. Von Antisemitismus hat Madame Pernelle noch nie etwas gehört, sie kennt weder die Sache noch den Begriff. Wie haben Sie gesagt, Antizementismus? Die Araber im Quartier sind unheimliche Vögel, sagt sie. Wer schuldlos ist, werfe den ersten Stein auf Madame Pernelle. Wer nicht begreift, dass die französischen Kleinbürger durch die unverständlich dunklen Bräuche von Juden und Arabern irritiert werden, der hat noch nie eine orientalische Strasse bewohnt. Madame Pernelle und ihresgleichen fühlen sich in die Minderheit versetzt, mitten in ihrer wackeren Stadt Paris, welche doch die Quintessenz des Franzosentums darstellen sollte. Diese exotischen Menschen, die kaum Französisch verstehen, und die Osteuropäer mit ihrem schrecklichen Akzent. Madame Pernelle reproduziert nur, was ihr die Lesebücher eingetrichtert haben: das Bewusstsein der Überlegenheit französischer Sprache und Gesittung. Wie soll sie begreifen, dass Salomon Edel nur geschächtete Tiere verkauft, dass den orthodoxen Juden manche Fettarten untersagt sind, dass sie keine Nieren und kein Schweinefleisch essen? Dass am Sabbat die Boutiquen schliessen? Die nichtorthodoxen Juden begreifen das ja auch nicht. Wie soll es ihr in den Kopf, dass der jüdisch-tunesische Händler Touitou den Arabern einen

Weihrauch verkauft namens Ouchak, mit dem die bösen Geister vertrieben werden? Und warum können manche Araber nicht normale Zahnpasta brauchen wie die Franzosen, warum reiben sie statt dessen ihre Zähne mit Nussbaumrinde (Chaak)? Und die arabischen Hutzelweiber, die brauchen kein Shampoo, sondern Tfal, Seifenerde, davon dann die eigenartige Rotfärbung der Haare. (Alles bei Touitou vorrätig, Ecke Rue F. Duval/Rue des Rosiers.) Und wozu all die komischen Kultgegenstände, siebenarmige Leuchter und so?

Lauter so Bräuche! Je ärmer die Emigranten sind, je ratloser im grausam-ungewohnten Paris, desto mehr halten sie sich daran fest. Ein fester Punkt, eine feste Burg. Sonst haben sie ja nichts. Sie verkriechen sich in ihre Bräuche, welche nur Aussenstehenden als Äusserlichkeiten erscheinen. Der armselige Gebetsraum, Synagoge genannt, an der Rue des Ecouffes, vollgestopft mit Symbolen. Im Vorraum ein ungelenkes Ölgemälde, Juden, welche von deutschen Soldaten in Viehwagen gestossen werden. Die flackernden Totenlichter, im Öl schwimmend, für die Seelen der Abgestorbenen. Ein Votivbild des «Grossen Verehrten Heiligen Rebi Schemoun bar Youhay». Ein abgegriffenes Tuch mit Davidstern am Eingang, welches die Gläubigen so berühren wie die Katholiken das Weihwasser. Ein Bild von General Dayan, mit Flugzeugen und Soldaten, darunter ein Segensspruch, vermutlich unabsichtlich in dieser Nachbarschaft: «O möge Dein grosser Name, mächtiger Herrscher, auf immer im Himmel und auf Erden gesegnet sein.» Der alte Mesmer, wie eine Drehorgel dem Rabbiner respondierend. Die Frauen in ihrem besonderen Frauenabteil, hinter den Männern, völlig passiv, mit lauten Haushaltsdiskussionen beschäftigt während des Gottesdienstes, vom Mesmer immer wieder mit psst! psst! zum Schweigen aufgefordert. Die Frauen haben überhaupt nichts zu tun bei der Liturgie, sind nur physisch anwesend in ihrem Pferch. Und dann die gesenkten Köpfe der abgerissenen nordafrikanischen Juden, das Defilieren vor der Thora, fast wie ein Benediktinerkonvent vor dem Abt. Eine Liturgie wie in katholischen Landkirchen vor 20 Jahren, Fetischismus der Kultsprache, eingeübte Mechanismen. Religion als Gemüt einer herzlosen Welt. Nur *ein* schöner und befreiender Augenblick: wenn alle Männer aufstehen und in Richtung Jerusalem schauen, wie es ihre Väter seit der Zerstörung des Tempels getan haben. Nur die Arrivierten verzichten ganz auf die alten Bräuche. Je höher hinauf in der Sozialpyramide, desto weniger bleibt von der Überlieferung hängen. Sie haben ein neues Bezugssystem gefunden, den alten Adam abgestreift, neuen Boden unter den Füssen gefunden. Goldenen Boden. Bei Goldenberg, dem berühmten Spezialitätenrestaurant, sieht man es deutlich (Ecke Rue F. Duval / Rue des Rosiers). Goldenberg hat am Sabbat nicht geschlossen, arbeitet nicht mit koscherem Fleisch, hat nicht nur Matzen, sondern auch Weissbrot (welches er «pain catholique» nennt). Die jüdischen Esstraditionen sind insofern präsent, als sie eine delikate und teure Mahlzeit abgeben. Hier schnabulieren die vermögenden Juden, Christen und Heiden aus aller Welt ihre Klops, Vourcht, Pickelfleisch, Kroupnik, Borcht, Miltz, Stroudel, Pojarski, Chichkebah. Leute aus dem Quartier sieht man kaum, von den Orthodoxen wird Goldenberg gemieden, den Arabern ist er zu teuer. Goldenberg fällt mit seinen Preisen, seiner Gediegenheit und Geschniegeltheit aus dem Rahmen der Rue Ferdinand Duval. Der *Gérant* mit seinem Zwirbelschnauz, Jacques-la-Moustache, einen Davidstern auf der Brust, komplimentiert die Herrschaften an ihre Tische, höchst untertänig. Hier ist man wer, wenn man viel und teuer isst oder einen berühmten Namen hat.

Moustaki kommt manchmal von der Ile Saint-Louis herüber. Er hat mit den Chansons über die Randfigur der Gesellschaft, die er einmal war, soviel Geld gemacht, dass er seinen Bauch jetzt bei Goldenberg mästen kann. *Avec ma gueule de métèque, de juif errant de pâtre grec …* Die Leute, die er besingt, wohnen aber nicht auf der Ile Saint-Louis. Auch Aznavour kommt, Goldenberg ist ein Geheimtip unter Feinschmeckern. Auch Joseph Kessel kommt, *de l'Académie française.* Und natürlich Serge Gainsbourg mit der trottelhaften Jane Birkin. Alle finden sie das Quartier so malerisch, der Gegensatz zwischen Goldenberg und der Misere ringsumher stimuliert die Magensäfte. Als das neue Lokal von Goldenberg eingeweiht wurde, kam sogar ein leibhaftiger Minister, Duhamel von der Kultur. Als dieser kam, durfte den ganzen Tag in der Rue Ferdinand Duval nicht parkiert werden, damit die offiziellen Autos am Abend auch sicher Platz fänden. An jenem Tag wurde viel geflucht gegen den Goldenberg, der das Quartier ökonomisch beherrscht. Auch die kleinen Juden haben geflucht. Sind sie deshalb Antisemiten?

Welch ein Trost, dass an der Rue des Rosiers auch die Erinnerung an einen Mann lebendig geblieben ist, welcher das revolutionäre Potential des Judentums verkörpert. Genau an der Stelle, wo heute die Rolls-Royces und Jaguars der Goldenberg-Gäste parkieren, ist früher Leib Bronstein gesehen worden, als es die Buchhandlung Speiser noch gab. Leib Bronstein wurde unter dem Pseudonym Trotzki bekannt.

Nach einer Mahlzeit bei Jacques-la-Moustache hat man keine Wahl, man muss noch auf einen Sprung ins türkische Schwitzbad, gleich gegenüber. Hammam St-Paul, Sudation, Massages etc. Hier kann man abspecken, was man bei Goldenberg zugenommen hat. Endlich wieder Kontakt mit dem Volk. Aufhebung der Gegensätze im Schosse des Volkes. Hier muss jeder nackt hinein ins Dampfbad, wie er aus der Mutter kam. Wie ungemein verbrüdernd wirkt das! Leider bleibt auch hier noch ein kleiner Unterschied, ist doch ein Beschnittener von einem Unbeschnittenen sofort zu unterscheiden.

Ratten

«In den Tiefen der Finsternis unter allen grossen Städten wimmelt es gräulich von stinkenden Tieren, giftigen Tieren, widerborstigen Perversitäten, welche die Zivilisation nicht zähmen konnte ... Eines Tages passiert es, dass der Wärter die unterirdische Menagerie zu schliessen vergisst, und mit schrillem Geheul streifen die Bestien durch die erschrockene Stadt.»

Theophile Gautier, Paris-Capitale 1871

«Raton», Diminutiv von «rat» – doch die Verkleinerungsform hat nichts Liebliches. Unerwünschte Elemente werden in Frankreich «raton» genannt. Und das harte Durchgreifen gegenüber diesen Elementen nennt man «ratonnade». Das Wort ist im Zusammenhang mit den Razzien während des Algerienkrieges aufgekommen. Doch bereits 1871, als die Kommune von Paris ausgerottet wurde, brauchten die Bürger eine Analogie aus dem Tierreich, um die Kommunarden vorerst einmal verbal zu erledigen. Wenn einer zur Ratte erklärt ist, darf man, muss man ihn aus hygienischen Gründen vernichten. Das Etikett macht ihn kaputt. 1968 führten die Ordnungskräfte das Wort «rationnade» wieder im Mund. Ein Wunder, dass es keine Toten gab.

Rattus norvegicus, französisch «surmulot». Ratten im eigentlichen Sinn bewohnen in ihrer schwänzelnden Leibhaftigkeit das Paris der Kanäle, seit sie im 18. Jahrhundert aus der Gegend des Kaspischen Meeres eingewandert sind. Die stattlichen Tiere, fünfundzwanzig bis fünfunddreissig cm lang, ebenso langer Schwanz, stammen aus der Wüste Koman, die sie nach einem Erdbeben verliessen. Ein Stamm wanderte nach Asien, ein anderer nach Europa. Gegen 1750 trafen sie in Paris ein, wo sie mit ihren scharfen Krallen und gesträubten Schnäuzen sofort über die braunen und grauen Ratten herfielen, die, von schwächerer Konstitution, ratzekahl aufgefressen wurden. Die braunen Ratten, auch Vandalen-Ratten genannt, waren als frühmittelalterliche Ratten im Tross des Königs Genséric nach Paris gekommen und hatten dort ihre unumschränkte Herrschaft aufgerichtet. Bis in die letzten Jahrzehnte des

16. Jahrhunderts besassen sie ein Monopol in den Kanälen, Kellern, auf den Märkten des alten Paris. Aber dann kamen im Gefolge der Landsknechte, während der Religionskriege, die grauen Ratten, die man später die «vulkanischen» nannte. Diese waren von der Hungersnot aus Deutschland vertrieben worden. Zwischen den braunen und den grauen entbrannte ein fünfzigjähriger Krieg, der eine schreckliche Dezimierung beider Arten zur Folge hatte. Dann wurde ein Modus vivendi gefunden, indem sie eine Demarkationslinie durch Paris zogen. Den grauen blieb das linksufrige, den braunen das rechtsufrige Paris vorbehalten. Dann kamen, wie gesagt, gegen 1750, mitten in der Aufklärung, die «surmulots» und frassen alle braunen und grauen auf.

Seither bewohnen sie das unsichtbare Paris und können sich ganz auf den Krieg gegen die Menschen konzentrieren. Schätzungsweise sechs Millionen kräftige Schnauzen haben wir heute in der Unterwelt, und wenn die Kehrichtmänner streiken, sieht man sie auch in den Mülltonnen wühlen mit ihren fleissigen Krallen, und wenn sie nicht eine so hohe Sterblichkeit hätten, dann wären es bald Dutzende von Millionen, gewaltige Rattenprozessionen kämen voll Fresslust an die Oberfläche, von der sie der moderne Städtebau vertrieb, und man könnte wieder Rattenfänger brauchen und Rattenhunde, und in Zeiten der Hungersnot könnte man sie essen, wie das während der Belagerung von 1870/71 der Brauch war, als eine Ratte fünf Francs kostete, und sie würden die Menschen angreifen, wie das 1923 geschah, als die Lumpenhändlerpest an der Porte de Clignancourt ausbrach, weil die Clochards, die in Mülltonnen wühlten, von Ratten gebissen wurden, die auch dort wühlten, und zuerst würden natürlich die Kinder in lottrigen Häusern angeknabbert, wie das noch 1963 geschah, als die Ratten durch defekte Abflussrohre in manche Wohnung krochen. Zu diesem Zweck haben sie eine spezielle Technik entwickelt, genannt die «Alpinistentechnik», indem sie sich, wie Bergsteiger zwischen zwei Felswände gestemmt, in den senkrechten Abflussrohren hinaufwuchten, sodann durchs Klosettloch in die Wohnung schlüpfen. Das geschieht in vernachlässigten Häusern noch recht oft. Die Schwierigkeit für die Ratten besteht nicht etwa in der Erklimmung der senkrechten Abflussrohre und in der Überwindung ihrer Schlüpfrigkeit, sondern im Übertritt vom städtischen ins private

Abflusssystem, wo ihnen ein Gatter im Wege steht. Aber in ihrer Rattenwut zerbeissen sie auch Blei und Eisen, denn sie drängen mit aller Macht nach oben, wo sie können.

Die Rattenvorsteher *(Préposés à la dératisation,* ein Service der Polizeipräfektur) wollen sie mit aller Gewalt nach unten verdrängen, Schmutz zu Schmutz in die Kloake, wollen sie ausräuchern, verscheuchen, vergiften, mit Phosphor, Strychnin, Arsenik. Aber die dauerhafte Vernichtung gelingt nur in den Kellern und oberirdisch, auf den Märkten, und auch dort nicht immer. Bei den Jahrmarktständen auf den Grands Boulevards hört man sie immer wieder pfeifen, auch in Stadtvierteln mit offenen Märkten und vielen Metzgern, wie im 4. und 20. Arrondissement, welche die grösste Rattenfrequenz von Paris haben. Da fällt immer etwas ab, und die Concierges sperren ihre Kätzchen ein, weil sie von den Ratten aufgefressen würden. Nur die Terriers sind den Ratten gewachsen. Manche Schmutzarbeiter stiegen noch in den sechziger Jahren in Begleitung eines Terriers in die Kanäle hinunter, damit die Ratten ihnen vom Leibe blieben. In den achtziger Jahren des letzten Jahrhunderts fanden noch jeden Sonntag zur Mittagszeit Rattenkämpfe auf dem Boulevard de l'Hôpital vor dem Haus Nr. 64 statt; dort kamen mit ihren Terriers die Gerber, Metzger, Bäcker, Waschhausbesitzer zusammen, welche die Woche hindurch von Ratten geplagt wurden, und warteten auf den vereidigten Rattenfänger der Stadt Paris, der ihnen lebende Ratten brachte, und in einer von vier Brettern markierten Arena wurde ein Terrier nach dem andern auf die Ratten gehetzt, die immer unterlagen, nicht ohne in ihrer Verzweiflung die Hunde gebissen zu haben. Aber die Terriers, schreibt ein Journalist im «Magazin Pittoresque» vom 12. März 1901, krepierten im Gegensatz zu den Menschen nicht an den Rattenbissen, sie hatten Salpeter in den Adern. Nach solchen Kämpfen lagen durchschnittlich zwanzig bis dreissig Rattenkadaver auf dem Boulevard de l'Hôpital ausgestreckt, sonntags zur Mittagszeit.

Jetzt liegen ihre Leichen selten mehr zutage. Die Gifte werden ihnen im Hygiene-Laboratorium der Stadt Paris zentral gemischt, mit Vorliebe antikoagulierende Mittel, so dass sie an langwierigen Blutungen verrecken. Auf eine sichtbare Ratte kommen neunundneunzig unsichtbare, die in die Kanäle verschwinden, wenn sie den

Tod nahen spüren. Die hohe Sterblichkeit ist aber nicht der polizeilichen Ausrottungskampagne zu verdanken, sondern den zahllosen Krankheiten, die ihnen in der Kloake zugeschwemmt werden. Nur dank ihrer enormen Fruchtbarkeit vermögen die Ratten ihre Bevölkerung auf dem gleichen Stand zu halten, und nur das Gewirr von Leitungen aller Art über den Wässern der Kanäle gibt ihnen Nistmöglichkeiten. Aber jetzt will man ihnen auch noch die Fortpflanzung nehmen, nachdem man ihnen die Hallen weggenommen hat. Im Rattenlaboratorium der Polizeipräfektur reift ein Produkt heran, das man bald überall ausstreuen will, ein Empfängnisverhütungsmittel für die Ratten von Paris. Dann werden wir nicht nur oberirdisch ein sauberes Paris haben, eine Stadt aus Beton und Glas und Plastik, ohne Märkte und Rattenfrass, sondern auch eine reinliche Ödnis in der Unterwelt und einen endgültigen Sieg der Polizeipräfektur über das untere Gelichter und den Triumph der Unfruchtbarkeit.

Die Rue des Juifs ist stiller geworden

Zurück in Paris, in meiner Strasse, die früher Rue des Juifs hiess (heute Rue Ferdinand-Duval). Die Heimat, wie find' ich sie wohl? Hat sehr mutiert, seit sie von den Snobs entdeckt worden ist. Viel zu malerisch, als dass man sie den Armen überlassen könnte. Die Avantgarde der Reichen ist schon installiert, zwei Galerien, Vorboten der Verödung, auch eine Buchhandlung und Modeboutiquen, und der Gewürzkrämer in Nummer sieben wird seinen Laden bald verkitschen. Baasino und Zapata, die beiden Halunken von der «Bar Oriental», wurden nach Tunesien ausgewiesen, so munkelt der polnische Beizer vom «Ellen»-Hotel. Sollen dunkle Geschäfte getätigt haben. Die «Bar Oriental» heisst jetzt «Chez Claude». Der Bäcker Abitbol an der Ecke Rue Ferdinand-Duval/Rue des Rosiers macht schlechte Geschäfte, wird vielleicht bald fallieren wie sein Vorgänger, dessen Geschäftsgang bereits so flau gewesen war, dass er den Kunden, nebst Pfefferbrot und orientalischem Gebäck, auch seine Tochter anbieten zu müssen geglaubt hatte, im ersten Stock der Backstube, auf orientalischem Pfühl. Aber der jüdische Schneider gegenüber Abitbol in seinem winzigen, schlauchartigen Räumchen ist noch hier, schneidert preiswürdig weiter drauflos. Und Salomon Edel, der aus Polen Eingewanderte, harrt auch aus, der jüdische Metzger mit den Funkelaugen. Sein Fleisch hat wieder aufgeschlagen. Hingegen Lasky wurde schon lange nicht mehr gesichtet, der immer mit vorgestrecktem Bauch so schön promenierte und allen Leuten die Matrikelnummer aus dem Konzentrationslager Auschwitz zeigte, die auf seinen linken Unterarm eingebrannt ist. Die algerische Kabylenbar hat schon dreimal den Besitzer gewechselt. Der reiche Goldenberg konnte sein Restaurant vergrössern, und ringsum steigen die Mieten. Wenn die alten Leute wegsterben, wird rabiat renoviert, und die Eigentumswohnungen vermehren sich wie Ratten, aber viele von den Alten sind überaus langlebig und ärgern die Hausbesitzer, indem sie extra nicht sterben. Kaum haben sie dann ihren letzten Schnauf getan, behändigen die Reichen von der nahen Ile Saint-Louis die historischen Wohnungen, Moustaki vielleicht, Jane Birkin, Marthe Keller und lauter so Mumien.

Die Strasse ist stiller geworden, selten nur schallt arabische Musik aus den offenen Türen der Pinten. Es gibt kaum mehr öffentliche Schlägereien. Die Flics promenieren regelmässiger als noch vor fünf Jahren. Das Quartier wird *«policé», «poli»:* durch polizeiliche Überwachung poliert und höflich gemacht. Bald eine *«société libérale avancée»,* wie Giscard sagen würde. Revolver und Steilmesser in gezückter Form habe ich 1972 zum letztenmal gesehen, als mir ein leidenschaftlicher Araber vor der «Bar Oriental» auflauerte, weil wir beide dieselbe Araberin verehrten. (Eine Rothaarige mit zierlichem Schlüsselbein.) Es ging dann ohne Schuss und Stich ab, konnte er mich doch zu Boden strecken mit einem kräftig-unerwarteten Stoss seines Schädels unter mein Kinn, in der Fachsprache «coup de tête» genannt.

Die jüdischen Bräuche werden nicht mehr auf der Strasse gehandhabt, nämlich an der Rue des Rosiers ist bis 1971 vor hohen Festtagen eine öffentliche Abmurksung des Geflügels durchgeführt worden, will sagen Rabbiner Eisenstein schächtete dort vor aller Augen auf dem Trottoir. Aller Augen warten auf Dich, o Herr, und Du gibst ihnen Speise zur rechten Zeit. Man kaufte ein Huhn, der Rabbiner segnete es, rief den Segen des Allhöchsten zusätzlich auf den Käufer herab, schlitzte rituell das Hälschen auf, das Blut tropfte bedächtig aufs Pflaster, begleitet vom hebräischen Gemurmel. Heute wird zentral geschächtet unter Oberaufsicht des Grossrabbiners von Paris. Vielleicht hält auch die Fischfrau diese schuppichten Karpfen nicht mehr lange feil in ihrer Nische, Rue des Rosiers, und die warzenbewachsene Eierfrau aus Ungarn, bresthaft, wie sie ist, macht's eventuell nicht mehr lange, oben an der Rue des Ecouffes, wo Juden und Araber einander gute Nacht wünschen. Und Jojo werden sie wieder ins Irrenhaus sperren, obwohl er ein sanfter Irrer ist, immer durchs Quartier patrouilliert, tuberkulös und gichtig, und mich fragt: *«Jesus Christ, t'as pas un médicament pour moi?»* Er glaubt, dass in der Schweiz die besten Medikamente wachsen, hofft auf ein Wunder aus den Bergen.

Sie werden alle verschwinden. Im Altersheim der blinde achtzigjährige Messmer vom Synagögchen (sephardischer Ritus), auf dem Friedhof die steinalte Tunesierin mit dem hennagefärbten Haar und dem Zungenstumpf, die so heftig mit den Gemüsehändlern um den Preis lallt, im Gefängnis die grellbeschalten Rauschgifthändler (kleine Fische), in Algerien die kabylischen Fremdarbeiter von Renault, wenn ihre Zeit hier um ist, in einem andern Beruf der listige, jiddisch sprechende Farbenhändler, im Clochard-Depot von Nanterre die verlausten Alten, die heute noch auf dem «Plätzel» sinnieren, wie das breite Trottoir bei der Metro Saint-Paul auf jiddisch heisst. Die Rachitischen und die Gauner, die Kaputten und die Tückischen, die Verlumpten und die Einbeinigen, Beschnittene und Unversehrte, die räudigen Messerschleifer und die mit Krätze versehenen Strassensänger, die Koscheren und die Beutelschneider, die Schorfbedeckten und die Lahmen und was hier wimmelt und fleucht – alle gesäubert, deportiert, in fünf, sechs Jahren, wenn die Reichen das Quartier erobert haben werden.

Der grosse Rabelais, nur zwei Blöcke entfernt hat er geschlemmt, wird die Judenstrasse nicht wiedererkennen, und der verschollene François Villon, der immer die hohen Feiertage über an der Rue des Ecouffes vögelte, bevor er seine Margot auf den Strich schickte, werden auswandern müssen. Nur die Ratten werden bleiben und die Reichen mit einem wüsten Pfeifen empfangen, koscher pfeifend unter Aufsicht des Rabbiners Meienstein. Und die Tauben werden tückisch gurren in der Rue des Juifs, Paris 4^{e}, und sich dann zu Tode langweilen und giftig aus den Dachrinnen plumpsen, den Reichen möglichst auf den Kopf.

Die Fische von der Rue Saint-Antoine (auf dem Trockenen)

Nähe Bastille, Nähe Eglise Saint-Paul, eingeklemmt zwischen Befreiung und Aufgefressenwerden, liegen jeden Tag Tausende von Fischen, darunter auch Stockfische, kunstfertig aufgetürmt in der offenen Auslage. Autos rauschen vorbei, Benzinstaub legt sich über die schuppichten Leiber, und schliesslich kann man nicht mehr darüber hinwegsehen, dass eine matte Erinnerung an die Tiefen des Ozeans dero Augen blitzen lässt, im nachhinein. Die sind offen. Rot und schleimig, frisch und sämig, schlabbrig und klabbrig, sabbrig und wabbrig liegen sie nunmehr in der Auslage. Ein paar von den Krebsen sind noch lebendig, ach das zu besetzen so stotzige Krebsen. Die Schlitze in den Leibern der Fische sind unsichtbar, sie können alle noch anfangen zu schwänzeln, am eventuellen Jüngsten Tag. Guten Tag Herr Krebs wie hat ihnen das Meer geschmeckt. Die Fische liegen so, dass der geneigte Käufer die Schlitze in den Leibern der Fische wie gesagt nicht sieht. Zitronen und anderes Gemüse sind zwischen ihnen angehäuft. Das ist gelb. Die Austern sind steinhart, ohne die speziellen Austernmesser kommt man nicht an den austrigen Inhalt.

Tu felix Austria nube. Der Nubier nickt, in Zweifel und Ärgernis.

Die Kiemen sind bald frisch, bald grau. Von den sogenannten *Miesmuscheln* sagt man in der Rue Saint-Antoine, dass man sie nur in den Monaten, welche ein R enthalten, verzehren dürfe, also nicht im Monat *juin juillet mai août,* weil die Hitzeentwicklung dann die Qualität der *moules* in Mitleidenschaft zöge und sich der *consument* eine Vergiftung zuziehen können täte.

Das würde die Hygienepolizei auf den Plan rufen.

Das schreibt *votre serviteur*

Scardanelli.

Das Judengerücht von Amiens

Amiens, 36 Meter über dem Meer, eine Stadt in Niederfrankreich, eine Bahnstunde von Paris, 150000 Einwohner, Eisenbahnknotenpunkt, Drehscheibe (wofür?), am Bahnhofplatz kündet ein Büroturm von der Kühnheit französischer Architektur. Seit dem Mittelalter ist Amiens wichtiges Zentrum der Bekleidungsindustrie. Die Kathedrale Notre-Dame soll die ausgewogenste von ganz Frankreich sein. Über dem Hauptportal werden mit Grausamkeit die Schafe von den Böcken geschieden. Die Verdammten verschwinden heulend und zähneknirschend im Höllenrachen, die Auserwählten marschieren der ewigen Seligkeit entgegen.

Im zeitgenössischen Amiens wird den Amiensern das Gruseln im Kino beigebracht. «Le Bal des Vampires» und «La Horde sauvage» sind auf dem Programm. Das Stadtgespräch, die einheimische Einbildungskraft, hat aber viel schönere Horrorgeschichten auf Lager. Seit drei Wochen zirkuliert die Geschichte von jungen Mädchen, die im Umkleideraum von Textilgeschäften chloroformiert, geknebelt und von dort nach einem exotischen Bestimmungshafen verschifft werden. Eines schönen Morgens war das Gerücht da, man wusste nicht, woher, und man lächelte zuerst ein bisschen darüber. Denn es war ja keine Vermisstenanzeige eingegangen, und die Kleiderhändler von Amiens waren ihren Mitbürgern durchaus als Ehrenmänner bekannt. Antisemitismus irgendwelcher Art hatte es in Amiens seit Menschengedenken nicht gegeben. Nachdem sich ähnliche Vermutungen in Orléans, Lillie und Le Mans schon im Sommer 1969 als reine Erfindungen herausgestellt hatten und nachdem der Soziologe Edgar Morin ein gescheites Buch geschrieben hatte, worin er den angeblichen Mädchenhandel von Orléans auf die mythenanfällige Phantasie der Kleinbürger zurückführte, hofften die aufgeklärten Amienser, der Spuk würde nicht allzuviel Unheil anrichten.

Doch das Gespenst kümmerte sich nicht um Aufklärung. Schon in der ersten Inkubationswoche hatte es ganze Arbeit geleistet. Ein Gymnasialprofessor erklärte dem Reporter von Radio Europe 1: «Ich habe meiner Frau und meinen Schülern verboten, diese Läden zu besuchen. Ich habe eine komplette Liste der gefährlichen Kleiderhändler zusammengestellt.» In den Spitälern, den Gymnasien, Büros und Fabriken wurde geflüstert und gewispert, dass sich die Balken bogen. Man begnügte sich schon bald nicht mehr mit einfachen Kleidergeschäften, sondern sah in jedem Geschäftsmann einen potentiellen Helfershelfer. Die Betroffenen schildern das so:

Monsieur David, Anfang Vierzig, Inhaber des «liberty-shop». Verkauft vor allem an Teens und Twens. Ein kleiner, gutgehender Laden, auf amerikanisch herausgeputzt. Er gehöre nicht zu den Juden, die schweigend hinnehmen, sagt er, er setze sich zur Wehr, wenn er verunglimpft werde. Am Samstag vor drei Wochen erwähnte seine Verkäuferin (29, verheiratet) zum erstenmal die Gerüchte. «Natürlich» glaubt sie nicht an den Mädchenhandel im «liberty-shop». Sie kennt das Gerücht vom Hörensagen. So auch die Leute, die es ihr weitererzählt haben. Am Montag darauf fährt Monsieur David, wie jeden Montag, nach Paris, wo er im Quartier St-Paul regelmässig einkauft. Während seiner Abwesenheit entsteht das Gerücht, die Polizei habe ihn geholt. Seine Frau stellt fest, dass Kundinnen nur aus Neugierde in den Laden kommen, um die Abwesenheit ihres Mannes festzustellen. Befriedigt gehen sie wieder hinaus, als sie ihn tatsächlich nicht gesehen haben. Andere suchen hartnäckig die Mädchenfalle, die sich im Hinterraum befinden soll. Niemand von den Kundinnen spricht vom Gerücht, aber alle scheinen daran zu glauben. Am Dienstagvormittag steht Monsieur David demonstrativ auf der Ladenschwelle, um seine Verhaftung zu dementieren. Verschiedene Mitbürger drücken ihre Nasen an seinem Schaufenster platt. Im Café gegenüber, so erzählt ihm ein Freund am Mittwoch, hätte der Patron schon 250 Francs darauf gewettet, dass David tatsächlich in Untersuchungshaft sitze. Am Wochenende hört er von einer Frau, die ihren Kindern das Betreten des «liberty-shop» verboten habe. Da im März normalerweise Flaute ist, kann er vorläufig nicht feststellen, ob wirklich weniger gekauft wird. Hingegen werden ihm die beziehungsvollen Blicke und das allgemeine Geflüster langsam unheimlich. Er verbringt einen angstvollen Sonntag. Seine Familie hatte unter den Judenverfolgungen gelitten, die Mutter war in Auschwitz und kam völlig ausgemergelt zurück. Er selbst ist erst seit kurzem in Amiens und hat dort glänzende Geschäfte gemacht, versteht sich sehr gut mit den jungen Kunden, weiss genau, was sie wünschen. «Ich glaube nicht, dass solche Gerüchte von neidischen Konkurrenten ausgestreut werden. Das ist viel zu gefährlich. Ein Konkurrent würde sagen, wenn er mir schaden wollte: ‹David hat schlechte Ware, er liefert nicht termingerecht.› Oder so ähnlich. Es handelt sich eindeutig um Antisemitismus.»

Aber wie soll man in diesem Fall erklären, dass etwa ein Drittel der betroffenen Geschäfte Nichtjuden gehören? Für viele Leute sind alle Textilgeschäfte jüdisch ... In der zweiten Gerüchtwoche kam ein Abgesandter des Präfekten in den «liberty-shop». Die grösste Textilhändlerin von Amiens, Nichtjüdin und Inhaberin von drei Geschäften, hatte beim Staatsanwalt Klage gegen Unbekannt erhoben; nun wollte der Präfekt der Sache auf den Grund gehen. «Er hat aber nichts herausgefunden. Jeder kennt das Gerücht nur vom Hörensagen, niemand will es erfunden haben.» Amiens hat nicht im geringsten den Ruf einer zwielichtigen Stadt, alles ist bürgerlich und wohlgeordnet. «Früher, als hier noch eine Garnison lag und Amiens die Stadt der hundert Bordelle genannt wurde, hätte man eine direkte Beziehung zwischen Milieu und Gerücht herstellen können. Heute nur noch insofern, als es den Leuten hier stinklangweilig ist und sie deshalb wohl irgendeinen Skandal erfinden müssen, um nicht aus Langeweile zu sterben.» Im Textilgeschäft «Les Jumeaux», das von Zwillingen geführt wird, nimmt man es nicht tragisch. «Sie kommen zu spät, die Falle ist schon voll», sagt mir der eine Zwilling. Sie verkaufen keine Fertigprodukte, also gibt es auch keine Umkleidekabine, nicht einmal einen Hinterraum. Im ganzen Laden ist kein Winkel, der von der Strasse her nicht überschaubar wäre. Und doch soll auch hier ein schwungvoller Mädchenhandel stattgefunden haben, flüstern die Amienser: ein unterirdischer Gang führe von den Zwillingen zu Monsieur David, von dort zu einem Parfümerie- und einem Bonbongeschäft und schliesslich unter der Kathedrale hindurch bis hinunter an die Ufer der Somme, wo die unschuldigen Jungfrauen provisorisch verschifft würden. An der Küste nehme sie dann ein Unterseeboot in Empfang, das sie in Casablanca, Dakar oder Caracas abliefere: natürlich in einem Bordell.

Madame Pyron, die einem Bonbon- und Pralinéladen vorsteht, soll ihre Kundinnen in den Hinterraum gelockt und ihnen vergiftete Pralinés angeboten haben. «Seit diese Neuigkeit bekannt ist», sagt Madame Pyron, «bleibt manche Kundin hartnäckig im vordern Teil des Ladens stehen.» Beim Schuhgeschäft «Billy» nebenan waren es vergiftete Nadeln, in den Schuhen versteckt, welche die Kundinnen in Ohnmacht fallen liessen, so dass der freundliche Herr Billy sie verschiffungsreif in seinen Gang hinunterschubsen konnte. Man sieht es Herrn Billy wirklich nicht an: ein netter Sechziger, «pied-noir» und Jude, hat er sich nach seinem Auszug aus Algerien in Amiens eine neue Existenz aufgebaut. Er findet es nicht lustig. Er glaubt, die Gerüchte liessen sich bis zu einem Heim für schwererziehbare Kinder zurückverfolgen; aber beweisen kann er nichts.

Am erstaunlichsten sind die Aussagen der Mädchen, die als Rohstoff für die Mädchenhändler in Frage kämen. Die Gymnasiastinnen, Sekretärinnen und Arbeiterinnen erklären gern und auf Anhieb, an solche Ammenmärchen glaubten sie «natürlich» nicht. Oft fügen sie bei, ihre Eltern hätten sie vor diesen Läden gewarnt und wenn man's sich überlege, so sei vielleicht doch nicht alles aus der Luft gegriffen – kein Rauch ohne Feuer. Manche von den Textilhändlern hätten wirklich nicht den besten Ruf. In ihrer Jugend, so erinnern sie sich, habe man ihnen von unterirdischen Gängen bei der Kathedrale erzählt. Die jungen Mädchen haben kein speziell antisemitisches Vokabular, die fünfzig jüdischen Familien von Amiens treten als Gruppe auch kaum in Erscheinung, aber die Jungen sind fasziniert, angezogen und abgestossen von den Möglichkeiten einer Umkleidekabine: Entblössen, Spritze, Ohnmacht. Ohne eigene Schuld – weil ihnen ja Gewalt angetan wird – könnten sie die obszönsten Dinge erleben. Genuss ohne Reue und ohne Gewissensbisse. Träumerische Fahrten aus provinzieller Enge in den geheimnisvollen Orient. In ihrem Unterbewusstsein führen die Gänge der Einbildungskraft unmittelbar von den harmlos-suggestiven Kleiderläden zur Erfüllung unausgesprochener Wünsche.

Ein langer Streik in der Bretagne

«Ist es klug zu glauben, dass die soziale Bewegung, die von so weit her kommt, durch die Anstrengung einer Generation gestoppt werden kann? Glaubt man, dass die Demokratie nach dem Sieg über den Feudalismus und die Könige vor dem Bourgeois und dem Geld zurückschrecken wird? Wird sie jetzt haltmachen, wo sie so stark geworden ist und ihre Gegner so schwach?»
Aléxis de Tocqueville

Sizun, ein Dorf in der Bretagne. Sonntagmorgenstille, allgemeiner Friede, aus der Kirche ein paar Gesangsfetzen, in der Pinte nebenan kaufen die alten Bauern noch ihren Kautabak, der in langen schwarzglänzenden Stengeln geliefert wird. Vor der Kirche ein Calvaire, die bretonische Kreuzigungsgruppe, ausserdem ein Totendenkmal, eng beschrieben mit den Namen der Eingeborenen, die für Frankreich starben. Auf dem Denkmal triumphierend der gallische Hahn. Es ist Waffenstillstandstag. Der Sieg über Deutschland wird gefeiert, Sieg Nr. 2. Aus der Kirchentür quillt eine Prozession, angeführt von drei Fahnenträgern. Eine Fahne für den Ersten Weltkrieg, eine für den Zweiten, eine für den Algerienkrieg. Der Pfarrer beweihräuchert das Denkmal, bespritzt die Namen mit Weihwasser und murmelt auf lateinisch, dem gallischen Hahn zugewandt: «Bitten wir Dich, o Herr, Du mögest uns gnädig verschonen vor Krieg und jeglicher Unbill.» Die Frauen in ihrer Sonntagstracht, steifes Hütchen und schwarzer Rock, bekreuzigen sich. Miserere nobis. Verdun. Monte Cassino. Algerien. Erbarme Dich unser. Die Überlebenden erinnern sich. Dann werden die Fahnen eingerollt, am Stock und mit Orden geschmückt hinken die Veteranen zum Aperitif. Wiederum Sonntagmorgenstille, allgemeiner Friede über bretonischem Dorf.

Dörfer wie Sizun, so hat man sich schon immer die Bretagne vorgestellt, das Land zwischen Rennes und Finistère, welcher Name abgeleitet ist von Finis Terrae, Ende der Welt. So sieht sie zum Teil noch aus, die Bretagne, Breizh auf bretonisch, und in diesem Zustand wollten die sukzessiven Herrscher der Republik sie erhalten. Menschenreservoir für die Armee und später für die Industrie des Pariser Beckens, Bezugsquelle für Artischocken, Milch und billige Dienstmädchen. (Die bretonischen Dienstmädchen, welche sich reiche Pariser Familien hielten, wurden mit einem kollektiven Übernamen gestempelt: Bécassine. Darunter versteht man eine ebenso treue wie dumme Hauskraft, tolpatschig und ländlich.) Umgekehrt kam die dünn industrialisierte Bretagne schon immer als Erholungsraum für müde Pariser in Betracht, ein Stück heile Umwelt, aber auch als Missionsland für die französische Kultur. Noch vor kurzem hing in den bretonischen Schulen eine Tafel mit der Warnung: Es ist verboten, auf den Boden zu spucken und bretonisch zu sprechen. Heute ist die Tafel nicht mehr notwendig, das Bretonische ist unter den Primarschülern ziemlich ausgerottet. In den drei Jahrhunderten, seit die Bretagne ihre Unabhängigkeit verloren hat, wurde das Land gründlich kolonisiert, wirtschaftlich, politisch, kulturell.

Die Präfekten, als Vertreter der Pariser Zentralgewalt, herrschen wie Statthalter in den Provinzen des alten Rom. Der kolonisatorische Höhepunkt war erreicht, als die kolonisierten Bretonen gegen die ebenfalls kolonisierten Mohammedaner in Algerien Krieg führen mussten. Es gibt Bretonen mit gutentwickeltem Nationalbewusstsein, welche seither die Abhängigkeit der Bretagne von Frankreich mit der Abhängigkeit Algeriens vom Mutterland vergleichen und nicht genug unterstreichen können, wieviel Nützliches sie bei den algerischen Brüdern kopieren möchten. So hat die F. L. B., Front de Libération de Bretagne, seit Jahren immer wieder Sprengstoffanschläge mit gutem Erfolg ins Werk gesetzt, hier ein paar Hochspannungsmasten, dort eine Steuereinnehmerei, und bisher immer streng darauf bedacht, Menschenleben zu schonen. Es ist denn auch typisch für die F. L. B., dass der Spekulant und Generalunternehmer Francis Buiyges nicht umgebracht wurde, sondern nur seine Prunkvilla in St-Malo dank einer klug plazierten Sprengladung in die Luft ging. «Von den irischen Vettern lernen» heisst ein Losungswort der F. L. B. «Wir gehören demselben keltischen Stamm an und derselben Gattung von Kolonisierten. Erst wenn die Bretagne militärisch besetzt ist wie Nordirland, wird die Welt aufmerksam.» Aber die Terroristen von der F. L. B. sind eine winzige Minderheit, so winzig wie die algerische Befreiungsfront im Jahr 1953, ihre Aktionen werden oft nicht verstanden, denn es gibt noch andere Methoden der Auflehnung. Sehr gelungen war die Methode der Arbeiter von Saint-Brieuc, wo kürzlich eine Fabrik zwei Monate lang bestreikt wurde.

Also Saint-Brieuc, Hauptort des Departements Côtes-du-Nord. Seine Präfektur, sein Gefängnis, sein Bischof, seine 70000 Bewohner, sein ziemlich linker Bürgermeister (PSU). «Saint-Brieuc cité gentille / que ton sol reluit excellent», hat der Dichter Auffray-Pluduno geschrieben. Demnach eine angenehm glänzende Stadt, wenigstens im 16. Jahrhundert. Ende 5. Jahrhundert kam der Mönch Brioc mit 178 weiteren Mönchen, er fand den Urwald an dieser Stelle höchst bevölkert mit wilden Tieren, «pleine d'une infinité de bestes sauvages». 1962 sodann liess sich die Gummidichtungsfabrik «Joint Français» am Stadtrand nieder, die Geschäftsleitung fand den Boden und die Arbeitskräfte an dieser Stelle sehr preiswert. Der Stammsitz liegt in Bezons bei Paris, dort muss für dieselbe Arbeit fünfundzwanzig Prozent mehr Lohn bezahlt werden. Die weitblickende Firma erhielt das Areal von der Gemeinde zum symbolischen Preis von einem Centime pro Quadratmeter und kassierte ausserdem zweieinhalb Millionen Subvention plus die normalen Dezentralisierungsprämien (weil sie bereit war, in der Provinz zu bauen statt in der Pariser Region). Der «Joint Français» gehört zum Konzern der C. G. E. (Compagnie Générale d'Electricité). Das ist eine Firma mit 120000 Angestellten und 9,3 Milliarden Umsatz im letzten Geschäftsjahr. Aktiengesellschaft mit einem Kapital von 417120000 Francs, aufgeteilt in 4171200 Namensaktien zu je hundert Francs, ein darbender Betrieb, der sich seufzend im Interesse des Gemeinwohls bereit fand, einer unterentwickelten Gegend beizuspringen. Wer kann schon widerstehen, wenn Gevatter Marcellin und Pleven, die beiden Minister aus bretonischem Wahlkreis, so inständig bitten (und so hübsch subventionieren). Ambroise Roux jedenfalls, der grosse Roux, Verwaltungsratspräsident der C. G. E., konnte nicht widerstehen, und auf diese Weise entstanden 1962 die tausend Arbeitsplätze des «Joint Français» in Saint-Brieuc. Bis 1968 hat die Fabrik wahrhaft koloniale Löhne bezahlt, im Monat kam der durchschnittliche Arbeiter auf dreihundert bis vierhundert Francs, laut «Politique-Hebdo». (Nur Schwarzafrika ist noch günstiger, hingegen entstehen dort mehr Schwierigkeiten beim Einfuchsen der Arbeiter, auch Abschreibungen auf Maschinen, die von den Negern nicht so gut behandelt werden.) Nach den Streiks von 1968 – vor diesem Zeitpunkt waren die Gewerkschaften im Betrieb nicht geduldet – wurden die Löhne unvermittelt angehoben, ein schwerer Schlag für das Unternehmen, nur durch grössere Arbeitsintensität, schnellere Kadenzen und militärische Disziplin konnte weiterhin mit beinahe dem alten Gewinn produziert werden. Heute liegen nur noch wenige Saläre unter dem gesetzlich garantierten Mindestlohn (= S.M.I.C.: achthundert Francs), die meisten schwanken zwischen achthundert und neunhundert Francs. Aber wie gesagt, auch heute noch bis zu fünfundzwanzig Prozent weniger Lohn als im Mutterwerk von Bezons.

Höhere Löhne seit 1968 auf der einen, gnadenloser Konkurrenzkampf auf der andern Seite. 1971 macht der «Joint Français» lediglich einen Gewinn von 2700000 Francs und bloss einen Umsatz von 101 Millionen Francs, vier Millionen weniger als im Vorjahr. Als erste französische Firma beliefert der «Joint» die Auto-, Flugzeug- und Petrolindustrie, aber auch Atomkraftwerke mit Gummidichtungen jeder Art. In Frankreich liegt der «Joint» im Kampf mit Impéravia, Kleber und Isolants Français. Zwanzig Prozent der Produktion gehen in den Export. Auf internationaler Ebene führt der «Joint» Krieg gegen Freudenberg und Dunlop und Pirelli und Dowty und die Japaner. Dowty betreibt Dumping besonders auf dem deutschen Markt, unterbietet die Preise des «Joint» ganz schamlos. Dowty kann das, denn diese englische Firma hat kürzlich auf Malta eine Niederlassung eröffnet. Was des einen Bretagne, ist des andern Malta, aber Malta hat den Vorteil, dass dort kein Mai 1968 stattfand und die Löhne konkurrenzlos niedrig bleiben. Verflechtung von zwei Miseren. Die niederen Löhne auf Malta halten die Löhne in Saint-Brieuc niedrig. (Welche Gewerkschaft hat eine internationale Strategie dagegen gefunden?)

Wir sehen hier also den typischen Fall einer humanistischen Firma, welche der bretonischen Bevölkerung zuliebe ein Zweigwerk eröffnet und anschliessend, nach florierenden Gründerjahren, überrascht durch die unverschämten Lohnforderungen des Mais 1968 wie von einer Naturkatastrophe, ihren Platz im internationalen Geschäft nur mit Anstrengungen halten kann. Der Firma geht es zwar nicht schlecht, aber auch nicht glänzend (findet sie), denn die frühere Zuwachsrate von zehn Prozent kann nicht durchgehalten werden. Die Dividendenausschüttung wird etwas kärglicher ausfallen, die Aktionäre werden vielleicht murren. (Was haben die zu murren, sagen die Arbeiter. Sie säen nicht, sie ernten nicht und profitieren doch?) Kommt noch dazu, dass irgendein afrikanisches Land den Rohstoff Kautschuk jetzt plötzlich etwas teurer an die Gummiherren vom «Joint» verkauft als noch vor zwei Jahren, dabei hatte man doch dank der traditionell guten Beziehungen zwischen Frankreich und dem frankophonen Afrika auf jahrelange Vorzugspreise spekuliert, wozu gibt es schliesslich einen Sekretär für afrikanische und madegassische Angelegenheiten in der französischen Regierung, namens Foccart, und wozu gibt es Entwicklungshilfe?

Aber das Schlimmste steht dem «Joint» im Frühling 1972 bevor: die Uneinsichtigkeit der Arbeiter vom Zweigwerk Saint-Brieuc, welche plötzlich soviel verdienen wollen wie ihre Genossen vom Mutterwerk in Bezons – oder fast soviel. Oder ungefähr gleichviel wie die Arbeiter der übrigen Fabriken von Saint-Brieuc, Chaffoteau und Sambre-et-Meuse. Die Direktion ist ob dieser Uneinsichtigkeit ganz verstört: «Wir exportieren vor allem nach Deutschland, haben also grössere Transportkosten ab Zweigwerk Saint-Brieuc. Wir hätten ja auch im Norden oder in Paris bauen können.» Kein Wort davon, dass staatliche Subventionen und niedere Löhne die Transportkosten mehr als wettmachen. Das Volk von Saint-Brieuc lacht über die Argumente der Direktion. Manche lachen auch nicht. In der Pariser Argumentation spüren sie die alte Verachtung der Hauptstadt für die Bretonen. Wenn man sie übertölpeln will, dann bitte auf subtile Art. Das kann nicht gutgehen. Bécassine ist tot.

Materialistische Arbeiter

850 Francs pro Monat für siebenundvierzig Wochenstunden, 4,46 Francs durchschnittlich pro Stunde, es konnte nicht dauern. Im Januar wurde der Direktion ein Katalog mit Forderungen überreicht. Verkürzung der Arbeitszeit, 13. Monatsgehalt und vor allem: siebzig Centimes Lohnaufbesserung pro Stunde, für alle Stufen der Arbeiterhierarchie gleich viel. Also eine antihierarchi-

sche Forderung. (Es war ein klassischer Katalog, von verbesserten Arbeitsbedingungen, Recht auf Weiterbildung in der Fabrik oder von Arbeiterkontrolle stand nichts darin.) Die Arbeiterdelegierten wussten, dass die Aktien der C.G.E. im Steigen begriffen waren, dass die Kapazität der Fabrik auf lange Zeit voll ausgelastet war. Sie hatten sich ein Organigramm der tentakulären C.G.E. verschafft und kannten den Jahresbericht des Verwaltungsratspräsidenten sehr genau. Die Direktion liess antworten: «Diese Forderungen sind absolut unvereinbar mit unseren finanziellen Möglichkeiten, wir bedauern.» Ende Februar wurde demzufolge in einzelnen Ateliers gestreikt, nur zur Warnung. Da rief der Lokaldirektor von Saint-Brieuc die Delegierten zu sich und sagte: «Ich bitte euch, liebe Mitarbeiter, lasst uns doch das gemeinsame Interesse im Auge behalten, seid vernünftig, oder ich muss die Fabrik schliessen.» Die Arbeiter fuhren aber fort in ihrer Unvernunft, es fehlen ihnen ja die volkswirtschaftliche Bildung und der Blick aufs Ganze. Es gab eine Abstimmung. Sechshundert stimmten für einen unbefristeten Streik, hundertzwanzig dagegen, der Rest enthielt sich oder war abwesend. Die Fabrik wurde besetzt, symbolisch in Besitz genommen, das tat gut, einmal selbst eine Initiative ergreifen am Ort, wo man sonst immer herumgeschubst wird. Ein Pikett von hundert Arbeiterinnen und Arbeitern bewacht die strategischen Stellen. Man entspannt sich, schäkert, neue Beziehungen bahnen sich an. Man singt: «Nous sommes les nouveaux partisans, francs tireurs de la guerre de classe», das Lied von Dominique Grange. Die Maschinen ruhen. Das war am 13. März. Als Lokaldirektor Donnat und sein Personalchef Richet am 14. in die Fabrik möchten, werden sie von Arbeitern gestoppt. (Der C.-G.-T.-Delegierte warnt: angesichts der besetzten Fabrik wird die Direktion nicht verhandeln.) Donnat verhandelt aber trotzdem, und zwar im Lokal der Arbeitsinspektion von Saint-Brieuc (dem Arbeitsminister Fontanet unterstellt). Am 15. März schaltet sich der Präfekt ein, welcher vom Innenminister abhängt. Die Arbeiterdelegierten bemerken die Parteilichkeit der offiziellen Stellen, die nur angeblich vermitteln, in Wirklichkeit aber die Thesen der Direktion übernehmen. Die Besatzer wollen die Fabrik nicht freigeben, bevor sie ihre siebzig Centimes haben.

Zum erstenmal merken sie: Es ist eigentlich ihre Fabrik, man kann allerhand damit machen, sie zum Beispiel als Pfand behalten. Sie denken aber nicht daran, in eigener Regie zu produzieren, die Arbeitermacht aufzurichten, wie das 1920 in Italien geschah. Die Besetzung soll nur die Streikbrecher am Arbeiten hindern. Am 16. März sagt Donnat: «Wir werden die Tore öffnen.» Der Zentraldirektor kommt von Paris angereist, möchte einen Augenschein nehmen, Donnat tut's nicht mehr. Am Freitag, dem 17. März, im Morgengrauen, zur Stunde des Milchmanns, kommt ein Polizeikommissar mit der grossen Beisszange und Trikoloreschärpe um den Bauch und öffnet das Fabriktor gewaltsam, im Namen des Gesetzes. Hinter ihm die Ordnungskräfte, einige hundert C.R.S. Die Bevölkerung schläft, das Arbeiterpikett wird überwältigt, Besetzung ex. Um halb acht schon orientierten die Flugblätter der tüchtigen Gymnasiasten das Volk von Saint-Brieuc über die Vorgänge des Morgengrauens. Um 8.15 Uhr will Personalchef Richet in die von C.R.S. besetzte Fabrik wie gewohnt zur Arbeit, aber das Volk ist bereits vor dem Tor und beschimpft ihn: «Denkt ihr, wir werden mit den Gewehren im Rücken arbeiten?» Direktor Donnat lässt sich von Gendarmen in sein Büro eskortieren. «Sauhund», sagen die Arbeiterinnen, er hat keinen Mut, «il n'a pas de couilles». Die Stadt Saint-Brieuc, Bürgermeister Le Foll an der Spitze, verurteilt die Überrumpelungsaktion der Polizei. Die C.-R.-S.-Besatzungstruppen werden bei den Maristen-Patres einquartiert. Requisition. Die Maristen verlangen, dass die C.R.S. sofort verschwinden: «Wir haben euch nicht gerufen.»

Arbeiter und Bauern

So geht das Schlag auf Schlag, im eigentlichen und im übertragenen Sinn. Hört Ihr Herrn und lasst Euch sagen. «Saint-Brieuc cité gentille/que ton sol reluit excellent.» Insgesamt nur fünfzehn Streikbrecher, davon überlegen es sich zwölf noch anders, drei werden unter Polizeischutz in die Fabrik geleitet, fahren zum Hintertürchen sofort wieder hinaus. Und die schönen Gummidichtungen, unterdessen? Pirelli, Dunlop, Freudenberg, Dowty, die Japaner und Impéravia, Kleber, Isolants Français und alle übrigen Gummidichtungsfabrikanten stossen in die Marktlücke, «une infinité de bestes sauvages». Insofern sie Unternehmer sind, entwickeln sie eine gemeinsame Solidarität, aber insofern sie Konkurrenten sind, fressen sie einander. C.G.E. zehrt von keinem Solidaritätsfonds, hat keinen Kriegsschatz. Das ist nicht wie in der eisenverarbeitenden Industrie, wo jeder Betrieb ein Prozent seines Gewinns in die Solidaritätskasse spendet, woraus dann im Ernstfall die bestreikten Fabriken unterstützt werden. Der «Joint» kann nur auf die Komplizenschaft von Polizei, Justiz und übrigem Staatsapparat zählen, aber die kurbeln die Produktion auch nicht an. Auf der andern Seite der Barrikade hingegen scheint die Solidarität intakt. Monseigneur Kerveadou, Bischof von Saint-Brieuc, sagt in seiner Osterbotschaft: «Es gibt Gesten der Solidarität, welche eine evangelische Resonanz haben. Quand je pense aux vicissitudes harcelantes de notre pauvre existence ...» Monseigneur wurde vom jungen Klerus eingeladen, ein aktuelles Wort zum Sonntag zu sprechen. Die Arbeiter von Sambre-et-Meuse legen die Arbeit für einen kurzen Solidaritätsstreik nieder. In Saint-Ouen wird die Firma Alsthom (auch eine Filiale der C.G.E.) besetzt, welche fünfhundert Arbeiter entlassen will. Paco Ibañez singt für den «Joint», auch Glenmor und andere bretonische Barden. Den Streikenden wird in den Bistros von Saint-Brieuc gratis eingeschenkt, die Mieten sind gestundet. In Nantes, Brest, Lannion und auf dem Land wird Geld gesammelt, quer durch die Bretagne.

Und vor allem die Bauern tun sich hervor. Sie kommen mit ihren Traktoren gefahren, die Anhänger voll Lauchstengel, Blumenkohl, Butter, Milch, Fleisch, Artischocken, alles gratis. In einer ausgedienten Kaserne wird alles gestapelt, im Lokal der Gewerkschaft C.F.D.T. (welche im «Joint» die Mehrheit hat). Die Bauern entdecken die Arbeiter, die Arbeiter entdecken die Bauern. Sie sind nicht so verschieden, beide abgewetzt und ähnlich verschlissen. Die Landwirte sieht man auch bei den grossen Demonstrationen, eine spontane «garde républicaine», ihre Gegerbtheit und ihre Knotenstöcke machen einen soliden Eindruck, vielleicht kann man sie brauchen, wenn die Polizei übermütig wird.

Der Streik geht in die vierte Woche, aber er ist noch nicht reif, ganz oben in der «Joint»-Hierarchie ist man ratlos. Nach dem Lokaldirektor, nach dem Zentraldirektor schaltet sich der Zentralgeneraldirektor aus Paris ein. Er versteht die Ausdauer der Streikenden nicht, und die Solidarität einer ganzen Provinz hat er auch noch nicht erlebt. Wie können die von durchschnittlich dreihundert Francs pro Monat leben? (Denn mehr springt auch bei der schönsten Solidarität nicht heraus für den einzelnen Arbeiter. Und Ersparnisse haben sie nicht.) Der Zentralgeneraldirektor kann sich das um so weniger vorstellen, als er selbst dreissigtausend Francs pro Monat verdient. Die Regierung hat interveniert, das heisst, die Minister Marcellin und Pleven machen sich Sorgen, weil der Streik so populär ist, sie möchten nächstes Jahr in der Bretagne wieder gewählt werden. Der Zentralgeneraldirektor fährt nach Saint-Brieuc. Neue Verhandlungen auf dem Arbeitsinspektorat. Die Arbeiterinnen und Arbeiter lassen aber ihre Delegierten nicht allein, besetzen den Verhandlungssaal. Das Patronat schlägt eine Erhöhung des Stundenlohns um drei Centimes vor anstelle der verlangten siebzig. Herzliches Gelächter. «Wir werden euch hier einschliessen, bis ihr einen interessanten Vorschlag macht», sagen die Arbeiter und verwirklichen ihre Idee sofort. Den Gewerkschaftsdelegierten ist nicht wohl dabei, «die Volksseele könnte überkochen». Eine Nacht lang sind die Verhändler des «Joint» eingesperrt. Séquestration nennt man das, eine beliebte Methode in Frankreich. Sie teilen die Arbeiter-und-Bauern-Mahlzeit. Etwas Blumenkohl gefällig? Sie bleiben bei ihren drei Centimes. Am Morgen werden sie von der Polizei befreit. Schläge, Verwünschungen, Bitterkeit.

Die Polizisten, welche zur Befreiung des Direktors eingesetzt werden: Proletarier wie die Arbeiter, bretonische Proletarier noch dazu. Denn welche Möglichkeiten hat ein junger Bretone, wenn er nicht nach Paris auswandern will (fünftausend jährlich) oder die Arbeit in «Joint»-ähnlichen Fabriken ihm missfällt? Er kann sich bei den C.R.S. melden, dort verdient er mit fünfundzwanzig Jahren etwa 1500 Francs, hat viel Müssiggang dabei.

(Die C.R.S. werden zu zwei Dritteln in unterentwickelten Regionen rekrutiert. Für die Regierung bedeutet das zwei Bretonen auf einen Streich: Die provinzielle Misere produziert den Nachwuchs der Ordnungskräfte, welche dann wieder gegen das Volk eingesetzt werden, wenn es sich mit seiner Misere nicht abfinden will.) C.R.S. wird man aber nur, wenn es wirklich nicht mehr anders geht, die schwarzen Söldner werden verachtet, ein unehrlicher Beruf wie früher die Henker. Der C.R.S. Jean-Yvon hat es gespürt, als er in Saint-Brieuc plötzlich von seinem Freund Guy erkannt wurde, während der Demonstrationen. Sie waren unzertrennlich gewesen während ihrer Schuljahre im «Centre d'Enseignement Technique», sie waren auch jetzt nochmals für einen kurzen Moment unzertrennlich, der streikende Guy packte Jean-Yvon am Kragen und schrie: «Schlag doch zu, vas-y maintenant, tape-moi dessus.»

So ging das weiter, fünfte, sechste, siebte Woche. Hinter der Direktion des «Joint» steht der Patron von der übergeordneten C. G. E., Ambroise Roux, der grosse Ambroise, Herr über ein Imperium von 120000 Arbeitern, Vizepräsident des französischen Patronatsverbandes C. N. P. F. Er tritt persönlich nicht in Erscheinung, zieht aber in den Kulissen die Drähte. Seiner Pflicht genau bewusst, baut er eine harte Position auf. Der Streik in Saint-Brieuc wird zum Testfall. Wenn der «Joint» nachgibt, so ist das eine Ermunterung für die Arbeiter von Alsthom, Brissonneau et Lotz, Cifeco, Finnifor, Manufacture d'accumulateurs et d'objets moulés Tudor, Société Fulmen usw. (alles C.-G.-E.-Filialen). Nicht auszudenken, was dabei aus der expansiven C. G. E. wird und aus ihrer internationalen Konkurrenzfähigkeit. Er zieht also vorübergehend Millionenverluste durch den Produktionsausfall von Saint-Brieuc einer definitiven Lohnerhöhung von siebzig Centimes vor. Ambroise Roux verhandelt lieber von Spitze zu Spitze, C. N. P. F. mit C. G. T., wie bei den Mai-Gesprächen von 1968, er weiss, welche Sprache er gegenüber den Generalsekretären der grossen Gewerkschaften führen muss, das ist bekanntes Terrain, harte, aber loyale Verhandlungspartner, stückweise gemeinsames Vokabular. Hingegen ein wilder Streik wie in Saint-Brieuc, ohne anständige Vorankündung, von keiner Gewerkschaftsbürokratie gezügelt und von unverschämter Dauer, das ist ihm unheimlich. Schwer lastet die nationale Verantwortung auf ihm, seit Ende 1971 will er die Lohnentwicklung energisch abklemmen, ihm und ähnlichen Patrons hat es der Premierminister Chaban-Delmas zu verdanken, wenn er sagen kann: «Frankreich hält das blaue Band der Expansion inne.»

Er versteht deshalb nicht, dass die Regierung ihn zu immer neuen Verhandlungen drängt, dass sogar das gaullistische Hofblatt «La Nation» die C. G. E. starrköpfig findet, dass sogar Pleven streikfreundlich wird: Der gaullistisch-zentristisch beherrschte «Conseil général» des Departements Côtes-du-Nord subventioniert die Streikkasse mit 85 000 Francs. Pleven denkt bis zu den Wahlen, Ambroise Roux muss weiter denken. In der siebten Streikwoche endlich (in Saint-Brieuc werden zahlungsunfähigen Familien bereits Elektrizität und Wasser gesperrt) akzeptiert der «Joint» die Vermittlung des Arbeitsministers. Nun wird umgekehrt gefahren, die Arbeiterdelegierten nach Paris, sie treffen in den Räumen von Minister Fontanet ihre Kontrahenten. Paris als Verhandlungsort ist für die Direktoren günstig, hier werden sie nicht eingesperrt. Ihre Vorschläge klettern von sechzehn auf fünfunddreissig Centimes. Es wird Tag und Nacht verhandelt. Man erwartet von den Arbeiterdelegierten, dass sie auf der Stelle eine Wiederaufnahme der Arbeit versprechen. Die Delegierten sagen: «Das geht nicht, wir müssen die Basis konsultieren.» Der nationale Arbeitsinspektor, der angeblich neutrale Vermittler, läuft rot an und verlässt den Raum. Abbruch der Verhandlungen, zurück nach Saint-Brieuc. Die Arbeiterversammlung billigt den Abbruch. Wut und Zähneknirschen. In der achten Woche (die C. G. T. drängt auf Streikabbruch, die C. F. D. T. bleibt hart) kommt plötzlich ein diskutabler Vorschlag. Es werden fünfundsechzig Centimes angeboten, fünfundvierzig sofort, zwanzig ab 1. Oktober. Am 8. Mai wird im «Joint» wieder gearbeitet, in der modernen Fabrik, die so ideal im Grünen liegt.

Frauen

Diese Arbeiterinnen und Arbeiter, die den Streik durchstanden, diese Gymnasiasten, welche den Streik propagierten, diese Bauern, die den Streik fütterten: Wer sind sie? Was schweisst sie zusammen?

Die Frauen erzählen (sie machen fünfundsechzig Prozent der Belegschaft aus). «Ich arbeite seit drei Jahren im ‹Joint›», sagt eine 29jährige. «Die Arbeit ist nicht sehr anstrengend, nur langweilig, man vertrottelt dabei. Ich bin in der Expedition, Verpackung usw., Kontrolle der versandbereiten Dichtungen. 820 Francs im Monat. Wenn ich schon keine interessante Arbeit habe, möchte ich doch wenigstens recht verdienen. Drei von meinen Kindern bringe ich morgens in die Schule, eins in den Kinderhort. Die schlimmste Arbeit im ‹Joint›, das ist die Gummimischung, wo immer Staub eingeatmet wird. Wenn man dort wenigstens Milch trinken könnte.

Die Schornsteine fegt man ja auch, für die schmutzigen Hälse tut man nichts. Das Gummischneiden ist auch nicht gesund, da werden immer wieder Finger mit abgeschnitten, monatlich fünf bis sechs Finger oder auch nur Teile von Fingern. Es pressiert. Die Arbeit an den Öfen bei grosser Hitze ist das letzte. Mich stört, dass die Fabrik bald auf Hochtouren arbeitet, bald nur fünfzig Prozent, eine Abwechslung von Hetze und Untätigkeit. Ich werde auch nach zehn Jahren noch dieselbe Arbeit tun. Die Männer können eher weiterkommen, wir Frauen sind wirklich die willigsten und billigsten Arbeitstiere, dreifach ausgebeutet, als Prolos, als Bretonen, als Frauen. Abends, wenn ich nach Hause komme, wir zahlen dreihundertfünfzig Francs für die Wohnung, mache ich den Haushalt, Mann und Kinder müssen versorgt werden. Der Mann ist Vorarbeiter auf dem Bau, ein unpolitischer Mann. Es stört ihn, dass ich in der Gewerkschaft C.F.D.T. agitiere, er selbst agitiert überhaupt nicht, ein ruhiger Arbeiter. Er kennt nur seinen Job. Immer wenn ich in der Zeitung ein Foto von Demonstrationen sehe, habe ich Angst, mein Mann könnte mich darauf erkennen. Er sieht mich nicht gern in der Zeitung. Er hat mir verboten, die Kinder zu Demonstrationen mitzunehmen. Was kann ich vom Leben erwarten? Seit zehn Jahren sind wir in den Ferien zu Hause geblieben, mit welchem Geld sollten wir in die Ferien? Ich verlange nicht viel, eine gute Ausbildung für die Kinder, die Abschaffung der Schikanen in der Fabrik, zwei Minuten zu spät, schon wird eine Viertelstunde abgezogen. Ich möchte eine Arbeit, für die ich mich interessieren kann. Ich will wissen, wozu ich produziere. Ich möchte wirksam agitieren. Wozu die grossen Demonstrationen, bei der letzten waren es 12000, viel Begeisterung, und am Schluss nach einer schönen Ansprache läuft alles auseinander. Wir hätten die Fabrik im Sturmangriff nehmen sollen, die C.R.S. wären bald verschwunden, das hätte den Streikenden einen gesunden Impuls gegeben, statt untätig zu Hause hocken. Die grösste Gefahr bei einem langen Streik, das ist die ungewohnte Freizeit, die Männer kommen ins Trinken, das Familienleben wird gestört. Die Älteren sind von ihrer Arbeit schon so programmiert, die Routine steckt so tief in den Knochen, dass die Freiheit ihnen unnatürlich vorkommt. Die Lungen haben den Streik provoziert, die schlucken nicht alles.»

Eine Arbeiterin, 42jährig, während sie die Lebensmittel zuteilt und jeden Namen auf der Liste ankreuzt, beschreibt die Gewerkschaften. «Ich war früher bei der C. G. T. eingeschrieben, aber dieses Jahr werde ich meine Mitgliedkarte nicht erneuern. Die C. G. T. hat immer gebremst. Als es nicht mehr anders ging, hat sie den Streik halbherzig unterstützt. Die C. G. T. will keine Unordnung, sie will mit der kommunistischen Partei zusammen an die Macht, auf parlamentarischem Weg, und bis es soweit ist, darf man die Bürger nicht erschrecken. Die C. G. T. will die Streiks von oben dekretieren und fest in der Hand behalten, ordentlich bürokratisch, sie funktioniert genauso zentralistisch wie der Staat, wenn es nach dem Willen der C. G. T. ginge, hätten wir die Arbeit bald wieder aufgenommen, auch ohne richtige Lohnaufbesserung. Warum hat die C. G. T. uns nicht unterstützt durch einen Streik im ‹Joint›-Hauptwerk von Bezons? Dann hätte die Direktion längst nachgegeben. Aber die C. G. T. ist lahm, alles wird in der Pariser Zentrale bestimmt. Ihre ewigen Warnungen vor den gauchistischen Elementen, da muss ich lachen. Wir brauchen keine Gauchisten, wir brauchen nur einen Blick auf den Zahltag zu werfen. Die C. F. D. T. war viel aktiver, ihre Delegierten haben den Willen der Basis ziemlich genau reflektiert.»

Bald dressiert

Vor der ehemaligen Kaserne, das Volk steht Schlange im Regen, Lebensmittel und Geld werden verteilt, achte Streikwoche. Ein Bild, wie man es aus Zeiten der Rationierung kennt. Graue Gesichter, keine Triumphstimmung. Lange wird man es nicht mehr machen. Ein 47jähriger Magaziner, sieht aus wie sechzig, erzählt: «Wie soll ich von 750 Francs leben, sehen Sie selbst die Zahltagsabrechnung.» Kramt ein Papier hervor, Gesamtsumme, alle Prämien mitgerechnet: 750 Francs. «Jeden Tag fahre ich zwanzig Kilometer zur Arbeit, mit dem Motorvelo. Denken Sie nur nicht, das Leben sei hier billiger als in Paris. Mein Vater war Handlanger, meine vier Kinder werden wahrscheinlich auch Handlanger. Die Frau ist im Spital. Mit zehn Jahren wurde ich auf einen Bauernhof verdingt. Wissen Sie, dass Direktor Donnat gesagt hat, er werde diese Bretonen bald dressiert haben?» Er steht weiter Schlange mit seinem Rucksack, geduldig und kaputt. In der Nähe ein junger Arbeiter, unverheiratet, langhaarig, Aktivist, treibende Kraft, wirkt auch in der achten Woche noch frisch. «Ein wirkliches Bordell, der ‹Joint›. Unsere Arbeitskraft wird verschleudert. Da ist eine grosse und teure Maschine geliefert worden, aber da war kein Platz, um sie aufzustellen. Eine Schneidemaschine, die sich im Werk von Bezons bewährt hat, aber die Direktion hat nicht daran gedacht, dass in Saint-Brieuc eine andere, nämlich weichere Kautschukart geschnitten wird. Oft erhalten wir Produktionsanweisungen, doch ohne entsprechende Werkzeuge und Rohstoffe. Wenn man das kritisiert, wird man entlassen. Vielleicht sollten die Arbeiter einmal den Direktor entlassen? Aber allein könnten wir nicht produzieren, man vermittelt uns die nötigen Kenntnisse nicht. Es wird uns nichts erklärt, wir dürfen nur ausführen, nicht entwerfen. Alles verläuft von oben nach unten, nichts von unten nach oben. Ich möchte zum Beispiel wissen, wie der Kautschuk zusammengesetzt ist, den ich bearbeite. Ein Bordell, und erst noch ein langweiliges. Weshalb arbeite ich?»

«Weshalb studieren wir?» sagen die Gymnasiasten. «Wir dürfen nur unser Programm schlucken, sollen auswendig lernen und durch diesen komischen Unterricht von den ernsthaften Problemen abgelenkt werden. Man will uns auf leitende Funktionen dressieren. Man will uns ein Privilegierten-Bewusstsein beibringen. Aber so privilegiert sind wir auch wieder nicht, bei Licht betrachtet. Wir haben später auch nur unsere Arbeitskraft zu verkaufen. Wir können sie teurer verkaufen als die Arbeiter, aber entscheidend mitbestimmen werden auch wir nicht können (oder nur die allerwenigsten, die immer schon katzbuckeln und schweigen, bis sie ganz oben sind). Es ist skandalös, dass wir eine leichtere Existenz haben, nur weil unsere Väter keine Arbeiter waren. Wir wollen die Rolle nicht spielen, die uns zugedacht ist.»

Sagen die trotzkistischen Gymnasiasten vom *Comité de soutien lycéen* und drucken ihre Flugblätter. Gehen auf die Märkte und sammeln Geld. Verteilen die Flugblätter. Schmücken die Wände von Saint-Brieuc mit vielen erklärenden Inschriften, von der Polizei Schmierereien genannt.

Viele haben erst in diesem Frühling 1972 bemerkt, dass es eine ganz besondere Sorte von Menschen in ihrer Stadt gibt: den Arbeiter. Sie verwickeln die Leute in ein Gespräch, erläutern mit viel Geduld noch dem letzten Kleinbürger die Zusammenhänge. (Vor allem die Schüler aus den technischen Gymnasien sind aktiv, im klassischen Lyzeum Ernest Renan regt sich dagegen nichts.) Auch einige Lehrer überzeugen sie, die spenden darauf jeden Tag zwanzig Francs. Einige überzeugen sie nicht, es sind Gaullisten oder manche Kommunisten, die schreiben Mahnbriefe an die Eltern, wenn die Gymnasiasten agitationshalber der Schule fernbleiben. (Die KP will nichts von spontaner Arbeiter-Gymnasiasten-Bauern-Solidarität wissen. «Jeder an seinem Platz, immer schön ordentlich» ist ihre Parole.) Meist funktioniert diese Einschüchterung. Denn die Eltern fürchten, dass ihre Kinder durchfallen bei der ohnehin schwierigen Matura, dann müssten sie eventuell im «Joint» arbeiten ... Also sehen sich die Gymnasiasten gezwungen, die Absenzenlisten zu klauen, jetzt geht den Professoren die Übersicht ganz verloren. Eine festliche Zeit in den Gymnasien, durchweg höhere Temperatur.

Alle Talente können sich entfalten. Ein Fussballmatch wird organisiert, Saint-Brieuc gegen Brest, Erlös für die Streikkasse. Dann ein Picknick für Arbeiter oder gegenüber der Fabrik das Polittheater: «La grande enquête de François-Felix Kulpa.» Auch bretonische Folklore, Festou Noz und Dudelsackkonzerte, alles für den guten Zweck.

Herr Direktor

In seiner Villa sitzt Monsieur Donnat, im schönen Viertel von Saint-Brieuc, die Villa mit bretonischem Granit verziert, also durchaus Anknüpfung an die örtlichen Gegebenheiten, Donnat, von dem das Volk sagt: «Donnat salaud, le peuple aura ta peau.» Glattrasiert die Haut, welche seine Arbeiter ihm abziehen möchten, eine stramme Erscheinung, ganz der junge dynamische Chef, Idealmodell für Herrenunterbekleidung, Anfang Vierzig. Kein Hinterwäldler. Kurz ist die Zeit bemessen, die er den Journalisten widmen kann, in der Nacht sind neue Schmierereien aufgetaucht am lokalen Sitz des Patronats, gleich muss er mit den Behörden abklären, ob diese Sachbeschädigung eine Klage gegen Unbekannt wert ist. «Es ist alles ein Komplott», sagt er. «Alles von Agitatoren angezettelt. Reisende in Sachen Umsturz, sie waren vorgängig schon in Lyon bei ‹Penarroya› und in Le Bourget bei ‹Girosteel› und in Nantes. Zuerst glaubten wir, es sei eine spontane Bewegung. Wissen wir doch, dass unsere Arbeiter, meist bäuerlichen Ursprungs, zwar intelligent sind, aber ungebildet. Also wohl in der Lage, ihre Unzufriedenheit kurz aufwallen zu lassen, aber nicht, einen Streik diabolisch zu planen. Als die Fabrik von den Arbeitern besetzt wurde, musste ich über die Mauer klettern, da sah ich die fabrikfremden Elemente. Junge Trotzkisten. Worüber beklagen sich die Arbeiter? Keiner verdient weniger als neunhundert Francs. Worüber beklagt sich die Bretagne? Man wirft mir vor, dass ich kein Bretone bin. Wir haben nicht nur tausend Arbeitsplätze geschaffen, sondern eine ganze Infrastruktur ins Leben gerufen, denken Sie an all die Zulieferbetriebe. Wir bringen Steuern ins Land. Und was soll das Gezeter über Ausbeutung? Die C. G. E. ist eine Aktiengesellschaft, gehört nicht einem einzelnen Potentaten, sondern Leuten, wie mir oder Ihnen, jeder kann dort Aktien kaufen. Man behauptet, dass Arbeitskraft verschleudert wird? Daran sind die verantwortungslosen Arbeiter schuld. Wir bemühen uns um ihre Weiterbildung, aber Sie wissen ja, wie es heutzutage um die Arbeitsmoral bestellt ist. Sind Sie übrigens Wirtschaftsjournalist? Glücklicherweise konnte das Werk von Bezons seine Kapazität erhöhen und einige von unsern Aufträgen übernehmen. Die Arbeiter wollen sogar Lohn für die ganze Zeit, wo sie feierten. Gestatten Sie mir zu lachen. Es ist schlechthin unmöglich, die siebzig Centimes, die Gesetze der Ökonomie lassen das nicht zu. Die wirtschaftlichen Zusammenhänge bleiben den Arbeitern leider verborgen. Wenn die nicht nachgeben, müssen wir schliessen [es war in der 8. Woche]. Aber vielleicht besinnen sich die gemässigten Kräfte, welche in der Mehrheit sind, in letzter Minute und schalten die Extremisten aus.»

Monsieur Donnat hat keine Zukunftsangst. Er ist seit zwei Jahren Direktor. Er war früher im Bergbau tätig, droben im Norden. Mit seinen Kenntnissen ist er überall einsetzbar. Wenn der «Joint» schliesst, ist das für seine Karriere nicht nachteilig, mit seinen guten Diplomen wird er eine rechte Stelle finden im Konzern. Gegen einen Streik vermag er ja so wenig wie gegen ein schlagendes Wetter im Stollen. Ein Naturereignis. Herr Donnat blickt gefasst in die eigene Zukunft. Nur die Zukunft der Arbeiter bereitet ihm Sorgen.

Landluft
Boquého, ein Dorf in der Bretagne. Hier wohnt Robert Le Hégaray, einer von den intelligenten, aber unkultivierten Bauern, hat die Arbeiter unterstützt, nach der grossen Demonstration in Saint-Brieuc gab er mir seine Adresse. Was treibt ihn für die Arbeiter auf die Strasse? (Französische Bauern stellt man sich erdverhaftet vor und konservativ, eventuell gegen einen Panzerübungsplatz demonstrierend oder für den Milchpreis, aber nicht für Arbeiter. Mehr als ein korporatistisches Bewusstsein traut man ihnen nicht zu.) Hégaray ist Pächter, nur die Maschinen besitzt er, zum Teil. Eine stille und weitläufige Gemeinde, das intensive bretonische Grün, Regenlandschaft, eine zerfallende Kapelle, Pappeln und Wegkreuze. Eine Dorflehrerin, zugleich Dichterin, hat Boquého besungen:

O die lieblichen Felder und der
Klatschmohn,
die blühenden Apfelbäume, die
reiche Ernte,
der güldene Most, der perlende,
Seine Wiesen, seine rauhen Männer.

Hégaray zeigt die lieblichen Kühe, vierundzwanzig Haupt, etwas Kleinvieh, putzig schnuppernde Hasen, achtzehn Hektaren Land. Ein Traktor mit Zubehör. «Auch wir werden ausgezogen bis aufs Hemd», sagt er, «zur Abwechslung einmal nicht vom ‹Joint›, sondern von Péchiney und Kuhlmann, die uns den Dünger viel zu teuer verkaufen, von der Bank, die mir das Geld für den Traktor lieh, 4,5 Prozent Zins, Laufzeit fünf Jahre, von der milchverarbeitenden Industrie, von der fleischverarbeitenden Industrie, der ich meine zwölf Kälber im Jahr verkaufe. Für die achtzehn Hektaren Land müsste ich einen Kaufpreis von 120000 Francs bezahlen. Ich habe keine Ersparnisse. Ein ganz besonderer Blutsauger ist der Notar, welcher dreitausend Francs bezieht allein für die Ausfertigung des Pachtvertrags.» Wenn er's recht bedenkt, ist er ein Prolo. Die Produktionsmittel gehören zum grössten Teil noch der Bank. Das Dorf wird beherrscht vom Grafen de Robien, der besitzt zehn Höfe, insgesamt zweihundert Hektaren. Rentabilisierung wie in der Industrie, ein Hof unter sechzehn Hektaren ist nicht mehr lebensfähig, der Crédit agricole gibt keinen Kredit. Und auch Konzentration wie in der Industrie, drei Grossbauern vereinigen bald allen Grossgrundbesitz in ihrer Hand.

Der Eurokrat Mansholt hat beschlossen, dass vier Fünftel aller bretonischen Bauern verschwinden müssen, und so geschieht es, letztes Jahr zehntausend. Da sie keinen andern Beruf erlernt haben, bleibt ihnen nur die unqualifizierte Arbeit in der Fabrik. Sie drücken die Löhne, garantieren dem «Joint» und Konsorten eine billige Produktion. So hängt alles zusammen. «Vielleicht werde ich bald in der Fabrik arbeiten müssen, obwohl ich unbedingt hierbleiben möchte, und deshalb habe ich prophylaktisch demonstriert.» Er erwähnt die Misere der Alten, seine Mutter bezieht dreihundert Francs Altersrente im Monat, und die Löhne der Jungen. Sein Sohn, gelernter Automechaniker, hat in den letzten zwei Monaten 530.26 Francs verdient, mit zwanzig Jahren, er zeigt mir den Lohnzettel. Bald wird die Bretagne ein Nationalpark, einerseits, die verwaisten Bauernhöfe verwandeln sich in Ferienhäuser für Pariser, und ein Paradies für billig produzierende Patrons, andrerseits, rings um die Städte in den Industrierevieren. Hégaray hätte auch gerne studiert, aber zu Hause war kein Geld, es reichte nur bis zum Diplom der Elementarschule, so blieb er unkultiviert. In jeder freien Minute liest er Zeitungen und hört Radio. Im Esszimmer eine vergilbte Postkarte vom Eiffelturm, Souvenir de Paris, wo er ein einziges Mal war, auf dem Rückweg vom Militärdienst in Deutschland. Hat ihm nicht gefallen. Fotos von der ersten Kommunion, auch Ehrenjungfern von der Hochzeit, eine blühende Frau Hégaray einrahmend, die überhaupt keine Ähnlichkeit mehr hat mit der abgenützten Frau am Schüttstein. Hégaray entkorkt eine Flasche mit bretonischem Most. Viel Hoffnung auf einen Wechsel der Zeiten hat er nicht, wenn es gutgeht, wird er sich knapp über Wasser halten können. Soll er auf die Wahlen von 1973 bauen, auf eine Linksregierung? Und wenn schon, der Rechtspräsident Pompidou bleibt bis 1976 an der Macht. «Das gäbe ein lustiges Gespann, Pompidou mit einem linken Premierminister. Bleibt nur noch eine gewaltsame Veränderung.» Wenn sich die ganze Wut der Geschundenen auf einen Schlag Luft macht, da sieht er eine Möglichkeit. Er holt eine zweite Flasche, entfernt den Draht. Man sieht, wie der Korken durch die vereinigte Kohlensäure langsam herausgestossen wird.

You are now entering Benjamin Franklin Village

«Schräg gegenüber, auf der andern Seite der Strassenbahngeleise, haben wir den PX», sagt Chaplain Wichner; «und auch den beautyshop und eine Cafeteria haben wir dort. Diesseits der Geleise haben wir den American Express, die Military Police und die deutsche Polizei, vereint unter einem Dach, dann den Alkohol-Laden, die Militär-Kriminalpolizei, die Sozialarbeiter, und ein bisschen weiter hinten den Offiziers-Club, fast schon ein country club, während der Unteroffiziers-Club dort gleich neben der Sporthalle liegt. Dann das Kino und die bowling alley, die modernste und grösste Kegelbahn in der Geschichte der amerikanischen Streitkräfte in Europa. Der Stolz unserer Gemeinde, wenn ich so sagen darf. Die Schulgebäude und die Kirche liegen ein bisschen weiter oben.»

Chaplain Wichner, Feldprediger und Hauptmann der US-Army, hat an der Haltestelle Käfertalwald gewartet, wo Deutschland aufhört. Wichner steuert eine dieser prächtig verchromten, ausladend-weiträumigen Limousinen, die man ausgestorben glaubte, und macht gleich eine sightseeing-tour durch das fremde Territorium.

Wir dringen ein.

«You are now entering Benjamin Franklin Village», sagt die Ortstafel, «named in honor of the famous American patriot who helped draft and signed the declaration of Independence and later served as ambassador to France and England.» Für das Benzin zahlen die amerikanischen Soldaten im PX nur halb soviel wie an einer deutschen Tankstelle, darum immer noch die grossen Wagen.

PX heisst Post Exchange, darunter versteht man den von der US-Army betriebenen Supermarkt. Der Ausdruck ist historisch: So nannten die Erschliesser des Wilden Westens die ersten Handelsniederlassungen der Armee, wo die Weissen mit den Rothäuten ins Geschäft kamen, Feuerwasser gegen Büffelhäute. Die Alkoholabteilung des PX nennt man Class VI. Die gehört administrativ, wie auch der Benzinverkauf, zum PX, liegt aber nicht unter demselben

Dach wie das food-department, das wiederum räumlich getrennt ist vom nonfood-department.

Chaplain-Captain Wichner hat eine Arbeit geschrieben, «Das Bild der Frau in den Schriften Martin Luthers», und sich zu diesem Zweck auch in der historischen Bibliothek von Wolfenbüttel aufgehalten. Vor kurzem sei die Einheit, die er theologisch betreut, mit Helikoptern in die Nähe der DDR-Grenze versetzt worden, im Rahmen einer Übung zur Vorbereitung des Ernstfalls. «Wir machen jetzt alles mit Helikoptern», sagt Wichner. Er ist in Breslau geboren, heute Polen, die Familie geflohen, zuerst in die englische Zone, dann weiter in die USA. Von dort ist er wieder nach Deutschland zurückgekehrt, provisorisch. Im Rahmen der kürzlich geprobten Ernstfall-Übung sei ein Teil der zivilen Bevölkerung des Benjamin Franklin Village auch mit Helikoptern weggeschafft worden, an die Schweizer Grenze, man habe die Schweiz auf eine überraschende Art, ohne vorher die diplomatischen Kanäle zu benutzen, testen wollen und einfach ruck-zuck um Aufnahme der amerikanischen Flüchtlinge gebeten. Diese seien jedoch von der Schweizerischen Eidgenossenschaft barsch abgewiesen worden. «Wir werden uns dann im wirklichen Ernstfall daran erinnern und die Schweiz den nächsten Krieg allein gewinnen lassen», sagt Wichner, während er von der Lincoln Street in die Washington Street einbiegt.

Man fährt hier mit den 12 Meilen Stundengeschwindigkeit, die in manchen amerikanischen Dörfern vorgeschrieben ist.

Linker Hand haben wir jetzt den Sportplatz, zuerst einen runden, hier wird gesprintet, und dann einen eckigen mit Markierungen für baseball und football. Dann die Klinik für leichtere Fälle, einstöckig und weiss gestrichen. Ernsthafte Erkrankungen werden im amerikanischen Zentralkrankenhaus in Heidelberg behandelt. Das meiste ist hier weiss gestrichen, auf jeden Fall die Gebäude, welche der Allgemeinheit dienen, während die Wohnblöcke in Ocker gehalten sind. Nur die Panzer, die auf dem Panzerparkplatz stehen, sind grau. Er ist durch ein Drahtgitter mit Verbotsschildern vom zivilen Raum abgetrennt. Kein Zutritt! Fotografieren verboten! Sonst erinnert nichts an den Krieg.

Nach der Klinik ein Kindergarten und vis-à-vis die Kirche, die allen Religionen offensteht, hübsch und aus Holz wie in Landstädtchen des Mittleren Westens. Auch eine Thora sei hier vorhanden für den Armee-Rabbiner. Vor dem Eingang zwei Schrifttafeln unter Glas mit auswechselbaren Lettern, links steht CATHOLIC, rechts PROTESTANT, und für Sonntag, den 8. Juni, ist als katholisches Predigtthema angekündigt COME HOLY SPIRIT FILL THE HEARTS OF YOUR FAITHFUL, während es auf der protestantischen Seite heisst: A SHARED GLORY.

Weiter über Monroe Street, Jefferson Street, Jackson Street, vielleicht fünf Meilen quer durch die Siedlung. Die Wohnblöcke schauen alle in dieselbe Richtung, sind gleich gross, Architektur der frühen fünfziger Jahre. Keine Bäume. Weil draussen in Deutschland die Häuser ebenfalls einen militärisch ausgerichteten Eindruck machen, fällt's hier nicht besonders auf. Rasenflächen mit keuchenden Joggern; an den Grillvorrichtungen vorbei, die auf das Sonntagsfleisch warten (Barbecue). Viele rasenmähende Freizeitmänner, es ist Samstagnachmittag, und die Frauen kommen aus dem Supermarkt nach Hause. Majestätisch langsam kreuzen die Limousinen, und mancher Neger, den man ohne Übertreibung baumlang nennen darf, schlenkert munter vorbei in seiner kleidsamen Uniform.

Es ist, als ob eine Riesenschaufel irgendwo in Kentucky oder Oklahoma die Kleinstadt mit Stumpf und Stiel ausgegraben und sie dann am Stadtrand von Mannheim abgelegt hätte. Die Kampfkraft der Streitkräfte sei nur gewährleistet, sagt Wichner, wenn sie auch in ihrer Freizeit den gewohnten Komfort genössen und möglichst wenig verstört würden durch fremde Einflüsse.

Deshalb versuche man, ihnen die gewohnte Umgebung zu erhalten.

Nach der Jackson Street kommt der Grand Circle. Still und sehr gepflegt ist es hier. Die Häuser kleiner, die Rasen kürzer, die Autos kompakter, Volvos und andere europäische Marken; Villenviertel. Prunkende Autos gelten hier nicht als fein, man sucht Gediegenheit.

Hier residieren die höheren Offiziere ganz unter sich. An manchen Häusern sind auf Schildern die Bataillons-Insignien angebracht samt Bataillons-Wahlspruch. Der kann auch lateinisch sein, z.B. MEMOR ET FIDELIS. Eingedenk und treu! Gekreuzte stilisierte Pistolen mit dem Motto ENFORCEMENT WITH HONOR bedeuten, dass hier ein Kommandeur der Militärpolizei wohnt und ehrenhaften Zwang ausübt. Anderswo steht geschrieben ANY TIME ANY TASK, und damit ist die 181. Transport-Brigade gemeint. Von irgendwoher tönt Geigenspiel. Straffe Männer in karierten kurzen Hosen liegen in Liegestühlen und, vom Buschwerk halb verdeckt, bewegen sich Federballspieler auf dem Rasen, und das nächste Haus ist schon wieder mit einer starken militärischen Duftmarke versehen, VICTORY THROUGH SUPPORT. Hier wohnt nämlich der Chef der 51. Maintenance Brigade. «Gleich um die Ecke wohnt dann General Granger, unser Community Commander», sagt Wichner. «So nennt man den Bürgermeister unserer Stadt. Er bekommt nächstens seinen zweiten Stern und wird dann zurückversetzt in die Vereinigten Staaten.»

Rundschreiben John D. Granger, Brigadier-General United States Army, vom 24. Oktober 1979, US Military Community Activity Mannheim. Betrifft: Unziemliche Sprache.

1. Mit Besorgnis stelle ich fest, dass immer mehr Soldaten und ihre Angehörigen sich in der Öffentlichkeit einer unziemlichen Sprache bedienen und dass diese Sprache zu einem festen Bestandteil der Umgangsformen in unserer Gemeinschaft geworden ist.

2. Der Gebrauch einer unziemlichen Sprache verrät eine völlige Missachtung der Rechte unserer Mitmenschen. Von niemandem kann erwartet werden, dass er einer vulgären Ausdruckweise zuhört. Sie beleidigt die meisten Menschen und dient keinem vernünftigen Kommunikationszweck.

3. Ich ersuche die Kommandanten, die Soldaten dahingehend zu instruieren, dass eine vulgäre Ausdrucksweise in den öffentlichen Einrichtungen unserer Gemeinschaft nicht geduldet werden kann. Personen, die sich einer solchen Ausdrucksweise bedienen, sind aufzufordern, dies zu unterlassen. Im Nichtbefolgungsfalle sind sie aufzufordern, die betreffende Einrichtung zu verlassen. Widersetzlichkeiten ziehen das Eingreifen der Militärpolizei nach sich.

4. Ich rechne auf Ihre Unterstützung bei diesem energischen Versuch, das Leben in der Mannheim-Military-Community noch schöner zu gestalten.

«The Army is completely fucked up», sagt der schwarze Sergeant T., der am Sonntag vor dem Mittagessen seinen Oldsmobile putzt und poliert an der Washington Street, «fucking Army». Er zeigt die Knöpfe, mit denen sich die Sitze automatisch verstellen und die Fenster öffnen und schliessen lassen. Für acht Dollar konnte er den riesigen Wagen von Amerika nach Europa verschiffen, Army-Vorzugstarif. Er kommt aus New Jersey und war arbeitslos, bevor er freiwillig in die Army eingetreten ist. Die amerikanische Armee besteht heute aus lauter Freiwilligen, man nennt das enlisted, im Gegensatz zu den zwangsweise ausgehobenen Soldaten, drafted, auf welche die Nation in Kriegszeiten zurückgreift. Der Vorteil in der Army sei, dass man billig in der Welt herumkomme. Man muss sich für drei Jahre verpflichten, nachher kann man für drei weitere Jahre unterschreiben, to re-enlist, und sei dann wieder versorgt und so weiter. Ohne die Army hätte er Deutschland nie gesehen. Allerdings sehe er auch *mit* der Army nicht viel von Deutschland; seit der Dollar so heruntergekommen sei, könne man kaum mehr auswärts essen. Shit. Und in Mannheim gebe es ohnehin nur noch vier, fünf Lokale, wo man als Amerikaner hingehen könne. Nicht, weil er schwarz sei, werde er scheel angesehen in den Kneipen, sondern weil er als amerikanischer Soldat kein Geld mehr habe. Das sei eine Schande in den Augen der Deutschen. Die weissen Soldaten würden in Deutschland gleich behandelt wie die schwarzen, und so komme es dann, dass die Weissen hier in Übersee ihren Kopf ein bisschen weniger hoch trügen als in New Jersey und eine gewisse Rassengleichheit in die Armee einziehe. Die Lokale allerdings, in denen sie noch verkehren könnten, sollten möglichst schnell geschlossen werden, reine Drogenumschlagplätze und Hurenspelunken. Er persönlich sei nicht auf Deutschland angewiesen, obwohl er es im Ernstfall ohne Murren verteidigen wolle; er habe hier in der Siedlung Frau und Kinder und eine schöne Wohnung und könne sein Leben an Ort und Stelle fristen, nur für die militärischen Übungen müsse er nach Deutschland hinaus, out in the field. In den alten Filmen habe er gesehen, wie beliebt und umschwärmt die amerikanischen Soldaten früher einmal gewesen seien in Deutschland. Nur in den kleinen Dörfern draussen komme das heute noch vor, weitab von der Zivilisation, dass seine Einheit während eines Manövers herzlich empfangen und von den Einheimischen ein wenig verhätschelt werde. Aber es sei eben nicht mehr dieselbe Armee wie damals in den alten Zeiten, allerhand lausige Elemente hätten sich eingeschlichen, sie sei eine fucked-up-Army geworden, Drogen-Army, Säufer-Army.

Sergeant T. arbeitet als Scout, Pfadfinder, muss immer den Feind ausspähen und wird als einer der ersten dran glauben müssen, wie er sagt. Der Oldsmobile werde dann auch draufgehen. Sein Freund wurde in der Armee zum Koch ausgebildet, kommt aus Alabama und war zu Hause bei der Kehrichtabfuhr beschäftigt. Auch er bedient sich der von General John D. Granger beschriebenen Sprache, fucking, pissed up, shit, damn, shit, Jesus Christ, damn, son of a bitch. War mit der Armee in Korea gewesen, das heisst in einer amerikanischen Siedlung in She-Hang, acht Kilometer vor Seoul, vor drei Jahren. Die Lage dort sei unsicher gewesen, man habe nie gewusst, ob der Krieg morgen beginne oder nicht, er jedoch habe sich noch nie so sicher gefühlt wie in der Armee, der Arbeitsplatz garantiert auf Jahre hinaus, keine Angst vor Arbeitslosigkeit wie zu Hause. «Die Schwarzen sind in der Armee mehr zu Hause als in Alabama», sagt er. Von den Koreanern sei er netter behandelt worden als von den Deutschen; habe er doch kürzlich in einem grossen deutschen Lokal auf die Frage, wo die Toiletten seien, vom Wirt die Antwort bekommen: Hier gebe es keine Toiletten. Was ihn doch sehr erstaunt habe in diesem sauberen Land. Im weniger entwickelten Korea seien stets Toiletten vorhanden gewesen. Obwohl die Armee besser als alles andere sei, was er im Leben bisher angetroffen habe, müsse er doch betonen, dass eine fucking Stimmung herrsche, man sei viel zu lange out in the field, very frustrating, wenn man seine Familie wochenlang nicht sehe und herumtransportiert werde im kaltherzigen Germany. Wenn die Soldaten dann aus dem Feld zurückkehren, sind sie so schlecht gelaunt, «that they fuck up everything und put everything upside down, believe me, Sir», sagte Sergeant F.

Kirchgang in der Garnison, 8. Juni 1980. Im Kirchenchor links die amerikanische Flagge, rechts eine Kirchenfahne mit Kreuz. Das Kruzifix hinter dem Altar ist mit einer Drehvorrichtung ausgestattet. Während des katholischen Gottesdienstes schaut der Heiland ins Volk, für die Protestanten wird er gegen die Wand gedreht. Auf dem Altartuch ist ein grosses ALLELUJA eingestickt, und der protestantische Gottesdienst beginnt mit der Hymne:

My country' tis of thee
Sweet land of liberty
Of thee I sing
Land where my fathers died
Land of the pilgrims pride
from every mountain side
let freedom ring

Darauf gibt man dem Kirchenbank-Nachbarn die Hände und sagt: «Hi, how are you.» Die Rangunterschiede sind abgeschafft, der Major fraternisiert mit dem Sergeanten, der Akademiker mit dem Proleten, der Kasernenbewohner mit dem Einfamilienhaus-Bewohner. Durchweg Brüder in Christo, in dieser Umfriedung. Der einfache Soldat, Nomenklatur EI mit 448,80 $ Grundsold, ist hier soviel wert wie der Brigadegeneral, Nomenklatur 07 mit 3431,10 $ Grundsold. Die Predigt handelt wirklich, wie auf der Tafel vor der Kirche in Aussicht gestellt wurde, vom geteilten Ruhm.

Der weitere Verlauf des Gottesdienstes wird aufgelockert durch solistische Darbietungen, heute singt Marcella Allen: FOR THOSE TEARS I DIED.

Applaus.

Nachher stellt sich die weibliche protestantische Jugend im Kirchenchor auf. Siebzehn Mädchen, rot-weiss gekleidet, mit Glocken in der Hand, die verschiedene Töne erzeugen, bringen eine durchgehende Melodie hervor, indem jedes zu einem vorbestimmten Zeitpunkt seine Glocke schwenkt.

Applaus.

Im Keller der Kirche die Cafeteria. Smile! Jesus loves you, steht bei den Ankündigungen auf dem Anschlagbrett, und:

You have a lot to live
Jesus has a lot to give

Die Funktionen des Feldpredigers sind auch abgebildet, hyperrealistische Kunst, signiert ARTIST: TOM LOWELL. Feldprediger in Südostasien, Kampfanzug, auf dem Helm ein kleines Kreuz, im Hintergrund etwas Dschungel, am Himmel ein Helikopter. Feldprediger beim Spenden des letzten Trostes, amerikanische Flagge auf dem Sarg. Feldprediger beim Messe-Lesen im Feld, gebeugte Soldatenköpfe.

Von oben tönt der monotone Singsang der baptistischen Gemeinde, die nach den Katholiken und Protestanten die Kirche benützt, gedämpft in den Keller der Kirche hinunter. Captain Silveri, katholischer Feldprediger, etwas über fünfzig, sitzt hier in seinem Büro und erledigt Schreibarbeiten. Er hat es ruhig, die bewegte Zeit liegt hinter ihm. Regelmässig, wenn er eine fire support base besuchte und den Soldaten Mut zusprach, habe er auch für den Feind gebetet, der aus dem Hinterhalt auf ihn schoss (Südostasien). Nie eine Waffe getragen, höchstens sich ans Steuer eines Jeeps gesetzt, damit der ihn begleitende Soldat die Hände frei hatte für den Gebrauch der Schusswaffe. Für den Vietcong keinen Hass empfunden, obwohl er sogar im Helikopter von ihm beschossen, aber nie abgeschossen worden sei.

«Hoffentlich gibt es keinen Krieg mehr, aber wenn ich die Sünden der Welt sehe, so fürchte ich, wir müssen dafür bezahlen», sagt Silveri. Auch den Koreakrieg hat er erlebt, da war er noch einfacher Soldat gewesen und als Schreibkraft für die Militärgerichtsbarkeit eingesetzt worden. 180000 Kriegsgefangene waren zu bewachen in einem Lager, da gab es oft Ausbruchsversuche, deren Bewältigung viel Büroarbeit mit sich brachte. Wenn hier in Europa Krieg stattfände, dann wären sie selbstverständlich schnell ausgelöscht in der Mannheim-Community, die andern dort drüben hätten den Standort der amerikanischen Kasernen natürlich eingezeichnet auf ihren Generalstabskarten, und so eine moderne Rakete brauche nicht lange. Wie ein Naturereignis. «Wir hatten ja auch dies Problem mit dem Mount St. Helen, der ohne Vorwarnung ausgebrochen ist», sagt Silveri. Wie ein Vulkan.

Mit den Koreanern war es schwierig, den Gesichtern partout nicht anzusehen, ob kommunistisch oder nicht; glichen sich alle. Kriegerische Verwicklungen in Deutschland könnten ähnliche Probleme bringen, die Ostdeutschen gleichen den Westdeutschen zum Verwechseln, und wenn ostdeutsche Partisanen hinter den Linien abgesetzt werden …

Nie wieder Krieg.

Jedes Jahr eine Militär-Wallfahrt nach Lourdes.

Oben singen immer noch die Baptisten. Die Körper in den Kirchenbänken wiegen sachte hin und her in der Dünung ihres Singsangs. Lauter Schwarze. Der Vorsänger rezitiert einen Vers aus der Bibel, die Gemeinde ruft dann pünktlich: Yeah! Die Wahrheit wird euch frei machen ... Yeah. Dazwischen Hammondorgel. Alle sonntäglich herausgeputzt im besten Gewand und eine Inbrunst, dass die Kirche zittert. Lockenköpfe, nur wenige Frauen mit kosmetisch entkräuselten Haaren. Das «Yeah!» tönt, als ob hier die Bibelverse vom Vorsänger frisch erfunden worden wären. Auch die Männer in Zivil, nur aus ihren Haaren ist die Uniform nicht zu entfernen, Frisur nach Army Regulation 670, Ziffer eins. Im Juni feiert die baptistische ZION CHURCH die Geburtstage der folgenden Sis and Bros: Deacon Page, Bro Bayor, Sis Bowles, Sis Lacour, Sis F. Tarrance. So ist es auf dem Gottesdienstprogramm vermerkt. Sisters and Brothers. Hier finden sie Wärme, ein wenig eigene Kultur, Geborgenheit und Schönheit. Kein Weisser stört, das Militärische wird weggesungen, die Hierarchie verdampft. Sie haben den eigenen Rhythmus gefunden.

Sis Amazing Grace singt abschliessend eine Hymne.

Willy E. Lehninger, Director, Public Affairs, sitzt wie gewohnt in den Taylor Barracks und pflegt die deutsch-amerikanischen Beziehungen. Am Eingang der Taylor Barracks steht auf einer Tafel geschrieben, warum die Kaserne so heisst: «Cecil V. Taylor. Erhielt postum die Medaille vom Silbernen Stern für Tapferkeit vor dem Feinde am 18. April 1945, als er im Verlauf eines feindlichen Gegenangriffs in der Nähe von Beilstein, Deutschland, obwohl tödlich verwundet, mit dem Maschinengewehr weiterfeuerte.»

Lehninger hat es nicht leicht, seit die Amerikaner in der Achtung der Deutschen gesunken sind, weil sie kein Geld mehr haben. Und jetzt noch diese Affäre mit den Helikoptern in Persien! Man lacht im deutschen Mannheim (300000 Einwohner) über die ehemals tüchtige Armee, welche immerhin die Wehrmacht besiegt hat (Hut ab). Und im amerikanischen Mannheim (35000 Einwohner) knirscht man mit den Zähnen. Überraschend auch diese Umweltschützer. Im Viernheim-Lampertheimer Wald wollte die Army 270 Hektar abholzen bzw. «auslichten», wie die Amerikaner sagen, für einen neuen Panzerschiessstand. Ministerpräsident Börner liess verlauten, man sei hier nicht in Texas, und die Umweltschützer sagten: «Panzer brummen – Vögel verstummen.» Das Gebiet bei Viernheim-Lampertheim sei übrigens noch unter Besatzungsrecht, schrieb der «Mannheimer Morgen». Die Beziehungen auf höchster beamtlicher Ebene sind trotzdem noch ganz gut. Hier ein Treffen zwischen dem amerikanischen Bürgermeister und dem deutschen Bürgermeister, dort eine gemeinsame Festlichkeit von Bundeswehroffizieren und Army-Offizieren. Lehninger muss diese Anlässe jeweils publikumsgerecht vorbereiten und die lokale deutsche Presse bedienen, auch den «Mannheim Messenger» im Auge haben, die Zeitung der US-Community.

Willy E. Lehninger sagt, in der Armee gebe es viel weniger Probleme als früher, praktisch keine Rassenfrage mehr, stark zurückgegangener Drogenkonsum, wenig Kriminalität, straffere Disziplin. Allgemein sei Ruhe eingekehrt in der Armee nach den schwierigen Zeiten des Vietnamkrieges. Sie sei jetzt eine ruhige Armee geworden. Der Ku-Klux-Klan schon lange nicht mehr aufgetreten. Und wie er mir helfen könne bei der Bewältigung meiner journalistischen Aufgaben? Natürlich im Rahmen seiner Möglichkeiten.

Ich möchte herausfinden, wie das tägliche Leben der Soldaten schmeckt und riecht, was sie den ganzen Tag treiben. Kann man sie bei der Arbeit sehen? Beim Exerzieren (unangemeldet)? Die Panzer bei Routinefahrten? Die Helikopter? Lehninger weiss nicht, ob das möglich ist, dazu müsse die Erlaubnis der Einheitskommandanten eingeholt (any time, any task) und auch das Oberkommando der United States Army Europe, abgekürzt USAREUR, müsse gefragt werden …

Kann man eine Kaserne ohne Voranmeldung und ohne Eskorten besichtigen? Die Kantinen? Vielleicht.

Darf man eine Soldatin, eventuell eine Offizierin, beim Exerzieren beobachten? Und was tun die Angehörigen? Lehninger zögert. Vieles sei geheim in der Armee; classified.

Kann man das Militärgefängnis von innen besichtigen? In Mannheim steht das Militärgefängnis für alle amerikanischen Truppen in Europa, mit 300 Plätzen (1970 war dort eine Revolte, sieben Mann in der Einzelzelle, «sie behandeln die farbigen Gefangenen wie Tiere», stand im «Tageblatt»).

Nein, das ist nicht zugänglich, man darf auch nicht mit dem Gefängnisdirektor reden oder mit dem Gefängnisgeistlichen. Off limits, heisst der Fachausdruck.

Kann man die amerikanische Kriminalpolizei besuchen, abgekürzt CID? Und die tägliche Arbeit der Militärpolizei erleben?

Es sei doch viel einfacher, wenn ich ihm Fragen stellen würde, er könne alles erschöpfend beantworten, sagt Lehninger, und warum es nötig sei, alles in Augenschein zu nehmen? Der einzelne Soldat resp. Soldatin sehe alles immer nur aus einem engen Blickwinkel und könne mir keine Übersicht bieten. Er hingegen habe naturgemäss die Übersicht. Der Journalist müsse stets das grosse Ganze im Auge behalten, und wenn man einfach verschiedene enge Blickwinkel (narrow angles) aneinanderreihe, entstehe kein objektiver Bericht. Damit bin ich einverstanden, möchte auch den weiten Blickwinkel der Offiziere kennenlernen (wide angle).

Also gut.

Nun kommt Sergeant Major Frye, rüstige Erscheinung zwischen 50 und 60, höherer, mit Fallschirmspringerabzeichen bestückter Unteroffizier. Das Abzeichen hat er in Panama bekommen, wo er einen schönen Aufenthalt gehabt habe (er sagt nicht «Kanalzone», sondern einfach «Panama»). Und eskortiert mich zum Büro von Major Mann, stellvertretender Regimentskommandant. Morgensonnenglanz auf Bäumen und Rasen, linde Brise, riesige Garagen für Militärvehikel, Hammertöne aus den Werkstätten. Auf einer Wiese zutraulich herumhoppelnde Hasen, halbwild, ab und zu in Erdlöchern verschwindend. Und wieder eine Kapelle. Er habe seinerzeit in Vietnam sogenannte Foxholes ausgeräuchert, sagt Sergeant Mayor Frye; damit sind sicher unterirdische Stellungen des Vietcong gemeint. Die Militärpolizei sei nicht nur für die Aufrechterhaltung von Ruhe und Ordnung in der Armee verantwortlich, sondern werde auch für die Bewältigung von besonders kniffligen Aufgaben im Feld herangezogen. Er spricht von Vietnam, Panama, Korea und Italien (Aufenthalt in Vicenza) wie ein Handlungsreisender, der in dieser oder jener Stadt besonders gute Geschäfte getätigt hat. Zum Avancieren sei Vietnam speziell günstig gewesen, ungemein schnell habe man dort befördert werden können. Er hat amerikanische Freizeiteinrichtungen auf drei Kontinenten kennengelernt, ab und zu auch amerikanische Schlachten.

Der Blutkreislauf der Armee hat ihn rings um die Welt gespült, je nach strategisch-technischen Erfordernissen musste er sein Bündel schnüren. Er tat nur seine Pflicht. Germany sei innerhalb des amerikanischen Stützpunkte-Systems nicht direkt unbeliebt, sagt Frye, wenn auch Hawaii und die Neuen Hebriden höher im Kurs stehen. Man könne sich den Ort halt nicht aussuchen.

Der stellvertretende Regimentskommandant, Major Mann, ein kleiner, zart und eher jung wirkender Mann, hat im Moment keine Zeit. «Grüssen Sie mir die Schweiz, ich war kürzlich in Grindelwald. Such a wonderful country! Und kommen Sie doch bitte am Nachmittag wieder vorbei.»

Weiter mit Frye zur gemischten deutsch-amerikanischen Wache am Eingang von Benjamin Franklin Village. Rechts Military Police, links deutsche Polizei. Die wirkt schon fast zivil, Mütze statt Helm, bescheidene Pistolen usw. Bei den Amerikanern ein Foto von Khomeini mit konzentrischen Kreisen; Zielscheibe. Es ist aber nur symbolisch gemeint, geschossen wird hier nicht. Neben Khomeini ein Bild von Schloss Neuschwanstein und der Merkspruch THE HARDEST BATTLE OF LIFE IS THE BATTLE AGAINST OURSELVES. Militärpolizisten stehen herum, gewaltige Pistolen an den Hüften; baumelnde Nachtstöcke, wie der Fachausdruck lautet, nightsticks, und Handschellen am Gürtel.

Hier regiert First Sergeant McCabe. Schickt Patrouillen über ein Gebiet von 1076 Quadratkilometern, die amerikanischen Kasernen und Depots der Mannheimer Garnison liegen weit verstreut im Umkreis und müssen miteinander Verbindung haben. Benjamin Franklin Village ist nur die grösste und schönste amerikanische Agglomeration, daneben gibt es noch etwa ein Dutzend Kasernen oder Stützpunkte. McCabe nimmt auch Beanstandungen entgegen, schlichtet Streit, erhält Schadensmeldungen. Eine Frau beklagt sich: Die Militärpolizei habe nachts um ein Uhr bei ihr geläutet, ihren Mann abholen wollen, der aber nicht zu Hause gewesen sei. McCabe sagt, das sei eine unziemliche Zeit für Verhaftungen; soll nicht mehr vorkommen. Entschuldigt sich korrekt und väterlich im Namen der Armee. Auch für den Schutz der Geldtransporte ist McCabe verantwortlich, die Sicherheitsquote sei sehr hoch, die Bewaffnung der Eskorte dergestalt, dass noch nie jemand einen Überfall gewagt habe. Für die Beruhigungspatrouillen ist er auch zuständig, sogenannte high visibility patrols, das sind jene Militärpolizeivehikel, die an einem gut sichtbaren Punkt aufgestellt werden und rein durch ihre Präsenz beruhigend wirken, will sagen respektgebietend, sagt McCabe. Discipline-Law-Order ist das Motto der Militärpolizei, abgekürzt DLO.

«Die Kriminalpolizei liegt gleich gegenüber. Parterre werden amerikanische Nummernschilder ausgegeben, im ersten Stock sitzt ein Mister Alexandre, der ist für Mordfälle zuständig und Vergewaltigungen. (1977 liefen 24 Vergewaltigungsanzeigen ein; zwei Soldaten wurden verurteilt.) Er darf keine Auskunft geben über seinen Sachbereich. Ein Fahndungsplakat hängt im Korridor, deutsch und englisch. Es wird eine Belohnung ausgesetzt für Hinweise, die zur Ergreifung des Täters führen, der eine Negerin umgebracht hat. Der Kopf des Opfers, der in Plastik verpackt gefunden wurde, ist abgebildet. Ein Amulett wurde am Ort des Verbrechens ebenfalls sichergestellt.

Im dritten Stock behandelt Mister Carnes die leichteren Fälle. Trägt Zivil, auf seiner Krawatte sind Miniaturhandschellen befestigt. An der Wand ein paar Dutzend farbige Zettelchen; unaufgeklärte Fälle. Weiss bedeutet Diebstahl, Rot Rauschgift, Orange Schlägereien. Alles, was mit weniger als einem Jahr Gefängnis wegkommt, fällt in seine Zuständigkeit, rund 900 Fälle jährlich. «Wir liegen etwas unter dem Durchschnitt der andern amerikanischen Garnisonen in Deutschland», sagt Carnes. Er beschäftigt sich momentan mit einem Fall von indecent exposure, Erregung öffentlichen Ärgernisses. Ein Soldat habe die Hosen heruntergelassen und seinen cock herumgezeigt. Der wird jetzt unter den weissen Zettelchen abgeheftet.

«Die Offiziere drüben in Amerika, die uns in die Armee hineingetrickst haben, sollte man vor Gericht bringen wegen unlauteren Wettbewerbs und lügenhafter Propaganda», sagt der Militärpolizist T. Er redet offen, weil er nächstens den Dienst quittiert; und alles könne ruhig gedruckt werden. «Die haben uns das Blaue vom Himmel herunter versprochen, Achtstundentag und Ausflüge in den Schwarzwald. Alles gelogen.»

T. spricht über die Armee wie über einen Abfallkübel. Unziemliche Sprache, er fühlt sich als Söldner des eigenen Landes, ganz

Fremdarbeiter. Die Offiziere seien allgemein von Dünkel gebläht. Strenges Fraternisierungsverbot. In den Mannschaften schlechtes Menschenmaterial, wie er sagt, too many losers, Absteiger und Nichtsnutze, Hascher und halbe Analphabeten. «Wie sollen die Deutsch lernen, viele können nicht mal richtig Englisch, Puertoricaner und Alabamaneger.»

T. fährt Patrouille. First Sergeant McCabe hat ihm eingeschärft, dass er über alles reden dürfe, ausser über militärische Geheimnisse. Aber T. hat auch so genug zu erzählen. Er hat sich von der Armee einen Aufstieg erhofft, war Polizist in Kalifornien. Doch die Autos, in denen er hier patrouillieren muss, sind klapprig, die Funkanlagen nicht die modernsten. Die Army hat kein Geld mehr, und er flucht.

Autobahn. Die Landschaft ringsherum ein Mischmasch, die Stadt franst aus, Polizeigegend. T. trägt Helm und Pistole, muss im weiten Umkreis amerikanische Verkehrsdelikte registrieren. Sein Polizeiauto hat einen kleinen, fast unsichtbaren Kratzer. Der Kratzer muss registriert werden, zuerst in den Taylor Barracks. Zwei, drei Formulare, Diskussion mit den deutschen Mechanikern. Wie gross ist der Kratzer? Wie tief? Braucht es die Bestätigung des vorgesetzten Mechanikers, dass hier überhaupt ein Kratzer vorliegt?

T. kommt misslaunig aus der Garage zurück. Weiter zu den Spinelli Barracks. Spinelli war auch ein Kriegsheld gewesen. Ein paar Kilometer durch die deutsch-amerikanische Landschaft, waste land mit Stacheldrahtzäunen, holprigen Wegen, Militärschrott links und rechts. Ein verschlafener schwarzer Soldat am Kontrollpunkt.

«Hast du eine Zigarette?»

T. verneint, fährt weiter, zündet sich eine an und sagt: «Man soll nicht fraternisieren mit den faulen Brüdern.»

Auf dem riesigen Gelände der Spinelli Barracks liegen Ersatzteile für den Krieg, Panzer und ähnliches Metall. Die Amerikaner können im Ernstfall nicht das gesamte Material herüberschaffen, drum liegt es hier bereit. Es darf nicht rosten unterdessen. Jährlich die sogenannten Reforger-Manöver. Menschenmaterial wird aus den USA eingeflogen und dann mit dem Material der Spinelli Barracks zusammengebracht, so hat das der Generalstab geplant.

Aber jetzt muss hier nur T. seinen Kratzer ein zweites Mal begutachten lassen. Er ist schon ganz nervös, im nächsten Krieg wird es viel Arbeit geben mit den Kratzern. Wieder Autobahn, im Militärpolizeifunk knackt es. Verkehrsunfall bei Coleman Barracks. «Die deutschen Frauen sind scharf auf Neger», sagt T. und schaltet wieder auf Empfang. «Wir haben keine Chancen. Man wird neidisch, dann gibt es Schlägereien.»

Der Verkehrsunfall ist nur ein neuer Kratzer. Weil das Armee-Eigentum heilig ist, muss jede Kleinigkeit registriert werden. Ein Kotflügel wurde leicht touchiert, zwei Armeefahrzeuge haben einander gestreift. Im Zivilleben kaum der Rede wert. Die Armee, die Zerstörungen im grosszügigsten Umfang vorbereitet, macht damit einen Papierkrieg. Fucking paperwork.

Vor den Kasernen traben ein paar Dutzend junge Männer, T-Shirt und grüne Hosen, in militärischer Formation. Jogging, nicht ganz freiwillig. Einer hat die Gasmaske im Gesicht, und es ist ziemlich heiss. Helikopter stehen im Hintergrund träge und schwarz herum. Heuschrecken des Krieges.

T. sagt, ich solle ihn doch heute abend besuchen in den Taylor Barracks und mir ansehen, wie dort gewohnt wird. Abgemacht!

Am späten Nachmittag hat Major Mann endlich Sprecherlaubnis aus dem Hauptquartier in Heidelberg erhalten, er darf Fragen beantworten, zöge es aber immer noch vor, wenn ich mich vertrauensvoll, wie er sagt, an Willy E. Lehninger wenden würde, Director, Public Affairs. Dieser habe die Übersicht. Und könne jeden einzelnen Aspekt des Soldatenlebens detailliert beschreiben. Dieser sei ein Spezialist.

Aber er habe schon lange nicht mehr im Feld gestanden, wende ich ein.

«In der Tat, da mögen Sie recht haben. Aber bitte keine politischen Fragen. Und über den Geheimbereich darf ich nichts sagen.»

Gehören die Kantinen zum Geheimbereich?

«Sie sind ein Spassvogel!»

Nein ... Und die Mannschaftsunterkünfte in den Kasernen?

Der Major zögert. Das englische Wort für Kasernen, barracks, sei irreführend, man könnte dabei leicht an Baracken denken, d.h. an spartanische Unterkünfte. Diese Art von Kasernen sei jedoch nicht mehr im Schwange; manche der Soldaten hätten sogar Einzelzimmer mit fliessend warmem und kaltem Wasser. Vom Feldwebel an aufwärts lebten die Verheirateten ohnehin im Benjamin Franklin Village in geräumigen Wohnungen.

Major Mann ist verheiratet und geht jeden Morgen um sieben Uhr ins Geschäft, bleibt oft bis 18 Uhr dort. Er habe die Berufsauffassung eines Managers. An einem bestimmten Punkt seines Lebens, nach dem Universitätsdiplom, habe er vor der Wahl gestanden, ob er beispielsweise in die Zentralverwaltung des Warenhauses Sears & Roebuck eintreten und sich dort zum Chef des Hemden-Departments hinaufarbeiten solle. Zuständig für die Hemden bei Sears & Roebuck, nationwide!

Da habe ihn im letzten Moment ein Freund aus der akademischen Verbindung seiner Universität auf die Perspektiven einer militärischen Laufbahn hingewiesen. Nun sei er glücklich geworden in der Armee, die Management-Möglichkeiten seien hier doch beträchtlich grösser als bei Sears & Roebuck, man könne Menschen führen und sei für das Glück der Untergebenen mitverantwortlich, für 800 Menschen insgesamt in seinem Militärpolizeiregiment.

Auch werde sein persönlicher Ehrgeiz in diesem Betrieb ständig angestachelt. Sein Ziel sei, möglichst bald Oberst zu werden. Er ist jetzt 38 Jahre alt, und mit 40 hofft er, diese Schwelle überschritten zu haben. Später vielleicht General. Der Mannheim Community Commander, General John D. Granger, ist erst 43 Jahre alt; bald bekommt dieser seinen zweiten Stern!

Auch Major Mann ist in Vietnam gewesen, Spionagebekämpfung in der Etappe, Kriegshandwerk im Feld. Seine Frau habe in der Community von Mannheim ein Tätigkeitsfeld gefunden als Pfadfinderführerin bei den brownies (Keksen). So werden die jüngsten Pfadfinder genannt. Auch kirchlich bestünde ein Engagement; ich sei ihnen aufgefallen am letzten Sonntag, weil ich ständig Notizen gemacht habe in der hintersten Kirchenbank.

«Ich fand die Kirchenlieder interessant.»

«Aber die sind doch nichts Besonderes!»

Im Korridor vor Major Manns Büro sind Inschriften an der Wand, American Grafitti, die Geschichte seines Regiments wird rekapituliert. Die Vollzugsmeldungen beziehen sich auf Vietnam. Ob es ihn nicht wurme, dass die Army den Krieg, nachdem sein Regiment so viele Schlachten gewann, verloren habe?

Auf politische Fragen wolle er keine Antwort geben.
«Mannheimer Morgen», 10. November 1976. «US-Soldaten revoltieren gegen schlechtes Essen.»

Ihren Unmut über das angeblich schlecht zubereitete Fleisch machten gestern abend Soldaten einer Kompanie in der amerikanischen Turley-Kaserne an der Grenadier-/Friedrich-Ebert-Strasse deutlich Luft: Sie warfen aus den Fenstern ihres Unterkunftsgebäudes Matratzen, Geschirr, Essensreste und andere Gegenstände. Die US-Militärpolizei war anfangs nicht Herr der Lage und befürchtete eine Revolte grösseren Ausmasses, zumal unbekannt war, was sich innerhalb des Gebäudes zutrug. Daher forderten die Amerikaner deutsche Polizei zur Unterstützung in die Kaserne an. Fünf Peterwagen fuhren gegen 18.30 Uhr zur Turley-Kaserne, mussten aber nicht mehr eingreifen, da die US-Polizisten zwischenzeitlich mit den aufgebrachten Soldaten ins Gespräch gekommen waren. Die Amerikaner hatten ausserdem mittlerweile selbst weitere MP-Fahrzeuge zum Orte des Geschehens beordert.

Gleich hinter dem Benjamin Franklin Village liegt der Käfertalwald, und dort soll es Raketen geben. Off limits für die Deutschen und auch für die meisten Amerikaner gesperrt. Stringent lässt sich nicht beweisen, dass dort Raketen sind. Aber von den ca. 4000 Deutschen, die für die Amerikaner arbeiten, sind manche fest überzeugt davon. Haben einiges läuten hören im Laufe der Jahre. Ein Stück Natur als Geheimsache, super-classified.

Die Amerikaner sind niemandem Rechenschaft schuldig. Nicht mal der Bürgermeister von Mannheim hat dort Zutritt. Ob die im Wald vermuteten Raketen konventioneller Art sind, weiss auch niemand; vielleicht handelt es sich nur um die simplen Nike-Herkules. Allerdings existiert die Nike-Herkules in verschiedenen Ausführungen. In der amerikanischen Zeitung «The Pilot-Independent» vom 6. März 1980, die den Alltag eines in Deutschland stationierten Raketensoldaten schildert (in welcher Gegend er sich genau befindet, schreibt die Zeitung nicht), wird festgehalten, die Nike-Herkules sei «eine 41 Fuss lange, mit festem Treibstoff betriebene Rakete, welche feindliche Flugzeuge in grosser Höhe abzufangen und zu zerstören bestimmt ist in einem Umkreis von 85 Meilen und bis zu einer Höhe von 150000 Fuss. Konventionelle

Sprengsätze können gebraucht werden, aber das System ist so konstruiert, dass es möglich ist, ganze Formationen von feindlichen Flugzeugen mit atomarer Munition auseinanderzusprengen (to break up).»

Dass die Bäume des Käfertalwaldes geschützt werden müssen gegen Übergriffe aus der Luft, liegt auf der Hand. Warum also nicht mit der besseren Nike-Herkules-Variante? Nike kommt aus dem Griechischen und heisst Siegesgöttin oder einfach Sieg, und Herkules ist ein Kraftprotz aus dem Altertum, daher auch die Säulen des Herkules. Er trug die Welt auf seinen Schultern.

Ob im Käfertalwald Giftgas gelagert ist, weiss auch nur das Pentagon. 1969 gab es einige Aufregung deswegen, in Mannheim und darüber hinaus. Auf der Insel Okinawa waren nämlich 23 amerikanische Soldaten der 267. Chemical Company und ein Zivilist durch ausströmendes Nervengas schwer verletzt worden. Eine sogenannte Schwestereinheit der 267. Kompanie, die 9. Chemie-Kompanie, war damals in Mannheim stationiert. Die Amerikaner haben weder bestätigt noch dementiert, dass diese Kompanie Giftgas verwaltet.

Wäre keine Kriegs-Chemie im Käfertalwald gewesen, so hätten sie bestimmt dementiert, meinten damals die deutschen Zeitungen. Auf eine Anfrage des «Mannheimer Morgens» antwortete der amerikanische Presseoffizier in Heidelberg: «Wir haben keinen Kommentar zu dieser Angelegenheit. Wenn Sie wollen, können Sie Ihre Anfrage an das Verteidigungsministerium in Washington richten.»

Das Pentagon blieb stumm.

Auch die Bundesregierung konnte keine Auskunft erteilen, obwohl sich der Mannheimer Abgeordnete und Bundesminister Carlo Schmid persönlich eingeschaltet hatte. Bonn sprach in der Verlautbarung nicht von Giftgas oder Nervengas, sondern von Sondermunition. «Natürlich», sagte die Bundesregierung, «könne auf Grund der geltenden NATO-Bestimmungen nicht jede beliebige Auskunft über die Lagerung von Sondermunition der Alliierten gegeben werden. Soweit die Bundesregierung selbst unterrichtet werde, müsse sie dieselben Geheimhaltungsvorschriften beachten wie die Regierungen der Stationierungsstreitkräfte.»

Die Mannheimer hatten nicht jede beliebige, sondern eine ganz bestimmte Auskunft verlangt; über Nervengas, nicht über Sondermunition (Leuchtspurpatronen sind auch Sondermunition). Eine Antwort ist auch später nie gegeben worden. Auf die Frage, ob die 9. Chemie-Kompanie abgezogen sei, heisst es heute: No comment. Classified.

«Mannheim Messenger», offizielles Organ der Mannheim Community, 6. Juni 1980. «Die Gefahr in Ihrer Tasche», Washington, Army News.

Gasfeuerzeuge können gefährlich sein, erklärte der National Safety Council, wenn sie missbraucht, falsch gebraucht, der Hitze ausgesetzt sind, falsch funktionieren oder sich in grosser Höhe befinden (Flugzeug).

Butan im Feuerzeug ist wie eine Flüssigkeit, die in einem Tank unter Druck steht. Wenn das Ventil offen ist, entweicht Gas.

Beachten Sie die folgenden Vorsichtsmassregeln:

– Setzen Sie Ihr Feuerzeug nie einer Temperatur von über 120 Grad Fahrenheit aus (49 Grad Celsius).

– Lassen Sie nie ein Gasfeuerzeug im Auto liegen, das in der Sonne steht.

– Halten Sie die Plastikfeuerzeuge vom Funkenwurf fern. Das Plastik könnte schmelzen und das Gas entweichen lassen.

– Halten Sie das Feuerzeug vom Gesicht entfernt, und stellen Sie die Flamme möglichst klein ein.

– Nachfüllung nicht in der Nähe von offenem Feuer oder Heizungen.

«There are not as many women in the army as men, and the men all want to get the women», sagt First Lieutenant Joyce Fleming. «Solange Frauen in der Armee sind, wird es immer sexuelle Probleme geben.»

Sie sitzt abends im Büro von McCabe, muss in der kommenden Nacht die Wache übernehmen. An der Hüfte eine Smith & Wesson, Kaliber 38, fast zu schwer für die kleine Gestalt. Die meisten Unteroffiziere und Soldaten wirken älter als Fleming.

«We do the thinking, they do the doing.» Ohne Umschweife schildert Fleming den Unterschied zwischen Akademikern und Handwerkern in der Armee. Offizier wird, wer ein Universitätsdiplom hat, Soldat oder Unteroffizier, wer keines hat. Ein Aufstieg vom Unteroffizier zum Offizier sei auf keinen Fall möglich.

Zwei Perspektiven für die Offizierslaufbahn. Entweder man besucht eine Militärakademie, das sei so gut wie eine Universität, oder militärische Kurse im College, parallel zu den zivilen Vorlesungen. Fleming hat an der Universität von Indiana Soziologie studiert und vom Staat 100 Dollar pro Woche erhalten als Stipendium für die militärischen Kurse. In den Ferien fünf Wochen lang ins summer camp, und während des Semesters lernt man jeweils am Wochenende biwakieren in den Bergen, auch Landkartenlesen, macht sich mit dem militärischen Denken vertraut; das heisst, man lernt kommandieren.

Kommandieren habe sie nie eigentlich lernen müssen, sagt Joyce Fleming, das müsse man im Blut haben. Es handelt sich höchstens darum, eine gewisse Scheu abzulegen. Da sie aus einer achtköpfigen Familie stamme, habe sie schon früh ihre jüngeren Geschwister regelrecht herumkommandieren müssen, damit einigermassen Ordnung geherrscht habe, weil nämlich die Mutter berufstätig gewesen sei. So habe sie, aus bescheidenen Verhältnissen aufsteigend, organisch in die Kommandostrukturen der Armee hineinwachsen können. Die Armee sei eigentlich wie eine grosse Familie. Nach dreimonatiger Grundausbildung in Fort McClellan, Alabama, und nachdem sie noch ihr Fallschirmspringerabzeichen gemacht habe, sei sie dann zum Leutnant befördert und vor etwas mehr als zwei Jahren nach Deutschland geschickt worden, wo sie sofort ihre Abteilung, das sogenannte platoon, übernommen und jetzt also 45 männliche und zwei weibliche Soldaten unter ihrem Kommando habe.

Nie seien ihr Schwierigkeiten erwachsen, weil sie kein Mann sei. Der Fachausdruck für diese Schwierigkeiten heisst «sexual harrassement», sexuelle Belästigung, auch darüber gibt es ein Rundschreiben von General John D. Granger. Keine Unehrerbietigkeit irgendwelcher Art, Annäherungsversuche, unziemliche und/oder anzügliche Bemerkungen seien je vorgekommen, sie habe sich sofort durchgesetzt und seinerzeit einem Untergebenen, der es an Respekt habe fehlen lassen, sofort ein Buch an den Kopf geworfen; es war in einer Theoriestunde. Geschützt werde sie durch ihren militärischen Grad. Die zwei Frauensoldaten, welche unter ihrem Kommando arbeiten, hätten hingegen einige Schwierigkeiten sexueller Natur mit ihren männlichen Kollegen und würden etwas weniger respektiert als sie selbst. Die wohnen in einer Kaserne mit unverheirateten Männern zusammen, nicht im selben Zimmer, aber auf demselben Flur.

Fleming hat eine Kampfausbildung genossen, schiessen gelernt mit dem M-16-Gewehr und der Smith & Wesson. Sie gehöre zwar im Prinzip, wie alle Frauen, zur nichtkämpfenden Truppe, schiesse aber trotzdem gern und gut. Komme der Krieg, so müsse sie nur im äussersten Notfall schiessen: defensiv. Jetzt mache sie vor allem Verwaltungsarbeit, erteile ihren Untergebenen Ratschläge, eile von Sitzung zu Sitzung, werde auch herangezogen bei der Vorbereitung von Gerichtsverhandlungen, gehe dann wieder mit ihren Schützlingen und Schützlinginnen für drei Tage ins Feld, zur Notfallalarmübung, ARTEP, Armoured Readiness Testing Program heisse das, und sei es immer eine wertvolle Erfahrung für sie. Verheiratet ist sie mit einem Leutnant, der auch in Vietnam gewesen und dort ausserordentlich schnell befördert worden sei, so schnell, wie es heute nicht mehr möglich wäre. Sie verdient etwas mehr als 1000 pro Monat und lebt on the Economy. Das ist der Fachausdruck für die Lebensweise ausserhalb der amerikanischen Gemarkungen, wenn man eine Wohnung in Deutschland draussen bezieht. Dafür gibt's dann spezielle Zuschüsse.

In der Armee sei ein Qualitätsabfall des Menschenmaterials zu verzeichnen, bemerkte abschliessend First Lieutenant Fleming. Zu viele Leute, die sich gehenlassen, und ehemalige Arbeitslose, welche quasi aus Barmherzigkeit aufgenommen worden seien. Fraternisieren mit Unteroffizieren oder Soldaten höhle die ohnehin schon klägliche Disziplin noch weiter aus; auch mit Frauensoldaten gestatte sie sich kein Fraternisieren bzw. keine Schwesterlichkeit. Nur straffste Disziplin könne die Armee als schlagkräftiges Instrument erhalten. Gegebenenfalls müsse die Militärgerichtsbarkeit mit aller gebotenen Strenge durchgreifen.

Fleming ist 24 Jahre alt.

«Mannheimer Morgen», 1. März 1975. «Gruss farbiger US-Soldaten störte die Army-Disziplin.»

Die geballten Fäuste, mit denen sich viele farbige US-Soldaten begrüssen, scheinen manchem ihrer (meist weisshäutigen) Vorgesetzten nicht zu gefallen. Wenn dann auch noch der Ruf «Power Check» (womit sie sich ihrer eigenen Stärke versichern wollen) und der Gegenruf «right on» (etwa «richtig so») erschallt, scheint die Disziplin in den Kasernen und Casinos gefährdet. Diese Erfahrung musste jedenfalls ein dunkelhäutiger Feldwebel (Sp 5) des 81. Maintenance-(Wartungs-)Bataillons in den Käfertaler Taylor Barracks machen. Wegen des zumindest innerhalb der Army-Gebäude verbotenen «Power-Check» hatte er sich vor seinen Disziplinarvorgesetzten zu verantworten.

Dort wurde – ungewöhnlich für solch geringfügiges «Vergehen» – fünf Stunden lang verhandelt, wobei auch farbige und weisse Zeugen vernommen wurden. Dabei kam heraus, dass es die Vorgesetzten des Feldwebels besonders geärgert hatte, dass sich einige weibliche US-Soldaten ebenfalls der aufmunternden Grussformel ihrer farbigen Kollegen bedient hatten. Deshalb – so vermuten Eingeweihte – fiel die Strafe für den Feldwebel auch relativ gering aus: Er wurde zu 25 Dollar Busse und einer Woche «Strafarbeit» verurteilt, das heisst, er muss sieben Tage lang zwei Stunden länger als üblich im Dienst bleiben. Grund der Verurteilung: Ruhestörung innerhalb der Kaserne und Heraufbeschwörung von Rassenkonfrontation.

Richtig feierlich sei es, eine Atomrakete zu bewachen. Zu seinen Obliegenheiten habe vor allem das Mähen des Rasens um die Rakete herum gehört, das Gras dürfe nicht länger als 4 cm wachsen. Mit Unannehmlichkeiten sei die jährliche Neubemalung der Rakete verknüpft, nicht für die Rakete natürlich, aber für die Soldaten, die, während die Rakete in einen Holzschuppen gebracht werde, draussen in der Kälte stehenbleiben müssten und sich den Schwanz abfrören. Neu bemalt werde die Rakete jährlich, damit sich nicht Rost einfresse und die delikate Ladung gefährde – überhaupt werde auf die Rakete mehr Sorgfalt verwendet als auf die Soldaten, die weniger wert seien. Nach erfolgter Auftragung des neuen Farbanstrichs beginne dann wieder der normale Wachdienst auf den Wachtürmen rings um die Rakete: mit dem Fernglas den Wald checken und die Raketenlichtung genau überwachen und das

Wild, das sich der Rakete nähern könnte. Mit gespannten Nerven immer dort oben stehen und diese überaus kostbare, von den besten Hirnen ersonnene, von vielen Technikern gehätschelte, im elegantesten styling geformte Hochleistungspräzisionsvernichtungswaffe betrachten und alle Vorkehrungen treffen, damit sie ungestört und unbemerkt bleibe im Wald; sich ausmalen, wie das hochgeschätzte Objekt majestätisch langsam vom Boden abheben werde eines Tages, wie lang der Feuerschweif sein werde, wie viele Minuten das Objekt brauchen werde bis nach Russland oder Polen – und sich fragen, ob die Wachmannschaft auf den Wachtürmen vor dem Abheben des Objekts wohl noch rechtzeitig benachrichtigt würde, damit sie nicht versengt werde vom Feuerschweif des Objekts, das ja eine beträchtliche Hitze und Schmorkraft im weiteren Umkreis verbreiten werde.

So sei das in Kaiserslautern gewesen, sagt der Soldat T. Er hockt mit fünf anderen Soldaten in seiner Unterkunft, Stube nennt man das vermutlich. Grundriss ca. 10 auf 10 Meter. Zweistöckige Eisenbetten, knapper Spind. Jeder Soldat hat laut Armeereglement Anrecht auf soundso viele Kubikdezimeter Lebensraum. Stühle sind vom Reglement verboten. Es riecht nach Schweiss.

Sie liegen auf den Pritschen herum und zeigen ihre Gefühle. T-Shirts, kurze Hosen, Freizeit. Die Uniform hängt im Spind, und ohne die militärische Verpackung reden sie ganz locker. Wütende Lehrlinge nach Feierabend, der Stolz der Armee, die Militärpolizei, die harten Männer mit den Bubengesichtern. Heimweh und viel Bier.

Es wäre unhöflich gewesen, die Einladung von Sergeant T. auszuschlagen und nicht in die Taylor Barracks zu gehen. In solchen Räumen (Zimmern? Behältern?) leben sie drei Jahre lang, die unverheirateten Soldaten, wenn sie nicht avancieren. Da hat jeder ein Interesse, möglichst schnell Feldwebel zu werden und den Bund der Ehe einzugehen, damit er hinüberwechseln kann in die geräumigen Wohnungen von Benjamin Franklin Village.

Der wachhabende Sergeant könne jeden Moment hereinkommen. Laut Reglement darf er die Zimmer jederzeit inspizieren, ohne anzuklopfen. Aus einem Spind baumelt das leere Pistolenhalfter, daneben die Sonntagsuniform. Die Waffe wird nach Dienstschluss in der Waffenkammer eingeschlossen, damit nichts passieren kann. Jetzt macht Soldat C. mit beiden Händen eine Bewegung, als ob er einen unsichtbaren Besenstiel massieren würde, und sagt: Die Offiziere wünschen, dass wir uns einen abwichsen; Mädchen dürfen nicht auf die Zimmer kommen. They want us to masturbate! Aber auch für das Wichsen braucht man ein bisschen Intimsphäre, nicht wahr. Sehen Sie hier irgendwo eine Intimsphäre? No privacy, shit.

Für 150 Soldaten vier Waschmaschinen, ist das normal?, ruft Soldat B. Wieviel Zehntel-Waschmaschinen trifft es in ihrer Heimat pro Kopf der Bevölkerung? Vor kurzem habe er einen Monat Stubenarrest gekriegt, sagt F., weil er trotz allem ein Mädchen mitnahm.

Und ich einen Monat, weil ich beim Autofahren drei Büchsen Bier im Blut hatte, ruft B.

Und wer sind überhaupt diese Offiziere, dass sie uns das Ficken in der Kaserne verbieten! Nicht mal der eigene Vater hätte uns das verboten.

Der jüngste sagt, er sei siebzehn Jahre alt. Im zweiten Jahr der high school sei er ausgestiegen, ohne Job. Hinein in die Army. Ein anderer wurde von seinem strengen Vater im Bett erwischt mit einem chick, wie er sagt (also doch. Ein Vater mit Armeemoral). Ist dann abgehauen zu Hause, die barmherzige Army nahm ihn auf.

Aus Georgia, Chicago, San Francisco hat sie der Armee-Magnet weggesaugt und hier in den Taylor Barracks fallen lassen. Schwarze gibt es nicht in dieser Stube, sie würden sich weigern, mit einem Neger zu wohnen.

Der aus Chicago, italienische Abstammung, suburbs, hat zu Hause sozusagen nie einen Schwarzen gesehen. Diese Neger seien fast so seltsam wie die Deutschen, total fremd.

Ein Bügeleisen steht herum. B. hat Auslegeordnung gemacht mit seinen militärischen Effekten, auf der Pritsche. Immer Inspektion! Röhrender Hirsch, Wandbehang aus dem PX, und ein Easy Rider. Unter dem Pistolenhalfter eine Gitarre. Musik aus dem Radio: laut.

Dirty Posters sind auch nicht erlaubt, ruft P.

Und immer diese Alarmübungen. Wenn Alarm gegeben wird, sage man ihnen nicht, ob jetzt der Ernstfall ausbreche oder nur ein Training. Es müsse alles so gerüstet sein, dass der Ernstfall ohne

Schwierigkeiten eintreten könnte. Erst im Verlauf der Alarmübung erfahren sie dann, dass der Krieg noch nicht ausgebrochen ist. Ihr Jederzeitbereitsein ist die Voraussetzung für einen anständigen Ernstfall. Gasmaske und feldmarschmässig heraustreten! Wenn es dann wieder nicht der Ernstfall ist, sind sie belämmert. Nur die Offiziere wissen immer schon, ob es Krieg ist oder bloss ein neuer Trainingsfall.

Die Neger, ruft B., they don't think white; sonst hätten wir ihnen nichts vorzuwerfen. Und reden nicht englisch wie wir! Geh mal Freitagabend in den Gemeinschaftsraum, lauter Neger. Da geht keiner von uns hinein. Können die nicht reden wie jedermann?

Und wenn wir überall sehen, wie die amerikanische Flagge beleidigt wird, und Carter wird in die Eier getreten und in den Arsch und fängt immer noch keinen Krieg an, der weiche Bruder. Wenn nur bald ein richtiger Krieg kommt, dann hört dieses Kasernenleben auf. Endlich Krieg, das wäre schön.

Und wir sehen, was die Offiziere wert sind. Ins Manöver kommt der Oberst mit seinem Wohnwagen und trinkt heissen Kaffee, und wir sind 72 Stunden ohne Schlaf in der Nässe draussen.

Im Krieg würde man uns nicht mit Haarschnitt und Schuhputzen belästigen, sagt der Sohn eines Spenglers aus Georgia. Das wäre mal was anderes. Und ein Rassenproblem gäbe es auch nicht mehr.

Die Neger! Zu Hause können sie mit keiner weissen Frau ins Bett, aber in Deutschland immer, ruft der Waffenmeister, der abends die Pistolen sammelt und in die Waffenkammer einschliesst.

Wir saufen zuviel. Wir saufen uns noch hinüber!

Krieg! Wir wollen endlich Krieg!

520 Dollar Sold, das ist auch zuwenig. Man ist so frustriert, dass man immer Geld ausgeben will für Dummheiten, der Alkohol ist nicht billig. Mit der einen Hand kassiert die Armee wieder ein (PX), was sie mit der anderen ausgibt (Sold).

Ein Lichtblick. Beim Carnival, deutsch-amerikanisches Volksfest, wenn sie in ihren Sonntagsuniformen das Fest bewachen müssen wie letztes Jahr, dann haben sie Erfolg bei den deutschen Mädchen. Fotos werden herumgereicht. Zwei als Militärpolizisten verkleidete Burschen, ich sehe sie auf dem Bild zum ersten Mal in Uniform, adrette weisse Mützen, straffe Haltung, sind von vier Mädchen umgeben.

Und in den Coleman Barracks sei das Wohnen noch schlimmer; Infanterie. Und von Leutnant Fleming wollen wir lieber nicht reden. Auf Wiedersehen!

In den Korridoren riecht es nach Schmierseife, Karbol und Patriotismus, und es wird schon dunkel. Über dem Kaserneneingang hängt die Devise der 272. Military Police Company: HERE TO DEFEND – HERE TO STAY – WHATEVER THE COST. Noch ein Abendspaziergang die Autobahn entlang, auf einer Brücke den brüllenden Verkehr überqueren, zwanzig Minuten zu Fuss bis Benjamin Franklin. Der California Ice Cream Shop liegt gegenüber dem Kino. *365* happy ice-cream days. Daneben ein Würstchenstand, Schwarzwald Drive-Inn.

Am nächsten Morgen ist die Stimmung bewölkt im Büro von Willy E. Lehninger, Public Affairs. Im ersten Vorzimmer wirkt das Gesicht der Sekretärin feierlich, und im zweiten Vorzimmer ist der Assistent recht verschlossen. Hier waren sie doch sonst immer so aufgeräumt, munter und voll PR-Laune, wenn auch nicht direkt hilfreich, sobald man etwas Konkretes wollte.

Lehninger ist noch ernster als seine Vorzimmerleute.

«Sie haben das Areal der Turley-Kaserne sofort zu verlassen und dürfen es, wie auch alle andern Kasernenareale und militärischen Einrichtungen, nicht mehr betreten. General Granger hat Ihnen Hausverbot erteilt.»

«Das ist eine Überraschung!»

«Sie haben gestern abend militärische Geheimnisse ausgeforscht und sind unbefugt in eine Kaserne eingedrungen.»

«Ich wurde eingeladen und habe mich für die Wohnverhältnisse interessiert.»

«Sie haben den Standort von Atomraketen ausspioniert und den Atomraketenwachdienst. Die Wohnverhältnisse gehen Sie nichts an.»

Ein Militärpolizist erscheint, Charles T., der mich gestern auf Patrouille mitgenommen und fraternisierend Nick genannt hatte am Ende unserer Fahrt; nimmt Haltung an vor Lehninger und sagt mit offizieller Stimme: «Mister M., I must ask you to follow me at once.»

Wir verlassen das Büro at once, und der verwandelte Charles deponiert mich an der Haltestelle Käfertalwald und sagt: Sorry, dieser Mann steht himmelweit über mir in der Hierarchie, ich habe nichts zu sagen.

Auf dem Areal der Turley-Kaserne hat auch der Betriebsrat der deutschen Angestellten sein Büro. Der Vorsitzende Bartelt sagt mir am Telefon, er habe nichts gegen das Interview einzuwenden, und sein Büro falle nicht unter den Begriff «Militärische Einrichtungen». Also dann heute um 13 Uhr.

Das Telefongespräch mit Bartelt fand um 9 Uhr statt. Zwei Stunden später ein Termin im Polizeipräsidium Mannheim, um herauszufinden, wie die amerikanische Präsenz in deutscher Perspektive aussieht. Der Beamte gibt einige Statistiken für das Jahr 1979, Roheitsdelikte amerikanisch 104, gegen Roheitsdelikte türkisch 163 etc. Abschliessend fügt er bei: Er wisse, dass ich eine Verabredung mit Herrn Bartelt habe um 13 Uhr, und müsse mich darauf hinweisen, dass die deutsche Polizei, wenn sie darum gebeten werde, den Amerikanern Amtshilfe leiste, um mich aus den Turley Barracks wegzuschaffen; Hausfriedensbruch.

Woher weiss der Beamte von der Verabredung?

Er sei mit Lehninger befreundet. Woher weiss Lehninger von der Verabredung?

«Unser Telefon wird natürlich von den Amerikanern abgehört», sagt Herr Kern, ein Mitarbeiter von Bartelt, später am Telefon.

Verbündete.

«Mannheimer Morgen», 2. August 1973. «Schreck in der Nacht. Panzer auf Amokfahrt hinterliess Schrottspur.»

In der Innenstadt sah es aus wie nach einem Panzerangriff. Und ein Schützenpanzer der amerikanischen Armee war es auch gewesen, der diese Zerstörungen angerichtet hatte. Total demolierte Wagen säumten den Weg eines Panzerwagens. Auf dem Gelände der Coleman Barracks in Sandhofen hatte ein 19jähriger US*-Soldat gegen Mitternacht aus bisher unbekannten Gründen das Kriegsfahrzeug in Bewegung gesetzt. Das Tor des Geländes, auf dem der*

14-Tonnen-Koloss abgestellt war, konnte kein ernstes Hindernis sein. Der GI fuhr einfach darüber hinweg, als wäre es nicht vorhanden. Aus dem hinteren, unbewachten Tor der US-Kaserne fand er dann seinen Weg auf die Frankenthaler Strasse und fuhr Richtung Innenstadt. Schon in Sandhofen hefteten sich fünf Streifenwagen der amerikanischen Militärpolizei an seine Fersen – oder besser gesagt – an seine Ketten. Ein Wagen der Militärpolizei suchte sich vor den Panzer zu setzen und ihn zur Seite zu drängen oder durch Zeichen zum Stehen zu bringen – vergebens. Der 19jährige fuhr «stur wie ein Panzer» weiter und hätte den Polizeiwagen glatt überrollt, wenn ihn der MP-Mann nicht in den Graben gelenkt hätte. Die Streifenpolizisten gaben dann jeden weiteren Versuch auf, den Panzer zum Stehen zu bringen. Sie beschränkten sich darauf, ihn weiter zu verfolgen, um den Amokfahrer festzunehmen, wenn er freiwillig irgendwo anhalten würde. An der Ecke zur Mönchwörthstrasse ging ihm der Motor aus, und der Schützenpanzer kam zum Stehen.

Warum das Fahrzeug plötzlich stillstand, ob der GI einen Schaltfehler machte oder ob ihm einfach das Benzin ausging, war nicht zu erfahren. Er versuchte, zu Fuss zu flüchten, war aber in Sekundenschnelle von den Militärpolizisten eingefangen und wurde vorläufig festgenommen. Über die Motive dieser Irrsinnsfahrt konnte bis jetzt nichts in Erfahrung gebracht werden. Der junge Soldat wurde vom amerikanischen Geheimdienst, der CIA, verhört, verweigerte aber jede Aussage. Zwar wurde ihm eine Blutprobe abgenommen, aber ein Sprecher der Armee glaubt, dass der GI bei Volltrunkenheit nicht so weit gekommen ware.

Ein schwarzer Soldat, spät in einer Mannheimer Bar sein Bier trinkend, beschreibt das tägliche Leben. Benzin abfüllen für die Armeevehikel an der Armeebenzinsäule. Den Vehikeln mit dem Tankwagen in die Manöver nachfahren; und wieder Benzin abfüllen. In den letzten neun Monaten siebzig Tage unterwegs quer durch Deutschland im Rahmen der Übungen zur Vorbereitung des Ernstfalles. Verheiratet; aber seine Frau, die in den USA geblieben ist, möchte er nicht in die Garnison kommen lassen, er sähe sie doch nur die halbe Zeit. Ausserdem hätte die Frau dort keine richtige Arbeit – wie die meisten Hausfrauen in der Garnison, und würde nur herumhängen und sich langweilen und auf ihn warten.

Und dann sagt er: «Ich kenne Sie nicht, Mister, und darf nichts erzählen von der Armee, und wer garantiert mir, dass Sie nicht von der Gegenspionage sind und mich reinlegen wollen? Da gibt es amerikanische Agenten in Zivil, die sitzen hier herum und stellen so Fragen, und wenn wir ein wenig Konversation getrieben haben, heisst es plötzlich: ‹Mitkommen! Kriminalpolizei.› Und wir werden anschliessend zur Verantwortung gezogen wegen Geheimnisverrats.»

Im Strudel von Algier

Oberhalb von Bab el-Oued, wo früher die eher unbegüterten Pieds-noirs wohnten, bevor sie alle zusammen nach Frankreich emigrierten, 1962, und wo die mehrstöckigen, mit durchlaufenden Balkonen versehenen Häuser dann von den Arabern behändigt wurden, als Bab el-Oued und der grösste Teil von Algier sich schlagartig entleert hatten –

So möchte man gerne die Reportage über Algier, Alger la Blanche oder, besser gesagt, El-Djazair, die weisse Stadt in der schönsten Bucht des Mittelmeers, beginnen und hat nach Wörtern gesucht, welche die Zustände treffen. Aber man liegt hier immer daneben, sobald man etwas oder jemanden benennen will, und jeder Satz muss einen Gegensatz produzieren. Die Pieds-noirs, so bescheiden manche von ihnen auch lebten, waren nicht unbegütert, verglichen mit den arabischen Bewohnern der Kasbah, sondern ein Herrenvolk mit allen Bürgerrechten (1962 etwa eine Million), während man den neun Millionen Arabern ein Untertanenstatut zugestand –

aber die Kabylen, welche auch zu den Einheimischen gehören und ebenfalls wie Untertanen behandelt wurden, sind keine Araber, die Tuareg auch nicht –

und die Pieds-noirs, also die Abkömmlinge der europäischen Eroberer, sind sich 1962 auch als Einheimische vorgekommen, nachdem manche in der vierten Generation das Land bewohnten, und sind nicht nach Europa «emigriert», sondern haben fluchtartig das Land verlassen, weil die Desperados von der OAS (Organisation de l'Armée Secrète) das so gewünscht hatten. *Algérie française* oder gar nichts.

Wie auch immer: Westlich oberhalb von Bab el-Oued steht ein moscheenartiges Gebäude, den Horizont beherrschend, Kuppelbau mit zwei Minaretten, und auf der Esplanade davor steht eine leicht beschädigte Statue, der eine Hand fehlt, während die andere ein Buch mit der Aufschrift «Les Evangiles» umklammert. Die übrigen Monumente des Kolonialismus sind aus Algier verschwunden.

Marschall Bugeand zum Beispiel, der Eroberer Algeriens, ist längst durch eine Statue des von ihm unterworfenen Emirs Ab del-Kader ersetzt worden, die Rue Michelet gibt's offiziell auch nicht mehr, die wichtigsten Verkehrsarterien tragen Namen von algerischen Freiheitskämpfern: aber Kardinal Lavigerie, wenn auch einhändig, durfte stehenbleiben, obwohl er im 19. Jahrhundert nicht nur Algerien, sondern ganz Afrika dem Katholizismus einverleiben wollte. Und das moscheenartige Gebäude heisst immer noch *Notre-Dame de l'Afrique* und beherbergt eine schwarze Mutter Gottes und an diesem Sonntag, dem 21. März 1992, drei verlorene Seelen und einen Priester, der die Messe liest. *«Notre-Dame de l'Afrique, priez pour nous et pour les Musulmans»,* steht in der Apside. Für diese letzteren hat sie offensichtlich zu wenig gebetet, Bekehrungen waren selten. Die Basilika ist mit Votivtafeln gepflastert, hier haben die Pieds-noirs ihre Nöte in Stein gemeisselt, einer ist zum Beispiel vom Gelbfieber geheilt worden, ein anderer heil aus dem Ersten oder Zweiten Weltkrieg zurückgekommen, andere empfahlen ihre Seelen, bevor sie ins Herz der Finsternis, in den Kongo, reisten, der afrikanischen Mutter Gottes, 1892, mit rührenden Orthographiefehlern (Notre d'Ame d'Afrique). Die afrikanische Maria hat übrigens in einzelnen Fällen auch *nach* der Unabhängigkeit, als Mohammed offiziell wieder an die Macht gekommen war und alle übrigen Kirchen, mit der Ausnahme von Sacré-Cœur, in Moscheen verwandelt wurden, individuell durchaus noch geholfen, wie man den Jahreszahlen auf einigen Votivtafeln entnehmen kann, während demgegenüber die Imame, die jetzt überall statt der Glocken in dieser ehemals katholischen Stadt zum Gebet rufen, und manchmal auch zur Politik, ihre *kollektiven* Wunder versprechen, vor allem in den Moscheen von Es-Sunna in Bab el-Oued und von Ben-Badis im Vorort Kouba. Dort waren bis zum letzten Juni, bevor sie von der Regierung eingesperrt worden sind, die grossen Charismatiker wie Belhadj und andere mehr am Werk und haben in der langen Freitagspredigt jeweils eine bessere Gesellschaft in Aussicht gestellt, ohne Korruption und Unkeuschheiten, falls die Gläubigen den Koran und also das Programm des FIS (Front Islamique du Salut) zur Gänze applizieren und sich zu Herzen nehmen täten.

Wie viele Moscheen es in Algier gibt, kann niemand so genau

sagen, es werden immer wieder neue gebaut; aber man *kann* sagen, dass es abgesehen von den noblen Quartieren kaum einen Punkt in dieser Stadt gibt, an dem die Gläubigen nicht schon in der Morgendämmerung aus den Lautsprechern die Stimme des Muezzins hören, die sie zum El-Fedjr ruft, also zum Morgendämmerungsgebet, dann bei Sonnenaufgang zum El-Sobh, also zum Sonnenaufgangsgebet, und mittags zum El-Dohr, dem Mittagsgebet, und am Nachmittag zum El-Asr, dem Nachmittagsgebet, und bei Sonnenuntergang zum El-Maghreb, dem Sonnenuntergangsgebet, und nach dem Einbruch der Nacht zum El-Aicha, dem Nachtgebet. Durchdringend tönt das durch alle Quartiere, und die Gläubigen, darunter sehr viele junge, strömen denn auch wirklich in ganz andern Mengen herbei als zu den Kultstätten des Abendlandes, ziehen ihre Schuhe aus, absolvieren die rituellen Waschungen, Hände, Füsse, Gesicht, werfen sich zu Boden, beknien ihren Gott, lassen die Oberkörper wippen und ihren Singsang ertönen, halten dazwischen aber auch einen Schwatz miteinander und fühlen sich anscheinend wohl bei ihren Verrichtungen, auch wenn sie, was für abendländische Augen etwas verblüffend aussieht, den Rumpf in der knienden Position so provokant in die Höhe recken, während die Antlitze den Boden berühren. So viele gläubige männliche Rümpfe! Und so wenige Gläubiginnen in den Moscheen. Der Zugang ist den Frauen zwar nicht verboten, aber die Hausarbeit würde doch wohl unter dem häufigen Kirchgang leiden.

Was sagt Max Weber dazu? Ist ein kapitalistisches Tagwerk, also die permanente Akkumulation, mit derart vielen Gebetsunterbrechungen vereinbar? O nein, sagt Max Weber, die kalvinistische Ethik beruht auf der persönlichen kontinuierlichen Verantwortlichkeit, und die hat einen direkten individuellen Draht zu Gott und braucht nicht immer wieder in dieses Gemeinschaftserlebnis einzutauchen wie die Katholiken oder die Muslime, und der Reichtum hienieden ist bereits ein Vorschein der Auserwähltheit im Jenseits. Für die vielen Arbeitslosen – 20, 30, 40 Prozent je nach Quartier, niemand kann das so genau sagen, und ob die Stadt Algier beziehungsweise El-Djazair vier oder nur drei Millionen Einwohner zählt, wissen die Statistiker auch nicht, sondern nur Allah und sein Prophet –, für die vielen Arbeitslosen, die aus den überfüllten Wohnungen zum Gemeinschaftsgebet strömen, ist die Moschee ein wohnlicher Ort. Da sie es ohnehin nie auf einen grünen Zweig bringen würden, auch bei maximaler individueller Max Weberscher Verantwortlichkeitsethik nicht (die Bevölkerung des Landes hat sich seit der Unabhängigkeit verdreifacht, 70 Prozent, vielleicht aber auch 75 Prozent, sind weniger als dreissig Jahre alt, die Ökonomie ist nach jahrzehntelanger Misswirtschaft am Boden), gehen die Leute halt lieber in die Moschee als zur spärlich vorhandenen Arbeit. Dort im Gotteshaus wird oder *wurde* ihnen dann erklärt – denn die fundamentalistischen Imame sind vom Religionsminister weitgehend verjagt und durch bravere Figuren ersetzt worden –, dass die Gläubigen ihre Armut einer ausbeuterischen Clique zu verdanken hätten, die vom Koran abgefallen sei und das islamisch geprägte Land verwestlichen möchte: mit Frauenemanzipation und Alkoholkonsum, Materialismus und rücksichtslosem Individualismus, und dass nur ein islamischer Staat diese Übel abschaffen und die traditionelle Brüderlichkeit und vom Propheten gewünschte Solidarität wieder einführen könne. Mehr als 4800000 Gläubige haben, wie der erste Wahlgang der Parlamentswahlen vom 26. Dezember 1991 zeigte, an dieses Programm des FIS geglaubt, also etwa zwei Drittel der 7 Millionen Stimmgänger, während weitere 5 Millionen Stimmberechtigte sich der Stimme enthielten, und also hätte der FIS im zweiten Wahlgang, dank des Majorzsystems, die absolute Mehrheit im Parlament errungen. – O Schreck! Uralter Schrecken in den Knochen des Abendlandes: die grüne Fahne des Propheten, flatternd über der ehemaligen Kolonie, nur dreiviertel Stunden von Marseille entfernt – wo die Muslime auch schon sehr präsent sind.

Er sei kein Renegat und möchte im Lande bleiben, nicht auswandern nach Paris wie sein berühmter Kollege Cheb Khaled, und möchte nicht, wie dieser, sich dem Nikotin und dem Alkohol ergeben und den Drogen und mit jüdischen Impresarios zusammenarbeiten, sagt der junge algerische Musiker Hakim Salhi, der eine gemässigte Form des Rai pflegt. Die unanständige Variante, welche sein Kollege Cheb Khaled den Franzosen zu Gemüte führe, enthalte zuviel Lüsternheit und dergleichen, sei einfach zu frech für algerische Verhältnisse, total verwestlicht mit einem Schuss von Exotik: kolonisierte Musik. Er hingegen singe dezent: *pas de paro-*

les indécentes, und auch als Tänzer hopse er nicht hemmungslos über die Bühne, das Land sei den unanständigen Darbietungen neuestens besonders abhold. Er greife auf alte algerische Motive zurück, hat kürzlich eine Kassette produziert mit dem Lied vom Waisenkind, das verschupft durchs Leben gehen muss und mancherlei Unbill erfährt. Refrain: Setzt eure Kinder nicht aus, ihr lieben Eltern, im Waisenhaus ist es nicht schön. Ein anderes Chanson wendet sich an die Jungverheirateten und stellt ihnen die Frage, ob die Heirat eine lohnenswerte Sache sei. Die meisten jungen Paare haben keine eigene Wohnung, bleiben mit ihren Kindern jahrelang bei den Eltern, unfreiwillige Grossfamilien, ländliche Clanverhältnisse in der Stadt. Im unverheirateten Zustand könne man sich aber sozusagen überhaupt nicht paaren beziehungsweise nur die Reichen, sagt Salhi, denn dafür brauche man bekanntlich eines dieser unerschwinglichen Hotelzimmer.

Er singt auch Geschichten aus Tausendundeiner Nacht, denn *diese* Erotik, weil altarabisch und literarisch hochstehend, sei gegenwärtig noch angängig. Ein traditionelles Liebeslied, welches in seiner ursprünglichen Form eine halbe Stunde dauert, die unerhörte Schönheit einer gewissen Yamina in immer neuen Anläufen schildernd, hat er auf einen Clip von sechs Minuten eingedampft und zeigt uns dann am Mischpult das noch unbeschnittene Produkt. In einer gottverlassenen, halbzerfallenen Tiefgarage, die gratis benützt werden konnte, sieht man einen Range Rover langsam herankurven. Dem entsteigt Hakim Salhi, der seine Hüften kreisen und zucken lässt und die Beine schwingt und dabei schmachtend singt, Yamina, du schönste unter den Rosen, Yamina, du Sonnenstrahl, du vortrefflichste unter den Frauen, du einzigartige Blume auf dem Feld – so übersetzt aus dem Arabischen von seinem Agenten, der das Mischpult überwacht; und während Salhi diesen melancholischen arabischen Singsang moduliert, erscheint im Hintergrund der Tiefgarage ein Amateurballett, bestehend aus zehn Gymnasiastinnen, die ihre Mähnen schütteln und ihre Körper heftig kontorsionieren, und Salhi tastet sich derweil an einen der Betonpfeiler der Tiefgarage heran, dem er liebevoll entlangstreicht und mit zärtlichen Gesten die Reverenz erweist.

Kinder, Kinder, Kinder, Kinder, Ströme von Kindern, Buben,

Mädchen, überall Kinder, das fällt auf, wenn man aus dem Altersheim namens Westeuropa kommt, alle Mischungen von Schwarz bis fast Weiss, krause Haare und glatte, die Vandalen, ein germanischer Stamm, waren ja auch schon einmal hier, früher die Phönizier, dann die Römer, dann die Araber, die sagenhafte kabylische Königin Kahina hat den Widerstand gegen die arabische Invasion angeführt, im 7. Jahrhundert, und die Juden waren schon lange vor den Arabern gekommen. Später wurde ein Teil Algeriens von Konstantinopel aus regiert, und als die Türken die Stadt übernommen hatten (Istanbul), hat sich eine ottomanische Oberschicht etabliert, für etwa dreihundert Jahre, bis dann 1830 die Franzosen gelandet sind, welche 132 Jahre lang hier genistet haben. Immerhin: Die «Algérie française» hat etwa doppelt so lang gedauert wie die Sowjetunion. Im Gegensatz zu den früher eingewanderten Völkerschaften haben sich die Franzosen und die übrigen europäischen Einwanderer des 19. Jahrhunderts, Pieds-noirs von spanischer, maltesischer, italienischer Abkunft, kaum mit der ansässigen Bevölkerung gemischt, die Apartheid war ziemlich strikt. Die niedrigen Funktionen in Wirtschaft und Verwaltung waren den Eingeborenen zugänglich, wenn sie sich tüchtig ins Zeug legten. Pöstler konnte man werden oder Primarlehrer (höchstens) oder Garde champêtre, so erinnert sich Koutar C., dessen Vater die Buchhaltung eines weissen Gemüsehändlers führte, zwölf Stunden täglich über den Zahlen schwitzte. Koutar schaffte den Sprung ins Lehrerseminar, wo er sich nachts, wenn die anderen Internatsschüler schliefen, in der Latrine einschloss und bei Kerzenlicht büffelte, damit er die Prüfungen bestand. Er sei das Gefühl nie losgeworden, dass er besser sein müsse als die weissen Mitschüler, um ernst genommen zu werden, und er habe deshalb auch die Wochenenden im Internat über seinen Büchern verbracht, als einziger, während Kollegen zu Hause sich entspannten. Nach Ausbruch des Unabhängigkeitskrieges wollte er sich in der algerischen Befreiungsarmee engagieren, sei jedoch von seinen kriegerischen Landsleuten als *zu intellektuell und für die Armee unbrauchbar* abgelehnt worden, was ihn geschmerzt habe; denn zugleich sei er von manchen Pieds-noirs als «fellouze» oder «bougnoule» oder «bicot», also mit den gebräuchlichen Schimpfnamen, traktiert worden. Die Unabhängigkeitskämpfer bezeichneten ihrerseits jene Landsleute, die – oft notgedrungen – mit den Franzosen zusammenarbeiteten, als «beni oui-oui», weil sie immer «ja, ja» sagten, wenn die Herren etwas von ihnen verlangten. Als die Kolonisten dann 1962 das Land schlagartig verliessen, seien nur dreihundert algerische Studenten an der Universität von Algier eingeschrieben gewesen, und man könne sich vorstellen, wie schwierig unter diesen Umständen der Aufbau einer neuen Verwaltung gewesen sei. Nebst den dreihundert Studenten haben die Kolonisten auch einige hunderttausend Tote, Gefolterte und Verstümmelte hinterlassen.

Koutar C. arbeitet tagsüber als Bankangestellter. Von zwölf bis vierzehn Uhr schreibt er für die FLN-Zeitung «El-Moudjahid» in der Sparte Kultur, meist Konzertkritiken, und abends gibt er Deutschunterricht, als diplomierter Dolmetscher (Deutsch–Arabisch–Französisch). Seine Frau ist Journalistin, und mit den vier kombinierten Salären gelang es ihnen, eine Anzahlung auf die Dreizimmerwohnung zu leisten, die sie heute im Zentrum von Algier bewohnen. Wenn ich den Freiheitskämpfer-Ausweis besässe, die *Carte des anciens combattants* (Moudjahiddin), dann käme ich in den Genuss von mancherlei Privilegien, sagt Koutar C., und seine Frau meint: Am besten wärst du General geworden, gute Ausbildung in der ehemaligen Sowjetunion, wir könnten eine staatliche Villa bewohnen, in den luxuriösen Armeeläden einkaufen, unsere Finanzen über die Armeebank abwickeln, an den schönsten Stränden einen Bungalow gratis beziehen, einen Mercedes oder hübschen Japaner fahren, genügend Devisen für Auslandsreisen beziehen; kurzum, so angenehm leben wie früher die netten Regenten in der DDR. Und ausländische Zeitungen, welche an keinem algerischen Kiosk zu haben sind, könnten wir auch lesen.

Koutar C. und seine Frau T. gehören zu den Privilegierten, ihre kleine Wohnung im fünften Stock (ohne Lift) ermöglicht ihnen immerhin die Ausübung eines nicht unwesentlichen Menschenrechts, während Nora T. und Soraya F., beide auch schon sechsundzwanzig Jahre alt, immer noch bei den Eltern wohnen. Die Väter dürfen nicht wissen, dass sie einen Freund haben, mit dem sie ausgehen und manchmal sogar, sofern irgendwo eines zu finden ist, ins Bett; über Nacht wegbleiben ist nur mit Notlügen möglich. «Mein Vater würde mich totschlagen», sagt Nora. Beide haben eine höhere Ausbildung hinter sich und arbeiten in relativ gut bezahlten Jobs, aber nicht mal die winzigste Wohnung lässt sich, auch wenn ein Freund die Hälfte bezahlen würde, mit dem Salär erschwingen (man kann sie nur kaufen, nicht mieten). Wenn Nora mit einem kurzen Rock zur Arbeit kommt, wird sie im Büro, wo sie die einzige Frau ist, von den Kollegen scheel betrachtet, manchmal aber auch mit geilen Augen: ob sie nicht ein bisschen anständiger erscheinen könne? Und ob sie etwas gegen die kleidsamen Schleier einzuwenden habe? *«Dann lache ich sie aus»,* behauptet Nora.

Zum Glück können die beiden mit der Komplizenschaft ihrer Mütter rechnen, die erzählen den Vätern, dass die Töchter bei einer Cousine übernachten, wenn sie in die Disco und sonst noch wohin gehen. In Algier gibt es zwei nette grosse Discos. Aber den Männern, mit denen sie ausgehen, sei auch nicht zu trauen, die wollen meist noch eine Jungfrau heiraten und ihrerseits doch schon vor der Ehe vögeln («baiser» tönt schöner, wir reden französisch). In zahlreichen, auch städtischen, Familien herrsche noch, in der Hochzeitsnacht oder am Hochzeitsnachmittag, der Blut-auf-dem-Leintuch-Zeigeritus. Ein Fest für Ethnologen, weniger für die Ehefrau. Es wird zuerst gegessen und getrunken, aber die Moschee braucht man zum Heiraten nicht, der Imam kommt ins Haus und murmelt einen kurzen Segen, und dann wartet die versammelte Verwandtschaft vor der Tür, hinter welcher penetriert wird, je schneller, desto besser. «Ein Verwandter von mir hat's seiner Frau kürzlich in fünf Minuten besorgt, hat sie sofort besprungen», sagt Nora, und verrate dann ein Schrei den Wartenden, dass jetzt die Sache erledigt worden sei, und eine Tante reisse das Leintuch aus dem Bett und zeige das darauf befindliche Blut triumphierend herum, dann liessen die Frauen ihr durchdringendes You-You-Geschrei ertönen; und wehe, wenn kein Blut auf dem Leintuch erscheine, dann könne es durchaus noch vorkommen, dass der geprellte Ehemann, aber auch die beiden Familien, die Fehlbare verstossen.

Nora und Soraya sind am 26. Dezember 1991 nicht zur Wahl gegangen, obwohl ihnen bewusst war, dass sie nichts zu lachen haben würden, wenn der FIS sein Frauenprogramm (Verschleierung, die Frau an den Herd, Verbot der Pille usw.) verwirklichen könnte. Aber hätten wir vielleicht für den korrupten FLN oder sonst eine Regierungspartei stimmen sollen? Dahinter stehe doch nur die korrupte Armee. Am besten hat es ihnen bisher in Paris gefallen, Besuch bei Verwandten (Fremdarbeitern), dort spüre man die Freiheit, könne tun und lassen, was man wolle, und so hätten sie es hier auch gern.

Ihre Väter haben FIS gewählt, die Mütter enthielten sich der Stimme.

Nora und Soraya reden von Frankreich wie vor ein paar Jahren die DDR-Bewohner von der Bundesrepublik, aber ihre Mauer ist etwas breiter als die andere: das Mittelmeer (und der Islam, Staatsreligion auch ohne FIS). Ihre Wahrnehmung von Frankreich läuft über die französische TV, welche man in Algerien mit Parabolantennen empfangen kann. Schlaraffenland! Der FIS, konsequenter als die SED, möchte alle Parabolantennen verbieten, damit die algensche Luft *rein* bleibt: wie die Männerhände, welche in der Öffentlichkeit keine Frauenhände schütteln sollen (in Europa als sogenannter Händedruck bekannt). So weit möchte aber nur die strengste Fraktion des FIS gehen, welche auch die Steinigung der Ehebrecher und Ehebrecherinnen verlangt, ganz wie die Bibel, sowie das Abschneiden der Hände der Diebe, aber erst nach dem dritten Diebstahl (Scharia, Gottes Gesetz). Über die Modalitäten wird in dieser Fraktion immer noch diskutiert: ob die fehlbare Hand öffentlich vom Henker, auf einem Holzblock, abgehackt oder auf chirurgisch-aseptische Art im Spital entfernt werden soll, wie das in einigen arabischen Ländern bereits geschieht, unter Zuhilfenahme eines Skalpells; wobei wiederum noch nicht entschieden ist, ob mit oder ohne Anästhesie.

In Algerien existiert übrigens auch ohne FIS die Todesstrafe. Jedes Jahr gibt es Hinrichtungen (durch Erschiessen), meist von Kindsmördern, die sich an ihren Opfern sexuell vergangen haben. Auch für wirtschaftliche Verbrechen, etwa für die Unterschlagung von Staatsgeldern, kann man zum Tode verurteilt werden.

Männer, Männer, Männer in den Strassen, in den Cafés, auf den Parkbänken, auf den Stufen der vielen Treppen dieser in die Abhänge hineingebauten prächtigen verlotterten Stadt, in der Kasbah, in Bab el-Oued, Kouba, in den Quartieren von Hussein Dei und Belcourt, bei den Erwachsenen und Halbwüchsigen, eine erdrückende Anzahl von Männern Männern Männern Männern, Strassenhändler, Kleiderverkäufer, Zeitungsverkäufer, Kellner, Obsthändler, immer nur Männer; in den Kleiderläden ein paar Frauen als Kunden, auch auf den Märkten (schüchtern). Und einige verschleierte Bettlerinnen. Nur bei den Kindern kommt das andere Geschlecht sehr zahlreich vor. Wenn es die Kinder nicht gäbe, Algier wäre eine traurige Männerwelt. Sauertöpfische, apathische, mürrische, unhöfliche Männer oder schleimig aufdringliche Männer. Die apathischen haben es aufgegeben, sitzen arbeitslos herum – aber muss denn unbedingt, am Hafen auf einer Parkbank, einer neben mir seine Hose massieren und auf seinen Blue jeans einen nassen Fleck entstehen lassen? Vermutlich obdachlos. (Oder ein Bewohner von Bab el-Oued, wo in Schichten geschlafen wird.) Würde vom FIS wohl auch abgeschafft: das Wichsen und die Wohnungsnot.

Die Männer schlendernd, die wenigen Frauen hastend, etwa die Hälfte von ihnen unter dem Schleier. Als ob sie sich unsichtbar machen wollten, durch schnellen Gang und Verhüllung. Promenieren oder flanieren sieht man sie nicht, oder nur eingehängt an einem Männerarm. Alle Arten von Trachten, Hidjab, Djilbab, Hajk, graue, weisse Klosterfrauentrachten, manche lassen nur die Augen frei (der Niquah bedeckt auch Nase und Mund), wie geheimnisvoll, die Vorstellungskraft der Männer wird vielleicht angeregt? Die Haare *auf jeden Fall* unsichtbar, die Beine natürlich auch. Nicht die geringste Betonung der weiblichen Form, während zahlreiche Männer ihre Ärsche in knappen Jeans spazierenführen. Immerhin gibt es auch Männer in Kutten, eine Minderheit. Die traditionelle Djellaba oder der Burnus oder die weiten ottomanischen Makada-Hosen werden hier seit Jahrhunderten getragen und gelten im Maghreb als etwas Bequemes. Aber die strengen grauen oder weissen Kamiz, dazu ein eng anliegendes Käppchen, dazu ein Bart: diese Tracht soll erst vor ein paar Jahren aufgekommen sein und wird von den «Frérots» getragen, wie man die Anhänger des FIS zu nennen pflegt.

Immerhin ist der FIS auf *diesem Gebiet* fast für Gleichberechtigung, Frauen *und* Männer sollen sich verhüllen, die Männer aber nur einen Teil der Haare.

Wenn man von der «Place des Martyrs», welche an die Märtyrer des algerischen Unabhängigkeitskrieges erinnert, in die Höhe steigt, an der ehrwürdigen Ketchaoua-Moschee vorbei, welche die Christen den Muslimen 1830 weggenommen und zur Kathedrale gemacht haben und die 1962 von den Muslimen wieder den Christen weggenommen und zur Moschee gemacht wurde – so viele Heiligenstatuen entfernt! und Altäre abgebaut! und Kirchenbänke weggeschafft! –, und sich dann in die Gassen, Gässchen über die Treppen, Treppchen, hofartigen Erweiterungen, labyrinthischen Wege, Sackgassen, gekrümmten Pfade hineinsaugen lässt, aufsaugen lässt von der Kasbah, zwischen den Häusern mit ihren erkerartigen Ausbuchtungen, Flachdächern, Terrassendächern, von ottomanischem Zierat eingefassten Toren herumstreunt wie die Katzen, von denen es hier unendlich viele gibt, immer weiter hinein ins Gewirr und Geknäuel und die Verschachtelung der arabisch-ottomanischen Baukunst, Gassen als Gehirnwindungen und permanente Unregelmässigkeit, nach ein paar Treppenstufen geht's kurz geradeaus, steigt dann sanft an, biegt wieder ab rechts und links, jetzt geht es eine gute Strecke ausnahmsweise schnurgerade zwischen Häusern, die sich oben fast berühren, hindurch, und dann wieder eine sanfte Kurve mit einem unvermuteten Knick, und alles hat natürlich ein System, nur eben kein kartesianisch-europäisches, die Rinnsale der Nebengässchen schwemmen die Bewohner in die grösseren Arterien –

dann verliert man den Faden, wie der Schreibende ihn jetzt bei der Beschreibung der Kasbah verloren hat, und ist im schönsten Teil von Algier angekommen. Kein Ariadnefaden führt durch das Labyrinth. Im untern Teil lässt man sich vielleicht dazu verführen, ein morsches Tor aufzustossen, entdeckt diesen Gang mit alten Kacheln, könnten aus dem 17. Jahrhundert sein, sind Segelschiffe verschiedener Art darauf abgebildet, könnte sich also um Kaperschiffe handeln, mit denen die algerisch-ottomanischen Seeräuber das Mittelmeer unsicher machten und der christlichen Seefahrt die Waren abjagten, haben auch Sklaven gemacht, die Deys von El-Djazair, welche dann von den Christen zurückgekauft wurden oder auch nicht – war nicht der Dichter Cervantes in algerische Gefangenschaft verschleppt worden? Der gekachelte Gang führt in einen Hof mit maurischen Bögen, vierstöckig, vermummte Frauen hängen Wäsche auf, und in der Mitte des Hofes sprudelt ein Brunnen, es riecht nach Pfefferminze, und Kinder spielen mit Murmeln auf dem Mosaikboden, und melancholisch modulierte arabische Musik ist zu hören, vielleicht eine Lobpreisung der unglaublichen Anmut von Fatma oder Yamina, und ein alter Mann mit berberischen Gesichtszügen kommt angeschlurft und sagt: Monsieur, 1956 war hier in diesem Gebäude das Folterzentrum der französischen Armee untergebracht.

Man kann weiterstolzieren bis zu einem Platz mit verfallenden Häusern, es stinkt nach Urin. Der unterste Teil der Kasbah ist dem Ruin überlassen oder schon von Bulldozern abgeräumt, räudige Katzen zerren an Abfallsäcken, und über einer windschiefen Türe steht

7, Place Henri Klein. Ein verwitterter Mann steht unter der Tür und sagt, hier hätten früher Juden gewohnt, friedlich mit Christen und Muslimen zusammen, die Juden seien dann leider mit den andern Franzosen 1962 verschwunden, schade, früher sei hier mehr gefeiert worden als heute, am Freitag der muslimische Festtag, am Samstag der jüdische und am Sonntag der christliche, und aus Sympathie mit den andern Bewohnern hätten dann immer alle durchgefeiert vom Freitagmorgen bis zum Sonntagabend, während heutzutage nur noch der muslimische Feiertag respektiert werde, schade. Beruflich sei er im Militär tätig gewesen, nämlich von 1956 bis 1962 in der algerischen Befreiungsarmee, das habe er als regulären Militärdienst empfunden, nicht als Abenteuer, man sei das dem Vaterland schuldig gewesen. Jahrelang im Aures-Gebirge, von der Bevölkerung unterstützt, meist in Höhlen übernachtet, mit der französischen Armee Katz und Maus gespielt, meistens Maus, schnell zugeschlagen, sich wieder zurückgezogen, die Franzosen waren besser bewaffnet, kamen mit ihren Helikoptern angeschwirrt, kannten aber die Gegend weniger gut, und wenn man auf den hinten am Schwanz der Helikopter angebrachten kleinen Propeller geschossen habe, seien diese Helikopter nicht mehr steuerbar gewesen und oft, aber nicht oft genug, abgestürzt wie ein Stein, plumps. Den toten Franzosen habe man manchmal etwas abgeschnitten und in den Mund gestopft. Nach der Unabhängigkeit sei er als Aufseher in der fischverarbeitenden Industrie tätig gewesen, ein bescheidener Posten, und hätte manchmal neidisch werden können, wenn er sehen musste, wie die Herren Politiker, die den ganzen Krieg ausserhalb von Algerien verbrachten, die Ben Bellas und Boumediennes und Belkassem Krims, das grosse Wort führten und im Wohlstand lebten und nach 1962 im Land den Ton angaben.

Zum FIS gibt er keinen Kommentar, aber das ist nicht nötig, die Wände der Kasbah sprechen für ihn. Nirgendwo steht so oft, nicht *gesprayt,* sondern *gemalt* (umweltbewusst oder weil es keine Spraydosen gibt): FIS VAINCRA oder *demain état islamique*. Hier sind vor kurzem sechs militante Gotteskämpfer von der Armee erschossen worden. Die Bewohner der Kasbah haben nichts zu verlieren ausser ihrer Armut – 80000 oder 60000, niemand kann das so genau sagen, sind hier zusammengepfercht auf etwa einem Quadratkilometer und leben von TRABENDO, wie man den Schwarzhandel oder die Para-Ökonomie in Algerien nennt. Transistoren, Zigaretten, Autoreifen, Radios, Videogeräte, Kassetten, Blue jeans, Schokolade, Gasherde, Mixer, Glühbirnen, Strapse, Schrauben und Nägel, Lampenschirme und Klosettpapier und Erdnüsschen, Buffets und Socken und Bonbons, Teekannen, Bleirohre, Kerzen, Krawatten, gekauft oder geklaut, Pullover, Shampoo und Brotfladen, Nagellack und Wimperntusche und Rosinen, geklaute Autoradios, Zuckerwerk und Kondome und die offiziell nicht erhältlichen Gauloises, Klosettschüsseln, Fernsehgeräte und Djellabas, Unterhosen, Limonade, Packpapier, Sandalen, Büstenhalter, Papierkörbe, Zuckerstengel, Schlüpfer; alles wird auf den Strassen der Kasbah feilgeboten. Und jeder zweite fragt: Tu changes? Willst du doppelt so viele Dinars für deine Francs oder Dollars wie zum offiziellen Kurs? Es wird gefeilscht und geschrien, wer will Griess oder Schabenvertilgungsmittel, Nougat oder Antibabypillen, Eau de Javel in handlichen Plastiktüten oder Zlabia, das übermässig gesüsste, extra für den Ramadan hergestellte Backwerk? Oder Kölnisch Wasser? Die untere Kasbah ist schwarz vor Männern, die HITTISTES stehen, an die bröckligen Mauern gelehnt, vor ihrem kleinen Stand oder vor den Waren, die sie am Boden ausgebreitet haben. («Hittiste» bedeutet, dass einer mit dem Rücken zur Wand steht, und das tun sie, im eigentlichen und übertragenen Sinn: au pied du mur.)

«Trabendo» gibt es auf unterstem Niveau (Zigaretten, Erdnüsschen), aber auch im grossen Stil, ganze Flugzeugladungen von Parabolantennen, Videogeräten und Fernsehern werden von smarten Trabendisten, die in Marseille, Kairo, Rom, Tripolis oder Tunis eingekauft haben, durch den Zoll geschummelt, die Zöllner sind schlecht bezahlt und/oder verwandt mit den Trabendisten, und man arrangiert sich, der Familienzusammenhalt ist halt stark.

Auf noch höherem Niveau soll der ehemalige Staatspräsident Chadli trabendiert haben, wie der Politiker Ben Bella kürzlich behauptete, nämlich 26 Milliarden Dollar aus der Staatskasse habe jener verludert. Die staatlichen Organe sind jetzt am Untersuchen. Ben Bella hatte zuerst nur von 16 Milliarden gesprochen und dabei keine eigentliche Unterschlagung oder Schwarzhandel gemeint, sondern nur eine miserable Geschäftsführung des Ex-Präsidenten, aber das Volk hat «Diebstahl» verstanden.

Hand abschneiden? Exekutionspeloton? Oder zur Strafe während des Ramadans wie ein gläubiger Muslim den ganzen Koran rezitieren?

Im oberen Teil der Kasbah, nach dem Gemüsemarkt, wo abends die Ratten im Abfall naschen, und hinter der Moschee Djamma el-Yahoud, die früher eine Synagoge war, ist es ruhiger. Bärtige nette junge Männer offerieren nach sieben Uhr, sobald das Fasten aufgehoben ist, ein Gläschen Minzentee auf der Gasse, im Ramadan darf bekanntlich von Sonnenaufgang bis Sonnenuntergang weder gegessen noch getrunken, noch geraucht, noch gevögelt werden, und diese koranische Vorschrift wird in Algier von fast allen Einheimischen, man spricht von 95 Prozent, respektiert. Einen Monat lang! Nach dem F'tour, wie das Fastenbrechen genannt wird, holt man dann nach. Die jungen gastfreundlichen Männer erzählen, die Gässchen haben sich jetzt in Stuben verwandelt, vom letzten Polizeieinsatz im nahen Bab el-Oued: Nach dem Freitagsgebet vom 31. Januar in der Moschee Es-Sunna hätten sich die Jugendlichen zusammengerottet, die Gendarmene geneckt und ausgepfiffen, worauf diese dann, nach ein paar Warnschüssen, auf die Beine der Demonstranten gezielt und zwanzig von ihnen schwer verwundet habe. Das sei noch glimpflich abgelaufen. In Batna habe es kürzlich 9 Tote und 55 Verletzte gegeben und dann, nochmals, nach einem viertägigen Aufruhr, 13 Tote und 65 Verletzte (die Angaben werden von «Le Monde» bestätigt).

Die Popularität des FIS? Ganz einfach zu erklären. Für die Führung empfinde man Respekt, Madani sei immerhin Universitätsprofessor (Psychologie), Hachani habe einen gutbezahlten Job als Ingenieur aufgegeben (Petrochemie), Belhadj sei ein wunderbarer Feuerkopf, und alle integer. Von Saudi-Arabien komme schon längst kein Geld mehr für den FIS, weil die Partei während des Golfkriegs gegen den amerikanischen Überfall auf den Irak protestiert habe. Den 850 Gemeinden, welche vom FIS seit dem Juni 1991 verwaltet werden, gehe es besser als vorher – effiziente Administration. Der FIS kämpfe überall für die Ärmsten, organisiere Nähkurse, verteile Lebensmittel und Kleider, baue Notunterkünfte, denunziere die Profiteure des Schwarzmarkts, gebe unentgeltlich juristische Ratschläge, organisiere ein medizinisches Hilfswerk, helfe den Prostituierten und Clochards. Alle andern Parteien hätten sich mit den Machthabern eingelassen, Kompromisse geschlossen, Privilegien ergattert, nur der FIS sei integer geblieben. Die einzige wirklich funktionierende Partei, mit regelmässig erhobenen, wenn auch sehr kleinen Mitgliederbeiträgen. Und dann habe man eine Linie: den Koran, welchen die andern Parteien längst aufgegeben hätten, obwohl der Islam offiziell immer noch Staatsreligion sei, und den algerischen Nationalismus. Ob man denn glaube, mit der Unterdrückung des zweiten Wahlgangs, welcher den FIS mit Sicherheit an die Macht gebracht hätte, und dem Verdrängen des FIS aus den 850 Gemeinden diese Volksbewegung unterdrücken zu können? Irgendwann müsse wieder gewählt werden, wenn die Situation nicht explodieren solle, und dann werde man ja sehen.

Der FLN, die algerische Befreiungsfront, sei schliesslich, weil die Franzosen den friedlichen Weg versperrt hätten, mit gewaltsamen Mitteln an die Macht gekommen. Einem hartnäckigen Guerillakrieg und dauernden Unruhen könne sich die herrschende Clique so schlecht widersetzen wie damals die Franzosen, und die Kontrolle über die Universitäten sei ihnen bereits entglitten. Das Brodeln in den Moscheen sei nicht mehr zu dämpfen.

Die Kasbah 1956, abgeriegelt ringsum mit Stacheldraht und bewacht von den «Paras» (Fallschirmjägern), Zentrum des algerischen Widerstandes. Schlupfwinkel für Ali-la-Pointe, Ben M'hidi, Sadi Yacef und die Frauen, welche durch die französischen Kontrollen schlüpften: Zohra Drif, Djamila Bouhired, Samia Lakhdari und viele andere. In der Impasse de la Grenade hatte Sadi Yacef eine Bombenwerkstatt eingerichtet und so gut getarnt, dass er monatelang ungeniert basteln konnte. Dutzende von Bomben wurden in liebevoller Präzisionsarbeit hergestellt, mit Drähten an Wecker angeschlossen, die Wecker auf eine bestimmte Zeit eingestellt und die Höllenmaschinen dann von den kaltblütigen Terroristinnen, die man unkontrolliert passieren liess, aus der Kasbah geschmuggelt und in verschiedenen Cafés deponiert, in der «Milk Bar» zum Beispiel und im «Ottomatic», was dann zahlreiche Tote und Verstümmelte zur Folge hatte. Sadi Yacef hatte den Frauen eingeschärft, dass Rücksicht auf unschuldige Opfer nicht angebracht sei: Französische Terroristen hatten vorher in der Kasbah, Rue de Thèbes, ein Haus mit allen Bewohnern, darunter auch viele Kinder, in die Luft gesprengt. Nachdem die Terroristinnen weitere Bomben erfolgreich plaziert hatten und die Werkstatt trotz gründlichstem Durchkämmen der labyrinthischen Kasbah nicht entdeckt werden konnte, wurde unter Anleitung der Obersten Bigeard und Godard die Folter im grossen Massstab angewendet: Elektroschocks, Verbrennungen mit Acetylenlampen, Köpfe ins Wasser bis kurz vor dem Ersticken. Die «Paras» waren nicht zimperlich, ein paar tausend verstümmelte oder tote Algerier nahmen sie gern in Kauf. Bruno Pontecorvo hat das in seinem Film «La Bataille d'Alger», wo Yacef seine eigene Rolle spielt, mit dokumentarischer Präzision geschildert.

Schliesslich siegten dann die überlegenen Mittel des staatlichen Terrors. Ben M'hidi wurde verhaftet und im Gefängnis ermordet, die Bombenwerkstatt ausgehoben, Yacef geschnappt und zum Tode verurteilt (und später von de Gaulle begnadigt), Ali-la-Pointe, der sich nicht ergeben wollte, aus seinem Versteck herausgebombt, Zohra Drif zu zwanzig Jahren Zwangsarbeit verurteilt.

Ohne die kaltblütigen, mutigen Frauen hätte die «Bataille d'Alger», welche weltweites Aufsehen erregte und die französische Armee in Verruf brachte, nicht stattfinden können. Die brutalen

Methoden der «Paras» haben die aktive Solidarität der Kasbah-Bewohner mit der algerischen Revolution bewirkt. Im Kampf gegen die Franzosen waren die algerischen Frauen auch im Maquis des Aures-Gebirges zum erstenmal aus ihrer traditionellen Rolle herausgetreten und von den Männern als gleichberechtigt akzeptiert worden; ein echtes Wunder in der islamischen Gesellschaft. Aber das dauerte nicht lange. Kaum war der Krieg vorbei, wollten die Männer sie wieder an ihrem alten Platz sehen (Frau und Mutter). In der algerischen Öffentlichkeit haben sie seit 1962 kaum etwas zu bestimmen gehabt, abgesehen von ein paar wenigen Journalistinnen. – Haben wir für diese Frauenunterdrückungsgesellschaft unser Leben riskiert?, fragen sich heute manche von den Widerstandskämpferinnen.

Hocine Yacef, Filmproduzent, Bruder des berühmten Sadi, welcher sich leider nicht ausfragen lassen wollte, hat *auch* für die algerische Unabhängigkeit gekämpft. Aus der elfköpfigen Familie sind fünf Brüder im Krieg umgekommen. Er erinnert sich an die Inschrift, die von den französischen Herrschaften am Eingang des Yachtclubs von Algier angebracht worden war: INTERDIT AUX JUIFS, AUX ARABES ET AUX CHIENS. Und sagt trotzdem: Die Kohabitation von Juden, Arabern und Franzosen hätte eine neue Kultur hervorbringen können, wenn nicht jede Verständigung von den OAS-Rassisten sabotiert worden wäre und die Franzosen mit der Gleichberechtigung ernst gemacht hätten. Als Marschall Pétain in Frankreich (1940–1944) an der Regierung war und im pétainistischen Algerien sich der Antisemitismus heftig regte, hätten die Araber vielen Juden in der Kasbah Unterschlupf geboten, und ein Teil der jüdischen Gemeinde habe später für die algerische Unabhängigkeit optiert. Es sei eine Tragik, dass nach 1962 fast sämtliche Juden ausgezogen seien, mehr als hunderttausend, eine grosse kulturelle Verarmung müsse man das nennen. Von den Franzosen hätte man viele nach 1962 gerne im Lande behalten, auch gut brauchen können. «Wenn ich dieses heruntergekommene Land heute betrachte», sagt Hocine Yacef, der sich schon lange nicht mehr in die Politik einmischt, «so muss ich sagen: Dafür habe ich damals nicht gekämpft.» Nichts funktioniere in diesem Algerien, weder Post noch Telefon, sieben Millionen Analphabeten nach dreissig

Jahren Unabhängigkeit, alles vergammelt und keine Perspektiven, mindestens drei Millionen Arbeitslose, vielleicht auch fünf, niemand wisse das so genau, und die wichtigste nationale Ressource, die Erdölförderung, werde mit veraltetem Material schlecht genutzt, Gas und Öl lausig vermarktet. Und wie tief ist Algier, die ehemals leuchtende Stadt, heruntergekommen, alles bröckelt und stinkt, wir sind nicht mal fähig, die architektonische Hinterlassenschaft der Franzosen instand zu halten.

Hocine Yacef wird in die Vergangenheit ausweichen und nächstens einen Film über Augustinus produzieren (Bischof von Hippo, 4./5. Jahrhundert), nachdem er einen Film über Unterwasserarchäologie hervorgebracht hat.

Von Djamel Mehri kann man sagen, dass er in die Zukunft blickt. Sein Bürohaus an der Nummer 7, Rue du 24 février 1956, Ex-Rue Serpaggi, ist etwas vom Funktionierendsten, das ich in Algier gesehen habe. Der Lift funktioniert, das Treppenhaus ist sauber, die Sekretärin gibt zutreffende Auskünfte, der Fax funktioniert, das Telefon und der Telex. Kein Wunder, sein Vater ist nämlich –

In Ben Bellas Hauptquartier in der gleichen Stadt ist der Lift kaputt, im Stiegenhaus riecht es nach Urin, das Telefon funktioniert nur stundenweise, und sein Sekretär verfügt über einen alten Vervielfältigungsapparat (mit Handkurbel). Ben Bella war immerhin der erste Präsident der algerischen Republik, 1962–1965 (République algérienne démocratique et populaire), und ein weltberühmter Politiker. Er versucht jetzt wieder an die Macht zu kommen, hat aber bei den Wahlen vom 26. November keinen Erfolg gehabt.

Djamel Mehri musste nicht gewählt werden. Er ist an der Macht, weil er den richtigen Vater hat: Djilali Mehri. Dieser wohnt an der Avenue Montaigne in Paris, aber auch in einem Schloss bei Dreux (Frankreich) und aber auch in El-Oued (Algerien) oder im Club des Pins (Algerien), je nachdem, wohin die Geschäfte ihn führen. Der Geschäftssitz des Imperiums befindet sich an der Avenue Georges V in Paris, sicher ist sicher, und Algerien ist unsicher. Der Grossvater von Djilali Mehri ist aus dem Jemen eingewandert, auf Kamels Rücken, wie die Familiensaga geht, und hat sich im algerischen El-Oued niedergelassen, sofort einige Palmenhaine gekauft und mit Datteln zu handeln begonnen. Der Vater von Djilali hat noch einiges dazugekauft, und Djilali tat desgleichen; schwupps wurde er zum Milliardär. Die Familie hat sich mit den Franzosen gut gestellt, dann, ein Kunststück, während des Unabhängigkeitskrieges mit beiden Seiten, hat unter Ben Bella vorwärtsgemacht, ist mit Boumedienne zufrieden gewesen, hat mit Präsident Chadli kutschiert, und Boudiaf ist ihr lieb und teuer; der wolle nämlich die freie Marktwirtschaft, sagt Djamel Mehri, nach Kräften fördern und endlich den staatlichen Sektor verkleinern.

Schon wehe ein neuer Wind von seiten des Staates, bürokratische Hemmnisse würden abgebaut, sein Vater habe kürzlich 16 500 Hektaren neuen Landes vom Staat in El-Oued erworben, und dieses könne jetzt, zum Nutzen der Allgemeinheit, sofort erschlossen werden, Pferdezucht, Viehzucht, Kamelzucht, auch Getreideanbau seien geplant. In Oran will man den Luxustourismus fördern, Bungalows an den Strand bauen, eventuell auch in der Nähe von Algier, die Maquette ist schon gemacht.

Djamel Mehri, 26 und hübsch, gekräuseltes Haar, dunkler Teint, korrekt manikürte Fingernägel, betreut die algerische Portion des Imperiums, sein Bruder beschäftigt sich mit der Expansion in Argentinien usw., und der Vater in Paris supervisiert die Ganzheitlichkeit der Geschäfte. Vor kurzem wurde die Mercedes-Konzession für Algerien erworben. Und das Patent für eine neue Zementart, die zu 80 Prozent aus Sand, zu 20 Prozent aus Gips bestehe, so genau wisse er das auch nicht, sagt der blutjunge Tycoon, aber jedenfalls müsse ja zwecks Behebung der Wohnungsnot in nächster Zeit enorm viel gebaut werden. Im Interesse der Allgemeinheit.

Der junge Mehri ist begeistert von der Schweiz, also vom Institut Le Rosey in Rolle, wo er sieben Jahre lang in Gesellschaft von andern tüchtigen Jünglingen maniküriert worden ist, mit Blick auf den Genfersee, und drei Monate pro Jahr habe das Institut jeweils nach Gstaad disloziert, zum Skifahren. In Algerien gab es dazu weniger Gelegenheit. Die weitere Ausbildung erfolgte in London. Seine vier Schwestern sind mit saudiarabischen Geschäftsleuten verheiratet worden; das kann auch nicht schaden.

Vor dem FIS ist ihm nicht bange, die hätten ja mehrmals erklärt, dass gegen die freie Marktwirtschaft nichts einzuwenden sei, im Gegenteil; und mit Saudi-Arabien haben die, bis zum Golfkrieg, auch gute Beziehungen gehabt. Vielleicht müsse das Strandhotel-Projekt zurückgestellt werden, wenn der FIS an die Macht komme, weil die etwas puritanisch seien und nicht gern halbnackte Körper an algerischen Stränden sähen. Aber da gebe es ja noch die Buslinie (Car du Sud), die Teppich- und Textilfabriken, die Möbelherstellung, die handwerklichen und die landwirtschaftlichen Betriebe, die Wüstenbewässerung, die Import-Export-Geschäfte, die Haushaltsgeräteabteilung (électroménager), die Boilerfabrik in der Bretagne und noch einige Sachen, die er uns gern auf dem Videofilm, den sein Vater produziert habe, vorführen lassen möchte.

Der Chauffeur fährt mich und einen englischen Kollegen, der ebenso grosse Augen machen wird wie ich, über verschlungene Autobahnen, an Bidonvilles und monumentalen bröckelnden Mietskasernen vorbei mitten durch den wütigen Verkehr über den ausfransenden Stadtrand in eine fast noch intakte Natur zum Villenvorort Club des Pins. Die Bungalows gehören dem Staat, sind für die Beherbergung der Teilnehmer der afro-asiatischen Konferenz gebaut worden (Nehru, Nasser und andere mehr), als Algerien noch ein hoffnungsvoller junger Staat war – das Algerien von Frantz Fanon – und der Dritten Welt Impulse geben konnte.

Blick aufs Meer, ganz hübsch. Jetzt hat Djilali Mehri einen dieser Bungalows gemietet. Das Inteneur von ausgesuchtem Kitsch, orientalische koloniale Helgen an den Wänden, dick aufgetragene Farben, zweifarbig gestreifte Diwans mit riesigen Kissen. Ein Diener schiebt die Videokassette in den Apparat. Man sieht:

Wie Djilali Mehri den algerischen Premierminister Ghozah in El-Oued empfängt. Wie Ghozali von Djilalis Datteln, Äpfeln, Birnen kostet. Wie Djilali Mehri seinen Landarbeitern auf die Schultern klopft. Wie er mit Gaddafi und Hissène Habré parliert (er hat im Tschad-Konflikt vermittelt). Einen Extrakt aus der französischen Tagesschau, Antenne II: Mehri hat 1500 Arbeitsplätze in der Bretagne gerettet, indem er dort eine Boilerfabrik sanierte. Mehri in seiner Textilfabrik, im Gewächshaus, als Spender einer Ambulanz, als Wohltäter von krebskranken Kindern. Und dann eine Wahlveranstaltung: Mehri will sich ins Parlament wählen lassen, hält seinen Arbeitern eine Rede (aber der FIS-Kandidat macht dann das Rennen).

Sein Sohn Djamel sagt von Djilali Mehri, dieser habe 1962, unabhängig vom Vermögen des Vaters, stolz, wie er halt sei, bei Null angefangen und sein eigenes Imperium aufgebaut.

1962 war zufällig ein gutes Datum. Man konnte für einen Pappenstiel die Betriebe kaufen, welche von den Franzosen in Algerien hinterlassen worden waren.

Wargasm on Constitution Avenue

«*We had a good time*», sagt Admiral D. Katz, der im Golfkrieg den Flugzeugträger AMERICA befehligte und keine Verluste zu beklagen hatte und nun, am Abend des 7. Juni 1991, im grossen Saal des Hotels «Mariott», ein Glas kalifornischen Weissweins zum Mund führend, neben Admiral Laplante steht, welcher neben Admiral Arthur steht, und die Vorteile des schmerzlosen Krieges rühmt; einer von 250 Admiralen der US Navy. Hohe Offiziere aller Waffengattungen haben sich hier, zur Einstimmung auf die gewaltigste aller Paraden seit dem Ende des Zweiten Weltkriegs, versammelt, aber auch viele Zivilisten, die den Militärs ihre Bewunderung zollen möchten. Da ist der Hemdenfabrikant aus Cleveland, welcher sich eine Miniaturausgabe der amerikanischen Flagge als Krawatte um den Hals geschlungen hat und reihum den Vertretern aller Waffengattungen seinen Stolz auf Army/Navy/Air-Force kundgibt, eskortiert von seiner Frau, welche auch gerne, wie sie sagt, ein paar Tonnen Bomben auf die irakischen Soldaten hätte fallen lassen. Eine Army-Band spielt auf. Das Buffet ist reichhaltig. Die Ordonnanzen der hohen Offiziere halten gebührenden Abstand zu ihren Herrschaften, und am eindrücklichsten, sagt die Frau des Hemdenfabrikanten, sind immer noch die Navy-Uniformen, ihr Weiss hat so etwas Unschuldiges.

Admiral Katz sagt, er habe 2500 Tonnen Bomben verbraucht oder, so könne man es auch sagen, fallen lassen und sei stolz auf die Geschicklichkeit seiner Piloten, welche alle unversehrt zurückgekommen seien. Im Krieg werde er von der Pentagon-Bürokratie weniger kontrolliert als im Frieden, deshalb schätze er den Krieg. Auf seiner Brust trägt er Orden zur Schau, farbige Stoffstreifen für mannigfaltige Leistungen, die südvietnamesische Regierung hat ihn zweimal dekoriert, und jetzt wird ein kuwaitischer Orden dazukommen, sagt Katz.

Admiral Laplante ist mit dem Krieg im Prinzip auch zufrieden, aber etwas weniger als Katz. Bei einer Übung hat es zwölf Tote gegeben, aber damit müsse man z.B. im Strassenverkehr auch rechnen. Und ein Pilot ist abgeschossen worden. Man habe seine Leiche gesucht, gefunden und nach den USA repatriiert, und dafür seien die Angehörigen dann immer dankbar, sagt Laplante.

Admiral Arthur, der Oberkommandierende aller Schiffe im Golf, ist auch zufrieden mit dem Krieg. Hunderttausend Mann, hundertachtzig Kriegs- und dreissig Handelsschiffe sind unter seinem Befehl gestanden, fünfundzwanzigtausendmal sind Flugzeuge von seinen Flugzeugträgern aufgestiegen und haben etwas abgeworfen – wie viele Tonnen, weiss er beim besten Willen nicht. Die irakische Flotte sei nicht auf der Höhe der amerikanischen gewesen, *no match for us*, er habe sie in ihrer Gesamtheit vernichtet, namentlich 109 von ihren Torpedobooten in den Grund gebohrt oder sonstwie erledigt.

Jedes dieser Torpedoboote sei mit dreissig Matrosen bemannt gewesen, sagt Arthur. Er ist eher klein gewachsen, Specknacken und gemütlicher Bauch. Man könnte sich ihn als Hauswart vorstellen (mehrere Blöcke). Seine Frau hört ihm aufmerksam zu, schweigt, und die Army-Band tönt ganz schön, hat manch lüpfige Weise im Repertoire. Am nächsten Tag wird Admiral Arthur bei der grossen Siegesparade das Marine-Detachement anführen, und die Offiziere seines Stabes, einen Schritt hinter ihm marschierend, werden ihn an Hübschheit und Zackigkeit übertreffen.

Wäre Arthur zufällig Hauswart und nicht Admiral geworden, so kann man sich kaum vorstellen, dass er plötzlich, auf Befehl des Präsidenten, eine Anzahl der ausländischen Mieter seiner Wohnblöcke umbringen würde. Arthur wirkt ganz normal!

Und auch Charles Horner von der Air Force, den ich beim höchst menschlichen Konsum von Speise und Trank beobachten konnte, zeitweise sogar beim Lachen, bevor wir miteinander ins Gespräch kamen, hat nichts Exaltiertes. Als oberster Fliegerkommandant im Golfkrieg, 55 000 haben ihm gehorcht, musste er aber trotzdem plötzlich, beginnend in der Nacht vom 16. Januar 1991 und aufhörend 43 Tage später, den Irak demolieren und ein Massaker veranstalten. Dabei ist er in keiner Weise, wie er mir glaubwürdig versicherte, gegen die dortige Bevölkerung eingenommen, sondern nur gegen das Staatsoberhaupt, welches zu massakrieren ihm hinwiederum nicht gelungen ist.

Und übrigens habe er nicht einfach drauflosmassakriert, sondern immer zuerst Flugblätter abwerfen lassen, welche die Iraker vor den kommenden Bombenangriffen warnten, so dass sie meistens ihre Panzer und Schützengräben verlassen und sich in Sicherheit bringen konnten, sagt Horner; und auch die Brücken habe er nicht in ihrer Gesamtheit zerstören lassen, sondern nur die kriegswichtigen, Ehrenwort! Allerdings seien die meisten grossen Brücken kriegswichtig gewesen und natürlich auch die Elektrizitätswerke und ein bedeutender Teil der Industrie, sagt Charles Horner, und Mary Jo Horner, seine Frau, die ihrem Helden der Lüfte immer wieder bewundernd-amouröse Blicke schenkt, sagt abschliessend: *We were good.*

Wie gut? Ein Forscherteam der Universität Harvard schätzt, dass zirka 170000 irakische Kinder unter fünf Jahren innerhalb eines Jahres an Durchfall und ähnlichen Krankheiten sterben werden, zweimal soviel wie vor dem Krieg (zusammengebrochene Wasserversorgung, Medikamentenmangel). Davon weiss Horner nichts, obwohl es in «Newsweek» stand. Und wie hoch ist bisher die Anzahl der irakischen Toten? Horner, Katz und Laplante haben keine Ahnung. «Wir trauern um die 378 amerikanischen Gefallenen», sagt Horner. Das amerikanische Kommando in Saudi-Arabien hat bereits Ende März eine Zahl von 100000 irakischen Kriegsopfern veröffentlicht, etwa 60000 davon sollen lebendig in den zerstörten Bunkern begraben worden sein. Ein Mitarbeiter der «Herald Tribune», welcher die abgeworfene Bombentonnage und ihre Zerstörungskraft in Relation setzte, rechnet unterdessen mit 300000 Toten (den Kurdenaufstand nicht mitgerechnet). Wie dem auch sei: Die Army-Band spielt ihre lüpfigen Weisen, und die aufgeräumten Generale, Admirale, Obristen freuen sich auf die Parade von morgen, aufs grosse patriotische Defilee, die Revanche für Vietnam, die Verschmelzung mit den Gefühlen der Bevölkerung, die sichtbare Bedeckung mit Ruhm, die öffentlich dargestellte Akzeptanz des Krieges, die Aufwertung des amtlich bewilligten Mordens.

Auf der Mall von Washington, einem Park, der sich vom Washington-Obelisken bis zum Capitol erstreckt und flankiert wird von humanistischen Institutionen wie Arts und Industry Museum, Freer Gallery, Hirschhorn Museum auf der einen Seite und National Museum of American History, National Gallery of Art auf der andern Seite, an bester Lage der Hauptstadt also, wird zur Einstimmung der Bevölkerung jenes moderne Kriegsgerät ausgestellt, das im Irak so erfolgreich gewirkt hat. Da stehen nun Haubitzen, die vor kurzem noch geschossen haben, und ein Harrier-Senkrechtstarter, der eben noch bombardiert hat, und die entzückenden Raketen sind alle auch da, wer hätte gedacht, dass sie wirklich existieren, waren sie doch bisher ein CNN-Phantom. Und siehe da, alles erläutert von Soldaten, welche mit diesem Gerät nicht nur gespielt, sondern wirklich getötet haben, und das gibt ihnen (und dem Gerät) eine interessante Aura. So jung und schon so tüchtig! Den Kindern gefällt das gut, aber auch den Eltern. Zehntausende von Besuchern. Die Navy hat die schönsten Raketen.

Die Army hat einen neuen Jeep, HUMMV genannt oder so ähnlich, o wie fein.

«Super-Hengst» heisst dieser umwerfende Helikopter, Super Stallion. Der Chinook hat aber auch seinen Reiz.

Diese Haubitze, ladies and gentlemen, hat unter Anleitung des hier anwesenden Haubitzenbedieners Sergeant Mulridge jr. von Saudi-Arabien 15 Kilometer weit nach Kuwait hineingeschossen, mit diesen hier anwesenden Granaten, und was die in Kuwait angerichtet haben, entzieht sich unserer Kenntnis, aber vielleicht wurden nicht nur Hühnerställe zerstört.

Diese gesunde, breit lachende Jugend an den Waffen, diese technisch versierten Boys oder Kids, die später nicht selten umsatteln werden auf einen andern Beruf und die Army benutzten, um sich ein bisschen *computer science* oder *engineering* anzuschnallen oder irgendeinen akademischen Grad auf Staatskosten, denn die Militärakademie West Point ist eine Hochschule mit landesweit anerkannten akademischen Titeln; keine Freude am Töten, aber auch keine Angst davor, solange man das Resultat nicht sehen muss. Physisch ziemlich gut im Schuss und immer so fröhlich. Diese Sportler! Die Waffensysteme sind derart kompliziert geworden, ihre Handhabung so anspruchsvoll, dass man nicht noch zusätzlich über die Folgen ihres Einsatzes nachdenken mag.

Sie würden auch Japan angreifen oder China oder die Schweiz, wenn ihr Präsident das befiehlt. Eine Söldnertruppe, finanziell gut aufgehoben, wenn man mit den amerikanischen Arbeitslosen vergleicht. Von Arabien keine Ahnung, aber Rommels Soldaten hatten auch keine (sagt ein West-Point-Absolvent).

Furchtbar gesunde Burschen (Jungs?), am teuersten, differenzierten Gerät. Die tragen eine Verantwortung und stehen mitten im Ernst des Lebens. Sergeant Rodriguez, der einen F-15-Eagle fährt im Wert von 20 Mio. Dollar, hat über dem Irak zwei MiG abgeschossen, deshalb sind seiner Maschine, neben dem Adlerkopf, zwei Sternchen aufgemalt. Die Eagles eignen sich sowohl für den Luftkampf wie auch für den Bodenkrieg, haben sich in der ersten Angriffswelle gegen Bagdad im höchsten Grade bewährt.

Hervorragend auch der neue Apache-Helikopter mit dem Nachtsichtgerät und dem sehr beweglichen Maschinengewehr. Der Schütze trägt eine Art von Monokel, die Bewegungen des Augapfels werden vom Glas reflektiert und direkt auf das Maschinengewehr übertragen, das immer dorthin zielt, wo das Auge lugt. (Blicke können töten.) So wird die eine Hand des Schützen freigestellt für die Bedienung des Videos und konnte dann zum Beispiel ein Massaker an flüchtenden irakischen Soldaten in hervorragender Qualität gefilmt werden. Die beinahe lautlosen Apaches hatten in der Nacht ein Bunkersystem angegriffen und die Überlebenden, welche fliehen wollten, niedergemacht. John Balzar von der «Los Angeles Times» hat das Video gesehen: *«Einer nach dem andern wurde von den Angreifern niedergemäht. Ein Mann fiel hin, krümmte sich auf dem Boden und stand wieder auf, doch die nächste Salve riss ihn um. Die Soldaten, auf dem Video gross wie Fussballspieler auf einem* TV-*Bildschirm, rannten umher und konnten nirgendwo in Deckung gehen.»*

Auch schweres Baugerät der Army wurde auf der Mall von Washington ausgestellt, Bulldozer zum Beispiel. Die waren nun allerdings eher von der kommunen Art, hatten aber insofern eine neuartige Funktion zugewiesen bekommen, als Zehntausende von irakischen Leichen mit ihnen verscharrt worden sind. General Schwarzkopf wollte bekanntlich keinen «body count» mehr durchführen lassen wie in Vietnam und hat deshalb diese globale Erledigung des Abfallproblems angeordnet.

Am 8. ist es morgens angenehm warm, später heiss, dann schwül in Washington. Schon um 8 Uhr besetzen die ersten Patrioten ihre

Plätze entlang der Constitution Avenue. Die Parade wird auf der Höhe der siebten Strasse beginnen, an der schusssicheren Box des Präsidenten vorbeiziehen, am Lincoln Memorial, und via Washington Memorial Bridge über den Potomac bis zu einem Parkplatz des Pentagons führen. Sie kostet 12 Millionen Dollar. Davon zahlt der Staat 3 Millionen, das übrige wird von Sponsoren aufgebracht, Pepsi-Cola und Coca-Cola arbeiten zum erstenmal in ihrer Geschichte zusammen, Saudi-Arabien steuert eine Million bei, die Bell Company und viele andere lassen sich nicht lumpen. Fliegende Händler bieten ihre Wüstensturmpräsente an, etwa einen Porzellanhumpen, sechsfarbig, Inhalt zwölf Unzen; wenn man ihn mit heisser Flüssigkeit füllt, verschwinden auf der vorderen Seite die SCUD-Batterien, und eine rote diagonale Linie mit den Worten *«I ain't afraid of no* SCUD» erscheint, während auf der hinteren Seite die SCUD-Missiles und Patriot-Missiles explodieren und verschwinden. Das Modell Nr. 2 funktioniert so, dass beim Eingiessen von heisser Flüssigkeit der T-72-Tank auf der Vorderseite und Saddam Hussein auf der Rückseite verschwinden und ein Ölbohrturm erscheint.

Um 9 Uhr ist der Strassenrand schon dicht gesäumt, unzählige, gratis verteilte Flaggen und Fläggchen überall, mit denen man den Siegern zuwinken wird. Die amerikanische Flagge ist eine schöne Flagge, auch wenn sie als Flaggenserie vorkommt. Eine *ticker tape parade* wird es nicht sein, dazu braucht man die Schnipsel der *ticker tapes,* auf welchen früher die Börsenkurse übermittelt wurden, welche heute auf dem Computer abgerufen werden, und auch Wolkenkratzer wären dazu nötig, um diese Art von Konfetti aus grosser Höhe herunterwirbeln zu lassen, aber weil in Washington kein Building höher sein darf als das Capitol, gibt es keine Wolkenkratzer. Aber es wird auch ohne *ticker tape* eine gewaltige Sache werden, etwa achthunderttausend Leute an Parade und Waffenschau.

Präsident Bush, der oberste Kriegsherr, ist von 9 bis 10 Uhr damit beschäftigt, den Witwen und Waisen auf dem Heldenfriedhof Arlington Trost zuzusprechen: 378 Familien sind betroffen. Bush sagt, dass die Getöteten die Helden eines historischen Krieges seien. Der Botschafter Kuwaits richtet laut Programm auch ein paar Worte an die Versammlung und dankt dabei den Getöteten noch speziell für ihren Tod und vertieft den historischen Aspekt ein bisschen, bekanntlich wurde der Krieg, *offiziell*, zur Befreiung von Kuwait geführt, und das glaubt nicht einmal der Botschafter Kuwaits, ein Angehöriger des durch und durch verrotteten Al-Sabah-Clans; denn der Krieg wurde wegen des Öls geführt und für die Vormachtstellung der USA und um die Statthalter der USA, den SabahClan, wieder an die Macht zu bringen. Kuwait funktioniert unterdessen, wie man «Le Monde» entnehmen kann, als eine amerikanische Kolonie. Den Palästinensern geht es schlecht, etwa 210 sind seit der Befreiung hingerichtet worden, 4000 verschwunden, Wahlen auf Ende nächstes Jahr angesetzt, und die Familie Al Sabah hat ihre goldenen Wasserhähne wieder.

Dafür ist also zum Beispiel Major Barry Henderson aus Alabama gestorben, in seinem 41. Jahr, ein Flieger- bzw. Flugzeug-Narr, der bei der Air Force gratis fliegen konnte, und als der Krieg kam, merkte der ganz unkriegerische Henderson plötzlich, dass die Militärfliegerei doch etwas riskanter ist als die zivile, musste nach Saudi-Arabien einrücken und fiel dann im Irak vom Himmel. Seine Witwe Myra Henderson fand die Zeremonie auf dem Heldenfriedhof *«irgendwie falsch»*, die Worte des Präsidenten könne man *«vergessen»*, und die ganze Aufschneiderei punkto Sieg komme ihr *«hohl und nicht trostreich vor»*. Bush hatte in seiner Ansprache kein Wort der Erinnerung gefunden an den Tod der zahllosen Iraker, die von den *amerikanischen Helden eines historischen Krieges* umgebracht worden sind, obwohl doch die amerikanische Verfassung festhält, *that all men are born equal.* Hingegen hatte er ein paar Tage früher, vor fünfzehntausend Mitgliedern einer Baptisten-Versammlung in Atlanta, öffentlich geweint, die Brille abgezogen, die Tränen getrocknet, die Brille wieder angezogen, nachdem er beschrieben hatte, wie er und seine Frau Barbara mit ihrem Seelsorger in der Nacht des 16. Januar 1991 beteten, als es darum ging, *«die Söhne anderer Leute in den Krieg zu schicken»*. Gebete seien für ihn, sagte Bush den Baptisten, immer wichtig gewesen, *«sie kennen uns Episkopalianer ja»*. Und bei diesem Beten seien ihm also die Tränen die Backen runtergelaufen, und der Seelsorger habe ihn dann angelächelt. Aber es war, how strange für einen Christen, keine Träne dabei für die Bombardierten, nur Mitleid mit den Tätern, keines für die Opfer, und sicher werden ihm die Tränen des 16. Februar, die er am 7. Juni unter Tränen rapportiert hat, bei den Bigotten im Lande einige Stimmen bringen. Das Foto in der «Washington Post» jedenfalls lässt auf echte Sekundärtränen schliessen.

Wo bleibt die Opposition? Während am Abend des 7. Juni im Hotel «Marriott» die hohen Offiziere feiern und den Krieg begiessen und erklären, dass sie im fast schmerzlosen Krieg *a good time* gehabt haben, protestieren etwa dreissig Kriegsgegner mit Trommeln und Ansprachen auf der Freedom Plaza. Niemand beachtet sie, die Polizei bemüht sich nicht. Am 8. Juni werden es 50 gegen 800000 sein. Einer bespritzt den Harrier-Senkrechtstarter mit Blut, wenigstens kommt eine Verhaftung zustande (Sachbeschädigung). Eine heilige amerikanische Flagge müsste man jetzt nicht, wie während des Vietnamkrieges, zu verbrennen wagen, man würde stracks gelyncht. *Let's putzen the flag, when a dreck is on the flag, dänn let's flugs putzi.*

Um ca. 11 Uhr am Samstag morgen, dem 8. Juni, wird das Verlangen der massenhaft herbeigestrudelten Kriegsliebhaber an der Constitution Avenue als überschnappende und überschwappende Begierde der Massen spürbar. *Desperately seeking Norman H. Schwarzkopf,* den Triumphator, am liebsten mit Saddam Hussein an der Leine. Noch fünf Minuten, noch zwei, die Lautsprecherstimme über der Pressetribüne macht's spannend. Jetzt! Da! Die heftig geschwenkten Fähnchen und Flaggen! The master of the universe! Der frenetisch beklatschte Zerstörer des Vietnamtraumas! The commander-in-chief of der grössten je existing Streitmacht seit world war II! Der rasende Roland aus Saudi-Arabien, the bear! Der weltbekannte Gorilla! Der Rächer der verletzten Ehre der Republik! Der Koloss von Riad und Würger von Bagdad! Der erfolgreichste schmerzlose Schlächter!

Er ist's, bei Gott. *My eyes have seen the glory of the coming of the lord.* Es wird heiss, dann schwül. Festen Schritts oder Tritts stapft er die Constitution Avenue entlang, the commander of the U.S. Central Command, und dahinter, im Gleichschritt marsch, sein Stab und dann die Kriegsfahnen, Kommandobanner, die Lumpentücher des Krieges, *with staff and command flags massed,* fehlt noch der Stechschritt. Folgen jetzt die eroberten Standarten des Feindes, von den Siegern auf einen Haufen geworfen, vor des presidents mit schusssicherem Glas gesicherter Box? Werden Beutewaffen mitgeführt?

Mit Tschindrassa die Musik, viele Musiken aller Waffengattungen, wie blitzen die Sousaphone so golden, wie knirscht der Abrams-Tank kräftig übers Pflaster, wie zischen die beiden *stealthbombers,* die tüchtigsten, leisesten, herrlichsten, elegantesten Bomber der Neuzeit, die Flundern des arabischen Himmels, so verstohlen heran und vorbei, und dann wieder die *Marine band,* die *band Orlando,* the *Tactical Air Force Command band,* vorne dran diese Steckenschwinger und Taktangeber mit ihren Bärenmützen, hinten immer ein paar Mädchen oder Frauen in den Reihen der Musikanten, überhaupt die ganze Armee einigermassen weiblich durchsetzt, ausser bei den Kommandeuren. Die Strasse frei den Wüstenbataillonen, hoch lebe der leichte kleidsame Tarnanzug und das leichte Wüstenhütchen, aber auch der neu eingeführte Helm, welcher dem deutschen Helm des Zweiten Weltkrieges zum Verwechseln gleicht, ein Helm für Wüstenfüchse. Aber die weissen Uniformen der Navy sind immer noch die schönsten, unschuldig. Helikopter brummen vorbei, Chinooks, Apaches, aber auch die Eagles, Falcons, Weasels, Tornados, und am meisten wird beklatscht der alte B-52, dessen sogenannte Bombenteppiche die grössten Krater der Welt zu machen imstande sind, jedermann weiss das hier, bewährt schon im Vietnamkrieg und jetzt, im Golfkrieg, mit mehr als 22 Tonnen Explosivstoff, der beste Zerstörer der Welt, hurray! Welch lieber, alter, frisch entmotteter Bekannter.

Der Krieg hat pro Tag 1,6 Milliarden Doller gekostet und im Irak Schäden für ca. 200 Milliarden angerichtet. Macht aber nichts, im Gegenteil, da kann *big business* in absehbarer Zeit den Wiederaufbau einleiten, d.h. investieren, und Hussein ist es vielleicht auch zufrieden, seine alte, schon etwas obsolete Industrie wird abgeräumt und ersetzt. Und die US sind einen Teil des Überhangs an Kriegsmaterial losgeworden. Die Waren müssen zirkulieren, und wenn der Staat nicht genügend *hardware* bestellt, macht ihm die Rüstungsindustrie Beine. General Dynamics und McDonnell Douglas erhoben kürzlich Anspruch auf 3 Milliarden (sic!) Dollar Schadenersatz, weil sie, vom Pentagon aufgefordert, jahrelang an einem Flugzeugtyp bastelten, auf den das Ministerium schliesslich verzichtete. Cheers!

Mit Tschindrassa hinab die Chaussee. Man würde wenigstens gern ein bisschen Glenn Miller hören, aber nein, nur Märsche und Kriegsmelodien. Das Tomahawk-Missile ist schön, fliegt elegant über alle Unebenheiten der Erdoberfläche hinweg und um die Häuserblocks herum, bis es das richtige Loch findet. Wird jetzt auch im Umzug mitgeführt, wie früher die Raketen der Roten Armee. Exocet, Sidewinder und Maverick haben ebenfalls ihren Charme, fliegen aber auf direktem Weg, so wie General Schwarzkopf marschiert.

Man weiss, dass Schwarzkopf schon an der Akademie von West Point seine Lieblingsschlacht im Kopf hatte und davon träumte, irgendwann in Zukunft, im Stile Hannibals, die Schlacht von Cannae aufzuführen (Vernichtungsschlacht mit Zangenbewegung, keine Gefangenen). Auch hat ihn schon immer die freie Presse genervt, welche der Generalität den Vietnamkrieg erschwerte, und den Gebrauch der Atomwaffen wollte er nie a priori ausschliessen. Ein moderner Krieg, so seine Lehre aus der Vietnamexpedition, musste schnell, brutal, mit aller verfügbaren Macht und ohne störende Medien geführt werden.

Er hat seinen Krieg bekommen. Nur die Atombombe durfte er nicht einsetzen, und die Schlacht von Cannae musste er abbrechen. Saddam Hussein hat er bekämpft wie einen persönlichen Gegner, der Krieg war *auch* eine Partie Freistilringen («kick him in the ass, in the butt, suck him into the desert»). Schwarzkopf ist milieugeschädigt, schon sein Vater war General, hat die Polizei des Schahs von Persien aufgebaut und 1953, mit CIA-Hilfe, den Nationalisten Mossadegh mit Hilfe eines aufgeputschten Mobs gestürzt.

Da geht er nun, der bedeutende Berserker, hinab die Constitution Avenue, also die Verfassungs-Avenue, und hinter ihm seine Armee, der Tatzelwurm, und haben noch einmal ihren *wargasm* (wie die Kriegsgegner in Washington das nennen). *«Es war höllisch rührend»*, sagt Dennis Hohmann, 21, von der Navy. *«Dieser öffentliche Empfang gab mir ein tolles Gefühl bei der Heimkehr. Es war fast so gut wie Sex.»* Und der 28jährige Daniel Plummer vom 187sten Infanteriebataillon aus Fort Campbell, Kentucky, dessen

Kompanie 27 irakische Soldaten getötet hat, sagt, der Wüstenkrieg sei ihm irreal vorgekommen, *«als ob ich zur High-School oder zu einem Football-Spiel ginge. Wir waren aufgeputscht.»* Für die Getöteten war der Krieg etwas realer.

Ob jene Navy-Piloten, die sich kurz vor ihren Einsätzen mit Pornofilmen für ihren Killerjob aufgeilten und der «Repubblica» ganz cool von der Verknüpfung der beiden Lüste berichteten, heute auch mitmarschiert sind? Und U.S. Tank Commander Dan Merritt? Der hatte am 20. Februar dem «Wall Street Journal» erklärt, die Air Force habe vorläufig den Irak erst skalpiert, in der Hoffnung auf eine baldige Verblutung, aber jetzt müssten die Vorschlaghämmer in Aktion treten, und, auf seinen Tank Marke Abrams deutend, sagte er: «Sie sehen einen Vorschlaghammer. Wir werden ihnen die gottverdammten Hirne einschlagen», wobei er die Hoffnung äusserte, dass sein Killerjob erfolgreich und schnell, also blitzkriegartig, durchgezogen werden könne.

So ist es dann gekommen. Ein paar vertraute Gesichter haben in der Parade gefehlt, die *«Allied Abteilung for ideological Anschluss an den American war»* (DAAFIAAW), mit dem Hasenpanier als Fahne. Vielleicht sind sie provisorisch bei der *Marine band* untergeschlüpft? Ich habe weder Enzensberger noch Henryk M. Broder, noch Roger Schawinski (Radio 24) oder die FDP Zürich oder NZZ-Chefredakteur Hugo Bütler, weder Lanzmann noch Elie Wiesel – um nur diese Kämpfer der Stirne zu nennen! – mitmarschieren sehen in der Siegesparade, und waren doch so von diesem Krieg begeistert gewesen und hatten frenetisch Aufrüstung betrieben. Und auch die übrige Hussein-ist-genau-wie-Hitler-Fraktion war nicht zu erblicken. Deserteure?

Zwischen Weissem Haus und Constitution Avenue gibt es einen elliptoiden Rasen, der Einfachheit halber THE ELLIPSE genannt. Dort dürfen sich die Wüstenkrieger und Wüstenkriegerinnen, im Blickfeld von George Bush und seiner frommen Barbara, auch durch ein Gitter vom viel feineren Rasen des Weissen Hauses getrennt, ausruhen. In riesigen, mit Eiswasser gefüllten Wannen liegen ein paar zehntausend Coke-Büchsen bereit, auch werden offeriert ein paar Tonnen Chickenfleisch und billigstes Glace. Einige Clowns oder Harlekins sind sorgsam über die ganze Fläche verteilt worden, damit nach dem *wargasm* niemand traurig wird. Irgendwo steht ein angeketteter Seeadler oder *bald eagle*, das amerikanische Wappentier, an einem flachen Plastikbehälter, von einem Drahtgitter umgeben, und schaut dumpf in die Runde. Eine singt auf der Bühne, aber schlecht. Auf der anderen Seite der Strasse ragt das Washington Memorial, ein Obelisk, oben beim Treasury Department ist die Statue von Alexander Hamilton, rechts hinten der riesige, als Griesgram dargestellte Lincoln in seinem Memorial-Tempel und spiegelt sich im *reflecting pool.*

Alle haben vom Staat eine Wolldecke geschenkt bekommen, damit sie ihre Uniformen auf dem Rasen nicht beschmutzen. Am frühen Abend dann: die Mischung der eingeborenen Bevölkerung mit dem angereisten Soldatenvolk. Eine überdimensionale Bühne ist hinter dem Washington Monument aufgebaut, die Verstärkeranlage schmettert den Sound meilenweit. Es singt und brüllt die Western-Country-Sängerin Barbara Mandrell und spielt Sax und Bass mit Gitarre und hüpft auf stroboskopisch beleuchteter Bühne herum, hat schon während des Vietnamkriegs die Truppe unterhalten, die schwarzgekleidete Lady, und sagt, wisst ihr, Soldaten, dass die Nation jeden Tag für euch gebetet hat, und: Ich bin stolz, dass mein husband ein navy pilot ist, und: Ich bin in Vietnam immer so gerne mit den Kampf-Helikoptern geflogen, und: Thank you America for all your support. Madonna wäre für den Anlass wohl zu teuer gewesen. Die hätte Marilyn Monroe imitieren können, wie sie in den fünfziger Jahren die Truppen in Korea entertainte. Barbara Mandrell kann nur ihre eigenen Vietnamauftritte imitieren. Jetzt singen wir noch alle zusammen: *You're my sunshine, you're my sunshine, you're my sunshine.* – Dann wurde das Licht auf der Bühne gelöscht, ab Band kam die Nationalhymne, und am nunmehr ganz eingedunkelten Himmel platzten die ersten Feuerwerkskörper des berühmten Feuerwerkers Zambelli, blühten Sonnen auf, Sterne, knallten Explosionen, zischten Raketen, platzten Leuchtkugeln, der Himmel gestreift von Raketenbahnen und wie von Leuchtspurmunition gepflügt, und sah ganz ähnlich aus wie das von CNN in der Nacht des 16. Februar gesendete Feuerwerk über Bagdad.

Damit wurde am 8. Juni 1991 in Washington D.C. das Ende des Golfkriegs gefeiert.

Im eigenen Land

Zug, sein Charme und seine Zuzüger

Man kann sich der Stadt Zug – wie nett liegt sie im Schutz ihrer Türme am Wasser! – auf verschiedene Weise nähern, vom See her zum Beispiel, aber auch auf dem ebenen Landweg von Baar oder Oberwil, oder vom Berg herunter kann man auch kommen und sieht sie dann hübsch konzentriert (Altstadt) in der Tiefe liegen und metastasenartig, krebsgeschwürmässig in Richtung Zürich wuchern (das Neue). Kommt man vom See, so geniesst man dieselbe Perspektive wie Margret Thatcher, die energische, welche sich bekanntlich immer wieder ferienhalber auf dem Landgut der Familie Glover-Hürlimann erholt und bei dieser Gelegenheit der zugerischen Masseuse A. ihren Rücken zur Massage darbietet (kneten, aufstreichen, groblockern, rundstreichen, feinlockern, Rügeligriff, falscher Kammgriff, Heizgriffe).

Unweit des Glover-Hürlimannschen Landgutes liegt die alte Herrschaft Buonas, heute im Besitz der Witwe Bodmer, riesiges Gelände mit bemerkenswerten Bäumen, leerstehendem Schloss, Herrschaftshaus und etlichen Bediensteten. Dort befindet sich ein unabsehbar grosses Stück Natur noch im besten Zustand, der aber leider nur von Frau Bodmer, ihren Gästen und Bediensteten goutiert werden kann, denn der Zutritt ist verboten, das Seeufer bleibt prinzipiell unzugänglich. Der Blick auf Zug jedenfalls ist von dort aus auch sehr lohnend, wie der Reporter bestätigen kann, der an einem Sonntagnachmittag, als er nach einer Woche Zug über die zugerischen Verhältnisse in aller Ruhe meditieren wollte, von einem Bodmerschen Gärtner mit harschen Bemerkungen weggewiesen wurde.

Unweit dieser Latifundien, seeaufwärts, liegt das sehenswerte Grundstück der Witwe Göhner. Dieser ungemein bekannte Bauunternehmer hatte bekanntlich weite Strecken der Schweiz mit Neubauten bedeckt, ihn selbst aber zog es in die Natur, zum stillen Genuss der Naturschönheiten. Die Witwe Göhner hat nun ein Stück Land dem Paraplegikerzentrum in Basel vermacht, und soll jetzt auf ihrem Territorium gebaut werden, damit sich die Paraplegiker am Zugersee erholen können. Die Nachbarschaft von so vielen querschnittgelähmten Leuten scheint aber der Witwe Bodmer nicht ganz zu behagen; und so hat denn zwar nicht sie, sondern ihr Obergärtner, in der Lokalpresse einen Leserbrief veröffentlicht, der auf die Unbekömmlichkeiten des geplanten Paraplegikerzentrums hinweist.

Buonas gegenüber liegt das Herrschaftshaus der Witwe Gyr, die mit dem Firmengründer der bekannten Landis-&-Gyr-Fabrik verheiratet gewesen ist (im Volksmund Landis und Geldgier genannt). Diese Fabrik ist mit viertausendfünfhundert Beschäftigten die grösste von Zug. Witwe Gyr bewohnt, umsorgt von zwei Gärtnern, zwei Dienstmädchen und einem Chauffeur, den bemerkenswerten Herrensitz am See, dessen Realwert (Genusswert) leider durch das steigende Verkehrsaufkommen der allzu nahen Kantonsstrasse eindeutig gelitten hat. Ihr Chauffeur, zugleich Dirigent des Jodlerchores «Maiglöggli», führt sie einmal pro Woche zur Pedicure nach Zürich und sei auch verantwortlich für das reibungslose Funktionieren der Boote, die im Bootshaus liegen. Er trägt einen interessanten Ledermantel.

Frau Gyr gilt in Zug als Sehenswürdigkeit, liess und lässt sich in der Stadt kaum blicken, lebt zurückgezogen; und so kamen sich der Fotograf Gretler und ich denn auch sehr privilegiert vor, als ihr Enkel, der freundliche Ethnologe Daniel Brunner, uns eröffnete: Heute besuchen wir die Grossmutter! Nach kurzer Fahrt betraten wir das Seegrundstück, der Blick ging nach Buonas hinüber, dann zum Gyrschen Herrensitz und zur oberhalb der Kantonsstrasse liegenden Kapelle, in welcher Pater Alberik Zwyssig die Hymne «Trittst im Morgenrot daher» erfunden hat; und dann sahen wir eine Frauensperson, die energischen Schrittes uns entgegenstrebte und mit hellklingender Stimme interpellierte – «was mached Sie do im Garte?» Es konnte sich dabei unmöglich um die hochbetagte Grossmutter handeln und war denn auch wirklich nur eine ihrer Töchter, Mutter des Ethnologen Daniel Brunner und Gattin des Landis-&-Gyr-Verwaltungsrates Andreas Brunner, der seinerseits ein Sohn des bekannten Theologen Emil Brunner ist; und wurden wir von ihr vorerst energisch des Grundstückes verwiesen, und nur auf die besonders eindringlichen Bitten ihres Sohnes Daniel hin wurde uns doch noch ein kurzer Zutritt bei der Witwe Gyr gewährt.

Das Haus ist auch innen von der rühmenswertesten Art, im Foyer konnten wir einen Bassano ausmachen, auch einen frühen Hodler, und die Witwe stand, selbst ein Bild, auf ihren Krückstock gestützt, im Gegenlicht auf der Schwelle des Salons, welche zu überschreiten uns nicht vergönnt war, und sagte: Zum Thema Zug habe sie rein gar nichts zu sagen.

Frau Gyr, wir danken Ihnen für dieses Gespräch.

Topographie: Wenn man sich der Stadt Zug vom Berg her nähert (Zugerberg, Menzingen), dann entdeckt der Reisende, wieviel diese Stadt und ihr Inhalt wert sind. Denn oben auf dem Gubel sieht man gut erhaltene Raketen, eine voll ausgebaute Bloodhound-Stellung hinter Maschenzaun, etwa zehn oder fünfzehn schnittige, sehr teure, vom Design her wirklich ansprechende Fliegerabwehr-Raketen, dazu modernste Radarschirme und verbunkerte Feuerleitzentralen. Wenn da ein Flieger käme, die Stadt Zug und ihre komplizierten Handelsverbindungen stören wollte – er hätte sofort eine Rakete im Bauch. Man ist auch in der Abwehr modern, nicht nur im Handel. Die Raketen deuten alle nach Osten. Einige Lafetten sind unbestückt; vielleicht werden die dazugehörigen Flugkörper unterdessen frisch gestrichen.

Gleich unterhalb der Raketenstellung liegt das Kloster Mariahilf. Im Kriegsfall geht es sofort kaputt, die Bloodhound-Stellungen sind gewiss auf den Generalstabskarten des Warschaupakts eingetragen, und die Zielgenauigkeit der russischen Raketen lässt zu wünschen übrig. Die Nonnen aber, denen man auf einem Spaziergang begegnen mag, lachen weiterhin unbeschwert. (Voll Gottvertrauen.) In der Klosterkirche findet man an der Decke die Schlacht am Gubel gemalt, katholische und reformierte Truppen piesacken einander, Pferde stürzen in die Schlucht, Augen brechen, Lanzen stechen, die Katholiken gewinnen, bravo.

Weiter unten in der Topographie, Straflager Zugerberg, sind die neun russischen Soldaten interniert, welche, in Afghanistan von den Aufständischen gefangengenommen, der Schweiz überstellt worden und nun manchmal in Zug auf einem Einkaufsbummel zu sehen sind. Und ganz unten dann eben diese Stadt, *a small farming community near Zurich*, wie eine amerikanische Zeitung schrieb, dieses Zug mit seinem Kapuzinerkloster, wo noch die Armensuppe ausgegeben wird, mit seiner Marc Rich und Co., dem weltumspannenden Rohstoffhändler, blauschimmerndes Building an der Baarerstrasse, seiner Phibro AG, aus welcher die Marc Rich und Co. hervorgegangen ist, mit seinem alt Bundesrat Hürlimann, welcher Phibro-Verwaltungsrat gewesen ist und jetzt die Marc Rich berät; dieses Zug mit seiner peinlich geschniegelten Altstadt, die wie ein Disney-Land inmitten der schnell aus dem Boden geschossenen Buildings liegt; eine boomende, pilzende, formlose, wuchernde Stadt, die auch Dallas heissen könnte.

«Eine einzige, zynisch berechnete, von sämtlichen Räten abgesegnete Betonverwüstung, eine Ausbeutung und schamloseste Schändung ohnegleichen ist das, was hier einer schönen kleinen Stadt angetan wird», schreibt der gebürtige Zuger Urs Herzog, Professor an der Universität Zürich, über seine Heimatstadt, die er heute nicht mehr erträgt. Die Altstadt wirkt so komisch in diesem Beton, als sei sie vom Himmel gefallen. Sie ist sinnlos geworden in der neuen Umgebung, eine Puppenstube für Denkmalpfleger, wird von ihrem Kontext relativiert und lächerlich gemacht.

Eine «ratlose Überfremdung» nennt alt Bundesrat Hürlimann diesen Zustand – aber hat er als Alt-Verwaltungsrat der Phibro AG, als ehemaliges Mitglied der Zuger Regierung, welche die ausländischen Firmen mit Steuerbegünstigungen nach Zug holte, wirklich keinen Rat gewusst? Heute ist er «ständiger kultureller Berater» der Marc Rich und Co., wie man bei dieser Firma erfahren kann, während er selbst, bescheiden, seine Rolle viel kleiner sieht: Er habe Marc Rich «ein einziges Mal» kulturpolitisch beraten. Welche Sache das war, möchte er nicht sagen. Er möchte überhaupt fast nichts sagen, wenn man ihn telefonisch befragt; will den Reporter auch nicht empfangen, seine Devise sei: *Servir et disparaître,* und nachdem er nun dem Kanton Zug und der Eidgenossenschaft an gut sichtbarer Stelle gedient hat, möchte er wohl ganz verschwinden – und doch ist er noch da. Vom Kanton Zug und seiner Wirtschaftspolitik verstehe er nichts, da sei er nicht kompetent, der Reporter solle sich diesbezüglich an den Alt-Stadtpräsidenten Hegglin wenden, diesem aber auf keinen Fall verraten, dass er, Hürlimann, dem Reporter geraten habe, sich an ihn zu wenden (dem Leser darf ich es verraten, das wurde mir nicht verboten).

Schweigen, Lieblingsbeschäftigung der Zuger, die etwas zu sagen haben (zu sagen hätten). *Silent City*. Die Zuger sind richtige Schweige-Virtuosen, Verschweigungskünstler, Diskretionsfanatiker, und die zugezogenen Zuger sind es noch mehr (Marc Rich und so weiter). Dr. Paul Stadlin schweigt, obwohl er doch gewiss über seine 83 Verwaltungsratsmandate etwas zu sagen hätte, der Spross aus alteingesessenem Zuger Geschlecht, der grosse Politiker, er hält nichts von Journalisten, «weil man ihre Artikel ja doch nicht kontrollieren kann». Paul Stadlin lebt in Bürogemeinschaft mit Dr. Rudolf Mosimann, seinem Schwiegersohn, der nur über 33 Mandate verfügt, und der schweigt auch.

Stadlin ist nebenbei Schriftsteller, hat den Text zu einem Fotobuch über Zug geliefert, aus dem alles Hässliche wegretouchiert ist, Zug als landschaftliche, denkmalpflegerische Idylle; und er macht auch Gedichte, die gütigst im Verlag H. R. Balmer Zug, mit dem er sozusagen als Mäzen verquickt ist, verlegt werden. Da er dem Reporter keine Erklärungen abgeben wollte, kann hier nur ein Gedicht von ihm zitiert werden:

EINE ART VON PHILANTHROP

Wenn einer lebenslang nichts getan,
Als Macht und Besitz zu raffen,
Kommt ihn am Schluss wohl die Grossmut an,
Ein bleibendes Werk zu schaffen.

Besiehst du dir jedoch näher das Ding,
Ist's ein Teil nur von einem Götzen;
Du merkst, dass es dem Herrn drum ging,
Sich selbst ein Denkmal zu setzen.

Er tut es mit jener Besessenheit
Mit der er kein Ziel verfehlte;
Ein «Kindlifresser», der Vreneli speit,
Weil ihn die Vergänglichkeit quälte.

In ihm ist die Wut des Bauens entbrannt
Zu Stadien, Schulen, Museen.

Er wird nun als Philantrop bekannt;
Auch das macht ihm Spass zu sehen.

Doch wisse, sprich niemals bei ihm vor
Mit einem persönlich' Anliegen:
Für solches Gefasel ist taub sein Ohr
Und nicht ein Nickel zu kriegen.

(Paul Stadlin, «Lamellenblick, Ein Glossarium in Versen»)

Andere schweigen, nachdem sie zuerst reden wollten, zum Beispiel der Hauptbuchhalter einer grossen ausländischen Firma, mit dem ich verabredet war und der mich dann um sieben Uhr früh im Hotel anrief, mit angstgepresster Stimme: Er habe «es» mit seiner Frau besprochen, müsse als Familienvater Rücksicht nehmen, sicherheitshalber wolle er mich lieber doch nicht treffen, die Firma – bitte den Namen nicht nennen – sehr streng, amerikanische Methoden, nicht gemütlich wie Landis & Gyr, der kleinste Fehler, und man wird rücksichtslos gespeicht, bei Indiskretionen fristlose Entlassung, überhaupt ein Klima wie bei den Haifischen. Also kein Treffen mit Hauptbuchhalter X. Bei einer anderen Rohstoff-Verschiebefirma wird der Reporter nach langer Bedenkfrist empfangen und darf tatsächlich mit einem Direktor reden, muss aber zuerst eine schriftliche Erklärung abgeben, welche ihn dazu vergattert, weder Zitate aus dem Gespräch noch den Namen der Firma zu drucken, die ihm ein Interview gegeben hat, das er nicht verwenden darf. Es handelt sich um das nebst der Phibro AG bedeutendste Haus am Platz, nämlich die …

Eine andere Person, ungenannt sein wollend, möchte auf keinen Fall mit dem Reporter in einem öffentlichen Lokal gesehen werden, auch droben in Menzingen oder Ägeri nicht, Verabredung schliesslich auf dem Friedhof Baar, Nähe Beinhaus, und dann ab in seine Wohnung, auf dem Weg dorthin die Angst, wir könnten zusammen gesehen werden. In den eigenen vier Wänden spricht er dann ziemlich frei, wenigstens seiner Frau vertraut er, das ist beruhigend.

Leider weiss er nicht viel Interessantes, arbeitet in untergeordneter Stellung, wie er sagt. Wer nämlich etwas Interessantes weiss, der braucht das Wissen, um Geld zu machen, und das kann sehr schnell gehen, wenn man die Kenntnis der Rohstoffmärkte richtig einsetzt, in einer der berühmten Firmen, Marc Rich, Phibro, Commercial Metals & Rohstoff – sagt die ungenannt sein wollende Person. Habe er doch Schulkameraden erlebt, die kometenhaft aufgestiegen seien, nach der Banklehre sofort in eine dieser Firmen und als *Trader* Erfolg gehabt, da werde nicht nach Diplomen gefragt, das *trading business* als letzte Möglichkeit hierzulande für einen *Selfmademan*, nur gute Nase, harte Ellenbogen und schnelle Auffassungsgabe seien nötig, auch maximales Anpassungsvermögen, da könne man seinen Schnitt machen, nur in diesem Sektor werde einer heute noch ohne Universitätsdiplom so richtig in die Höhe kommen. Aber auch sofort wieder herunter, wenn man nicht spure beziehungsweise für die Firma nicht genug Geld einfahre (wie die Ernte in die Scheune). Wahnsinnig flexibel müsse man halt sein. Und die Zurückhaltenden, Scheuen, Rücksichtsvollen schaffen es nie.

Einen kennt er, in Menzingen droben, Sohn einer vierzehnköpfigen Familie, kommt von ganz unten, der hat es jung geschafft. Vierhunderttausender im Jahr, toller Wagen, Einfamilienhaus in bester Lage, aber der müsse auch krampfen wie ein Vergifteter, die Familie habe nicht viel von ihm, er geniesse nämlich das Vertrauen von Marc Rich, und das sei anstrengend, da werde man in der ganzen Welt herumgeschickt, was ist jetzt wieder mit dem chilenischen Kupfer, wie kann das mit möglichst grossem Zwischengewinn an die Sowjetunion verkitscht werden, was können wir in Südafrika garnieren, wo gibt es politische Lämpen, wann will ein Produzent aus politischen Gründen nicht mit einem Konsumenten verhandeln, so dass der Zwischenhändler eingeschaltet werden muss – harter Job, blitzschnelle Entscheidungen, gesunde Nerven, harte Kalkulation.

Es sei diesem Eddie E. in Menzingen droben nicht an der Wiege gesungen worden, dass er einmal diesen tollen Wagen fahren werde und von Marc Rich in ein Fortbildungsseminar geschickt werde und in der ganzen Welt herumdüsen könne; und darum seien Leute wie E. dem Rich und ähnlichen Firmen so dankbar, weil sie ohne diese nicht aus der zugerischen Enge ausgebrochen wären und es auf keinen grünen Zweig gebracht hätten. Und wenn es auch nur ganz wenige Zuger schaffen, so bleibe für die andern doch die Hoffnung, dass sie es einmal schaffen könnten.

Jedenfalls, diese Firmen schütten ein gutes Salär, auch in den untern Rängen besser als Versicherungen oder Banken oder die Industrie, sagt mein Gewährsmann, und weil so viele davon in Zug domiziliert sind, angelockt von den Steuererleichterungen, müssen die Einheimischen weniger Steuern zahlen. Allerdings, auf die niederen oder mittleren Einkommen trifft es nicht soviel an, bei einem monatlichen Salär von 4000 Franken macht es wenig aus, verglichen mit den Steuern in Zürich, aber für die hohen und höchsten Einkommen ist der Steuerunterschied dann prächtig, sagt der Gewährsmann.

Allerdings, man müsse auch berücksichtigen, dass wegen der vielen durch die zugerischen Verhältnisse angelockten reichen Leute die Mieten wahnsinnig in die Höhe getrieben worden seien, so dass heute in Zug eine rechte Wohnungsnot grassiere. Aber für die Advokaten sei es eine gute Zeit. Ein Freund, der vor zehn Jahren in Zug die Matura bestand, hat ihm erzählt, dass aus seiner Klasse neun Juristen hervorgegangen sind, sieben davon besitzen jetzt einen Mercedes oder etwas in derselben Preisklasse, und alle schiessen sie gewaltig ins Kraut. Jemand müsse ja schliesslich die juristischen Formalitäten für die 9000 juristischen Personen erledigen, welche in Zug domiziliert sind (in Worten: neuntausend).

Zug hat gewaltig expandiert, es ist hier die Wut des Bauens entbrannt, wie Dr. Paul Stadlin sagen würde, und auch die Wut des Renovierens und Abreissens. Kürzlich wurde die sogenannte *Metalli* abgerissen, eine riesige Zahnlücke klafft jetzt im Stadtbild, wo früher die Metallwarenfabrik stand, und bald wird dort eine Überbauung hingeklatscht, die es an Hässlichkeit mit dem Neustadt-Center ohne weiteres wird aufnehmen können. Das Neustadt-Center ist ein ödes Konglomerat von Ladenstrassen und Büros. Früher soll die Gegend dort wohnlich gewesen sein, sagen die älteren Zuger. Die neue Kantonsschule – ohne die Steuermillionen, die den ausländischen Gesellschaften entfliessen, wäre sie nicht so schnell so zackig gebaut worden – sieht aus wie die Kommandozentrale einer ausländischen Gesellschaft, kalt und ziemlich grausam.

Die Philipp Brothers AG baut auch, das alte Domizil wurde zu eng für die 400 Angestellten, der Neubau wird im Volksmund *Pentagon* genannt. Auch die Marc Rich hat bekanntlich vor kurzem gebaut, der Sohn des Abwarts der alten Kantonsschule, welche man «die Athene» nannte, hat den Auftrag bekommen. Der bläulich schimmernde, kubische Bau, in dem sich die Nachbarhäuser spiegeln, ist transparent, im Gegensatz zu den Geschäften, die darin abgewickelt werden. Man sieht in das Gebäude hinein, Rohstoffhändler telefonieren, reden miteinander oder auch nicht, Sekretärinnen hasten, blau kolorierte Gesichter erteilen Befehle, auf Monitoren werden die Börsenkurse abgelesen, *«junior traders»* entwerfen Konzepte, rund um die Welt herum wird geordert, immerdar Gewinn und Verlust / Wäget ein sinnendes Haupt.

Hier wird nichts hergestellt, keine altehrwürdige Produktionstätigkeit ausgeübt wie bei Landis & Gyr, hier wird nur verschoben und garniert, man sieht keine Waren, die Tätigkeit ist immateriell, reiner Geist am Werk. Wie Gottfried Benn richtig sagte: Riesige Hirne biegen / sich über ihr Dann und Wann / Und sehen die Fäden fliegen / die die alte Spinne spann. Und das im ehemals gemüthaften Zug, vor zwanzig Jahren war da noch eine introvertierte Kleinstadt. Unterdessen hat man sich allerdings, wie alt Bundesrat Hans Hürlimann einmal schrieb, «mehr und mehr von Scholle und Sippe entfernt», so schnell wie eine Bloodhound-Rakete von ihrer Lafette startet. Die Stadt hat abgehoben.

Scholle und Sippe? Das tönt nach alter Zuger Tradition, ein bisschen nach Blut und Boden, katholisch-konservativ, Philipp Etter hat so gesprochen, der militante Anhänger von ständestaatlichen Ideen, der dauerhafteste, langjährigste Bundesrat der Schweizer Geschichte, der berühmteste Zuger vor Hürlimann. Abrupter Übergang in dieser Stadt: von der Schollenhaftigkeit zum Internationalismus. In der Person von Hans Hürlimann streiten diese Gegensätze miteinander. Einerseits die alte Theorie der Bodenständigkeit, in patriotischen Reden zuweilen durchschimmernd, anderseits die Praxis des Phibro-Verwaltungsrats und Marc-Rich-Beraters.

Manchmal wird der Stadt der Boden unter den Füssen weggezogen, und ein Teil verschwindet, weil sie auf schlechten Grund gebaut ist. Am 4. März 1435 zum Beispiel versank die niedere Gasse der heutigen Zuger Altstadt ohne viel Aufhebens im See, mit 26 Häusern und 60 Menschen, eine Inschrift am alten Zollhaus erinnert daran: «MCCCCXXXV gieng Zug under und ertrank Schriber Wikart.» Ein Sohn des Wikart wurde in der Wiege auf den See hinausgespült und blieb am Leben, ein Nachkomme ist heute Kommandant der Freiwilligen Feuerwehr Zug. Der Luzerner Chronist Renwart Cysat hat den Zuger Seesturz so beschrieben: «Es war ein vast kalter Winter und der See überfroren gewesen, jetzt aber der Frühlings Zyt nach der Wärme im Wasser und in der Erde erzeigt, also dass es die Grundveste in dem understen Theil der allten Stadt gegen den See erweicht und erhüllst oder underfresse.»

Am 5. Juli 1887 versinkt schon wieder ein Teil der Vorstadt im See, 600 Bewohner verlieren ihr Obdach, 18 Menschenleben sind zu beklagen. «Als der Rektor der Kantonsschule gegen 19 Uhr die Unglücksstelle zum zweitenmal besichtigen will, wird er plötzlich durch ein Donnern, Krachen und Rasseln erschreckt. Die Wachtposten der Feuerwehr rufen von ihren Beobachtungsposten: «Zurück, fliehet!» Eine dichte Staubwolke breitet sich über der Vorstadt aus und eine Gruppe von Feuerwehrleuten und Schülern stürzt ihm entgegen, dem Postplatz zu. Dieser bietet ihm ein Bild der Verzweiflung. Hunderte rennen jammernd und weinend durcheinander. Kinder suchen ihre Eltern, Frauen ihre Männer.» (H. A. Keiser, dem Andenken einer schweren Zeit)

Die Katastrophe war nicht ganz überraschend gekommen, beim Fortschreiten der Quaiarbeiten hatten sich Risse und Senkungen gezeigt, ein Gutachten erklärte die Vorstadt als gefährdet und schlug ein neues Verfahren vor. Die Zuger Regierung wollte jedoch die Gefahr nicht sehen und den ursprünglichen Pfählungsplan am Quai nicht aufgeben, und so wurde dann weiter gepfählt und gebaut; und dann passierte es.

Bei dieser Gelegenheit hatte die Freiwillige Feuerwehr Zug (FFZ) ihren ersten bedeutenden Einsatz, von dem sich alle Feuerwehrleute befriedigt erklärten. Sie sperrte mit grossem Geschick die Unglücksstelle ab. Diese Feuerwehr, unter der Leitung ihres Kommandanten Wikart und des Präsidenten Meienberg (Markus), ist nach wie vor der bedeutendste Verein der Stadt, Schmelztiegel der gewerblichen Interessen, auch Sprungbrett für eine politische Karriere. War nicht ihr ehemaliger Präsident Hagenbuch, Wirt des gleichnamigen Restaurants, Feuerwehrpräsident, bevor er Stadtpräsident wurde? Mit der Feuerwehr als Hausmacht ist er gegen Hegglin, den viel reicheren «Ochsen»-Wirt, angetreten, der mehr Geld hatte, aber weniger Popularität.

Bei der jährlichen Feuerwehrgeneralversammlung brechen jeweils die unterdrückten Gefühle hervor, das Schweigen, die Zuger Spezialität, darf gebrochen werden, höhnische Schnitzelbänke werden vorgelesen, Zoten produziert, eine geschlossene Männergesellschaft implodiert. Den Frauen könne man diese Grobheiten nicht zumuten, sagt Meienberg (Markus), darum werden sie bei dieser Gelegenheit ausgeschlossen.

Hagenbuch übrigens, der ehemalige Feuerwehr-, dann Stadtpräsident, ist seinerzeit nach einer bewegten Stadtratsitzung vier Treppen hinunter im Stadthaus zu Tode gestürzt, manche sagen: aus Verzweiflung, weil er sich gegen den mächtigsten Konkurrenten Hegglin, der den Stadtrat beherrschte, nicht habe durchsetzen können und weil seine ehrliche, gerade Art zwar beim Volk guten Anklang fand, von den zugerischen Grosskopfeten aber verspottet worden sei. Nachher ist dann Hegglin Stadtpräsident geworden und später Kamer. Der ist immer noch. Die freiwillige Feuerwehr Zug ist auch ein Schmelztiegel für die Gefühle, welche bei den Gewerblern auftreten, wenn die zugerische Linke gegen die Rohstoffhändler auftritt. Die Trotzkisten von der SAP im allgemeinen und ganz speziell ihren Vertreter im Stadtparlament, Joe Lang, würde die FFZ wohl am liebsten mit dem grossen Wenderohr in den See spülen.

Werbung für die Feuerwehr, Begleittext zu Fotos von allerhand Feuersbrünsten, die in vier Glaskästchen am Polizeigebäude von Zug angebracht sind. «Junge Manner, die Kameradschaft suchen, über Courrage und Mut verfügen und die bereit sind, sich im Dienste der Allgemeinheit zu engagieren, sind bei uns immer willkommen als zukünftige Feuerwehrkameraden.» Viermal der gleiche Text mit «Courrage und Mut» zu immer andern Bildern. Die Kästchen sind ausserdem mit modernen Feuerwehrutensilien geschmückt. Wenn es bei der Marc Rich und Co. einmal brenne, sagt der Feuerwehrkommandant Wikart, so könne man auf bereits erstellte Einsatzpläne zurückgreifen. Alles vorbereitet! Es müsse eine chemische Brandbekämpfung erfolgen, bei den modernen Baumaterialien. Und es könnte ein Widerspruch entstehen zwischen dem Sicherheitsbedürfnis der Marc Rich und Co. einerseits, schliesslich sei dort alles dreifach gesichert und abgeschlossen und elektronisch verriegelt, und dem Wunsch nach allgemeiner Zugänglichkeit sämtlicher Gebäudeteile, anderseits, den die Feuerwehr äussern müsse. Sprungtücher besitzt die Freiwillige Feuerwehr Zug nicht mehr, und ihre längste Leiter ist um ein weniges zu kurz für die oberste Etage des Rich-Glashauses, aber dafür besitzt sie eine in Sekundenschnelle aufblasbare, riesige pneumatische Sprungmatratze. Wenn also ein schwarzer Freitag kommt, wie damals in New York, und die führenden Männer dieser Firma den Wunsch äussern, nach dem wirtschaftlichen Zusammenbruch aus dem Fenster zu springen (– aber lässt sich dort überhaupt ein Fenster öffnen? Vollklimatisiert!), dann steht die Freiwillige Feuerwehr Zug mit ihrer pneumatischen Matratze bereit.

Mit Courrage und Mut springt es sich leichter.

Bei der Phibro AG ist man auch sehr schweigesüchtig. Ein Herr Haecky oder Haecksly – er sagt seinen Namen am Telefon so undeutlich – will mir erst nach 48stündiger Bedenkfrist mitteilen, ob er mir etwas mitteilen könne beziehungsweise ein Interview prinzipiell möglich sei. Nach 48 Stunden sagt er, es sei prinzipiell nicht möglich. Aber Rolf Wespe vom «Tages-Anzeiger» wurde doch auch einmal bei der Phibro empfangen? Eben deshalb! Wespe habe alles verdreht, das heisst, gar nicht günstig über die Phibro geschrieben, darum sei er der letzte gewesen.

Aber Wespe hat nur wiedergegeben, was er bei der Phibro sah und hörte; und das ist vielleicht nicht günstig für die Firma.

Vielleicht weiss C. etwas, der hat drei Wochen als Archivar für die Phibro gearbeitet, bevor er entlassen wurde. Jemand von der kantonalen Verwaltung habe der Phibro, die über alle Angestellten beim Arbeitsamt genaue Erkundigungen einziehe, mitgeteilt, dass C. ein «politischer Aktivist» sei, darum die schnelle Entlassung. Dass er polizeilich registriert ist, wurde ihm bewusst, als er bei einer Freundin zu Hause, deren Vater Polizist war, Fotos entdeckte, die ihn an einer Demo zeigten; der raffinierte Polizist hatte sie ganz geheim durch ein Knopfloch aufgenommen, aber offen zu Hause liegenlassen; dort findet sie dann der Freund der Tochter, als der Vater-Polizist abwesend ist (so klein ist Zug immer noch, trotz aller Expansion).

Man kennt sich und ertappt sich gegenseitig, 20000 gemütliche auf Beobachtung spezialisierte Einwohner. Bei der Phibro habe im Archiv eine sagenhafte Unordnung geherrscht, es sei ihm ein Rätsel, wie die Steuerbehörden sich auf Grund dieser unordentlich abgelegten Papiere ein genaues Bild von der Finanzkraft der Phibro machen könnten (jährlicher Umsatz: etwa 25 Milliarden Dollar). Die Phibro habe damals mit Kupfer, Zinn, Molybden, Ferrochrom, Ammonium, Klinker, Rhenium und so weiter – aber auch mit Weizen gehandelt, und er habe Dokumente gesehen, wonach die Firma zu einer Zeit, als die Sowjetunion den chilenischen Kupfer offiziell boykottierte, als Zwischenhändler eingesprungen sei, damit die Sowjetunion das Gesicht wahren und doch Kupfer erwerben konnte.

Das Kupfergeschäft sei dann später der Phibro verlorengegangen und an die Marc Rich gefallen, der rasante Eddie E. aus Menzingen habe das an sich gerissen, der schnelle Aufsteiger. Die Beziehungen zwischen Phibro und Marc Rich seien aufs äusserste gespannt, jeder Phibro-Mitarbeiter müsse eine Erklärung unterschreiben, wonach er mit den Marc-Rich-Leuten weder privat noch geschäftlich verkehre. Romeo und Julia in Zug: Sie arbeitet bei der Phibro, er bei Marc Rich ... Das Personal sei einer ständigen Kontrolle unterworfen.

Im September 1983 habe ein Betriebsausflug stattgefunden, mit Autocars. Man sei nach Zürich gefahren in den Zoo, weil die Firma dort einen Kragenbären patroniere. Vor dem Kragenbärengehege seien Telegramme rezitiert worden aus Luzern und New York, und man habe dem Kragenbären viele Lebkuchen mitgebracht, und alle seien aufgekratzt gewesen und sich menschlich nähergekommen, auch den amerikanischen Vorgesetzten, mit denen man durchaus fraternisiert habe, im Zoo. Man sei sich weniger kontrolliert vorgekommen als sonst. Später habe es dann Kalbsrücken gegeben in einem anständigen Restaurant, und Harold Dixon habe noch eine musikalische Auflockerung beigetragen (Blues). Etwa zwanzig von den Chefen hätten koscher gegessen.

C. übergibt mir ein «Handbuch für Phibro-Mitarbeiter», welches ihm damals ausgehändigt worden ist. Unter «Blumen und Pflanzen» heisst es dort: «Geschäftlich. Bei den meisten von der Firma zur Verfügung gestellten Pflanzen handelt es sich um empfindliche Hydrokulturen, die eine ganz bestimmte Nahrungsflüssigkeit benötigen. Überlassen Sie deshalb die Pflege der eigens dafür engagierten Spezialfirma. Sonst kann es leicht geschehen, dass die Pflanzen durch ein Zuviel an Pflege Schaden nehmen. Neubestellungen von Hydrokulturen sind der Personal-Adm.-Abteilung zu melden. Die Schnittblumen für die diversen Büros werden jeweils am Montag oder Dienstag geliefert und können beim Empfang abgeholt werden.»

Das Zuger Gewerbe profitiert von den Steuerflüchtlingen, kein Zweifel, und ihm ist wohl dabei. Ob die Phibro mit der Gärtnerei Landtwing ein Spezial-Blumenlieferungs-Abkommen hat oder Marc Rich beim Elektriker Stadler eine Flutlichtalarmanlage bestellt für sein Heim in Baar oder ob der Sohn des Kantonsschulabwarts den Auftrag für das bläulich schimmernde Gebäude erhält – immer profitiert das Gewerbe. Marc Rich – nicht die juristische, die natürliche Person – befürchtet, Tochter und/oder Frau könnten entführt werden, eventuell auch er selbst. Deshalb die Flutlichtalarmanlage. Die funktioniert so, dass Ultraviolett-Sensoren das Gelände rings um sein Haus abtasten, welches sich in der Gegend namens «Himmelrich» in Baar befindet, und die kleinste Bewegung im Bereich der Sensoren bewirkt das jähe Aufblitzen grellsten Lichtes, das jeden Einbrecher, Entführer oder andere lichtscheue Panduren augenblicklich in die Flucht schlüge oder auf der Stelle festnagelte.

Marc Rich fällt nicht auf in seiner Nachbarschaft, auch der Chauffeur nicht, welcher die Tochter in die amerikanische Schule bringt und der zugleich ihr Leibwächter ist. Nur einmal wurden die Nachbarn inkommodiert, als nämlich die Flutlichtalarmanlage eine Nacht lang Probealarm veranstaltete kurz nach ihrer Installation, Licht an, Licht aus, Licht an, ihre Zuverlässigkeit musste überprüft werden, und niemand konnte schlafen ringsum. Zur

Wiedergutmachung lud Rich die Nachbarn und einen weiteren Freundeskreis, unter anderem auch den Landammann und Finanzdirektor Georg Stucky, in sein Haus und liess von Margrit Aklin, der bekannten Wirtin, servieren, was nach übereinstimmender Meinung der Gäste nicht gerade üppig gewesen sein soll. Aber die Ehre, das Haus des berühmten Mannes betreten zu haben, entschädigte die Gäste für den einfachen Imbiss.

Marc Rich hat sich sanft eingefügt in die zugerische Umwelt, bald gehört er zu Sippe und Scholle. Er macht alles diskret, spendet ein paar tausend für einen guten Zweck, ohne seinen Namen in die Öffentlichkeit zu bringen, oder kontrolliert durch Mittelsmänner eine kulturelle Stiftung. Die Leute, denen er geholfen hat, zeigen sich bei passender Gelegenheit erkenntlich, eine Hand wäscht die andere, aber niemand weiss, weshalb. Nur keine falsche Bewegung! Immer ganz diskret! Im Restaurant «Glashof», das seiner Firma gehört, kann man koschere Speisen bestellen, aber sie figurieren nicht auf der Speisekarte – das könnte auffallen. Kein offener Prunk, keine fremden Gewohnheiten, keine Abweichungen. Er ist berühmt und muss seine Berühmtheit kaschieren, er hat amerikanische Gewohnheiten und muss sich aufführen wie ein Zuger, er ist Jude und möchte es nicht zeigen.

Auch Herr Schön, das heisst seine Behörde, profitiert von den Steuerflüchtlingen, da ist ebenfalls kein Zweifel. Schön ist Steuerpräsident des Kantons Zug, hat eine altväterische Lehre beim Kanton gemacht und ist dann langsam aufgestiegen. 60 Prozent des Steueraufkommens der Stadt Zug stammten zum Beispiel 1982 von den juristischen Personen, und davon wieder ein grosser Teil von ausländischen Gesellschaften, während beim Kanton 40 Prozent von den juristischen Personen kommen. Die Hälfte der zehn grössten Steuerzahler sind Ausländer. Die Stadt hatte 1982 einen Überschuss von 30, der Kanton von 56 Millionen Franken aufzuweisen.

Schön, ein älterer Herr, bewältigt mit sieben Revisoren sämtliche juristischen Personen des Kantons, nämlich 9000. Wenn man die Briefkastenfirmen abzieht, bleiben noch etwa 3000 übrig, darunter solche Brocken wie Phibro und Marc Rich. Eine ganze Phalanx von internationalen Rabulisten, von gewieften amerikanischen, deutschen, schwedischen Steuerexperten und Juristen, steht der etwas biederen und überforderten Zuger Steuerverwaltung gegenüber.

Wie funktioniert das? Schön sagt: Wir müssen Vertrauen haben in die Gesellschaften. Vertrauen ist eben die Basis, bis zum Beweis des Gegenteils. Natürlich kann man nicht alles prüfen, Stichproben müssen genügen, und stellen Sie sich den Beamtenapparat vor, den wir aufbieten müssten, um wirklich alle Bilanzen durchforsten zu können! Der würde die zusätzlich hereinkommenden Steuern gleich wieder verschlingen. Also bleibt es besser so, wie es ist. Haben wir denn nicht schon genügend Steueraufkommen? Was wollen wir noch mehr? Vertrauen ist alles. Die Liebfrauenkirche ist dank dieser ausländischen juristischen Personen renoviert, eine Tiefgarage mit zehn Etagen gegraben worden, das Casino erweitert und renoviert, die Burg renoviert, bald gibt es eine neue Bibliothek, die Kantonsschule ist gebaut, die Stipendien erhöht, das Kunsthaus ist renoviert, für die Literaturförderung wird etwas gemacht – was wollen wir noch mehr? Mehr können wir eigentlich gar nicht wollen.

Dr. Rudolf Mosimann will auch nicht mehr, als er bereits schon hat. Er gehört zu den Schweigsamen, das heisst, er redet, aber sagt nichts. Dieser aufstrebende Jurist, in glücklicher Bürogemeinschaft mit seinem Schwiegervater und Dichter-Juristen Stadlin lebend, – ist Verwaltungsrat der Marc Rich und war bis vor kurzem Staatsanwalt des Kantons Zug, wurde dann vom Regierungsrat in seinem Amt suspendiert bis auf weiteres, damit es, falls gegen diese Firma hätte ermittelt werden müssen, zu keinen Interessenkollisionen käme. Sein Schwiegervater ist Präsident der Justizprüfungskommission, welche das korrekte Funktionieren der Justiz überwachen soll. – Eigentlich hätte Mosimann ja auch als Marc-Rich-Verwaltungsrat zurücktreten können, um das immerhin viel würdigere Amt des Staatsanwalts zu behalten; aber anderseits ist die Marc Rich und Co. soviel gewaltiger, rein von ihrem Umsatz her (15 Milliarden Dollar), als der Kanton Zug mit seinem Jahresbudget von 166 Millionen Franken (Aufwand), dass man einem gesund empfindenden Zuger Juristen nicht vorwerfen kann, am richtigen Ort demissioniert zu haben. Und überhaupt: Was ist gegen die Marc Rich und Co. einzuwenden? Wir sind doch alle gegen das

Lädelisterben, sagt Mosimann. Zwischenhandel ist nötig, im Rohstoffsektor genau wie bei den Lebensmitteln, und wir wollen doch die Kleinen nicht ausrotten!

So tönt es in diesem Städtchen, und allen ist wohl dabei, und vielleicht versinkt wieder einmal ein Teil.

PS I: Nachdem die Reportage im Juni 1984 in der Zeitschrift BILANZ erschienen ist, erscheint bald darauf die polizeiliche Ausschreibung im SCHWEIZERISCHEN POLIZEIANZEIGER, und nachdem sich der Autor dem militärischen Untersuchungsrichter des Divisionsgericht 11 gestellt hatte, wurden er und der Fotograf Roland Gretler je zweieinhalb Stunden getrennt verhört, und zwar punkto *«verbotener Veröffentlichung über eine militärische Anlage»*. Gemeint sind die weithin sichtbaren Bloodhound-Raketenanlagen oberhalb Menzingens, die Tausende von Spaziergängern schon betrachtet haben und die auch vom Swissair-Kursflugzeug aus, Linie Zürich–Rom, bequem eingesehen werden können. Das Verhör wurde von den Untersuchungsorganen, welche im militärischen Ornat erschienen waren, mit aller gebotenen Ernsthaftigkeit geführt – war landesverräterische Absicht im Spiel? Wollten die Delinquenten dem Lande und seinen Streitkräften bewusst schaden? Wie nahe sind sie an die Objekte herangekommen? Waren sie, angestiftet vom Chefredaktor der Zeitschrift BILANZ? Haben sie aus eigenem Ermessen gehandelt? Sind sie einschlägig vorbestraft?

Während die beiden anfänglich noch glaubten, das Militär wolle sich einen Jux machen, und munter der Vorladung folgten, wurde es ihnen während der Befragung geschmuech. Die juristische Stimmung war ernst, fast wie im Krieg. Der Untersuchungsrichter zeigte nicht das kleinste ironische Augenzwinkern und versuchte hartnäckig, die Delinquenten in Widersprüche zu verwickeln und sie zu leimen und ihnen ihre schwerwiegende Handlungsweise so vor Augen zu führen, dass sie nach zweieinhalbstündigem Abgekochtwerden fast zerknirscht waren. Sie hatten geglaubt, gegen solches Abkochen immun zu sein, aber so simpel ist das nicht, wenn man den Uniformen – Untersuchungsrichter und Protokollant – allein gegenübersitzt und die Argumente an den feldgrauen Männern abprallen. Die versuchten uns, zuerst mich von halb neun bis elf, dann von elf bis zwei Uhr meinen Freund Gretler, mit pädagogischen Methoden zur Einsicht in die Verwerflichkeit unserer Tat und zu einem entsprechenden Geständnis zu bringen, und nach einem Hinweis auf die Arreststrafe oder die Busse, mit der dieses «mittelschwere Vergehen», wie der U-Richter sagte, aller Wahrscheinlichkeit nach bestraft werden müsse, war der letzte Rest an guter Laune verflogen. Wäre jetzt wirklicher Krieg – wir würden in Handschellen vorgeführt. Man kann mit den Feldgrauen nicht argumentieren. Die Frage ist nicht: Sind die Bloodhound-Stellungen längst der Öffentlichkeit bekannt, sondern: Hat die Armee beschlossen, dass sie nicht bekannt sein dürfen? Die Welt als Wille und Vorstellung (noch ein Beitrag zur Realismusdebatte).

Nach dem Verhör hört man lange nichts mehr von der Armee. Die lassen uns schmoren. Oder haben sie es vergessen? Aber nicht doch. Fast ein Jahr später kommt der Einschreibebrief, auf dem Umschlag ein Prägedruck DER GENERALSTABSCHEF. Also nicht militärische Justiz gibt Bescheid, sondern die militärische Exekutive; juristisch hochinteressant. Jörg Zumstein schreibt: «Im vorliegenden Fall steht gemäss Artikel 195 Absatz 2 MStG die Disziplinarstrafgewalt dem Eidgenössischen Militärdepartement zu. Dieses hat gestützt auf Artikel 94 Absatz 1 Satz 2 MStV mit Verfügung vom 10. Oktober 1984 die Disziplinarstrafgewalt dem Generalstabschef übertragen.» Der Generalstabschef hat Gewalt über Zivilisten, und der Gnädige Herr kann entscheiden, wie er will, nach seinem Gewissen und Geschmack (Zumstein betätigt sich nach Feierabend als Sektenprediger auf ländlichen Kanzeln). Nach ihm kommt nur noch Gott, eine irdische Appelationsinstanz gibt es nicht.

Und er war gnädig, der Gnädige Herr. Er liess Gnade vor Recht ergehen. Obwohl die Delinquenten «es in pflichtwidriger Unvorsichtigkeit unterlassen haben, sich vor der Veröffentlichung des Berichtes zu vergewissern, ob darin ein Verstoss gegen die militärischen Geheimhaltungsvorschriften vorliege oder nicht, ist Ihnen zu glauben, dass Sie nicht mit Wissen und Willen gegen das Bundesgesetz vom 23. Juni 1950 über den Schutz militärischer Anlagen verstossen wollten». Von einem Gesetz, das weithin sichtbares und veraltetes militärisches Spielzeug zum Geheimnis erklärt, konnten wir allerdings nichts wissen, also konnten wir auch keine «pflichtwidrige Unvorsichtigkeit» begehen. Aber immerhin, «Trotz Antrags des Untersuchungsrichters verzichte ich als Inhaber der Disziplinarstrafgewalt nach Würdigung aller Umstände und in Anwendung von Artikel 181a Absatz 3 MStG auf die Ausfällung einer Disziplinarstrafe in der vorliegenden Angelegenheit, und zwar aus folgenden Erwägungen:

1. Ich nehme an, dass Ihnen die militärgerichtliche Untersuchung die Bedeutung des Bundesgesetzes vom 23. Juni 1950 über den Schutz militärischer Anlagen bewusst werden liess» (zu Befehl, sie hat lassen).

2. «Ich gehe davon aus, dass es keinen Wiederholungsfall geben wird.» (Mei-mei!)

Damit betrachte er diese Angelegenheit, schreibt Generalstabschef Korpskommandant Zumstein, *«als erledigt»*.

Mich beschäftigt sie weiterhin.

PS II: Im Mai 1985 gelangt eine Gruppe von Literaturkritikern an den Limmat-Verlag und an mich. Sie soll im Auftrag der «Literarischen Gesellschaft Zug», und, subventioniert vom gleichnamigen Kanton, eine «Zuger Anthologie» mit Texten von Autoren herausgeben, die in Zug leben bzw. lebten oder sonst auf eine Weise mit Stadt und Kanton in Verbindung stehen; und deshalb gelangten sie auch an mich (Bürgerort Menzingen: Die Gemeinde muss mich dereinst, wenn ich alt und verlumpt bin, in ihr Armenhaus aufnehmen).

Welchen Beitrag ich für die Anthologie beisteuern wolle? Sie hätten den Text «Frau Arnold reist nach Amerika», welcher keinen Bezug zu Zug hat, ins Auge gefasst, lässt sich eine Anna Dalcher brieflich vernehmen. Auf die Frage, ob es nicht interessanter wäre, in einer Zuger Anthologie die Reportage «Zug, sein Charme und seine Zuzüger» aufzunehmen, wird erwidert, das sei untunlich, weil dieses Stück ZU UNLITERARISCH sei und «soviel Mais, wie diese Story in einer offiziellen, oder doch öffentlich subventionierten Anthologie, auch als Zweitdruck, nochmals auslösen würde, verträgt dieses Buch nicht. Und der Verleger macht auch nicht mit.» (Pius Knüsel am 31. 8. 85 an den Limmat-Verlag).

Zug, sein Charme und seine Literaten.

Zurick Zurick horror picture show

Noch mehr. Warum nicht noch ein bisschen mehr? Nie genug davon. Noch mehr MAC DONALZ KENTUCKY FRIED CHICKEN, noch mehr BEEFBURGERS CHEESEBURGERS EARLY WARNING SYSTEM schnalz/mir einen Mac Donalz. Noch mehr CRUISE MISSILES- MARSCHFLUGKÖRPER auf denen wir schneller zum Stauffacher reiten zur bequemen Tramhaltestelle zischen DURCHSAGE DER LEITSTELLE ATTENTION PLEASE KOLLISION FUSSGÄNGER/TRAM ECKE NÜSCHELERSTRASSE/KENTUCKYSTRASSE DAS TRAM DER LINIE VIER WIRD UMGELEITET WE THANK YOU FOR YOUR VERSTÄNDNIS DER KADAVERABHOLDIENST DES TIERSPITALS WIRD DAS HINDERNIS BESEITIGEN ENDE DER DURCHSAGE.

Wir danken für Ihr Verständnis beim Abriss der letzten erschwinglichen Wohnungen in Zurick. Der Mensch in seiner bisher gebräuchlichen Form ist ein Ungeziefer, welches störend wirkt. In der Stadt sieht man ältere Leute, die trippeln mit erhobenen Armen auf die andere Strassenseite.

Soldaten einer geschlagenen Armee machen diese Geste: Sie ergeben sich. Manchmal gelingt es den Autos, einige von den älteren Igeln zu überfahren, aber eine Garantie besteht nicht. Die müssen dann durchgefüttert werden bis zum Lebensende. Auch jüngere Igel werden mängisch zum Überfahren freigegeben. Ungeziefer verkriecht sich gern in alte Häuser; mit dem richtigen Spray kann es daraus vertrieben werden. Jedoch eine Garantie für die definitive Vertilgung des Ungeziefers besteht nur; wenn das alte Gemäuer abgerissen wird. Oder wollen wir es teuer renovieren? Die Jungen in die Jugendheime, die Alten in die Altersheime.

FOLLOW ME. FASTEN YOUR SEAT BELTS. Wir fordern Monitore für das Tram, nicht nur für den Arbeitsplatz, zentral gesteuerte Televisorüberwachung in jedem Tram, die Lautsprecher genügen uns nicht mehr. Wir möchten zentral gesteuert werden. PASSAGIER NR. 2516 STEIGEN SIE BITTE AUS ES BESTEHEN ZWEIFEL AN IHRER KONSUMPOLITISCHEN LOYALITÄT IHRE HOSEN DATIEREN VOM LETZTEN JAHR AN DER HALTESTELLE CENTRAL WIRD EIN DETEKTIV DER KONSUMPOLIZEI SIE IN EMPFANG NEHMEN WIR DANKEN FÜR IHR VERSTÄNDNIS.

Wir fordern mehr professionelle Schädlingsbekämpfer. Kennen und schätzen Sie wirklichen Teamgeist und Kameradschaftlichkeit? Sind Sie jung, leistungsmotiviert, flexibel im Denken und Handeln? Dann besteht die Möglichkeit zur Umschulung auf den Beruf eines professionellen Schädlingsbekämpfers in der bekanntesten und leistungsfähigsten Dienstleistungsorganisation für Ungezieferbekämpfung in Zurick. Dieser Beruf ist wohl oft hart, doch ungewöhnlich interessant, abwechslungsreich und gut bezahlt. Schreiben Sie uns unter Beilage von Lebenslauf, Foto, Zeugniskopien und evtl. Referenzen. Sie erhalten dann zunächst eine umfassende Stellenbeschreibung und Informationsmaterial unserer Abteilung Insecta-Service. A propos krisensicher: Ungeziefer schert sich nicht im geringsten um eine Krise und ist immer wieder zu bekämpfen.

Noch mehr. Noch mehr Freisinn Stiegelisinn Versicherungen Banken Sitzungen Sitzungszimmer Überwachungen Karteien Speicher Computerscheunen Röntgenzimmer Seelenröntgenanstalten Durchleuchtungen Motiverforschungen Hirnpolizei Ordnungsrufe Normen Einordnungen Säuberungen Optimalfrequenzen noch mehr Muzak noch mehr Zurick

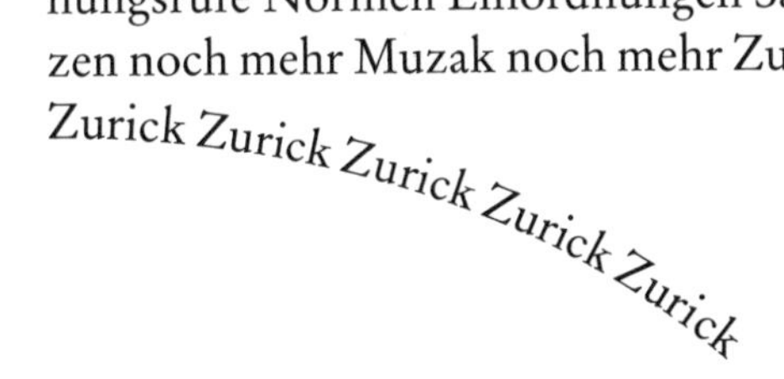

Bodenseelandschaft

Kommt man nach Arbon, im Herbst, wandert im Städtchen herum, angesichts der auffälligen Relikte des Mittelalters, Schloss, Kirche, römische Mauern, teilweise vermummt durch langsam kriechende oktoberische Nebelschwaden; spaziert drunten an der Seepromenade, welche vor nicht allzu langer Zeit durch Aufschüttung entstanden ist und eine Betrachtung der sorgsam übergrünten Firma SAURER von hinten ermöglicht (früher reichte die Fabrik bis ans Wasser); und sieht auf dem Bodensee die beträchtliche Vielfalt der Yachten und Wasservögel und zugleich auf einer Tafel zu Handen des naturwissenschaftlich interessierten Spaziergängers diese Namen und Abbildungen: Spiessente, Stockente, Eiderente, Kräckente, Schnatterente, Schellente, Löffelente, Tafelente, Krickente; schlendert man weiter zur Mole, wo heute eine Nymphengruppe aus Erz, die früher den privaten Hafen der Familie Saurer verklärte, der Öffentlichkeit zur Verfügung steht; und geht dann zurück ins Städtchen, wo die Paläste der Tuchherren des 17. und 18. Jahrhunderts den lieblich aufgefrischten Riegelhäuslein ihre Schmächtigkeit demonstrieren –: so hat man doch fast den Eindruck von Heimat, bewährter Einklang der Geschichte mit einer durchaus noch vorhandenen Natur. Schwärmt man gar aus in die von Obstbäumen durchwirkte Landschaft, wo, stilltönend unter Apfelbäumen, das thurgauische Vieh breitmäulig schmatzt und in den Wirtschaften manch bedächtiger Arbeiter feiertags seinen, von den zahlreichen Obstverwertungsfabriken pasteurisierten, Most nippen kann oder einen guten Tropfen schlürfen mag, der unweit von hier seit Jahrhunderten wächst und heute mit algerischem Rotwein gepanscht wird, weil er sonst doch allzu krätzerhaft den Gaumen stört –: dann käme der Wandrer noch immer nicht ohne weiteres auf den Gedanken, dass er sich in einer hoch industrialisierten Gegend aufhält, in einem traditionell proletarischen Gebiet, das von der kleinen Industriemetropole Arbon so beherrscht wird wie Arbon von SAURER. Die barmherzige Natur versteckt so viel.

Ein Blick in die lokalen Zeitungen, vor allem in jene, welche man die bürgerlichen nennt, bringt die Wirklichkeit schnell aufs Tapet.

Man merkt sofort, in welchem Land man ist, und auch in welcher Landesgegend. Beim Öffnen der «Schweizerischen Bodensee-Zeitung» vom 10. Oktober springt der Titel: KUNST*einsatz* AUF DREI EBENEN in die Augen. Herr Ernst Mühlemann, Direktor des Schlosses Wolfsberg, mit Blick auf Bodensee, das die Schweizerische Bankgesellschaft zu ihrem Ausbildungszentrum, wie sie sagt, erhoben hat, «gewährt Einblick in den Entscheidungsprozess bei der Wahl von Kunstwerken», welche die Bankgebäude der Schweizerischen Bankgesellschaft schmücken oder schmücken sollen. Hart daneben der Artikel über einen Vertreter des Kantons Thurgau in der Bundeshauptstadt Bern, Herrn Ständerat Heinrich Herzog aus Scherzingen, der für vermehrten schweizerischen Waffenexport ins Ausland plädiert, Untertitel: «Besser wir als die Kommunisten». Ein schweizerischer Kanton wird bekanntlich immer von je zwei Ständeräten in Bern vertreten. Diese Art von Politiker könnte man, hinsichtlich Funktion und Bodenständigkeit, mit den amerikanischen Senatoren vergleichen. Der andere Vertreter des Kantons Thurgau in Bern heisst Dr. Hans Munz. Er ist Verwaltungsratspräsident der Firma SAURER AG in Arbon. Dort, wo die Durchschlagskraft und Treffsicherheit des mit einem altpreussischen Schmiss verzierten Ständerats bekannt ist, sagt man: Er vertritt in Bern den Kanton SAURER.

Wie es der Zufall so bringt, ist derselbe Herr Mühlemann am nächsten Tag in der «Bodensee-Zeitung» *wieder* abgebildet, jetzt in der Uniform eines Obersten der Armee, wodurch die Vermählung von Banken- und Heerwesen trefflich dokumentiert ist. Die Sprache ist gleich geblieben, Oberst Mühlemann lobt die EINSATZFREUDIGE und solide Truppe, deren Mobilmachungsübung sich in unerreichter Schnelligkeit abgespielt habe. Der Militärbus, welcher die thurgauische Regierung zu den einzelnen Stützpunkten des Regiments gekarrt hatte, war denn auch ein SAURER-Produkt, wie Regierungsrat Hanspeter Fischer lobend unterstrich. In der Schweiz kann man kurz angebunden sagen: Es ist ein SAURER, und meint damit den Lastwagen, eine nationale Berühmtheit, das wichtigste Autoprodukt im Land. Auch die Militärmusik ist in der «Bodensee-Zeitung» abgebildet, sie gab, vor dem Gebäude des Schweizerischen Bankvereins, «ein rassiges Ständchen, das in Windeseile eine respektable Zahl von Zuschauern anzulocken vermochte», während auf einem andern militärischen Foto Oberstbrigadier, das heisst Einsterngeneral, Franz-Josef Harder (Forster AG) zu sehen ist, wie er den Ausführungen von Oberst Mühlemann (Schweizerische Bankgesellschaft) lauscht. Franz-Josef Harder war früher Regierungsrat des Kantons Thurgau, hat dann übergewechselt in den lukrativeren Privatsektor. Die Forster AG ist die zweitgrösste Fabrik in Arbon, beschäftigt 600 Personen. Ein weiteres Manöverfoto zeigt den Nachfolger von Direktor Harder im thurgauischen Regierungssitz Frauenfeld, den Regierungsrat Rosenberg, «als interessierten Beobachter in einer Reparaturwerkstätte». Repariert wird eine Tankbüchse. Gespanntes regierungsrätliches Augenmerk.

So hat auch am arbonischen Ufer des Bodensees, wie in der Schweiz überhaupt, alles seine Richtigkeit. Der Bankdirektor als Oberst, der Oberstbrigadier als Generaldirektor und ehemaliger Regierungsrat, der amtierende Regierungsrat als künftiger Generaldirektor. Max Frisch hat es in seinem «Dienstbüchlein» akkurat beschrieben (Suhrkamp Verlag), und die Ikonographie der «Schweizerischen Bodensee-Zeitung» (Verlag Hug) illustriert an einem einzigen Tag diese organisch, weil historisch gewachsene Verquickung aller Lebensbereiche. Oh die thurgauische Unverblümtheit! Was in andern Kantonen nicht mehr so direkt in die Zeitung kommt, ist hier noch ehrlich ausgebreitet, aber auch barsch. Fehlt in diesem Blatt nur noch der katholische Pfarrer von Arbon, er residiert in einem der historischen Tuchherrenpaläste und ist Hauptmann im Militär. Als sogenannter Feldprediger, das heisst Armeegeistlicher, musste er automatisch in den Offiziersrang erhoben werden. Die Arbeiter von Arbon fehlen auch. Diese sind, weil die hohen Ränge alle schon vergeben waren, in ihrer Bescheidenheit zumeist einfache Soldaten geblieben. Aber auch so leisten sie ihren Dienst an der Heimat, wie in der Fabrik.

SAURER beherrscht die arbonische Gegend so deutlich, dass die lokale «Arbeiter-Zeitung» jüngst den Ausdruck «SAURER-City» gebraucht hat. Der «Arbeiter-Zeitung» geht es übrigens schlecht, so schlecht wie der Arbeiterbewegung in Arbon; Auflage 1800. In Amerika würde Arbon vielleicht tatsächlich den ehrlichen Namen SAURER-City tragen. «Die Werke der Adolph Saurer AG überragen mit rund 3500 Beschäftigten alle andern Betriebe beträchtlich und dominieren auch mit einem Fabrikareal von über 128 000 Quadratmetern im Ortsbild von Arbon. Das Fabrikationsprogramm umfasst zur Hauptsache Giessereiprodukte, Nutzfahrzeuge, Textilmaschinen und Dieselmotoren», heisst es in einer Broschüre namens «Arbon», die von der Gemeindeverwaltung publiziert worden ist. 3500 «Beschäftigte» in *einem* Betrieb, das bedeutet für die Gemeinde von 12 000 Einwohnern, dass sie den Schwankungen des Lastwagen- und Textilmaschinenmarktes ausgeliefert ist. Eine Krise in diesem Sektor und/oder schlechtes Management kann den Niedergang einer Stadt bedeuten und Auszehrung für das halbe schweizerische Bodensee-Ufer. Josef Staub, vor Jahren aus der Sozialdemokratischen Partei ausgeschlossen, aber in dieser Arbeiterstadt trotzdem Ortsvorsteher geworden, ist denn auch ziemlich besorgt. Die Auftragslage sei nicht rosig. Die Firma SAURER habe vielleicht nach dem Krieg etwas voreilig so viele Fremdarbeiter aus Italien geholt und damit diesen Boom ausgelöst, der nicht so dauerhaft gewesen sei. Ein Herr Greminger, auf Kosten von SAURER in Italien niedergelassen, habe seinerzeit die Arbeiter direkt dort unten angeheuert, im Volksmund habe man ihn den Sklavenhändler genannt. Es sei allerlei Gattung nach Arbon geschleust worden, damals. Manche von den Italienern hätten nicht gewusst, dass man in den thurgauischen Läden feste Preise zahlen müsse, und sich ganz südländisch aufs Feilschen verlegt. «Diese schwachen Elemente haben wir unterdessen eliminieren können, weil sie nicht mehr angefordert wurden», sagt der Gemeindevorsteher. Sie hatten in den damals verlotterten Häusern der Altstadt gehaust, welche aber unterdessen zurechtgemacht worden sind und den «besseren Arbonern», wie er sagt, Unterkunft bieten; die wissen das historische Erbe zu schätzen. Mit dieser einheimischen Bevölkerung «haben sich jene Ausländer, die hiergeblieben sind, nicht in dem Masse vermischt, wie es im menschlichen Sinne wünschenswert ist», jedoch, sie wohnen «nicht mehr in Bruchbuden, sondern zivilisiert, können sich sogar ganz moderne Möbel leisten». Man dürfe sagen, die in Arbon verbliebenen Fremdarbeiter, jetzt nur noch ca. 700, seien durchaus saubere Leute. Mit der Altstadtsanierung sei auch die Sanierung des überzähligen Fremdarbeiterbestandes durchgeführt und erfolgreich abgeschlossen worden. Vor allem die überflüssigen Mädchen, welche damals im SAURER-Italienerinnenheim beim Bahnhof einquartiert waren, heute Lehrlingsheim, seien wieder in ihre Heimat zurückgekehrt. Der schweizerische Herr Greminger, welcher in der Nähe von Brescia gewirkt habe, sei andrerseits auch wieder in seine Heimat zurückgekehrt. Ein Fremdarbeiterproblem gebe es also nicht, in Arbon. Vielleicht aber ein Steuerproblem: seit SAURER in den roten Zahlen sei, entrichte die Firma nur noch geringfügige, nämlich 200000 Franken jährlich, Gemeindesteuern; geringfügig verglichen mit früher. Auch wäre es wünschenswert, dass die ausgezeichnet verdienenden SAURER-Direktoren ihren Wohnsitz in Arbon nähmen und nicht, wie so manche, in einen steuergünstigen Kanton auswichen, etwa ins Sankt Gallische.

Herr Staub erwähnt beiläufig noch die Gemeindeverfassung, ein Unikum in der Schweiz. Es gibt in Arbon kein Gemeindeparlament, auch keine periodische Versammlung der ganzen Bürgerschaft, also nur diese Exekutive mit *einer* vollamtlich beschäftigten Exekutivperson, eben Herrn Staub, welcher aber immerhin von den Bürgern gewählt und nicht etwa von SAURER ernannt wird. Es gibt Leute in Arbon, welche diese Regelung des Demokratieproblems als für SAURER sehr vorteilhaft bezeichnen, sei es doch für die Firma einfacher, auf den einzelnen Vorsteher Druck auszuüben, wenn sie etwas erreichen wolle, als auf ein ganzes Parlament.

Vom ehemaligen Tuchherrenpalast, heute Stadthaus, ist es nur ein Katzensprung bis zum Fabriktor, Werk Nr. 1. Im überschaubaren Arbon ist alles immer nur ein Katzensprung. Wie schön die Fabrik von der Altstadt eingerahmt ist! Gegenüber der Pförtnerloge – das Werk macht einen burgartigen Eindruck, man erwartet die Ziehbrücke – steht ein Arbeiter in Erz gegossen, so ein Kunstwerk aus den fünfziger Jahren. An ihm kommen strömend die Scharen morgens, mittags und abends vorbei. Viele kommen noch mit den Velos; nicht aus Liebe zur Fitness. Alte, schwarze Arbeitervelos. Der Erz-Arbeiter ist eine ruhige Figur, fast geschlechtslos, auch sozusagen muskellos, ohne Arbeitsinstrumente, gar nichts, was auf körperliche Anstrengung deutet. Eine Hand leicht in die Hüfte gestemmt, unter dem Hosenlatz nicht die kleinste Erhebung. Nichts.

Das Aufrecken einer geballten Faust ist von ihm nicht zu erwarten. Vollkommene Statik, der Oberkörper nackt, aber unsinnlich. Denkmal des unbekannten Arbeiters. Auf dem Sockel, wo er steht, sind die grossen drei im Profil und mit Beschriftung festgehalten: Franz Saurer, Adolph Saurer, Hippolyt Saurer. Drei Generationen, Firmengründung 1841. Hippolyt, die grosse Erfindernatur – kapitale Weiterentwicklung des Dieselmotors! –, war der letzte Saurer, welcher zugleich als Direktor und Eigentümer fungierte. «Er suchte durch Filialgründung und Abschluss von Lizenzverträgen schweizerischer *Geistesarbeit* Eingang in die Spitzenländer der Automobilindustrie zu verschaffen. Ein Kranz von Lizenzgesellschaften zeugt vom Erfolg seines *Gedankens»* (SAURER-Gedenkschrift). Nach dessen Tod, 1936, «als eine rastlose Tätigkeit seine nie besonders kräftige Gesundheit zermürbt hatte», sind nur noch 10% der SAURER-Aktien in Familienbesitz geblieben. Über die Gesundheit der Arbeiter steht nichts in der Denkschrift. «Das waren noch Unternehmer mit Lebensart», hatte Ortsverwalter Staub gesagt, «die wussten noch, wie man das Geld durchbringt, haben prunkvoll gelebt auf Schloss Eugensberg.» Heute besitzt die Schweizerische Bankgesellschaft SBG mit 30% sowie Depotstimmen faktisch eine Mehrheit der SAURER-Papiere. Die Residenzen der SBG-Direktoren sind nicht mehr so lasziv wie damals die saurersche Pracht, aber wenigstens Herr Holzach führt die Tradition weiter, als Schlossherr von Ottenberg. Bescheiden im Vergleich zum napoleonischen Eugensberg (Eugène de Beauharnais!), aber doch anständig, wenn man die manchmal etwas rachitischen, von SAURER-Arbeitern bewohnten Häuslein kennt. Übrigens mehren sich die Börsengerüchte, wonach die Firma von einem ausländischen oder inländischen Konzern übernommen werden könnte. Berliet, Bührle, Fiat, Mercedes?

Herr Sturzenegger weiss von nichts, die Geschäftsleitung behalte solche Geheimnisse für sich. Herr Sturzenegger ist Präsident der Betriebskommission, von mehr als 3000 Arbeitern als Vertreter ihrer Anliegen demokratisch gewählt. Im winzigen Vorzimmer seines Büros, eine Sekretärin hat er nicht, stapeln sich die Urkunden mit dem Abschiedstext für scheidende SAURER-Arbeiter: «Zur Pensionierung nach vierzig Dienstjahren», heisst es da in grosser

Schrift, und weiter unten, etwas kleiner: «Deine Arbeitskameraden gratulieren herzlich und wünschen Dir für Deinen weiteren Lebensabend alles Gute und persönliches Wohlergehen.» Nur der Name muss noch eingesetzt werden. Auf andern Urkunden sind 19, 25, 49, 27 Dienstjahre eingetragen. Darf man aus der Formulierung «Für Deinen *weiteren* Lebensabend» schliessen, dass für die Arbeiter dieser Abend schon lange vor der Pensionierung beginnt?

Das könne man nicht sagen, meint Sturzenegger, das Betriebsklima sei nicht direkt schlecht, wenn auch eben diese Unsicherheit an den Arbeitern nage. Hier unten im Osten der Schweiz seien jedoch die Leute genügsam und überhaupt nicht anfällig für neue Ideen, auch bei derzeitig schlechtem Geschäftsgang, Kurzarbeit und mangelndem Teuerungsausgleich und drohenden Entlassungen würden sie immer stillehalten, die Unruhe aus der Westschweiz habe hier keine Chance. Man sei gut gefahren bis jetzt mit dieser Einstellung. Die Direktion immer verständnisvoll, wenn er ein dringendes Anliegen vorbringen wolle, werde er nach höchstens zweitägiger Wartefrist vorgelassen, sogar bis hinauf zu Generaldirektor Roost.

Eine Mitbestimmung der Arbeiter bei den wichtigsten Entscheidungen gebe es «natürlich» nicht, jedoch, in allen arbeitstechnischen Belangen würden die Arbeiter immer von oben konsultiert. «Natürlich» hätten sie nichts zu sagen punkto Betriebsverlagerung, Verkauf der Firma, Bilanzen und grossen Linien der Geschäftspolitik. Und vielleicht sei einiges doch nicht ganz gerecht, zum Beispiel die Vermögensverteilung, wenn er etwa an die zehn Millionen Franken denke, welche der ehemalige SAURER-Direktor Dubois habe sparen können im Laufe seiner Tätigkeit. Jedoch Auflehnung nütze nichts, es gebe nicht so viele Arbeitsplätze in der Gegend, man sei an SAURER ein ganzes Leben lang gebunden. Zahlreiche Arbeiter wohnen dazu noch in firmeneigenen Häusern, er selbst auch.

Darauf ein Werkrundgang mit Sturzenegger. Es ist eindrücklich. In der Textilmaschinen-Demonstrationshalle stehen Japaner und andere Ausländer aufmerksam vor einem Objekt, die Stickmaschine soll führend sein auf dem Sektor. Hier wetteifert die Firma auf dem Weltmarkt mit den Erzeugnissen von SULZER, Winterthur, was allerdings für ein Mitglied dieser Dynastie, nämlich Henry G.

Sulzer, kein Hindernis ist, im SAURER-Verwaltungsrat zu sitzen. Weiter geht's in die Lastwagenabteilung. Saubere Montagehallen, Arbeiter wie Laboranten. Aber auch eine währschafte Giesserei, Stil 19. Jahrhundert, mit russigen Männern, Feuerschein, Lärm und Schmutz. Ein Ort für Staublungen, wenn die Untersuchung nicht regelmässig kommt. Im Werk installierte Fa- brikärzte gibt es nicht, an Ort und Stelle sind zwei Sanitäter für Gesundheit und Arbeitsunfälle zuständig, einer davon fühlt sich eher überlastet. (Hier bewegt sich SAURER auf landesüblichem Ni- veau. In der Schweiz ist die Fabrikmedizin unterentwickelt.) Mit den Lastwagen sei das übrigens nicht glänzend, sagt Sturzenegger, die Serien zu klein, zwischen 800 und 1100 Stück im Jahr, «*wir* haben den rechtzeitigen Ausbau der Abteilung verpasst». Sturzenegger sagt immer *wir*, auch wenn die Direktion gemeint ist. Er fühlt sich schuldig, auch ohne Mitbestimmung. MERCEDES und andere Marken, die mit kurzen Lieferfristen und billiger produzieren, 150000 Fr. für einen SAURER, 120000 Fr. für einen entsprechenden MERCEDES, da ist nichts dagegen zu machen. Kürzlich hätten einige SAURER-Direktoren sogar von ihrer Fernostreise die schlechte Botschaft nach Arbon gebracht, die Japaner würden bald einen Lastwagen für 50000 Fr. herausbringen. Da kann man nichts machen dagegen, sagt Sturzenegger, *wir* haben den Anschluss verpasst.

Exkurs über Saurerschen Stolz der Pionierzeit, als die Firma auf allen Kontinenten so aggressiv war wie heute die Japaner, ungebrochene Freude an der Technik in einem Album von 1911. Das SAURER-Gewehr: «Erfolge der Schiessproben waren hocherfreulich. Das neue Gewehr funktionierte tadellos und ergab eine grossartige Präzision unter Verwendung der neuen schweizerischen Spitzgeschosspatronen. In Anwesenheit höchster schweizerischer Militärs fanden weitere Schiessproben statt, bei denen die genannten Militärs diesem SAURER-Gewehr höchste Anerkennung zollten.» 1902: SAURER-OMNIBUS IN DEN WÄLDERN RUSSLANDS. 1902: SCHON DAMALS WAR SAURER AUF DEN PLANTAGEN AFRIKAS ANZUTREFFEN. 1910: PROPAGANDAFAHRT DURCH NORDAMERIKA. 1908: AUTOSPRITZE DER STADT BRÜSSEL. 1908: 4-TONNEN-LASTWAGEN FÜR DAS ENGLISCHE KRIEGSMINISTERIUM. 6-TONNEN-

LASTZUG FÜR DAS SPANISCHE KRIEGSMINISTERIUM. SCHIFFSBAU. TOURENWAGEN.

Am Tag nach dem Werkrundgang eine Visite in der Chefetage, zusammen mit dem Fotografen Gretler. Sturzenegger kommt mit zu Direktor Roger Schwarz, Mitglied der Geschäftsleitung. Gretler möchte die Arbeiter im Werk fotografieren, aber der von mehr als 3000 Arbeitern gewählte Sturzenegger darf ihm die Erlaubnis nicht geben, er hat da gar nichts zu sagen, wird nicht mal konsultiert. Der Direktor, komplett mit Sekretärin, militärischem Rang, Major vermutlich der Artillerie (es steht ein Zier-Kanönlein auf seinem Pult), Konferenztisch und obligatorischer Kummerfalte Marke SAURER. Sturzenegger zieht sich zurück. Fräulein, bitte Kaffee für die Herren! Fräulein bringt Kaffee. Fotografieren im Werk, sagt Direktor Schwarz, ist leider nicht möglich, es handelt sich um einen Kollektiv-Beschluss der Geschäftsleitung. Unser erster Werkrundgang, ohne Erlaubnis der Direktion, sei übel vermerkt worden. Aber er stelle uns gern Werkfotos zur Verfügung, die ihr offizieller, bei SAURER im festen Angestelltenverhältnis stehender Fotograf Buser aufgenommen habe. Kein Problem, die Fotos seien nicht das private Eigentum des Herrn Buser, sondern der Besitz von SAURER. Fotograf Gretler kann sich für diese Lösung nicht erwärmen, möchte keine SAURER-signierten Fotos in seinen Bildbericht aufnehmen. Kein Problem, meint Direktor Schwarz: Herr Gretler könne doch ohne Schwierigkeiten die SAURER-Fotos unter eigenem Namen publizieren. (Wir haben richtig gehört.) Und wenn Herr Buser damit nicht einverstanden ist, fragt Gretler. Der habe nichts zu bestimmen, sagt Direktor Schwarz. Dem halsstarrigen Gretler, welcher an bürgerlichen Copyright-Begriffen hängt und eigentlich kein Geld mit Fotos verdienen will, die er nicht selber gemacht hat, passt auch diese Lösung nicht. Auf die Frage, ob es auch verboten sei, ihn, den Direktor, zu fotografieren, sagt Schwarz: Natürlich nicht! Das ist doch Privatsphäre! Wie es mit der anderen Privatsphäre bestellt sei, will Gretler wissen, ob man, gesetzt den Fall, eine Fotografieerlaubnis werde von der Direktion doch noch erteilt, die Arbeiter nicht auch um Erlaubnis fragen müsse, wie es nach seiner Ansicht die Höflichkeit gebiete? Aber nicht doch, sagt Schwarz, hier muss ein Trennungsstrich gezogen werden. Es ist wie bei afrikanischen Stämmen, welche glauben, durch das Fotografieren werde ihre Seele geraubt. Wichtiger ethnographischer Aspekt bei SAURER. Im Unterschied zu S. bestimmt aber bei den Afrikanern nicht ein Häuptling allein, sondern der Stamm, kollektiv. Was kann bei S. übrigens Unanständiges fotografiert werden? Die roten Zahlen?

Wir könnten aber die Fotos des Herrn Buser wenigstens mal anschauen, meint Direktor Schwarz nach kurzer Verhandlungsstockung, greift zum Telefon: Herr Buser, holen Sie die zwei Herren bei mir ab. Buser holt ab, geht hinunter in sein Labor mit uns, da sind wirklich Hunderte von Bildern in der Kartei … Aber auf den meisten keine Menschen, nur Maschinen, dabei ist die Fabrik doch wirklich nicht vollautomatisiert, wir haben Arbeiter gesehen. Einzig von der Giesserei gibt's Abbildungen mit Arbeitern drauf, die sehen so aus wie gestern in der Wirklichkeit. In der Giesserei wird rund um die Uhr gearbeitet, da kommen die Arbeiter leider ins Bild. Diese nehmen wir, hinauf damit zu Schwarz.

Der Direktor, lächelnd: Hab ich mir's doch gedacht, dass wir eine gütliche Lösung finden! Legt die Fotos auf den Tisch. Schiebt sie hin und her. Vertieft die Kummerfalte. Aber *so* sehe *ich* SAURER nicht, sagt er dann; hier; was ist das? Sieht aus wie eine Räuberhöhle! Ist es die Giesserei, glauben Sie wirklich? Dort bin ich noch nie gewesen. (Es war die Croning-Giesserei.) Herr Schwarz ringt noch ein wenig mit seinen Ansichten, lehnt sich zurück, das Kanönlein auf dem Pult glänzt in der Abendsonne: Meine Herren, ich schlage als Kompromisslösung vor, es darf fotografiert werden im Werk, aber nur in Begleitung unseres Herrn Buser, und nur Fotos, die wir genehmigen, werden publiziert. Und ob er noch mit weiteren Auskünften dienen könne? Er sei pressant, müsse das Flugzeug nach Paris nehmen, Verhandlungen führen in Paris.

Wir wollten abschliessend erfahren, wie man SAURER-Verwaltungsrat wird. Eine heikle Frage, sagt Roger Schwarz, die er nicht präzis beantworten könne, sei er selbst doch nur in der Geschäftsleitung. Der Verwaltungsrat erneuere sich gewissermassen aus eigener Kraft, aus seiner inneren Substanz, es seien darin «einfach die besten Köpfe präsent», Henry G. Sulzer «vermutlich wegen der

Familie» hineingekommen, der renommierte André de Meuron ebenfalls. Gute alte Schweizernamen. Weil sie Thurgauer seien und erst noch im gleichen Alter, könne man auch die Herren Munz (Schmiss-Munz) und Holzach (Schloss-Holzach) als prädestiniert für den Verwaltungsrat bezeichnen. Herr Schwarz entwickelt neue Aspekte der calvinistischen Prädestinationslehre. Die Räte müssen viermal je einen Tag tagen pro Jahr; was sie dabei verdienen, ist Herrn Schwarz aber schon wieder nicht bekannt. Und die Basisdemokratie unter den Aktionären? Sei ganz vortrefflich «geregelt», jeweils etwa 300 Aktionäre träfen sich zur Generalversammlung im SAURER-Kino. Zwischenfälle seien ausgeschlossen, mit Handaufheben werde der Bericht des Verwaltungsrates immer genehmigt, Munz leite die Veranstaltung immer sehr geschickt, bewährter Munz!

Und der ständige Wechsel im Management? All die ausgeschiedenen, mit hohen Abfindungen ausgeschalteten SAURER-Direktoren, Vizedirektoren der letzten Zeit? (Die unternehmerfreundliche Zeitschrift «bilanz» legte kürzlich den Finger darauf.) Und die Vorwürfe wegen schlechter, arbeitsplatzgefährdender Planung, erhoben von konservativen Wirtschaftsjournalisten? Und die vielen Fremdarbeiter, welche seit 1975 nicht mehr «angefordert» wurden?

Darauf sei er nicht stolz. Kein Ruhmesblatt. Aber es sei höhere Gewalt im Spiel, im erhöhten Frankenkurs drücke sich ein «Naturphänomen» aus (wir haben richtig gehört). Die Produktion werde man wohl immer mehr in die Dritte Welt verlagern, technologische Planung und finanzielle Hoheit aber in Arbon behalten. Jetzt komme er, sagt Schwarz, aber direkt ins Philosophieren. In der Schweiz werde die industrielle Produktion ganz allgemein «ausgelagert», nicht nur bei SAURER. Falls S. den Besitzer wechsle, mache ihm das keine Sorgen, nur wünsche er doch sehr, der Konzern möge in *schweizerischen* Händen bleiben, er wolle nicht unversehens «für die Ausländer arbeiten müssen», Fiat, Berliet, Mercedes, wer weiss.

Der ausländische Arbeiter Borlino, bei SAURER als Sozialbetreuer für Fremdarbeiter beschäftigt, sitzt in seinem Büro und schreibt Briefe. Auf dem Pult ein Bündel Stellengesuche aus Italien, die Gegend um Brescia, wo Herr Greminger früher prospektiert hat für die Firma, regt sich wieder. Ungelenke Schriftzüge. Ob nicht ein Plätzchen bei SAURER ...? Herr Borlino schreibt den Landsleuten viele gleich lautende Briefe nach Italien hinunter, die Formel heisst immer: «... und teilen wir Ihnen mit, dass wir gegenwärtig keine offenen Stellen haben. Wir werden Ihre Bewerbung jedoch pendent halten und Ihnen nach Massgabe unserer Vakanzen Bericht geben. Mit vorzüglicher Hochachtung. Für die Fa. SAURER, Ihr (signiert) Borlino». Die Italiener werden den Bescheid leichter schlucken, wenn er von einem Landsmann abgefasst ist, in gutem Italienisch.

Der einheimische Arbeiter K.S., seit mehr als dreissig Jahren bei der Firma, abends bei seinen Kaninchen. Mitglied der Sozialdemokratischen Partei in Arbon, «aber an die Sitzungen kommen nicht viele, die Leute sind nach der Arbeit zu müde für Politik». Politik beginnt für die Arbeiter nach der Arbeit, die Fabrik ist nämlich unpolitisch. Zur Erholung also die Kaninchen, da ist ein Stück Natur für den Bauernsohn. Frühe Entwurzelung, den Hof hat sein Bruder geerbt. Abends füttern, morgens füttern, öfters töten. Kaninchen gebraten, gesotten, gedünstet. Immer wieder Kaninchen! Da könne man sparen. Ein Auto könne sich der Arbeiter hier unten, wenn er keine Frau als Zweitverdienerin habe, nicht leisten. Der Verdienst nicht schlecht, aber auch nicht rosig, seit 15 Jahren keine echte Gehaltserhöhung mehr. Der Arbeiter K.S. wird heute offiziell nicht mehr «Giesser» genannt, die neue Bezeichnung heisst «Giessereitechnologe». Er arbeitet im Stundenlohn und sagt: «Wir Arbeiter arbeiten eigentlich nur, damit wir nach der Pensionierung leben können.» Er fühle sich eigentlich nicht vollwertig, und es brauche *Humor*, und zwar immer mehr, um in der Fabrik arbeiten zu können, und soviel *Humor* sei auf die Dauer anstrengend. Nun hoffe er sehr, nach der Pensionierung noch gesund zu sein, um anschliessend leben zu können. Und warum wird man erst mit 65 pensioniert? Mit 60 wäre besser. In ein paar Jährchen wird er sein Diplom bekommen, «zur Pensionierung nach 40 Dienstjahren. Deine Arbeitskameraden gratulieren herzlich und wünschen Dir für Deinen weiteren Lebensabend alles Gute und persönliches Wohlergehen.»

Kommt man nach Arbon, im Herbst, wandert im Städtchen herum und auch in der Firma, wendet, angesichts der Relikte vergangener Zeiten, den Blick auf die Mauer des Pfarrhofs, wo früher die Tuchherren wirkten, in der Zeit der frühen Industrialisierung, bevor Franz Saurer nach Arbon kam, so findet man dort, wie es der Zufall so bringt, in Zettelkästen angeschlagen den Trost der Religion für die Monate September/Oktober: «Der heutige Mensch hat das Warten verlernt. Er möchte rasch zu Geld, Glück und Erfolg kommen. Also versucht er oft mit allen Mitteln, sich von seinen Sorgen freizustrampeln, eine Sache zu erledigen oder ein Werk zu schaffen. Misserfolge weisen ihn recht schnell in die Schranken. Das Schicksal lässt sich nicht überrumpeln. Bei allem Fleiss und aller Hingabe an eine Sache – ohne Geduld kommt man meist nicht aus. Wir müssen Geduld haben mit unseren Mitarbeitern. Mit Geduld erreicht man Leistungen, die oft erstaunlich sind.»

PS I: August 1978. Am Telefon Hans-Markus Thomsen, «Merian»-Hefte Hamburg, hallo, wir machen nächstens ein Bodenseeheft, möchten Sie nicht auch, Sie kennen doch die Bodenseelandschaft? Wenn nicht nur die Barockkirchen und Wasser zur Landschaft gehören sollen, sondern auch Fabriken, dann gern, zum Beispiel SAURER/Arbon, das liegt am Bodensee, sagte der Schreibende. Das ist ein Auftrag, sagte Thomsen, und sorgen Sie auch für gute Fotos, Redaktionsschluss ist der 20. Oktober. Tschüss!

Roland Gretler und der Schreibende waren genau drei Stunden in Arbon, als Generaldirektor Roost sich in Hamburg bei Thomsen telefonisch beschwerte: Welche Mücke die «Merian»-Hefte wohl gestochen habe, ausgerechnet einen derartigen Menschen mit dieser heiklen Reportage zu betrauen? «Generaldirektor Roost von SAURER ist sauer», schrieb Thomsen. Roost habe ihm mitgeteilt, der Schreibende sei «auf dem Latrinenweg ins Werk eingedrungen», d.h. via Arbeiterkommissionspräsident Sturzenegger, und «die Generaldirektion beabsichtigt nicht, in absehbarer Zeit über SAURER schreiben zu lassen». Die «Merian»-Hefte zogen den Auftrag nicht zurück.

Wie kommt man ins Werk zu einem ersten Augenschein?

Sturzenegger, der Arbeiterkommissionspräsident, den die beiden Reporter zuerst aufsuchten, noch vor der Direktion, wodurch die Direktion beleidigt war, sagte, er dürfe niemanden hineinlassen, habe nicht die geringste Kompetenz. Es gelang aber, Sturzenegger provisorisch zu erweichen, die Reporter hatten nämlich das Manuskript eines Artikels bei sich, das ihnen der Journalist Jürg W. überlassen hatte. In diesem Aufsatz, der bald darauf in der bürgerlichen Wirtschaftszeitschrift «bilanz» erscheinen sollte, wurden das schludrige Management von SAURER und seine Fehlentscheidungen geschildert. Der Schreibende sagte nun zu Sturzenegger, er als Arbeiterkommissionspräsident habe gewiss ein Interesse, diesen Artikel noch vor der Veröffentlichung zu sehen, und würde er ihm denselben gerne für kurze Zeit überlassen, zwecks Einsichtnahme, unter der Bedingung, dass Sturzenegger das Papier für sich behalte und sich in Sachen Werkbesichtigung entgegenkommend zeige.

Darauf konnte ein kurzer Werkrundgang unternommen werden, ohne Fotografieren. Eine Stunde nach Aushändigung des Manuskripts hatte der Arbeiterkommissionspräsident Sturzenegger dasselbe zu Generaldirektor Roost hinaufgetragen, wo eine Fotokopie hergestellt wurde, worauf Roost sofort beim Besitzer der Zeitschrift «bilanz», d.h. bei ihrem Verleger, intervenierte, worauf dem Journalisten Jürg W. ein Schreibverbot bei «bilanz» angedroht wurde; welche Sache aber wieder ausgebügelt werden konnte. Der Artikel erschien später in leicht abgeänderter Form in der «Bilanz». Sturzenegger gab das Manuskript nach einigen Stunden zurück mit der Versicherung, niemand ausser ihm habe es gesehen, eine Fotokopie existiere nicht.

Nachdem es der Direktion von SAURER gelungen war, den Fototermin für Gretler unter Vorspiegelung falscher Tatsachen einige Male zu verschieben, damit der Redaktionsschluss, welcher zuerst auf den 20. Oktober festgesetzt war, verpasst wurde, konnte mit «Merian» ein allerletzter Nottermin vereinbart werden (9. November). Neue Verzögerungstaktik von SAURER, grosser Schriftverkehr der Rechtsabteilung mit Gretler, welcher brieflich versprechen musste, sich beim Fotografieren von den Herren Gujer (Vertreter der Direktion), Sturzenegger und Buser (Werkfotograf) überwachen zu lassen und nur zu fotografieren, was diesen passe, und die Anzahl der Aufnahmen zu beschränken, worauf er ein Minimum von sieben Stück zugebilligt erhielt; ausserdem die Fotos nach getaner Arbeit dem Direktor Schwarz vorzulegen, welcher ein «begründetes Veto» einlegen dürfe.

Nun konnte Gretler endlich fotografieren, wenn man das so nennen will. Herr Rodolphi von SAURER begutachtete später, nach erneuter Verzögerung, die Produkte im Atelier des Fotografen in Zürich; ein Foto, welches SAURER-Lastwagen auf Halde zeigte, wurde mit dem Bann belegt. Die Leser könnten dabei auf den Gedanken kommen, sagte Rodolphi, dass die Firma SAURER Absatzschwierigkeiten habe, was ein falscher Gedanke wäre, sagte Rodolphi.

Unterdessen war, SAURER hatte das mit Vorbedacht und nicht ohne Geschick so eingerichtet, auch der allerletzte Redaktionsschluss-Termin verstrichen. Ohne Fotos konnte der Text bei «Merian» nicht veröffentlicht werden. Das Bodenseeheft erschien ohne SAURER. Die Reportage wird hier zum erstenmal publiziert.

Tschüss, Herr Direktor Roger Schwarz und Herr Generaldirektor Roost, Herr Holzach und Herr Munz!

PS II («Sonntags-Blick» vom 26. Dezember 1982): *Saurer-Pleite: Management schlief.* – Arbon (TG) – Saurer hat in der Weihnachtswoche die endgültige Aufgabe der Produktion von eigenen Nutzfahrzeugen öffentlich bekanntgegeben. In Zukunft rollen aus den Montagehallen nur noch Mercedes-Laster, die bestenfalls noch das legendäre blaue Saurer-Zeichen mit dem Treppengiebel auf dem Kühler tragen. 900 bis 1000 Arbeitsplätze wird diese Amputation schliesslich kosten.

Beispielloses Missmanagement trägt die Hauptschuld dafür: Noch im Jahre 1974 hatte der Saurer-Konzern über freie Mittel von mehr als 100 Millionen Franken verfügt. Statt dieses Geld in die Modernisierung der Nutzfahrzeugproduktion zu stecken, kauften die Saurer-Manager ausländische Textilfirmen zusammen, die heute allesamt in den roten Zahlen sind …

PS III: Eine Amputation von Arbeitsplätzen der Direktoren und Verwaltungsräte fand nicht statt. Weder Munz noch Holzach, weder Roost noch Schwarz, der bekannte Spezialist für Fotobetrügerei, sind zur Rechenschaft gezogen worden. Verschiedene

Direktoren haben es allerdings in den letzten Jahren vorgezogen, das sinkende Schiff zu verlassen und in andere Betriebe überzuwechseln, wo sie ebensoviel oder mehr verdienen als bei SAURER. Und dem ist gut so. Es wäre für den Staat sehr aufwendig, wenn er den zahlreichen Ober-, Zwischen- und Nebendirektoren, welchen es gelungen ist, SAURER in den letzten Jahren zu ruinieren, Arbeitslosenunterstützung zahlen müsste.

Perlen ist ein Dorf, das ganz der Fabrik gehört

Der Fotograf Roland Gretler, welcher kürzlich im Rahmen eines sogenannten Einsatzprogrammes mit einer Gruppe von arbeitslosen Jugendlichen, um mit ihnen das Fotografieren zu üben, nach Perlen reiste, einem Fabrikdorf unweit von Luzern, wo vor allem Zeitungspapier, aber auch Frust hergestellt wird, erzählt, er habe dort verschiedene Beobachtungen und Fotos machen können, mehr als erhofft. Sie seien bei ihren Streifzügen durch dieses weitläufige Dorf, in dem Grund und Boden, sozusagen alle Gebäude, Schrebergärten und Pflanzblätze, aber auch zwei Landwirtschaftsbetriebe der Fabrik gehören, auf leerstehende Häuser gestossen, die offensichtlich für den Abbruch bestimmt waren und das Interesse der arbeitslosen Jugendlichen weckten, die solche Häuser noch gerne bewohnt hätten, weil sie selbst in Zürich nur mit grössten Schwierigkeiten eine billige Wohnung fänden. Nachdem sie das Innere ein bisschen erkundet hatten, trafen sie dort auf Einheimische, welche die letzten verwertbaren Gegenstände abschleppten, Fenster, Türen usw., und ihnen erklärten, es sei kein Wunder, dass diese Hütten verschwinden müssten, nachdem hier die Türken gewohnt bzw. gehaust und keine Sorge zu den Immobilien getragen hätten, und nun werde bald das Militär kommen, um alles in die Luft zu jagen; aber vielleicht sei es doch auch eine Sauerei, dass die Firma alles habe so verlottern lassen und nie einen Rappen für die Renovation der eigentlich noch ganz anständigen Häuser aufgewendet habe. Nachdem Gretler den Termin der nächsten Sprengung in Erfahrung gebracht hatte, postierte er sich mit seinen Arbeitslosen am Freitag, dem 21. Juni, um Viertel vor elf in gebührender Entfernung des verurteilten Hauses, das vom Luftschutz unterminiert worden war, wartete auf den Chlapf, der um 11.00 Uhr erfolgte, hielt die Phasen der Zerstörung fest und sah, nachdem der Staub sich verzogen hatte, eine Frau, die das halbzerstörte Haus und den Trümmerhaufen nachdenklich betrachtete. Die Hälfte war nämlich stehengeblieben, weil das Militär, wie der kommandierende Hauptmann sagte, unter «kriegsmässigen Bedingungen» operieren wollte, und im Krieg komme es ja oft vor, dass ein «Streiftreffer» so ein Haus nur zur Hälfte demoliere; und nun schaute die Frau an die stehengebliebene Hälfte hinauf und betrachtete u.a. den noch immer gut erhaltenen Kachelofen, der ihre Wohnung 46 Jahre lang, wie sie Gretler sagte, geheizt hatte. Nachdem sie zuerst lange ganz schweigsam gewesen sei, habe ihr eine Nachbarin zugeredet: *«Säg doch, was tänksch»,* und sie habe dann gesagt, es sei halt nicht einfach – obwohl Herr Eicher, der Häuserverwalter der Papierfabrik Perlen, sehr nett gewesen sei und ihr sein Bedauern über den Abbruch mitgeteilt habe –, in diesem Alter noch zu zügeln, es habe ihr gut gefallen dort oben, wo jetzt ihre Wohnung klaffte, es sei alles noch prima imstande gewesen. Sie habe ihr Kinder dort zur Welt gebracht und überhaupt viel erlebt. Die neue, ihr von der Fabrik zugewiesene Wohnung koste viermal mehr als die alte, nämlich 450 Franken, und das sei kein Schleck, wenn man nur die Minimum-AHV beziehe und eine winzige Pension von der Firma, aber für Herrn Eicher, den Liegenschaftsverwalter, sei es auch nicht leicht gewesen, ihr den bevorstehenden Abbruch mitzuteilen, sie habe fast Mitleid mit Herrn Eicher gehabt, aber die Firma meine es eigentlich nur gut mit ihrem Mann und mit ihr. Dieser weilte übrigens, als das Haus demoliert wurde, oder *abzert,* wie man im Luzernischen sagt, zur Kur in Bad Schinznach, wo er seine, während der jahrzehntelangen Fabrikarbeit recht mitgenommene, Hüfte zu kurieren versuchte, und als er nach Hause kam, sah er ein Äckerlein an Stelle des früheren Domizils.

Während die Frau so redete, nippten die Offiziere und Unteroffiziere, aber auch der Liegenschaftsverwalter Eicher, welche mit der sauberen Sprengung zufrieden waren, an ihrem sogenannten Sprengtrunk, der aus Weisswein bestand, und beglückwünschten sich gegenseitig, während die Soldaten noch einige sperrige Balken wegräumten und dafür sorgten, dass der Schuttplatz manierlich aussah, und Gretler erfuhr vom kommandierenden Hauptmann, dass der Rest des Hauses dann maschinell abgeräumt werde, damit das Objekt möglichst vielseitig verwendbar sei. So könne wirklich mit Erfolg der Krieg supponiert werden.

Für die Fabrik, welche einen Vertrag mit dem Militär laufen habe – in den letzten Jahren wurden zehn Häuser erfolgreich demoliert –, sei das günstig; einem Abbruchunternehmer müssten ca. 40000 Franken für die Arbeit bezahlt werden, das Militär jedoch arbeite zum Nulltarif und finde seinerseits in der Ortschaft Perlen immer genügend Objekte für kriegsmässige Sprengungen und für eine Arbeit unter realistischen Bedingungen. Gretler, der dem Hauptmann Baumer von der Luftschutzkompanie 1/2 auf sein Ersuchen hin die Fotos von der Sprengung, aber auch eine mit der nachdenklichen Frau schickte, erhielt von diesem zur Antwort: «Für die gelungenen Fotos mein Kompliment. Die Fotos von dokumentarischem Wert behalte ich, die andern schicke ich zurück», und der Leser mag jetzt erraten, welche Fotos Hauptmann Baumer wohl behalten hat.

*

Perlen bei Root/Gisikon, auf der Strasse Zürich–Luzern. Wenn man die Fotos gesehen hat, muss man wohl nach Perlen fahren. In Root rechts abbiegen, dann etwa einen Kilometer hinein in die Natur, noch nie eine Fabrik gesehen, die von soviel Natur umgeben ist. Die Brücke über den Fabrikkanal, dann dem Holzplatz entlang. Ein Hochkamin aus Backstein wie im Lesebuch. Das Areal halbmondförmig und sehr gross, von Reuss und Fabrikkanal aus dem Land herausgeschnitten. Kohlenhalden und Elektrizitätswerk. Hier wurde vor mehr als hundert Jahren eine Fabrik aus der Natur gestampft, und weil die Bauernsöhne aus den umliegenden Dörfern einen derart langen Anmarschweg hatten, dass sie vor Arbeitsbeginn schon müde waren, haben die gütigen Fabrikherren ihnen zusätzlich ein Dorf hingestellt, und das sieht nun aus, als ob es vom Himmel gefallen wäre. Eine richtige *Company Town* ohne historischen Kern, dem Willen zur Industrie entsprungen. Bis vor etwa fünfzehn Jahren konnte hier nur wohnen, wer in der Papierfabrik beschäftigt war, damals etwa 800 Arbeiter und ihre Angehörigen. Die Wohnungen waren günstig, aber weniger günstig war die Bestimmung, dass man sofort nach der Pensionierung die Wohnung verlassen und anderweitig etwas suchen musste, wobei der Direktor immerhin dem Mitarbeiter jeweils eine sorgenfreie, frohe Zukunft wünschte bzw. seine besten Wünsche diesen in die Zukunft begleiteten. Die Fabrik hatte auch ein sogenanntes *Ledigenheim* für die Nichtverheirateten und ein *Wohlfahrtshaus* zur

Tränkung und Fütterung der Arbeiter aufgestellt, und überhaupt für alles gesorgt. Die Arbeiter durften von der Fabrik Holz *kaufen,* damit sie im Winter heizen konnten, während die leitenden Angestellten es gratis bezogen und die Direktoren es sich ausserdem von ihrem Chauffeur zerkleinern lassen konnten (vgl. die ursprüngliche Bedeutung des Wortes Chauffeur: Heizer). Die Direktoren konnten in dieser katholischen, ländlichen, konservativen, von lächelnder Natur beherrschten Gegend auf eine gehorsame Arbeiterschaft zählen, hier war man nicht von Stadtluft und gewerkschaftlichen Flausen angekränkelt, meilenweit gehört alles der Fabrik, die Freizeit konnte so gut kontrolliert werden wie die Arbeitszeit, und man war *eine* grosse Familie (bis zur Pensionierung, dann wurde man ausgestossen). Die ersten zaghaften gewerkschaftlichen Regungen kamen in den vierziger Jahren, ein Arbeiter namens Georg Rast, der unbedingt eine Betriebsgruppe der GTCP, Gewerkschaft Textil-Chemie-Papier, glaubte aufbauen zu müssen, wurde eine Zeitlang aus der Fabrik entfernt und in einen Landwirtschaftsbetrieb versetzt, welcher der Fabrik gehörte. Das war während der Anbauschlacht, im Zweiten Weltkrieg, und dort konnte er dem Lande auch nützen.

*

Frau Schnarwiler sitzt auf einem Bänklein vor dem Haus, das sie heute bewohnt, und sie kann das sauber gepflügte Äckerlein sehen, das sich jetzt dort erstreckt, wo vor drei Wochen noch ein anderes Haus stand (das von Gretler fotografierte Luftschutzobjekt). Frau Schnarwiler hat auch 40 Jahre im selben Arbeiterhäuschen wohnen dürfen. Ihr Mann ist bald nach der Pensionierung verstorben, wie das bei den Pensionierten in Perlen oft der Brauch ist, und seither hat ihr die Fabrik dreimal ein Haus unter dem Hintern demoliert, aber die Fabrik war gütig, es wurde ihr immer wieder eine andere Wohnung angeboten, sie durfte stets innerhalb des Dorfes zügeln, und jetzt, in ihrem fünfundachtzigsten Lebensjahr, kann sie vielleicht bleiben, wo sie ist. Sie wohnt jetzt mit Türken im gleichen Haus und sagt, das seien nette Familien, und bringt den Kindern etwas Deutsch bei und hat sich gut eingefügt in die neue Umgebung, die so sehr verschieden ist vom traditionellen Perlen, wo alle Arbeiter von luzernischen, bäuerlich geprägten Arbeitern abstammten, deren Väter und manchmal auch Grossväter schon in der Papierfabrik gearbeitet hatten. Frau Schnarwiler sagt, dass die Türken anfangs aufgefallen seien, weil sie keinen Sonntag haben und ihre Gärten umstechen, wenn andere zur Kirche gehen. Einmal wollten die Türken sonntags ein Schaf auf ihre Weise im Freien schlachten, das heisst schächten, sie gingen miteinander zu Rate, ob das wohl erlaubt und tunlich sei, und fragten schliesslich den Pfarrer, der ihnen energisch davon abriet. Es wäre einfacher, wenn die Türken sich auf das Schlachten von Kaninchen verlegten, wie das bei schweizerischen Arbeitern der Brauch war in Perlen.

Vor etwa 15 Jahren wurde die Bestimmung – «das *war* nicht sehr human», sagt die Direktion *heute* –, wonach die pensionierten Arbeiter ihre Wohnung zu verlassen hatten, ausser Kraft gesetzt. Dank verschiedener Rationalisierungsmassnahmen war es der Firmenleitung gelungen, den Arbeiterbestand von 800 auf etwa 600 zu drücken, und es entstand freier Wohnraum, den man nicht ungenützt lassen wollte, und so konnte die Firma als humane Massnahme darstellen, was in Wirklichkeit eine rentable Sache war.

Die alten Häuser, in denen Frau Schnarwiler gewohnt hat, waren nicht der Kanalisation angeschlossen, die Exkremente flossen in eine Grube, die periodisch ausgepumpt wurde; und da die Fabrik die Kosten für den Anschluss an die Kanalisation scheute, und weil sie unterdessen auch ein Hochhaus gebaut hatte, das sogenannte *Sternhaus,* in dem die Wohnungen aber leer zu bleiben drohten, solange man in den alten Häusern billig wohnen konnte, musste eben der Luftschutz geholt werden, der den Krieg in Perlen supponierte. Manche von den alten Leuten sind dabei fast umgekommen, wie das im Krieg zu geschehen pflegt. Der pensionierte Arbeiter R. zum Beispiel, der sein ganzes Leben der Fabrik gewidmet hatte, lebt jetzt in einem garstigen Block in Ebikon, einer Vorstadt von Luzern, wo er vom Landleben abgeschnitten ist. Er hatte als Bauernsohn seinen Pflanzblätz und die Bewegung gebraucht und nach der Arbeit immer noch in der Landwirtschaft ausgeholfen. Es ging nach dem Umzug nicht lange, da traf ihn ein Schlegli im Hirn, und er war dann halbseitig gelähmt, und seine Frau wurde auch trübsinnig, nachdem ihr alter Wohnsitz vom Luftschutz hinweggedonnert worden war. Der Sohn des Arbeiters R. ist überzeugt, dass die Eltern noch purlimunter wären, wenn man sie nicht entwurzelt hätte.

*

Auf der Terrasse des Restaurants «Bütte» – Büttenpapier, handgeschöpftes, wird im Betrieb nur hergestellt, um den Besuchern ein pittoreskes Relikt aus der vorindustriellen Produktion zu zeigen, wie sie in Perlen nie stattgefunden hat – sitzt ein straffer, strammer, klammer Herr samt Frau und Töchterlein beim Abendessen. Sein Kopf zuckt immer, wenn vom Nebentisch, wo ein Journalist mit einem Fotografen die Wohnungspolitik der Papierfabrik kommentiert, ein paar nicht so schmeichelnde Worte zu ihm hinüberwehen. Hat ihn eine Wespe gestochen oder eine Hornisse? Das ist sicher einer, der Verantwortung trägt, denken sich die Reporter. Ein Verantwortungs- und Entscheidungsträger muss der wohl sein! Im Restaurant sitzen Arbeiter, und als man fragen will, wie die Arbeit in der Fabrik ihnen schmeckt, werden sie misstrauisch und stumm. Dann redet plötzlich einer, der durchs Fenster den straffen, strammen Herrn auf der Terrasse in Hörweite sitzen sieht, ganz laut und rühmt die idealen Zustände in Perlen mit grosser Bestimmtheit, steht abrupt auf und sagt zum Fenster hinaus: «Guten Abend, Herr Direktor» und verschwindet.

Wie es der Zufall so bringt, speist wirklich Herr dipl. chem. Küher, der technische Direktor, welcher zusammen mit Herrn Füllemann, dem kaufmännischen Direktor, die Geschäftsleitung bildet, an diesem Abend in der «Bütte», wo er im Jahr nur zwei- bis dreimal verkehrt, weil er in der «Bütte» oft angezündet werde von den Arbeitern, wie der Wirt mitteilte. Herr Küher sagt, man solle doch an seinem Tisch Platz nehmen. Er sei zufrieden mit der Fabrik und auch mit den zufriedenen Arbeitern. Man habe denen doch nicht mehr zumuten können, in Häusern zu wohnen, wo es eine Toilette für zwei Familien gegeben habe (im Stiegenhaus). Aber wenn ihnen das nichts ausmacht? Dann muss man ihnen trotzdem etwas Besseres offerieren, sie würden später die Vorteile des neuen Wohnens schon einsehen. Das sei wie mit der Sonntags-Schichtarbeit, als die neue Papiermaschine, die sogenannte CAROLINE, aufgestellt worden sei, welche im Durchlaufbetrieb funktionieren müsse, da hatten die Arbeiter zuerst dagegen gestimmt und dummerweise die Schichtarbeit abgelehnt, mit einer Stimme Mehrheit. Jedoch, nachdem er jedem einzelnen gut zugesprochen habe, sei ein Stimmungsumschwung eingetreten, und sie hätten vernünftigerweise in einer zweiten Abstimmung der Schichtarbeit mit grosser Mehrheit zugestimmt. Und jetzt gebe es keinen mehr, der nicht wirklich die riesigen Vorteile der Schichtarbeit einsehe, denn, nachdem sie am Sonntag zwölf Stunden hintereinander geschafft hätten, wobei die Fabrik sogar noch gestatte, dass die Frauen ihren Männern das Essen an den Arbeitsplatz bringen, den diese natürlich während der ganzen Schicht nicht verlassen dürften angesichts dieser teuren, hochdifferenzierten Maschine namens CAROLINE, die ständig überwacht werden müsse – nach dieser Schicht könnten sie dann zwei Tage ausspannen und bekämen obendrein noch ca. fünfhundert Franken mehr Lohn. Dabei verdienten sie sonst schon gut, der niedrigste Lohn in der Fabrik sei um die 2500 Franken herum. Er inspiziere, sagt Küher, jeden Tag anderthalb Stunden lang die Fabrik, auf diese Weise komme er in vierzehn Tagen durch die ganze Fabrik und verliere dergestalt die Belegschaft nie aus den Augen.

*

Der Fabrikrundgang beginnt am nächsten Morgen um halb acht, der Journalist darf mitrundgehen. Beim Schichtführer K. werden im grossen Notierbuch die Eintragungen betr. Nachtschicht kontrolliert. Hat es einen Abriss gegeben (Zeitungspapier, das während der Produktion reisst)? Eine technische Panne? Musste man einen Pikett-Schlosser aus dem Schlaf an die Maschine holen? Eine Materialprobe wird gebracht. Das von der PTT bestellte Münzeinwicklungspapier (rosarot), welches in der Nacht produziert wurde, hat leider nicht genau die gleiche Färbung auf beiden Seiten. Der Arbeiter, welcher für die falsche Nuancierung verantwortlich ist, wird mit einer Prämienkürzung bestraft werden. Dann die Papiermaschine 1, altertümlich rasselndes Monstrum mit unglaublich vielen Zylindern, Rollen, Rädern, Walzen. Gibt es da keine Arbeitsunfälle, wenn die Arbeiter nach einem Abriss das Papier zwischen die laufenden Zylinder einfädeln müssen? Nein, er sei jetzt seit 1955 im Betrieb, sagt Küher, grössere Arbeitsunfälle an den Maschinen habe es nicht gegeben, nur kürzlich zwei Tote auf dem fabrikeigenen Schienenstrang, durch Unachtsamkeit. Einer fiel von der Holzladung direkt unter die Räder. Wenn er ruhig zwischen den Schienen liegen geblieben wäre, könnte er heute noch leben, aber leider sei er seitwärts gekrochen, sagt Küher. Mit den Arbeitern arbeite er in der Betriebskommission gut zusammen, nur leider seien sie immer so emotionell, aber meist würden sie gegen Ende der Sitzung sich dem vernünftigen, nämlich seinem, Standpunkt anschliessen.

Die Maschine I verströmt eine sengende Hitze, ich darf wohl sagen: Höllenhitze. Die Maschine V (CAROLINE!), ein unglaublich mächtiger Brocken, ca. 150 Meter lang und 12 Meter hoch, macht einen Teufelslärm. Die Arbeiter werden radikal beschallt und müssen lauthals schreien, um sich zu verständigen. Nach zwei Minuten Besichtigung dröhnt der Kopf, was würde er nach zwölf Stunden Sonntagsschicht tun? Ein türkischer Arbeiter sagt, auf dem linken Ohr sei er im Laufe des letzten Jahres halb taub geworden. Hauptsache, CAROLINE produziert 230 Tonnen Zeitungspapier pro Tag und es gibt keinen Abriss. «Jetzt wollen wir noch die Frauen *besichtigen*», sagt Direktor Küher, und wir kommen in den Sortiersaal, wo vierzig Frauen unter Anleitung von Frau Vogt mit schnellen Fingerbewegungen Papierbögen zählen, verrumpfeltes Papier aussondern und Zählmaschinen bedienen. *«Mir händ i dem Saal öppis Jugoslawinne»*, sagt Frau Vogt, «und au öppis Italiänerinne.» Hier erfährt man von einer Italienerin, dass der niedrigste Lohn in der Fabrik nicht bei 2500 Franken, sondern bei 1800 Franken liegt: ein Frauenlohn. Der Journalist wird dann an Herrn Hohl weitergereicht, den obersten Ingenieur, einen stillen, fast träumerisch wirkenden Mann (wenigstens vorläufig). Der begleitet ihn zur Holzschleiferei. Dort wird das Holz entrindet, zermantscht und als Brei, den man Holzschliff oder einfach Schliff nennt, in einer Röhre das Areal hinunter geschickt. Aber auch die Menschen werden dort geschliffen. Die Entrindung erfolgt in einer mächtigen Trommel, nicht ohne einen Lärm, den ich infernalisch nennen muss. Unter der Trommel stehen zwei kräftige Gesellen mit so etwas wie Schifferhaken in den Händen. Sie müssen das Fliessband scharf beobachten und hauen dann zack! ihre Schifferhaken in jene Hölzer, welche schlecht entrindet sind. Die kommen dann nochmals in die Trommel. Wie die dastehen und immer wieder zuschlagen, acht Stunden lang! *«Da bruuchst halt Müüs und kais Hirn»*, sagt Herr Hohl, und der eine von den beiden Gesellen sei ein Sozialfall, ein Schlägertyp, den man sonst hätte versorgen müssen, wenn ihm nicht die Fabrik noch freundlicherweise Arbeit gäbe, und der andere, ein Türke, sei punkto Intelligenz «auch an der Grenze», aber es sei die Pflicht der Fabrik, solche Sozialaufgaben zu übernehmen. Auf dem Holzplatz seien weitere 20 ähnliche Typen beschäftigt.

Dann wird der Journalist an Herrn Frank, den stellvertretenden Personalchef, weitergereicht, der ihm erklärt, die Arbeiterschaft sei begeistert von diesem *Dreiklang* Arbeit – Wohnen – Freizeit, der in Perlen herrsche. Frank ist Hauptmann, Küher ist Oberstleutnant, der Personalchef Schraner auch. Frank macht bald den Major. (Das gibt dann gute Beziehungen zur Hierarchie der Luftschutztruppen.) Er hat Betriebswissenschaft studiert und wird dereinst, als Angesteller, eine ansehnliche Pension kriegen, etwa ⅔ des letzten Monatsgehaltes, während diesbezüglich die Arbeiter knapp gehalten sind. Er hat sich ein Haus gebaut in Root, und in zehn Jahren wird er Personalchef werden und gehört dann zur Direktion. Die Direktoren kommen jährlich in den Genuss von einer oder zwei Gratifikationen, aber die Arbeiter nicht. Er ist, als christdemokratischer Volksparteimann, Schulpräsident in Root und bezeichnet es als erfreulich, dass heute für jede frei werdende Lehrerstelle etwa 150 Leute kandidieren, da könne man sorgfältig auslesen, und wer einen Töff kaufe, nehme ja auch nicht die erstbeste Marke. In der Fabrik sei der Andrang leider nicht so gross, in einigen Abteilungen müsse sogar ein chronischer Unterbestand festgestellt werden. Frank sagt, Perlen sei eine konservative Fabrik, «aber dafür machen wir viel Papier». Er hat eine Art, statt «Ja» immer «Richtig!» zu sagen, vermutlich wird das im Militär so gehalten. Auf die Frage, ob es stimme, dass den Fischen in der Reuss nur noch selten von den Perlener Abwässern der Garaus gemacht werde – vor 20 Jahren noch gehörte das alle paar Monate zu den normalen Folgeerscheinungen der Papierindustrie –, sagt er: Richtig! Und ob es zutreffe, dass die Aktienpakete, je weiter deren Inhaber von der Fabrik entfernt wohnten, an Umfang zunähmen, der Verwaltungsratspräsident Geilinger z. B. wohne doch in Küsnacht b. Zürich, sagt er: Richtig! Während die Arbeiter keine Ahnung haben, wem IHRE Fabrik gehört, weiss das Kader immerhin, wie Herr Geilinger Verwaltungsrat und Mitbesitzer der Fabrik geworden ist: nämlich durch Heirat mit einer gewissen Schnorf, und diese Familie besitzt die Chemiefabrik von Uetikon, welche wieder an Perlen beteiligt ist. So ist alles harmonisch geregelt. Wer in der Fabrik arbeitet, hat nichts zu bestimmen, wenn er Arbeiter ist, sowenig wie der Soldat im Militär. Er wird militärisch geführt, und ob die Schichtarbeit und das *Abzeren* der Häuser für ihn gut sind, wissen nur die Offiziere. Die Arbeiter leben an der konkreten Maschine, die Offiziere entscheiden abstrakt im Büro. Herr Geilinger in Küsnacht b. Zürich spürt die Hitze und den Lärm der CAROLINE nicht, noch weniger als die Direktoren Küher und Füllemann, die keine Schichtarbeit leisten, und das ist gut so: sonst hätte er die enorme Maschine eventuell nicht in die Fabrik stellen lassen, und Perlen hätte weniger rentiert.

Nur auf die Frage, ob man vernünftigerweise nicht die Militärflugzeuge, welche ständig, vom Militärflugplatz Emmen aufsteigend, über Perlen hinwegdonnernd, hin und wieder einen Angriff auf leerstehende Häuser fliegen lassen könne, statt immer dem Luftschutz die Objekte zu überlassen, antwortete der stellvertretende Personalchef Frank nicht mit

«Richtig!».

*

Herr Cathomas war früher Psychiatriepfleger in Cazis/GR, und jetzt ist er Betriebssanitäter in Perlen und sagt: Die psychiatrische Ausbildung komme ihm hier sehr zustatten. Er müsse, nebst seinen konventionellen Obliegenheiten als physischer Sanitäter, sozusagen den Psychiater spielen für die Belegschaft, alle rennen mit ihren persönlichen Problemen zu ihm, auch und gerade die Fremdarbeiter, und suchen einen Rat. Das heisst, die Kaderleute natürlich nicht, Herr Frank und Herr Küher lassen ihn nicht in ihre Seele blicken, die kommen aus andern Gründen. Direktor Küher pflege jeden Tag die Absenzenliste bei ihm einzusehen, von 554 Leuten fehlen im Schnitt täglich 28, krankheitshalber, und Küher schicke ihn, Cathomas, bei denen zu Hause vorbei zur Kontrolle, ob sie wirklich krank seien oder nur simulierten. So behalte man die Übersicht. Er sei mithin eine Kontrollstelle für das Personal. Man gehe bei den Krankgemeldeten auch deshalb vorbei, weil sie vielleicht einsam seien und einen Zuspruch brauchten. Pro Jahr fänden übrigens im Schnitt 100 Verletzungen statt, die er nicht mehr selbst behandeln könne und in die ärztliche Kompetenz fielen; kleinere Sachen mache er aber eigenhändig. Sobald jedoch ein Fingerbeeri oder ein Fingerglied abgeschnitten sei, müsse die ärztliche Kunst bemüht werden. In Perlen gibt es keinen Arzt, und es lohne sich nicht, einen im Betrieb anzustellen, aber vier Autominuten entfernt, in Root oder Ebikon, habe es deren genug. Das Alkoholproblem trete heutzutags nicht mehr so stark in Erscheinung, früher sei in Perlen bedeutend mehr *gegüügelet* worden, weil damals die Büezer keine Autos hatten und ihre einzige Fluchtmöglichkeit in der Freizeit, wenn sie die Lust nicht im Pflanzblätz investieren wollten, das Trinken gewesen sei. Immerhin seien noch fünfzehn Fälle von chronischen Trinkern vorhanden, aber nur einer habe sich als so hartnäckig gezeigt bzw. sich so total hinübergesoffen, dass man ihn nach St. Urban, in die psychiatrische Anstalt, habe einweisen müssen, wo er jetzt für den Rest seines Lebens aufgehoben bleibe. Die andern vierzehn habe man mit ANTABUS-Tabletten behandeln lassen, welche aber strikte nur unter ärztlicher Aufsicht verschrieben werden könnten. Dieses funktioniere dann so, dass ein Alkoholiker ins Spital eingewiesen werde, dort zum ersten Mal diese Pille schlucke, kurz darauf werde ihm eine Portion seines Lieblingsalkohols von der Krankenschwester serviert, ein kleiner Schnaps oder ein Glas Wein, es bekomme jeder, was er am liebsten habe, worauf er sofort heftige Beklemmungen und einen Druck in der Herzgegend spüre, dann auch kotzen müsse, und der Patient, welcher nun die Pillen regelmässig nehme, wisse fortan, was ihm blühe, falls er nicht trocken bleibe. Das verhalte sich, *mutatis mutandis,* wie mit dem Hund von Pawlov. Kaum sieht der Alkoholiker ein Gläschen, weiss er schon, dass … Man dürfe die ANTABUS-Tabletten aber wirklich nicht ohne ärztlichen Beistand verschreiben, wenn es einer nämlich auf dem Herz habe, riskiere man einen Infarkt. Er, Cathomas, lebe in engstem Kontakt mit der Arbeiterschaft, die ihm all ihre Sorgen klage, aber auch im besten Einvernehmen mit der Direktion, die sich bei ihm stets nach der Arbeiterschaft erkundige, vor allem nach den Absenzen. Er habe zuerst im sogenannten *Sternhaus,* dem von der Fabrik erstellten

Hochhaus, gewohnt, dann konnte er im Baurecht von der Firma Land erwerben, zu günstigen Bedingungen, in der Gemeinde Buechrain, und wohne nun im eigenen Haus direkt neben Direktor Kühers Anwesen, mit dem er sich ausgezeichnet verstehe, und verliere man sich dergestalt auch in der Freizeit nicht aus den Augen. Es treffe zu, dass die Direktoren eher von auswärts und aus besseren Kreisen kämen, Kühers Vater sei Direktor der Pulverfabrik Wimmis gewesen, Füllemann stamme aus St. Gallen und habe an der dortigen Handelshochschule abgeschlossen, während die Büezer bis vor kurzem quasi in der Erde von Perlen verwurzelt und der Fabrik von Generation zu Generation oft treu geblieben seien; aber heute komme ein Teil von ihnen aus noch weiter entfernten Gegenden als die Direktoren, Spanien, Italien, Türkei, aber viele von ihnen blieben der Fabrik nicht so lange erhalten wie die Direktoren, welche mit dem Betrieb richtiggehend *verwachsen* seien, und manche Fremdarbeiter habe man ja auch zurückschicken müssen im Rahmen der Kompression des Personalbestandes von 800 auf 554. Und wolle er abschliessend noch betonen, dass man in Perlen keine Alkoholiker auf die Strasse stelle, sondern sie umzuerziehen sich bemühe.

Das leuchtet ein. Denn in manchen Abteilungen gibt es, wie Hauptmann Frank bereits ausgeführt hat, unbesetzte Stellen, und man hat Schwierigkeiten mit der Arbeitskräftebeschaffung. Denn die Sozialleistungen sind schlechter als in andern Fabriken.

*

Wenig begeistert ist der Schichtführer P. vom Geiz der Direktion. «Wir bekommen keine Arbeitskleider von der Bude, keinen 13. Monatslohn, und diese Firma, welche nächstens 250 Millionen für eine neue CAROLINE ausgeben wird, hat kein Geld für Kaffeeautomaten, die wir schon seit Jahren verlangen», sagt er. Küher sage immer: «Nachher stehen bloss die leeren Kartonbecher im Betrieb herum.» Und sie hätten in der Betriebskommission jahrelang dafür kämpfen müssen, dass man eine goldene Uhr schon, wie in vergleichbaren Fabriken, beim 25-Jahr-Dienstjubiläum, und nicht erst beim 40-Jahr-Jubiläum, geschenkt bekomme. Und ob Direktor Küher wohl übergeschnappt sei, wenn er behaupte, mit der zwölfstündigen Sonntagsschicht hätten sich alle abgefunden? Die bringe das ganze Leben durcheinander, den Montag brauche man zum Schlafen, am Dienstag sei man immer noch nicht ganz beieinander, man werde *stigelisinnig* bei dieser Zeitverschiebung, könne wegen der unmöglichen Arbeitszeiten in den Vereinen nicht mehr mitmachen, und für die Familie sei es ein Stress. Und warum Küher die Wahrheit verdrehen müsse? Nicht mit *einer Stimme* Mehrheit, sondern mit deutlicher Zweidrittelmehrheit sei die Schichtarbeit in der ersten Abstimmung von den Büezern verworfen worden, darauf habe Küher dann in einer zweiten Abstimmung die Fremdarbeiter aufgeboten, welche die Schinderei akzeptierten und ja stimmten, weil sie in kürzester Zeit möglichst viel Geld machen und nicht lange in der Fabrik bleiben wollten; und den Schweizern habe Küher gedroht, der Betrieb müsse schliessen, wenn die CAROLINE am Wochenende nicht auf Durchlaufbetrieb umgestellt werde. So seien sie schliesslich, mit knirschenden Zähnen, in die lange Sonntagsschicht marschiert wie in ein Straflager. Keine Arbeitsunfälle? «Nein, das hier sind keine grossen», sagt der Schichtführer P., rollt den rechten Hemdsärmel bis zum Ellenbogen auf: der Unterarm ist voller Brandwunden und Blasen, das hat man davon, wenn man in die brandheisse Maschine hineingrapschen muss, um das gerissene Papier wieder «aufzuführen» (einzufädeln). Etwas anderes sei der Unfall gewesen, der einem Kollegen den Arm kostete, weil er in die Maschine geraten war. Der sei dann verblutet. Und der Italiener Anfang der siebziger Jahre, den es ganz lätz erwischt habe, sein Körper sei durch die Maschine geschleipft und aufgerollt worden wie das Papier, Lungenteile und Milz hätten am Boden gelegen, und weil es heiss war, stank das, und den Kopf habe der Gerichtsmediziner, welcher in solchen Fällen immer gerufen werde, erst nach zehn Minuten gefunden, so weitläufig sei nämlich die Maschine.

*

Den Schichtführer P. gibt es nicht. Aber alle Sätze, die ihm in den Mund gelegt wurden, sind wirklich gesprochen worden. In der fiktiven Person des Schichtführers P. werden Erfahrungen von vier einheimischen Arbeitern kondensiert und ihr Originalton präsentiert. Am dritten Tag der Reportage – die Wanderungen in Perlen hatten an einem Mittwoch nachmittag begonnen und waren am folgenden Samstag zu Ende – fiel mir allmählich auf, dass Herr Frank sich angelegentlichst nach den Namen der Arbeiter, die mir Auskunft gegeben hatten, erkundigte, und so schien es angezeigt, die Spuren zu verwedeln, weil Unannehmlichkeiten befürchtet werden mussten. Nachdem die Reportage in der vorliegenden Form am 18. Juli 1985 in der WELTWOCHE veröffentlicht worden war – nur die Frank-Sequenz wurde für den Abdruck im Buch erweitert und die Cathomas-Sequenz zusätzlich eingefügt sowie einige Sätze, die aus Platzgründen in der Zeitung weggefallen waren – und z.T. schon vor der Veröffentlichung, hatte die Direktion mindestens zwei von den Arbeitern eruiert. Da es sich um hochqualifizierte, unersetzliche Personen handelt, ist ihnen sozusagen nichts passiert, ausser einem kleinen Verhör seitens der Direktion.

Es verhielt sich nämlich so:

Beim Fabrikrundgang mit Direktor Küher, am Donnerstagmorgen, wurden dem Reporter verschiedene Arbeiter an ihren Instrumenten vorgestellt mit den Worten: Grüezi Herr XY, das ist Herr Meienberg, WIR machen einen Artikel über Perlen für die WELTWOCHE. (Küher wollte das Manuskript vor der Drucklegung sehen, er sei sich das so gewohnt, und Fehler könnten dergestalt vermieden werden.) Der Reporter wurde vom Direktor aufgefordert, in dessen Anwesenheit sich bei den Arbeitern nach ihrem Ergehen und den Arbeitsbedingungen zu erkundigen; er, der Direktor, könne auch, wenn das gewünscht werde, sich so lange ein paar Schritte entfernen während des Gesprächs, damit niemand von seiner direktorialen Präsenz eingeschüchtert werde. Dem Journalisten kam das untunlich vor, er dürfe die kostbare Zeit des Direktors nicht über Gebühr in Anspruch nehmen, auch die Arbeitszeit der Arbeiter nicht, meinte er, und wolle sich nur kurz Adresse und Telefonnummer notieren, damit er nach Feierabend in aller Ruhe mit ihnen diskutieren könne. So wurde es dann auch gehalten, und der Betriebskommissionspräsident G. erzählte ihm abends zu Hause von seinem Fabrikkoller und wie er die Arbeit eigentlich gern habe, aber jetzt, im Alter von 61 Jahren, wegen der harten Arbeitsbedingungen und des z.T. lausigen Betriebsklimas nur noch die Pensionierung herbeisehne, und der Maschinenführer R. erklärte ihm, er sei ein ANGEFRESSENER PAPIERMACHER, aber der militärische Ton der Direktion gehe ihm auf die Nerven, und der

Gewerkschaftsexponent B. erläutert die Knickrigkeit der Direktion, man habe jahrelang kämpfen müssen, damit man die traditionelle goldene Uhr zum 25jährigen, statt erst zum 40jährigen, Dienstjubiläum bekomme, und der ehemalige Betriebskommissionspräsident B., der einen Kopf hat akkurat wie Wilhelm Teil, sein Bruder ist Landammann des Kantons Uri, bittet auch in die gute Stube, und was hängt tatsächlich über dem Sofa, auf dem er Platz nimmt?

Eine Armbrust.

Aber kein historisches Instrument: man kann schiessen mit ihr.

Neben der Armbrust hängen zwei Bolzen und weiter oben ein Reservebolzen. Das trifft man nicht überall.

Und auch B. erzählt vom jahrelangen, ermattenden Kampf um Kleinigkeiten, und wieder die Sache mit der goldenen Uhr, und wie gerieben Direktor Küher vorgehe in den Betriebskommissionssitzungen und wie die Arbeiter oft gelegt würden vom Direktor, weil dieser eine raffinierte Verhandlungstatik beherrsche, die Büezer aber weniger.

Und auf die Frage, ob der erste Bolzen vielleicht einmal für Herrn Küher, der zweite für Füllemann und der Reservebolzen eventuell für den Verwaltungsratspräsidenten Geilinger bestimmt sei, antwortet B.:

Den Geilinger sehen wir nur selten.

Dann bot seine Frau einen Teller mit Chriesi an, die B. am Nachmittag auf dem Baum eines Freundes gepflückt hatte. Hier ist nämlich noch alles sehr ländlich.

*

Maschinenführer G., der den Unterarm voll Narben und Brandwunden hat, lädt den Reporter auf den nächsten Vormittag um 10 Uhr an seinen Arbeitsplatz ein. Er ist Betriebskommissionspräsident, also oberster, demokratisch gewählter Vertreter aller Arbeiter von Perlen. Zwar verfügt er nicht wie Küher über eine Sekretärin, auch nicht über Briefpapier mit Briefkopf, hat auch kein Büro, aber er glaubt diese Einladung in eigener Kompetenz ergehen lassen zu dürfen. Seine Aufgaben als Betriebskommissionspräsident erledigt er freizeitlich. Am nächsten Morgen erscheint der Reporter um 9 Uhr an der Fabrikpforte, wo er von Hauptmann,

Schulgemeindepräsident (Root) und stellv. Personalchef Frank in Empfang genommen wird.

– *Was haben* WIR *denn heute für ein Programm?*

– ICH *möchte gern Herrn G. an seiner Maschine sehen, er hat mich gestern abend eingeladen.*

– *Sie waren also bei ihm zu Hause?*

– *Richtig.*

Frank runzelt die Stirn und sagt, nachdem er sich kurz entfernt hat, es sei schwierig, den Maschinenführer G. an seinem Instrument zu besuchen, dadurch könne er von der Arbeit abgehalten werden. Frank ist 40 Jahre alt und seit kurzem im Betrieb, G. ist 61 Jahre alt und seit 30 Jahren hier. Schliesslich, nach einiger Verzögerung, geht es aber dann doch, und man kann G. um 10 Uhr im Beschichtungswerk sehen, wie er eine Beschichtungsmaschine, den sogenannten EXTRUDER, zusammen mit einem Türken und einer Ferienaushilfe, bedient. Frank sagt, er komme in einer Stunde wieder. Der INTRUDER (Eindringling) beobachtet den Arbeitsprozess. Auf ein durch Walzen laufendes Papier, das in einem andern Gebäude, vermutlich von der CAROLINE, hergestellt worden ist, wird, von oben kommend, wo Polyäthylen verflüssigt wird, eine Plastikschicht aufgeführt. Duftig und dünnwandig wie eine riesige, aber einfarbige Seifenblase kommt der warme Plastik von oben und wird so auf das Papier gepresst, dass die beiden Materien sozusagen verschmolzen sind, wenn das fertige Produkt zwischen den letzten einer ganzen Anzahl von Walzen hervorquillt. Aus diesem Material werden z.B. Tetrapackungen für Milch u. dgl. mehr hergestellt. Während der ersten halben Stunde gibt es einen Abriss, das kommt jeden Tag etwa einmal vor. Die Maschine muss gestoppt, der Behälter mit dem flüssigen Polyäthylen, der sich oberhalb der Walzen befindet, zur Seite geschoben, das Papier über die langsam rollenden Walzen neu eingefädelt werden. Es geht alles unheimlich schnell. Dann läuft die Produktion wieder. Der Türke und die Ferienaushilfe leisten Handlangerdienste, denn, sagt G., die Fremdarbeiter bleiben doch meist nicht lange genug im Werk, um Maschinenführer werden zu können, das sei nicht mehr wie früher, als die Fabrik den Kinderüberschuss der einheimischen Bauern, der dann ein Leben lang in der gleichen Fabrik arbeitete, absorbiert habe. Aber der Türke sei soweit ein netter Kollege. Auf die Frage, ob nicht vielleicht der Türke aus einer ebenso zahlreichen Familie vom Lande stamme wie früher die einheimischen Fabrikler und ob sich das Problem nicht einfach aus dem Luzernischen nach Anatolien verlagert habe, meint G. in seiner bedächtigen Art:

– *Da könnten Sie eigentlich recht haben.*

Dann zeigte er die neben dem EXTRUDER sich befindliche Maschine, einen etwa sieben Meter hohen, fünfundzwanzig Meter langen Koloss, den man MEHRFACHLUFTBÜRSTE nennt, worin sein Unterarm bein Einfädeln des abgerissenen Papiers mehrfach heiss gebürstet wird in den Woche; daher die Brandwunden und Narben. Und vielleicht überlegt sich der Reporter, wenn er das nächste Mal die NZZ oder den TAGES-ANZEIGER liest, welche ihr Papier aus Perlen beziehen, unter welchen Bedingungen das Material hergestellt ist, auf dem die stolzen Buchstaben der Journalisten stehen.

Dann wird man wieder abgeholt von Herrn Frank. Der Maschinenführer G. ist wortkarg gewesen, weniger mitteilsam als gestern abend, aber das mag mit der Arbeit zusammenhängen, der Abriss hat ihn ziemlich in Anspruch genommen, und doch ... Er ist stolz wie ein Handwerksmeister auf seine Fähigkeiten und auf die Maschinen, die er nicht besitzt, und er hängt an der Fabrik, in der er wenig zu bestimmen hat, wie an einem Bauernhof. Herr Frank sagt auf die Frage, wem das Beschichtungswerk zu verdanken sei (es ist die jüngste Errungenschaft auf dem Fabrikareal):

– *Herrn Küher. Das ist seine ganz persönliche Leistung. Und übrigens, was halten Sie von unserem Betriebskommissionspräsidenten und Maschinenführer G.?*

– *Ich finde, er leistet Enormes an seiner Maschine, und er ist äusserst gewissenhaft.*

– Richtig. *Aber was halten Sie von seinen persönlichen Ansichten?*

– *Die kommen mir sehr begründet vor.*

– *Aber hat er nicht gegen die Direktion gerüsselt?*

– *Das würde ich so nicht sagen.*

Jetzt wird zur Besichtigung des Zentrallabors geschritten. Der Zentrallaborchef Michel, bei dem der Reporter von Herrn Frank abgeliefert wird, hat seine untergebenen Laborantinnen und Laboranten zuerst gefragt, wie sie ihren Arbeitsplatz am liebsten haben möchten, und dann ihre Wünsche beim Laborneubau verwirklicht, und er sagt, dass diese Art von Mitbestimmung sonst nicht der Brauch sei in der Fabrik, aber er habe sich durchsetzen können im Labor, und das hänge vielleicht auch damit zusammen, dass bei ihm hochqualifizierte Leute beschäftigt seien, die mehr Selbstbewusstsein zeigten als manche Büezer. Die Arbeitsplätze sind alle den Fenstern entlang angebracht, mit bequemen Stühlen, sonnig und lärmfrei.

Dann wird man wieder abgeholt von Herrn Frank, welcher nochmals auf den Betriebskommissionspräsidenten G. zu sprechen kommt; man dürfe dessen Äusserungen nicht allzu ernst nehmen, weil er den Überblick nicht habe, nicht haben könne, und vermutlich viel zu emotionell geredet habe. Und ob der Reporter jetzt nicht schnell zu Direktor Küher herüberkommen wolle, dieser habe etwas Zeit reserviert, damit die Äusserungen von G. ins rechte Licht gerückt oder gar berichtigt werden könnten.

Das gehe nicht, meinte der Reporter, weil doch jetzt gleich anschliessend zwei Interviews mit Arbeitern programmiert seien. Herr Frank, unwillig seine Stirn darob runzelnd, dass zwei Arbeiterinterviews einem Gespräch auf höchster Ebene vorgezogen werden, schlägt vor, Herrn Küher wenigstens zu telefonieren. Das kann nun ohne weiteres gemacht werden, und Küher sagt fernmündlich:

– *Der Maschinenführer G. war eben bei mir und hat mir alles* GEBEICHTET, *was er Ihnen gestern über die Fabrik gesagt hat.*

Darauf bleibt es eine Weile still. Der Reporter ist pikiert vom Wort BEICHTEN, das in der industriellen Welt kaum, im Beichtstuhl aber wohl am Platz scheint. Dann sagt Küher:

– *G. hat sicher über die Fremdarbeiter gerüsselt, ich möchte mich für G. entschuldigen.*

Das hatte G. aber nicht getan, sondern nur ein paar Hinweise auf das Arbeitsethos der Fremdarbeiter gegeben, das, mit gutem Grund, anders beschaffen sei als sein eigenes, und im übrigen respektvoll von den ausländischen Kollegen gesprochen. Für Küher ist es unvorstellbar, dass ein Arbeiter nicht nur nach unten, sondern auch nach oben kritisieren könnte. Im Militär darf man das ja auch nicht.

*

Der Reporter ist ein wenig bestürzt. Er hat G. und seine direkte Sprache schätzen gelernt. Und nun soll G. so unterwürfig sein, dass er sich selbst bei Direktor Küher anschwärzt, und hat Angst vor der eigenen Courage bekommen? Und sieht doch aus wie ein Innerschweizer von altem Schrot und Korn.

*

G. sagt am Telefon: Küher sei an jenem Tag – Frank muss ihn kurz nach neun Uhr informiert haben –, bevor der Reporter ihn an der Maschine besucht habe, aufgetaucht, etwa um halb zehn, und habe ihn, mit allen Anzeichen der Nervosität, ausgefragt und wissen wollen, was er am Abend vorher dem Reporter mitgeteilt habe, und Küher sei *rüdig verreckt* aufgeregt gewesen. Er jedoch habe ihm bedeutet, er solle abfahren, wenn man die Wahrheit nicht mehr sagen könne, habe die Arbeit in der Fabrik keinen Wert mehr.

Vom Ozon und seinen Verwaltern

«Dass ihr's hört, so ist die Kumpanie
sie geht vor, doch zurück geht sie nie, ja nie.»
Text und Melodie von HANS ROELLI

Die eidgenössische *Luftreinhalteverordnung* – welch unrein zusammengesetztes Wort! – schreibt vor, dass es der eidgenössischen Luft ab 1994 nur noch einmal pro Jahr gestattet ist, den staatlich verordneten Grenzwert von 120 Mikrogramm Ozon pro Kubikmeter zu überschreiten. Damit wird die Luft ihre Schwierigkeiten haben, steigt doch ihr Ozongehalt derzeit zwischen Mai und September etwa 80mal über den Grenzwert von 120 Mikrogramm und etwa 5- bis 6mal über 200 Mikrogramm (Agglomeration Zürich).

So ernst ist natürlich die 120-Mikrogramm-Grenze nicht gemeint, es handelt sich lediglich um ein «*Qualitätsziel für gute Luft*» (NZZ). Dabei ist umstritten, ob 120 Mikrogramm noch zuträglich sind. Professor Lebovitz (Arizona) zum Beispiel ist der Ansicht, dass 90 Mikrogramm nicht überschritten werden dürften. Der hat gut reden! Dabei liegen die Werte in Los Angeles manchmal bei 800 Mikrogramm, ohne dass in dieser Millionenagglomeration eine *signifikante supplementäre Mortalität* in Kauf genommen werden müsste, d.h. es ist nicht 100% sicher und wissenschaftlich nicht einwandfrei bewiesen, ob die paar Dutzend älteren Leute und besonders zarten Kinder, welche dann jeweils vom Ozon getötet zu werden *scheinen*, nicht eventuell von andern Schadstoffen erledigt worden sind. Die Wissenschaft ist noch am Abklären.

Ozon, für den Chemiker O_3. In der Stratosphäre *sehr erwünscht:* Wenn es durch Fluorkohlenwasserstoffe und Halone abgebaut wird, entsteht das sog. Ozonloch, wodurch die Sonneneinstrahlung zunimmt und der sog. Treibhauseffekt entsteht: das Polareis schmilzt, das Klima verändert sich weltweit. – In Bodennähe *weniger erwünscht*, besonders im Sommer, wenn das Ozon jeweils die Leitsubstanz des Sommersmogs bildet. Es ist ganz einfach und die Zusammensetzung sogar für einen Nicht-Chemiker verständlich: Die Autoabgase, Stickstoffmonoxid und

Stickstoffdioxid, zusammen mit Kohlenwasserstoffen, die in Lösungsmitteln und Farbe enthalten sind, bilden unter starker Sonneneinstrahlung, welche wegen des Ozonlochs in der Stratosphäre nächstens noch stärker werden wird, Ozon. HC + NO + NO_2 = O_3, oder in den Worten der NZZ: *«Der Mensch beeinflusst durch seine zivilisatorische Tätigkeit den Ozongehalt in beiden Schichten»,* oder auf gut deutsch: Oben hat's zu wenig, unten hat's zuviel, und wenn's oben noch weniger wird, hat's unten bald viel zu viel, und wenn der Autoverkehr nicht drastisch reduziert wird, dürfte es uns dreckig gehen. Da der Autoverkehr aber bis 1994 *nicht* drastisch reduziert ist, wird es uns mit Sicherheit dreckig gehen, trotz Luftreinhalteverordnung und Katalysatoren. Das weiss man, und man gewöhnt sich daran – in Los Angeles haben sie sich auch daran gewöhnen müssen.

Ozon ist ein gerechtes Gas, es berücksichtigt Stadt und Land. Durch den Wind wird es aufs Land verfrachtet, wo es naturgemäss nicht so geballt vorkommt wie in den Städten (weniger Abgase), aber länger stehenbleibt, weil nämlich die durch Autoabgase produzierten Stickstoffoxide das Ozon, welches sie mit aufgebaut haben, nach einiger Zeit auch wieder teilweise abbauen. NO *frisst* O_3. Man hat also die Wahl zwischen gut gelagertem Ozon auf dem Land oder immer frisch produziertem Ozon in der Stadt, und man weiss noch nicht, welches von beiden bekömmlicher ist. Wer gar in der Stadt arbeitet und auf dem Land wohnt, kommt in den Genuss von beiden Varianten.

Dass Ozon den Atmungsvorgang beeinflusst, hat man während der kürzlich erfolgten Hitzeperioden mehrfach in den Zeitungen lesen dürfen (vermutlich Verengung der Atemwege). Prof. Hans Urs Wanner, der 1987 in Zumikon am gleichen Ort bei gleicher Wetterlage zweimal soviel Ozon gemessen hat wie 1963, ist auch hervorgetreten als Veranstalter von je drei Tests auf dem Fahrradergometer in einer Klimakammer mit 24 sportgewohnten Versuchspersonen. Beschwerden in Form von Reizungen im Rachen und Hals, von Husten sowie Enge und Druck hinter dem Brustbein traten auf. Die beobachteten Veränderungen waren bereits bei Konzentrationen von 120–140 Mikrogramm festzustellen, durchaus signifikant waren sie bei 245–260.

Andererseits muss unterstrichen werden, dass alle 24 sportgewohnten Versuchspersonen den Versuch überlebt haben und sich wieder bester Gesundheit erfreuen, wenn auch festzuhalten bleibt, dass bei einer kontinuierlichen Steigerung der Belastung von den Organismen der getesteten Personen ab einer bestimmten Intensität zusätzlich *anaerob,* d.h. ohne Sauerstoff, Energie bereitgestellt werden musste, was zu einem Anstieg des Milchsäuregehalts im Blut führte. Solch eine Bereitstellung in massvollem Umfang ruiniert den Organismus aber keineswegs.

Von den Wirkungen des Ozons auf Nerven und Hirn hat man weniger lesen können in den Zeitungen. Versuche mit Ratten in amerikanischen Laboratorien, vor ca. 20 Jahren durchgeführt, haben ergeben, dass diese Tiere bei normaler Luftzufuhr ihr Fressen an einem bestimmten Punkt des Labyrinths, wo sie eingesperrt waren, mit überraschender Schnelligkeit fanden; dass dieselben Ratten jedoch, mit Ozon begast, ihr Futter nur noch mit grösster Verzögerung und sozusagen torkelnd-desorientiert aufzustöbern imstande waren (Prof. Stockinger, Cincinnati).

Daraus nun aber zu schliessen, dass im Reiche der Menschen, bei konzentrierter Ozonbegasung, im Labyrinth der Städte und der Supermärkte, ein ähnliches Phänomen der Futtervermeidung auftreten könnte (sog. *food-bypassing*), wäre verfrüht; dafür fehlen jegliche wissenschaftliche Vergleichsdaten. (Noch.) Die Migros würde solche Abirrungen finanziell nicht überleben.

Interessante und weitreichende Experimente sind 1964 auch mit Ratten, Mäusen, Hamstern und Karnickeln angestellt worden (USA). Unter starker Ozoneinwirkung waren CHRONIC PULMONARY EFFECTS festzustellen, vorzeitiges Altern der Tiere (Augeneintrübung), Akzeleration von Lungentumoren, chronische Bronchitis, zudem hochinteressante fibriotische Veränderungen im Lungenparenchym, faszinierende Emphyseme schon bei relativ kleinen Ozondosierungen. Bei der Lungenfibrose ist es so, dass die Lunge sich übermässig versteift, die Schranke zwischen Lunge und Blut wird verdickt, das Schnaufen ist dann keine Lust mehr. Es traten auch motorische Störungen und Gleichgewichtsstörungen auf in diesen Testbatterien, wobei jedoch menschliche Wesen bisher nicht einbezogen worden sind; bei diesen letzteren hat man bisher immer nur den *Atmungsvorgang* untersucht. Dabei wären Gleichgewichtsüberprüfungen, nach Auskunft einer nicht genannt sein wollenden Spezialistin, relativ leicht zu bewerkstelligen: die mit Ozon behandelte Versuchsperson müsste demonstrieren, ob sie einer geraden, auf dem Boden markierten Linie ohne Abweichungen entlangtrippeln könnte (analog zu den Tests, welche die Polizei früher mit betrunkenen Autofahrern anstellte).

Wie misst man Ozon? Im Kanton Zürich mit teuren, aus San Diego/Californien eingeführten Geräten, OZONE ANALYZER MODEL 8810, die in Wallisellen und auf dem Bachtel montiert sind, ausserdem mit drei mobilen Stationen (Messwagen). Als im letzten Februar sämtliche 20 Messwagen aus allen Kantonen der Schweiz auf dem Parkplatz Albisgüetli zwecks einer Vergleichsmessung versammelt wurden, gab es, obwohl die EMPA das Eichgas geliefert hatte, Messungsabweichungen von fast 50%, die niedrigste Messung lag bei 46, die höchste bei 91 Mikrogramm. Herr Leibundgut vom Luftamt des Kantons Zürich bat darum, diese Information nicht an die *grosse Glocke* zu hängen. Gestatte mir aber, sie hiermit an die *kleine Glocke* zu hängen. Thomas Mann hätte sich übrigens über die Signifikanz dieser Namen, deren Träger unser Leib und Gut während der heissen Sommer beschützen, gefreut. Nummer 1 im Luft- und Hygieneamt ist Herr Sommer, sein Vorgesetzter der oben zitierte Leibundgut. Überhaupt nicht messen lässt sich vorläufig der sog. *kumulative Effekt,* und niemand weiss also, was passiert, wenn zufällig ein Cocktail von Caesium (kleiner Atomunfall), Ozon und SO_2 (Schwefeldioxid, z.B. aus Heizungen) von der Natur (entsprechender Wind) und der Industrie gemixt wird. Es wird schon nichts passieren. Die zürcherischen Messstationen können diese Gifte nur separat kontrollieren.

Wie warnt man vor dem Ozon?

Im Kanton Zürich überhaupt nicht, der Regierungsrat des Kts. Zürich hat beschlossen, seine Bevölkerung vorläufig nicht zu beunruhigen. Man weiss ja so wenig Genaues über das Ozon! Im Aargau empfahl die Kantonsärztin bei 180 Mikrogramm allen Kindern unter fünf Jahren, Betagten, Asthmatikern und Bronchitikern, jede Anstrengung zu vermeiden und zu Hause zu bleiben, in Basel-Land und -Stadt wurde zudem allen Joggern und Tennisspielern und ähnlichen Schweisstreibern eine Ruhepause empfohlen: körperliche Anspannung sei ab 120 Mikrogramm unbekömmlich, heisst es. Vergessen hat man in Basel und Aargau, vom

Gebrauch des Autos abzuraten; man will keine Panik verursachen (nur in Luzern gab es eine kleine Andeutung der Instanzen, aber nichts Bindendes). Die alten Leute und die Kinder sollen immobil werden, nicht die Automobile in der Garage bleiben.

Gefreut haben sich die Schwerarbeiter, die Strassenarbeiter, Bauarbeiter, die Bauern und Bäuerinnen, die körperlich hart schuftenden Serviertöchter in den Gartenwirtschaften, dass sie kürzlich auch bei hoher Ozonbelastung weiterarbeiten durften und niemand sie gewarnt hat vor *ihren* körperlichen Anstrengungen. Man hat sie einfach vergessen, die kantonalen Warninstanzen lassen jetzt nur noch den Sport als körperliche Anstrengung gelten (einziger physischer Kraftaufwand, den diese Akademiker noch kennen). Und wenn ein Bauarbeiter, Strassenarbeiter, Bauer etc. etwa leicht beunruhigt mit Schaufel und Pickel hantiert haben sollte, konnte er in der Znünipause die NZZ lesen, am 23. August: *«Bemerkungen zum Ozon. Unerwünschte Tendenz zu immer tieferen Warnschwellen»* (Vermischte Meldungen). Und die SUVA hat ihre MAK-Werte für Ozon vor langer Zeit für Chemiearbeiter errechnet, die in geschlossenen Räumen arbeiten (MAK = Maximale Arbeitsplatzkonzentration): während 8 Stunden nicht mehr als 200 Mikrogramm; sehr grosszügig. Und für *gesunde* Arbeiter durchaus verkraftbar, meint die SUVA. (Obwohl sozusagen keine Untersuchungen vorliegen.) Bei dieser Unfall-Versicherungsanstalt hat man die Ozonbestrahlung im Freien noch gar nicht in Betracht gezogen – das kommt billiger.

Nebst alten Leuten und Kindern ist eine weitere Randgruppe *(lunatic fringe)* der Gesellschaft von der Ozonkonzentration betroffen: die Pflanzenwelt (sichtbare Gewebeschäden vornehmlich an Blättern und Nadeln, Absterben). Die kantonalen Ozonhauptverwaltungsämter haben zu Handen der Pflanzen deshalb ein *Merkblatt* herausgegeben. Es wird ihnen empfohlen, ab 125 Mikrogramm die Mobilität einzuschränken und jede körperliche Anstrengung, also z.B. den Stoffwechsel, zu vermeiden, aber auch jede Art von Sport.

Vielleicht sind wir morgen schon bleich u. tot

«Dass ihr's hört, so ist die Kumpanie
sie geht vor, doch zurück geht sie nie, ja nie.
Alle Rosen, sie blühen am Wege rot
Wir marschieren, marschieren vorbei
Vielleicht sind wir morgen schon bleich und tot
du und ich und die ganze Reih'
du und ich und die ganze Reih'.»
Text und Melodie von HANS ROELLI

Kommt man aus den Manövern, hat noch die militärische Prachtentfaltung vor Augen, in den Ohren, in den Muskeln – im Panzerturm des Panzer 68 steht man nicht gerade bequem, und die Stimmen der erklärenden Offiziere sowie die Panzerketten rasseln manchmal etwas laut, aber das muss so sein, damit der Kriegslärm übertönt wird –, und ist man also mit der Armee *im Felde* gewesen, d. h. eine ganze Woche *beübt* worden, wie der militärische Fachausdruck lautet, *beübt* worden wie all die 40000 Offiziere und Soldaten und Zivilschutzmenschen, welche am gewaltigsten aller je stattgefundenen Manöver der schweizerischen Armee teilgenommen haben, es fehlten, materialmässig gesehen, eigentlich nur die Elefanten Marke Hannibal für eine noch speditivere Thur-Durchfurtung; und hat man Hans Boller, den ehemaligen «Tages-Anzeiger»-Korrespondenten in Peking, Oblt Boller, welcher Vergleiche zwischen der schw. und der chin. Armee ziehen kann, als *Bärenführer* gehabt, *Bärenführer* nennt man in der Armee ganz offiziell jene militarisierten Journalisten, welche die Presse an den Ort des Geschehens und Kämpfens begleiten; und ist man gar von Major Franz Brunner, «Tages-Anzeiger»-Korrespondent in Paris und Nachrichtenoff., militärisch bestrahlt und beatmet worden, von einem Kollegen also, welcher während eben dieser Manöver seinen tausendsten Diensttag zu feiern sich veranlasst sah und einen derart glücklichen Eindruck machte, wenn er die Gegenschläge, Pontonierbrücken, Aufmarschpläne, Lauerstellungen, Feuerleitstellungen erläutern konnte, dass man sich fragen muss, warum er nicht Berufsoffizier geworden ist; und hat man obendrein mit Korpskommandant Dr. Josef Feldmann, dem ungemein intellektuell wirkenden, sanften Troupier oder *Corpier,* wie man im Militär sagt, in der Luft herumfliegen (Aluette III, «Apocalypse now») und sehen können, aus der Höhe, wie die Truppen über die Thur *furten,* während man bisher dieses Verb nicht kannte, sondern nur das Substantiv Furt –: So ist man von der Nützlichkeit dieser Armee überzeugt. Und hat jetzt seine Skepsis verloren. Denn welch andere Institution füttert den worthungrigen Journalisten mit so vielen neuen Vokabeln oder bietet einen neuen Sprachgebrauch der alten Wörter an? Und man ist froh, diese denkwürdige, aber von der Abschaffung bedrohte Maschine in ihrer ganzen menschlichen und technischen Vielfalt noch erlebt haben zu dürfen, bevor sie eventuell magaziniert wird. (Vgl. Initiative zur Abschaffung der Armee.) Als Dienstuntauglicher, die Erziehungsfunktion der Armee nur 10 Tage am eigenen Leib gespürt habender Halbschweizer (morbus Scheuermann, ausgemustert) ist man doppelt froh. Noch einmal die Kampfanzüge sehen dürfen, im mil. Sprachgebrauch *Kämpfer* genannt. Noch einmal diesen patriotischen Herbstwald riechen, der sich, den Manövern zuliebe, wie ein Kampf-Tarnanzug verfärbt. Die Füsiliere zwischen den Heuballen vor einem Bauernhof, die da ganz archaisch mit ihren lustigen Flinten – das neue Sturmgewehr wird *noch* leichter, *noch* leistungsfähiger sein als das alte – eine hoch computerisierte Flabstellung bewachen nach dem Motto, das schon am Kursker Bogen, an der Beresina, vor Stalingrad und in der Ardennenschlacht seine Geltung hatte –

SEHEN UND NICHT GESEHEN WERDEN!

Die Führung – Bärenführung? – setzte schlagartig um 10.00 ein, 14. Nov., Lehrgebäude 1, Kas. Kloten. Der Weg von Oerlikon (wo Dieter Bührle für die Armee, u.a. sogar für die schweizerische, arbeiten lässt) bis nach Kloten führt durch eines der garstigsten Betonkonglomerate des Landes, das den Firmen NOVOTEL, AIRGATE, RANK XEROX, HILTON und andern typisch schweizerischen Unternehmen gehört. Ausgesuchte Hässlichkeit. Und ein Stossverkehr, der nur noch mit Panzerattacken zu bewältigen ist. *Diese* Landschaft sieht keineswegs so aus, als ob man sie unbedingt verteidigen müsste, das Blutvergiessen lohnt sich hier kaum. Es ist auch nicht nötig. Der Nachrichtenoff. Maj Brunner (Franz) hat mir nämlich in einem strategisch-taktischen Seminar (privatissimum) erklärt, dass jedwede zersiedelte Landschaft auf den Aggressor *ipso facto* erschreckend wirke, weil er dort mit seinen Panzern nicht mehr durchkomme. Diese Meinung habe vor ihm bereits Korpskommandant Blocher, der Vorgänger Feldmanns, in einem brillanten Exposé vertreten. Für Panzer und Luftlandetruppen sei eine derartige Topographie nicht günstig. (Die Fallschirmtruppen landen auf den Dächern, wo sie abrutschen, während sie auf Flachdächern blockiert bleiben, falls der Hauswart ihnen keine Dachluke öffnet, und die Panzerkolonnen können sich nicht enfalten.) Keine grosszügigen Panzerschlachten mehr in der Tiefe des Raumes, gloriose Zangenbewegungen, wie sie noch von den Panzertheoretikern *Guderian* und *de Gaulle* propagiert und im letzten Weltkrieg praktiziert wurden – in Oerlikon, Glattbrugg, Wallisellen bleiben die Panzer heute stecken, werden verwundbar, im Strassenkampf sind sie hilflos, man habe das in Budapest 1956 gesehen, ein Molotowcocktail auf die Motorenlüftung genüge, schon sei das Ungetüm flambiert.

Darf daraus geschlossen werden, dass die gründliche Zersiedelung der Landschaft, welche jetzt im Gange ist, eine patriotische, paramilitärische Tat genannt zu werden verdient? So weit möchte Maj Brunner auch wieder nicht gehen. Hier sind wir nämlich in einem tragischen Dilemma: Wenn die Zersiedelung total wird, kann man auf die Armee verzichten, oder doch wenigstens auf ihre mech. Truppen, den besondern Stolz der Generalität – und das darf die Armee nicht wollen. Anderseits ist mancher Bauunternehmer, Architekt, Betonfabrikant in führender Stellung in der Armee tätig, als Oberst oder ähnliches, und kann im Militärdienst Kontakte und Kontrakte anbahnen, die dem Absatz seiner Produkte förderlich sind.

Eine verzwickte Situation, welche nur durch den geballten Einsatz aller intellektuellen Mittel des Generalstabs, durch einen mordsmässig intelligenten Gegenschlag und eine straffe Bündelung der militärischen Hirnreserven aufgerollt werden kann.

Die Kaserne Kloten wirkt geradezu nett, verglichen mit den umliegenden Geschäftsbauten, und sieht aus wie ein Kantonnement der *Légion étrangère.* Im afrikanischen Wüstenthal marschiert ein Bataillon/Sich selber fremd eine braune Schar der Fremdenlegion. Längst ist ihr wildes Lied verhallt ... Nein, gesungen wird hier nicht, passt nicht zu den Manövern, nur das Militärspiel wird aufmarschieren, um einen Erbprinzen, der plötzlich im Helikopter auf den Rasen herunterflattert, kreuzbrav zu beschallen. (Hans Adam von Liechtenstein.) Im Lehrgebäude 1, wo die Pressekonferenzen offeriert werden, hängt im Korridor eine Liste von Argumenten unter dem Titel: WAS IST IN UNSEREM LAND SCHÜTZENS- UND VERTEIDIGENSWERT? Die Armee hat immerhin 19 Antworten auf diese Fragen parat. Antwort Nr. 5: *«Ich kann schreiben und veröffentlichen, was ich will»* (sagte der Journalist, welcher keine Stelle mehr fand). Nr. 7: *«Ich werde so geschützt, dass niemand über die Grenze kommen und mir meine Freiheiten nehmen kann»* (sagte der Arbeiter, der an seinem Arbeitsplatz keine Freiheiten hat). Oder: *«Ich kann mich an dem Ort niederlassen, den ich mir aussuche»* (sagte der Student, welcher keine Wohnung findet). Oder: *«Ich lebe in einem Land, das aus einmaligen herrlichen Landschaften besteht»* (sagte ein Bewohner von Spreitenbach). Nr. 13: *«Ich lebe in einem Land, das viele alte Sitten und Gebräuche hat»* (sagte Schellenursli in Schwamendingen). Nr. 15: *«Ich kann mich frei bewegen und reisen, wohin ich will»* (meinte Walter Stürm). Oder Nr. 16: *«Ich kann mir jederzeit Besitz – Geld, Land, Häuser usw. – erwerben und diesen nutzen»* (dachte Bauunternehmer Spleiss).

Diese Argumente hängen also im Korridor. Im Hörsaal dann wird nicht mehr so prinzipiell räsoniert, nur noch taktisch. Der Chef des Feldarmeekorps 4, Feldmann, sitzt mit seinem Stabschef, Brigadier Rickert, mit dem PR-Chef, Oberst Jäggi, mit dem Dienstchef des Korpsstabs (Sauter?) und mit Oberst i Gst Meier hinter einem Tisch. Jäggi ist im Zivilberuf Wirtschaftsberater, Meier ist Delegierter des Verwaltungsrates der zürcherischen Lagerhäuser und der Lagerhäuserfirma EMBRAPORT in Embrach, wo während der Manöver zufällig gerade etwas Armee-Nachschub lagert. Auch Oberstleutnant Hanslin sitzt hier und sagt: Die Genieverbände der Armee seien *militarisierte Baugeschäfte.* Das glaubt man ihm gern. (Umgekehrt sind die Baugeschäfte *zivile Geniever-*

bände.) Ein Fliegeroberst – war es Meier? – spricht mit gedämpfter Begeisterung von der 35 mm Flab Kan 63/75 und sagt, der Gegner der Flugabwehr sei – wer hätte das gedacht! – das Flugzeug in jeder Form, welches schnell auftauche und verschwinde; und von einer *Sättigung* könne dann gesprochen werden, wenn im *Wirkungsraum* mehrere Ziele zugleich auftauchen. Und es habe in letzter Zeit eine deutliche *Kampfwertsteigerung* des Systems, dank der *autonomen Bedrohungsanalyse* – Computer! – stattgefunden.

Von einer Übersättigung hat er nichts gesagt. Die eigenen Flugzeuge, so führte er weiter aus, müssten vorläufig noch in *Lauerstellung* verharren, in den Kavernen der Innerschweiz, und deren Geschwindigkeit sei unabdingbar mit *Lärm* verbunden – das haben die Bewohner von Dübendorf allerdings auch ohne militärwissenschaftlichen Vortrag gemerkt, und manche fragen sich, fluglärmgesättigt, ob man nicht mit der Flab (35 mm Flab Kan 63/75) dem fürchterlichen Dröhnen auch nach den Manövern ein Ende setzen könnte.

Dann wird die Grosswetterlage geschildert. Die allgemeine Lage im Ausland habe sich erheblich *zugespitzt,* es herrsche deshalb im Inland jetzt *Aktivdienst,* ennet der Grenzen seien *Rotland* und *Grünland* miteinander in Kämpfe verwickelt, und demnächst werde man von der Neutralitätsschutzphase in die Kriegsphase übertreten. Die teilweise Schliessung der Grenze im Schaffhausischen *beinhalte* auch, dass noch *Grenztore* offen seien, Thayngen zum Beispiel: ohne Schliessung keine Tore. Auch ein Grenztor gen Himmel, nämlich Kloten, sei noch offen. Man könne vorläufig noch von einem *führungsmässig intakten* Nordteil des Kts. Zürich sprechen. Das beruhigt die Journalisten, aber auch den Regierungsrat des Kts. Zürich.

Rotland und Grünland. Es handelt sich also um Kämpfe in der Bundesrepublik. (Haben dort nun die Grünen die Macht übernommen, angesichts einer erheblich zugespitzten Lage?) Und bei den Roten kann es sich gewiss nur um Truppen des Warschauer Paktes handeln, welche gegen die Bundeswehr zu Felde ziehen, also gegen die Nato.

Warum darf man, so wird Korpskommandant Feldmann gefragt, die Dinge nicht beim Namen nennen, wenn man doch eine realistische Übung durchspielen will? Das gehe aus diplomatischen Gründen nicht, sagt Feldmann, man habe das früher einmal gemacht und dann Schwierigkeiten *mit dem Ausland* bekommen.

Auch sonst geht einiges nicht, was man in der Wirklichkeit berücksichtigen müsste. Die einheimischen Truppen in diesem Manöver namens Dreizack sind die Blauen, und diese werden später manövermässig von den Roten bekämpft – also von derselben Farbe, die draussen in Deutschland gegen die Grünen angetreten ist (gegen die Nato). Nun liegt es auf der Hand, dass die schweizerische Armee im Kriegsfall, weil sie allein zu schwach ist, Bundesgenossen suchen, sich also mit den Grünen verbünden müsste. Die Neutralität schliesst nicht aus, dass man im Ernstfall mit dem Gegner seines Gegners zusammenspannen würde, also Blau mit Grün gegen Rot, also Schweizertruppen mit Nato-Truppen. (Wenn man allerdings von der Nato angegriffen würde, müsste man die Wapa, wie der Warschauer Pakt im militärisch-helvetischen Sprachgebrauch heisst, zu Hilfe rufen – schrecklich.)

Nun verlangt niemand von Korpskommandant Feldmann, dass er die Karten offen auf den Tisch lege und das eventuelle Zusammenspiel von *Nato-Kräften* und Schweizer Armee postuliere; es würde genügen, wenn er eleganterweise eine *Allianz mit Grün* ins Kalkül brächte. Das darf aber nicht sein. Und doch war es in der Vergangenheit so, dass die schweizerische Armee stets Verabredungen mit den Generalstäben der Nachbarländer getroffen hat. Allerdings waren diese so geheim, dass sogar der Gesamt-Bundesrat nicht immer eingeweiht war. General Guisan z.B. hat, im Hinblick auf einen deutschen Angriff, mit dem französischen Generalstab eine Hilfsvereinbarung getroffen, welche dem Bundesratskollegium erst zur Kenntnis gebracht wurde, als die deutsche Wehrmacht in Charité-sur-Loire, nach dem französischen Zusammenbruch, die entsprechenden Akten behändigte (und damit die Schweizer Regierung erpressen wollte).

Man darf also getrost annehmen, und wird darin durch Andeutungen von nicht genannt sein wollenden Generalstäblern unterstützt, dass Absprachen mit Nato-Stäben existieren. Warum auch nicht? Der schweizerische Generalstab, solid antikommunistisch, traut doch gewiss dem Warschau Pakt einen ebenso starken Aggressionswillen zu wie seinerzeit der deutschen Wehrmacht.

Und Österreich, so heisst es, wäre im Kriegsfall schnell erledigt, die verfügen dort ja kaum über eine nennenswerte Armee, das Volk ist so weich und sozusagen kriegsuntauglich.

Also? Dann wäre die sogenannte Wapa doch schnell an unsrer Grenze. Und was dann weiter? Also müsste der Generalstab, wenn er seiner Logik folgt und den Verteidigungsauftrag ernst nimmt, gewisse Absprachen schon in Friedenszeiten treffen. Auf dieser Grundlage könnte man realistisch Kriegerlis spielen bzw. lohnende Manöver abhalten: Vierzack. Aber das darf man nicht: Der russische Militärattaché würde es nicht schätzen.

Während der Pressekonferenz im Lehrgebäude I wird auch ein Film gezeigt, den der bekannte Filmemacher Peter Wettler – vormals Kassensturz, heute CONDOR-Film – im Auftrag der Armee gedreht hat. Leider wird man ihn am Fernsehen nicht vorgesetzt erhalten, die Armee behält das unter Verschluss und zeigt's nur den ausgewählten, bei den Dreizack-Manövern akkreditierten Journalisten. Er ist nämlich realistischer als die Filme der Tagesschau. Man hört, wie die Soldaten fluchen, und nicht nur supponiert, d.h. auf Befehl fluchen, etwa beim Ertappen und Verhaften von Saboteuren. Sie fluchen und schimpfen dazwischen auch echt, weil einigen der Blödsinn auf die Nerven geht, und schauen verbiestert drein. Man sieht eine Telefon-Soldatin, mit Kopfhörer, welche am Schaltbrett stöpselt, *siebenäfüfzg isch guet,* sagt sie, *einävierzg isch tot.* Damit meint sie die Linie. Die Saboteure im Film tragen Bart, *äs härrscht erhöhti terroristischi Gefahr* (sagt eine Männerstimme).

Generelle Zunahme der Unruheherde, sagt eine Stimme. *Hauptaugenmerk richten. Zunehmende Spannungen in Europa. Los an die Wand. Feindliche Einwirkungen. Anlaufende Probleme. KP bei Nacht und Nebel verschoben. Schadenplätze. Nervenzentrale für Terr-Zone. Spitalregiment.* Den Soundtrack des Films liefert Georg Friedrich Händel – Feuerwerksmusik oder Wassermusik? Es ist natürlich die Wassermusik, majestätisch. Das passt zur Würde der Armee, aber auch zum Rhein, der durch die Manöver fliesst. Der Film beginnt mit einem Dreizack, der langsam aus dem Rhein auftaucht, Neptuns Werkzeug. Man hat zu diesem Zweck einen Soldaten im Surfanzug in den Rhein geschickt. Das ist lustig, isn't it, wie so vieles in der Armee: EMD-Humor. Es sind aber keine vergifteten Fische von den drei Zacken aufgespiesst worden. Ist auch nicht tunlich, weil es sich um den Rhein *oberhalb* von Basel handelt.

Einen Dreizack, d.h. eine umgearbeitete Mistgabel – derselbe, welcher im Film aus dem Rhein auftauchte? –, kann man auch im Kommandoraum von Korpskommandant Feldmann sehen, daneben die Standarte des Feldarmeekorps 4 (spätes 19. Jahrhundert, schätzungsweise). In das stacheldrahtumzingelte Kommandeursgebäude gelangt man durch einen Iglu-artigen, rechtwinklig geknickten Gang, wo hinter Sandsäcken ein junger Trübel in Lauerstellung wartet. Passwort? Innen muss man die allgemeine militärische Identitätskarte abgeben und eine neue fassen, welche nur für dieses Gebäude gilt, man muss neu identifiziert werden, eine ganze Batterie von Identitätskarten hängt in kleinen, sauber geschreinerten Kästchen. Ganz wie im Krieg, wenn's pressiert. Wer hinausgeht, kriegt die allg. mil. Ident.kar. wieder verpasst.

Auch in der Manöverzeitung «Dreizack» ist für Humor gesorgt, aber nicht in der Humorecke, wo es etwa heisst: «*Von Diessenhofen bis nach Schlatt, von Altenrhein bis Walenstadt – durchnässt ruft mancher Korporal: Ihr könnt mich mal, ihr könnt mich mal*»; nein, generell triumphiert dort der Humor, die feldgraue Metaphysik, die militärische Metasprache. Was erwartet den «Dreizack»-Leser z.B. unter dem Titel: DER «SAUNA»-HASS DES SOLDATEN –? Natürlich der Untertitel: «Wenn C-Alarm herrscht, müssen die Wehrmänner sekundenschnell reagieren.» Damit ist der chemische Alarm gemeint, aber ein abstrakter, aus chemischen Waffen stammender, den wirklichen zivilen SANDOZ-Alarm hat die militärische Führung noch nicht in die Planung einbeziehen können, der ist im Krieg auch gar nicht vorgesehen. Und wie entsteht das Kodewort SAUNA? In einem Kästchen wird das erklärt, fettgedruckt:

«DIE ESELSLEITER FÜR DEN C-ALARM. S = Schutzmaske anziehen. A = Alarm auslösen. U = Überwurf anziehen. N = Nachweispapier aufkleben. A = Auftrag weitererfüllen.» SAUNA stimmt auch insofern, als man in diesem Anzug lustig schwitzt. Ein A-Alarm ist übrigens in diesen Manövern nicht vorgesehen, Rot wird auf den Einsatz auch der bescheidensten taktischen Atomwaffen verzichten, weil Blau (nämlich wir) nicht über solche verfügt. Das ist nett von Rot. – Da sehen Sie, sagt Oberst X, realistische Manöver könnten wir erst veranstalten, wenn wir ein wenig atomar aufgerüstet sind.

Auch die vielen Staumauern, und was ihnen im Krieg alles zustossen kann, mit den prächtigen ferngelenkten Waffen, und die AKW'S, und was ein kleiner Sprengsatz dort anrichten kann, und die chemischen Fabriken, die strategisch so günstig liegen, Basler Chemie, Lonza im Wallis, Ems-Chemie, ein chemisches Dreieck, das uns im Krieg nicht weniger Ausdünstungen verabfolgen wird als im Frieden, bescheidene Bombe genügt –: das alles wird grosszügig ausgeklammert. Warum soll man es einbeziehen in die Kriegsplanung, diesen Fall hat die chemische Industrie doch schon im Frieden durchgespielt. Arbeitsteilung. SANDOZ nimmt der Armee eine Übung ab.

In Thayngen ist am Samstagmorgen, dem 15. Nov. 1986, 00.15 Uhr, der Ernstfall eingetreten. Am Tag zuvor war es in Schaffhausen zu polizeilichen Verwicklungen gekommen, im Zusammenhang mit dem vom Zivilschutz verfügen, supponierten Stöhnen von supponierten Verletzten. «Die Lustschreie eines unersättlichen Liebespaares lösten in Schaffhausen einen Polizeieinsatz aus. Nachbarn hatten Gestöhn und Hilferufe gehört. Sie glaubten, da geschehe ein Mord. Doch statt einer Leiche trafen die Beamten die vollbusige Rosy (42) und den stattlichen Herbie (43), beide quietschvergnügt nach ihrem Liebesgenuss. Rosy und Herbie hüpften um halb zehn in ihr Bett. Ihr lautstarkes Liebesleben trieb die Nachbarn zur Verzweiflung. Sie alarmierten die Polizei. Doch die griff vorerst nicht ein. Denn an diesem Abend fanden in der Region Schaffhausen Zivilschutzübungen statt. Und bei solchen Übungen müssen jeweils einzelne Personen die ‹Verletzten› markieren. Doch die Nachbarn liessen nicht locker. Sie glaubten an ein Verbrechen.» («Blick» vom 15. Nov. 1986)

In Thayngen, am Grenztor, wird es am nächsten Tag um 00.15 Uhr etwas düster. Der Wartesaal des kleinen Bahnhofs ist mit ein paar Dutzend zerlumpter Frauen und Männer gefüllt worden. «Die haben *wir* geliefert», sagt ein Luftschutz-Major, «und die werden jetzt beübt.» Im Figurantenzentrum Winterhur sind sie ab

20.00 Uhr moulagiert, also begipst und verbunden und so hergerichtet worden, wie sich unsere Armee die Asylanten, Flüchtlinge, Partisanen, versprengte Armeeteile (aus Grünland), Saboteure und Deserteure halt vorstellt. Auf den Gips werden mit roter Farbe Wunden gemalt. Ist das nicht wirklichkeitsgetreu? Und auch lustig, die Soldaten einmal ganz unmilitärisch auftreten zu lassen? So richtig verlaust. Die moulagierten Soldatinnen sind dem RKD entnommen worden, dem Rot-Kreuz-Dienst, und auch die Kleider, darunter sogenannte Kaputs, vergammelte Armeemäntel, hat das Rote Kreuz geliefert. Manche von den Flüchtlingen verstecken Schnapsflaschen, leere natürlich, in ihren Manteltaschen, wie es die Flüchtlinge eben auch im Kriegsfall tun werden, andere wurden mit Wertpapieren ausgestattet, die sie in Sicherheit bringen wollen, weshalb denn sonst würde man ins Wertpapierland fliehen, wieder andere möchten ihre Kunstschätze über die Grenze retten, einer trägt dieses Bild im Stil von Juan Miró unter dem Arm, und das stellt einen Dreizack dar. Nun wird dieses Strandgut in einen Zug der Deutschen Bundesbahn verfrachtet, jawohl, Grünland spielt mit, und bis zur Grenze gefahren. Von dort kommt die Ladung dann zurück, Stacheldraht auf der Böschung links und rechts, grelle Beleuchtung, damit der Armeefilmdienst drehen kann, auf dem Bahndamm ein Soldat mit vorgehaltenem Sturmgewehr. Wagentüren werden aufgerissen, im Gepäckwagen haben sich zwei Saboteure versteckt, heraus mit ihnen, los an die Wand, abgetastet und die Beine auseinandergerissen, die werden noch lernen, wie man seine Beine spreizt. Dann mit hinter dem Kopf verschränkten Armen den Bahndamm entlang geschickt, während die Offiziere, ganz wie dereinst in der Wirklichkeit, von der Böschung herab, hinter dem Stacheldraht hervor, von Zivilschutzmenschen begleitet, die Szene kennerisch begutachten und ein Chef mit Megaphon kommentiert, zu Handen der ebenfalls angetretenen Behörden. Das krächzt jetzt so durch die Nacht. Unter den Deserteuren, Flüchtlingen, Partisanen etc. sind keine Offiziere, die könnten so etwas wohl nicht glaubwürdig spielen?

Doch, hier ist die Armee auf Genauigkeit, sogar auf Hyperrealismus erpicht. Die Manöveranlage insgesamt ist ein Witz, im grossen stimmen die militärischen, chemischen, politischen Suppositionen nicht, aber im kleinen wird die Wirklichkeit penibel vorgeformt, oder auch nachgeformt. Vom Flüchtlingswesen versteht man eben etwas (traditionell). So einfach wie die Bourbaki-Armee kommt man heute in Thayngen nicht mehr über die Grenze, die Verlausten werden jetzt, durch Stacheldraht kanalisiert, die Böschung hinaufgejagt und im Hof einer Zivilschutzanlage kaserniert. Ein Militärpersonenwagen mit laufendem Motor, auf dem Dach ein zusätzlicher Scheinwerfer, gibt Licht.

In dieser Gegend sind im Zweiten Weltkrieg Flüchtlinge über die Grenze gekommen, 1945 in Massen, Grenztor Ramsen. Einer mit weissen Haaren, der die Zeiten erlebt hat, steht auf der Brücke, die über den Bahndamm führt, und ruft herunter: *Tüend si doch entlich entluuse.* Es habe damals Entlausungsbaracken gegeben in Ramsen, sagt er, und *am beschte sett me diä alli verschüsse, diä wo furtsecklä wänd.* Eine Entlausungsbaracke ist 1986 leider nicht da, vielleicht hat der C-Krieg die Läuse schon getilgt? Und noch einer steht auf der Brücke, zwischen den Offizieren, mit verdrehten, irrlichternden Augen, ist es der echte Dorftrottel von Thayngen, oder spielt er ihn nur, mit seinem Mützchen auf den wirren Haaren, Figurant oder nicht. Der hüpft von einem Offizier zum andern und ruft immer wieder: *Flüchtling! Ali iischpere! Au d Loki! Iischpere! Flüchtling!*

Indigniert schauen die Offiziere weg. Für Verrückte ist hier kein Platz.

In dieser Gegend hat auch Markus Imhof einen Film gedreht: «Das Boot ist voll».

Auf den späten Sonntagnachmittag haben die Nachrichtenoffiziere, die uniformierten Pressebetreuer Brunner (Maj, «Tages-Anzeiger») und Keller (Oblt, «Tages-Anzeiger») und Boller (Oblt, «Tages-Anzeiger»), dem Pressecorps ein *«besonders spektakuläres»,* wie Brunner sagte, Ereignis angeboten (à la carte). Der «Tages-Anzeiger» ist bei den militarisierten Journalisten resp. den Bärenführern von allen Zeitungen am besten vertreten. Während der Chefredaktor/Oberstleutnant Studer, der seine Artikel auch im Zivilleben mit pst. signiert, ein garantiert verschwiegener Herr – pst! pst! –, an höchster Stelle die militarisierte Information leitet, über 200 APF-Mitarbeiter gebietet und die Richtlinien für die kriegsmässig zubereitete Nachrichtenberieselung festlegt, irgendwo in einer Zivilschutzanlage in Kriens oder so, stehen seine Untergebenen Brunner (etc.) an vorderster Front, also im Feld. Auch Major – oder ist er schon Oberstleutnant? – Viktor Schlumpf, Mitglied der Chefredaktion, war einmal in Kloten zu sehen, und dann in Winterthur, in der Nähe des gesprengten Gaswerks. Studer inspiriert aber nicht nur die «Infosuisse», die Zeitung dieses Namens ist etwas monoton geraten und, verglichen mit dem knusprigen Manöverblatt «Dreizack», nicht sehr anmächelig herausgekommen: Studer schreibt zugleich im «Tages-Anzeiger» einen militärisch strammen Artikel gegen den «Tages-Aneigner». Dieses Blatt ist nur einmal herausgekommen, parodiert den «Tages-Anzeiger», nimmt die Manöver aufs Korn. Brav und in dicken Lettern verkündet der «Tages-Aneigner» aber auch, dass er ein Plagiat sei. Trotzdem schreibt pst. einen knarrend-humorlosen Artikel, grau in feldgrau, gegen diese Eintagsfliege. Und verkündet zusammen mit der Geschäftsleitung, dass Strafanzeige erstattet worden sei.

Achtung steht!

Alle im Halbkreis zu mir.

Die Manöver haben ein Opfer gefordert: das journalistische Augenmass des Peter Studer. Das kann im Erstfall ja heiter werden, wenn dann im wirklichen Krieg die Information verstudert wird. Der Gerechtigkeit halber muss beigefügt werden, dass Studers Untergebene, auch jene im Feld, diese feldaschgraue Humorlosigkeit ganz unangemessen fanden. Es gibt auch intelligente Bärenführer.

Ruhn!

Das *«spektakuläre Ereignis»* am Sonntagnachmittag? Brunner hatte zuviel versprochen. Papperlapapp! Man durfte im vornherein nicht wissen, was für ein Happening jetzt wieder kam, man hätte es dem Feind verraten können. In feldgrauen vw-Bussen wurde das Pressekorps an den Bahnhof Effretikon verfrachtet. Von dort aus, jetzt erfuhr man die Sensation, sei eine ROLLENDE STRASSE angelaufen, 10 000 Wehrmänner und ihr kostbares Material würden in ein paar Stunden nach Neuhausen transportiert, noch nie dagewesene Verschiebung, aufgrund einer ungeheuer präzisen Fahrplan-Planerei. (Man hat ein Detail vergessen: dass die Gleise bombardiert werden könnten.) Also etwa das, was im zivilen Leben die Lötschberg-Simplon-Bahn gewohnheitsmässig tut.

In den Waggons hocken die Soldaten, wie immer vortrefflich getarnt, und dösen. Es riecht säuerlich. Sie gehörten in Effretikon noch zu den Blauen, im Laufe der Verschiebung wurden sie dann rot. Später werden sie über den Rhein setzen und von dort aus die Blauen angreifen, während die Blauen ihnen nachsetzen und auch zusetzen. Einer von den Soldaten sagt: *gopfertamisiech,* ein anderer *Heilandsack,* und alle sind überzeugt, dass es in dieser Nacht keinen Schlaf geben werde, und niemand weiss genau, was dieses Farbenspiel soll. Es ist nicht einfach, wenn man innerhalb von wenigen Stunden von Blau nach Rot mutieren soll und zu seinem eigenen Feind wird. Das schafft Identitätsprobleme, *gopfertamisiech.* Hübsch nun, wie in Neuhausen die mit Stacheldrahtrollen beladenen Lastwagen von der Rampe herunterkurven. Es wird gar nie genug Stacheldraht geben, um die 185 km schaffhausische Grenze gegen die Infiltranten aus Grünland abzuschirmen. In der Manöverzeitung «Dreizack» ist auf der ersten Seite verkündet worden: SCHAFFHAUSEN WIRD GEHALTEN UND VERTEIDIGT! Das dürfte nun sicher eine Lüge sein, zur Beruhigung des Volkes. Jedermann weiss, dass man Schaffhausen gar nicht halten kann, alle historischen Aufmarschpläne der Armee verraten, dass der erste seriöse Sperrriegel linksrheinisch aufgebaut wird. Und vielleicht möchten die Schaffhausener auch wirklich nicht gehalten werden, das würde nämlich Zerstörung bedeuten. Lieber wäre ihnen vermutlich: Schaffhausen, *città aperta.* Wenn die Regierung eine Ortschaft zur «Offenen Stadt» erklärt, kommt sie vielleicht davon.

Chefredaktor der Zeitung «Dreizack» ist Hanspeter Lebrument. Der praktiziert schon seit Jahren nicht mehr als Journalist, sondern leitet eine Druckerei in Chur. Das merkt man seinen Leitartikeln im «Dreizack» ein bisschen an (gschtabig). Die letzte Zeitung, welche Lebrument leitete, ging unter, nämlich «DIE WOCHE» von Ringier. Im Militär darf Lebrument jetzt nochmals Redaktor spielen.

Hat ihm sicher viel Spass gemacht. Das Layout war hervorragend. Für das Defilee wurden 80000 Exemplare hergestellt, und im ganzen gab es acht Nummern. – Ruhn!

Das Stöhnen der Verwundeten in den Trümmern des vom Luftschutz gesprengten Gaswerks von Winterthur, welche ihrerseits vom Zivilschutz beübt wurden, war nicht so lustvoll wie das Liebesgestöhn von Schaffhausen: Dieses letztere hätte unsern Fredi zu sehr erschreckt, auf unsern Fredi muss man Rücksicht nehmen. Das Trümmerfeld aller Verwundeten und Toten wird übrigens mit dem Kosenamen «Schadenplatz» und der Trümmerfeld-Chef als «Schadenplatz-Kommandant» bezeichnet. Über den Trümmern sieht man jetzt einen flotten Helikopter schweben, den Puma des Bundesrates, und darin sitzt Delamuraz, der allergnädigste Schadenplatzinspizient. Der nimmt jetzt ein Auge voll, und neben ihm sitzt Feldmann.

Auf den Trümmern haben es die Magistraten lustig. Während die Verwundeten, bestens moulagiert, bahrenweise abgeschleppt werden, manchmal aus Versehen zur Totensammelstelle, und eine Bahre entgleitet den Trägern sechsmal, das ist jetzt nicht supponiert, gibt Thomas Wagner einem «Dreizack»-Reporter auf die Frage, wie er den «Dreizack» finde, folgende Erklärung ab: *Guet läsbar, informativ, guet gmachti Ziitig,* und besonders bewundere er, wie die Anekdoten *eingeflochten* seien. Regierungsrat Alfred Gilgen, der von einem Parteifreund begrüsst wird mit *Lueg do euse Fredi,* trägt seine rot-weisse Armbinde, inspiziert die Walstatt von allen Seiten. Stadtrat Egloff gafft auch. Gilgen scheint hier die Oberaufsicht zu haben und wird sogleich, nach der Pressekonferenz, als Vertreter des Regierungsrates, den Pressevertretern ein Mittagessen offerieren, Beinschinken mit Kartoffelsalat. Zuerst spricht aber, im Restaurant «Brauhaus», noch der Kantonsarzt Dr. Gonzague Kistler, Kriege sind nämlich auch medizinische Ereignisse. Ein mittlerer Kampftag, so Kistler wörtlich, *beschert uns* etwa dreimal mehr Patienten als gewöhnlich. Es sei darum vorerst eine *Entleerung* der Spitäler anzuordnen (von ihren ordinären Patienten), aber mit gleitendem Übergang. Und es seien GOPS einzurichten, will sagen: geschützte Operationsstellen, und ein koordinierter Sanitätsdienst, den man alternativ auch als *totalen* Sanitätsdienst bezeichnen könne. (Wollt ihr den totalen Sanitätsdienst?) Der *Patientenweg* führe von den *Verletztennestern* über die *Sanitätsposten* zu den *Notspitälern* und von dort in die *regulären Spitäler,* und man wolle im Krisenfall die Sanitätsposten unbedingt *aufmunitionieren.* Auf die Frage, ob damit gemeint sei, dass in den Schränken zur Hälfte Verbandstoff, zur Hälfte Munition lagern müsse, antwortet Dr. Kistler mit einem Lächeln. Und betont, am Schluss des Patientenwegs stünde die *Endbehandlung*, worauf ein spitzfindiger Interpellant noch wissen möchte, ob anschliessend die *Endlagerung* geplant sei. (Nein, vermutlich geht's dann ab zur *Totensammelstelle.)*

Alfred Gilgen macht sich auch seine Gedanken über die Nomenklatur und sagt, er verstehe nicht, wie man sich an der Bezeichnung *Endbehandlung* stossen könne, als Arzt – Spitalregiment! – könne er nur unterstreichen, dass dieser Ausdruck auch im zivilen Sanitätsleben durchaus gebräuchlich sei. Dass man anderseits, in bezug auf die Sanitätsposten, den Terminus «aufmunitionieren» als befremdend empfinde, könne er einigermassen nachfühlen, müsse aber trotzdem um Verständnis bitten, denn auch er, Gilgen, brauche diese Vokabel, wenn er beispielsweise seine Sekretärin ersuche, die Papeteriewaren seines Büros aufzustocken.

(Fräulein Leibundgut, würden Sie bitte die A4-Blätter bis nächsten Mittwoch aufmunitionieren?)

Dann wird der Beinschinken aufgetragen.

Dienstag, den 18. Nov., 19.00 Uhr, wird der Berichterstatter von Hans Boller (TA, Oblt) im feldgrauen Bus zu den Panzern, Kp 1/14, geleitet. Die stehen jetzt gerade in Unter-Ottikon, Raum Wetzikon, und gehören zu den Blauen. Auf der Reise von Kloten nach Unter-Ottikon schildert Boller, ehemaliger Peking-Korrespondent, die Überlegenheit der schweizerischen Armee über die chinesische, letztere sei viel zu schwerfällig und werde schematisch gedrillt, eine stark zurückgebliebene Truppe.

Unglaublich und sehr überraschend, wie die Panzer 68, die dazugehörigen Männer nennt man *Pänzeler,* schon wieder das Kosewort für eine harte Sache, wie perfekt die Panzer-Pänzeler getarnt sind, unter ihrem praktischen, elastischen, netten Gumminetz. Das ist wirklich eine Leistung. Man findet sie fast nicht. Sie sind perfekt in die Ortschaft *verschlauft,* wie der Fachmann sagt. Nachteilig ist nur, dass sie von der gegnerischen Luftaufklärung mit Infrarot- und Wärmedetektoren auch nachts und aus grösster Höhe noch zu eruieren sind und dann *tschaff!* eins auf den Deckel kriegen, mit oder ohne Tarnnetz, so dass die Panzerung hin und wieder mit dem Fleisch der Besatzung zu einem Klumpen verschlauft wird.

Wie das gegebenenfalls wohl riechen mag?

Aber es sind stattliche Streitwagen. Und es ist das einzige Kriegsgerät in dieser Armee, welches an 1968 erinnert. Panzer 68, Prag '68?

Die Kompanie 1/14 steht unter dem bewährten Kommando von Oblt Hess, im Zivil Kantonal-Sanktgallischer Rebbaukommissar in Gams, Rheintal. Ein blutjunger Mensch, ing. agr., nicht unsympathisch, frische Diktion, gesunder Teint, und wirkt noch in der Uniform gelassener als Dr. Gonzague Kistler in Zivil. Allerdings sind die Nerven jetzt aufs äusserste gespannt wie Panzerabschleppseile, das Bataillon hat eine hohe Bereitschaftsstufe angeordnet, Verschiebung von Unter-Ottikon nach Hünikon, 90 km, die Zugführer knien am Boden des Unterstands vor ihren detaillierten Militärkarten, strecken die Rümpfe in die Höhe, und das sieht aus wie die Moslems beim Gebet.

Um halb zwölf rasselt die Rasselbande aus Ottikon weg, 120 Mann, zwei Panzer, etliche Schützenpanzer mit Grenadieren, Pinzgauern, Lastwagen, und hinter Hessens Kommandopanzer ein widerlich schwachbrüstiges Motorrad, Puch 350. Der Panzer 68, vierzig Tonnen schwer, beinhaltet: 1 Kommandant, 1 Richter, 1 Lader, 1 Fahrer. Sechs Gänge vorwärts, sechs rückwärts, und man donnert jetzt mit 50 Stundenkilometern übers Tösstal nach Hünikon, für die 90 km braucht das ungeschlachte Mordinstrument etwa 200 Liter heftig stinkenden Diesel-Treibstoffs, aber sicher wird man es bald umweltfreundlich machen, mit Katalysatoren, und damit die Panzer humanisieren. Die alten *Centurions,* einige sind immer noch im Gebrauch, schluckten noch viel mehr Treibstoff. Beim Vorüberfahren zittern die ehrwürdigen Bauernhäuser, und die Scheiben klirren. Der *Leopard,* 380 Stück sind davon bestellt, wird viel eleganter sein in der Handhabung, qualitativ hochstehender und leiser, und schneller töten.

Der Berichterstatter fährt im Turm mit, sozusagen als Lader, den Oberkörper an der Luft, die Füsse auf einem kleinen Trittbrett im Innern. Muskelkater. Man trägt bei dieser Gelegenheit den sogenannten *Popoff,* kleine Hommage an die Russen, also eine Art von Lederhelm, darunter die Kopfhörer. Im Innern des Drachens ist es elend eng, man kann sich kaum bewegen und sieht, wenn Lader und Kommandeur ihren Kopf eingezogen haben, durch Periskope auf den Feind. Man kann sich wohnlichere Särge denken.

Der Rückstoss der 10,5 cm Kanone im Innern und die glühenden Granatenhüllen, die ins Panzerinnere fallen, sind auch nicht uninteressant. – Ohne Feindberührung nach Hünikon, Vorausdetachement hat aufgeklärt, leichte Verzögerung auf die Marschtabelle. Nach Seuzach hat Hess auskolonniert, den Rest des Bataillons verlassen.

Auskolonniert. Sich selbständig gemacht. Und muss jetzt um 3 Uhr morgens Scheunen und andere Unterkünfte in Hünikon requirieren, für 120 Mann, die Bauern schlafen, und also dringt man einfach, ohne vorausgeplant zu haben, in Scheunen und Ställe ein, wickelt sich in die Schlafsäcke und schläft sofort, inmitten der Schnarcher und Furzer, ein. Es riecht säuerlich.

Kein Bauer wird am nächsten Morgen protestieren, die wähnen sich und ihr Vieh geschützt durch die Panzer. Würde ein Vagabund sich nachts in den Stall schleichen, ohne Erlaubnis, er würde am Morgen zum Teufel gejagt mit der Mistgabel (Dreizack). Die Armee ist saumässig beliebt in der Gegend, darf vagabundieren im höheren Interesse des Landes. Die Bauern von Hünikon, samt jenen von Unter-Ottikon, werden ihre Abschaffung vorläufig nicht befürworten.

Am nächsten Morgen, um sechs, ab mit dem Fourier nach Hettlingen, wo Proviant gefasst, Konserven auf den Pinzgauer geladen werden sowie Kaffeepulver, Suppe und zwei grosse frische Zungen, notdürftig in Plastik eingeschlagen. Zur Feier der Manöver schlachtet die Armee in eigener Regie. Das tut sie nicht immer, obwohl sie für die Schlachten existiert. Die beiden Zungen leuchten matt, glänzen stellenweise, sind rauh und schlaff, und die dazugehörigen Kälber mögen unterdessen auch schon von der Army verwurstet worden sein.

Mit einem umgänglichen Menschen, dem zivilsten von allen, wurde schliesslich ein Helikopterflug absolviert. Wir unterhielten uns angelegentlich über seine Dissertation, welche von der revolutionären Bewegung in Genf handelt. 1782 mussten die Revolutionäre nach Paris oder Brüssel fliehen, weil Genf damals so verkrustet war. – An Josef Feldmann ist der historischen Forschung ein interessanter Mann verlorengegangen, seit er ins Militärdepartement überwechselte.

Plädoyer für ein Übergangs-Objekt d.h. für die Wieder-Einführung der Kavallerie

Also einfach die Armee abschaffen, per Volksinitiative, im November 1989. Aber, wie stellt man sich das vor in unsern Kreisen? Der Generalität ihr Spielzeug wegnehmen, die Armee ersatzlos streichen? Hat man denn auch bedacht, welch seelische Verwüstungen man dergestalt anrichtet? Offiziere sind auch Menschen, und mindestens ein *Übergangsobjekt** müsste man ihnen belassen. Denn unsere militärischen Führungskräfte sind psychisch ohnehin stark belastet, waren es seit General Willes Zeiten. Immer Kriegsbereitschaft erstellen, immer aufrüsten und drillen und nie Krieg führen dürfen, das hält der stärkste Oberstkorpskommandant nicht aus. Immer Trockenschwimmen. Immer teure Vernichtungsgeräte anschaffen, und nie einen Feind vernichten dürfen, und immer Schwierigkeiten bei den Krediten, weil der Ernstfall auch heute nicht Anstalten macht, einzutreten; heute sogar weniger denn je. So dass Oberstdivisionär Jung, kombinierter Chef der Fliegen- und Fliegenabwehrtruppen, jüngst im Fernsehen klagte, unsere Miragekampfflugzeuge seien jetzt auch schon 30 Jahre alt und klapprig, «und», sagte er, *«ich bitte Sie, welche Hausfrau wäscht noch mit einer 30 Jahre alten Waschmaschine?»* (12. Okt. 1989, DRS).

*

* *Übergangsobjekt* (engl.: transitional object – frz.: objet transitionnel – ital.: oggetto transizionale). Von D.W. Winnicott eingeführter Ausdruck zur Bezeichnung eines materiellen Objekts, das für den Säugling und das Kleinkind einen elektiven Wert besitzt, besonders im Augenblick des Einschlafens (z.B. ein Zipfel der Decke, ein Handtuch, an dem er lutscht). Nach dem Autor stellt die Zuflucht zu Objekten dieses Typus ein normales Phänomen dar, das es dem Kind erlaubt, den Übergang zwischen der ersten oralen Beziehung zur Mutter und der «wirklichen Objektbeziehung» zu vollziehen. Für Winnicott gehören bestimmte Gesten und verschiedene Mundaktivitäten (z.B. Murmeln) zur gleichen Gruppe; er nennt sie Übergangsphänomene. (Aus «Vocabulaire de la Psychoanalyse», Presses Universitaires de France, 1967, Paris.)

Unsere Kader waren und sind also gewiss die am meisten strapazierten aller zivilisierten Nationen. Während ein pensionierter deutscher General etwa auf ruhmreiche Stalingrad-Erfahrungen, ein italienischer General auf gloriose Wüstenschlachten bei El Alamein, ein amerikanischer General wenigstens auf die Entlaubung Vietnams und die gelungene Helikopterevakuation der Botschaftsangehörigen vom Dach der US-Botschaft in Saigon zurückblicken und sein russischer Kollege den erfolgreichen Rückzug aus Afghanistan memorieren kann, haben und hatten unsere Generäle nie von der Theorie zur Praxis übergehen dürfen, bleiben sozusagen ewig im Lehrlingsstadium stecken und können ihr Meisterdiplom, auch nach vierzigjährigem Berufsleben, nicht machen. Welch sozioprofessionelle Kategorie ist mit einem solchen Handicap geschlagen? Was ist ein Spengler, der nicht spengelt, ein Müllkutscher, der nicht müllt, ein Bäcker, der nicht bäckt, ein Metzger, der nicht metzgt, ein Fischer, der nicht fischt, ein Fisch, der nicht schwimmt, ein Feuer, das nicht brennt, ein Tumbler, der nicht tumblet, ein Darm, der nicht verdaut? Und wirklich, ein Offizier ohne Krieg ist nur ein halber Mann, und ohne Kriegsspielzeug ist er dann gar keiner mehr.

Das aber können wir nicht wollen, soviel frustrierte Männlichkeit würde sich im Zivilleben, von dem die Militärs nach der Abstimmung absorbiert werden müssen, bösartigstens niederschlagen und das System von Befehl und Gehorsam an unseren Arbeitsplätzen verschärfen. Dieser Sinnkrise unseres, Ende November pensionierten, militärischen Personals: müssen wir prophylaktisch begegnen. Mit der Aufstockung unserer psychiatrischen Hilfskräfte, d.h. der Sanität, ist es beileibe nicht getan, auch muss an die Krankenkassen gedacht werden, welche finanziell den Ansturm bei einer umfassenden Armeeabräumung nicht verkraften könnten. Es wäre deshalb zu überlegen gewesen, ob man nicht doch besser eine gestaffelte statt eine totale und sofortige Abschaffung dieser Körperschaft hätte initiativmässig ins Auge fassen sollen, nämlich etwa im Januar 1990 die Infanterie entlassen, im März die Artillerie verabschieden, im Juli die Panzer, am ersten August alle Flugzeuge und Waschmaschinen und Oberstdivisionär Jung, den kombinierten Chef der Fliegen- und Fliegenabwehrtruppen, im Oktober dann das Genie abschaffen und erst im Advent den

Chef des Eidg. Mil. deps. Wobei durchaus auch zu überlegen gewesen wäre, ob nicht wenigstens *ein* Mirage-Kampfflugzeug dem scheidenden Stumpen- und Velofabrikanten Villiger vorbehalten sein müsste und also nicht eingemottet werden dürfte, denn er fliegt ja bekanntlich gern in einem solchen Gerät am Himmel herum und erfüllt sich, wie er wörtlich sagte, einen Bubentraum, und hat sich schon in Moskau erfolgreich in eine MIG gesetzt.

Mit dieser leider nicht projektierten *Staffelung der Abschaffung der Armee* oder *stufenweisen Elimination der Waffengattungen* wäre aber dem psychischen Notstand unserer Kader nicht abgeholfen, er würde lediglich *weniger massiert auftreten.* Nur mit einem *historischen Rückgriff* ist diesbezüglich etwas auszurichten, *zwei* Volksbewegungen müssten ineinanderfliessen und sich zu *einem* Strom vereinigen. Wie jedermann weiss, hat die Armee-Abschaffungsinitiative in 18 Monaten gut hunderttausend Signaturen gefunden, gewiss eine nette Zahl, aber doch bescheiden, verglichen mit einer andern Petition, welche 432400 Unterschriften mobilisierte. Das war anno 1972 und nannte sich *«Petition zur Erhaltung des Pferdes in der Armee»*, und dafür wurden vom 27. März 1972 bis zum 10. Mai 1972, also in knapp anderthalb Monaten, wie gesagt vierhundertzweiunddreissigtausend und vierhundert Unterschriften gesammelt. Hätte man noch weiter gesammelt, so wäre wohl schnell eine Million zustande gekommen. Die Petition wurde, obwohl auch alle Kavalleriepferde, wären sie gefragt worden, gern unterschrieben hätten, von der Bundesversammlung und den tierfeindlichen Technokraten des MD aufs schnödeste schubladisiert. Nun ist wohl die Zeit gekommen, diese Missachtung des Volkswillens zu korrigieren.

Denn, o Wunder, mit einer Wiedereinführung unserer Kavallerie könnte man verschiedene Fliegen auf einen Schlag töten.

Erstens kämen die verwaisten Kader unserer Armee in den Genuss eines Übergangsobjekts, ein relativ harmloses, aber im gestreckten Galopp und, wenn es schwadronweise auftritt, doch kriegerisch wirkendes Gerät könnte die brachliegende Aggressivität absorbieren. Aaa-ttacke! Mit gezücktem Säbel!

Zweitens müsste die lederverarbeitende Industrie nicht mehr exklusiv für die Sado-Maso-Szene arbeiten, Reitpeitsche und Sättel würden wieder einem ehrlichen Gebrauch zugeführt.

Drittens würden uns die Pferde an General Wille erinnern, den grossen Pferdefreund, der am 31.10.1916 seiner Frau geschrieben hat: *«Heute wieder sehr schön geritten, aber nur mässig gearbeitet. Dein von ganzem Herzen, Ulrich.»*

Viertens würde die Erinnerung an General Guisan, auch er ein Pferdenarr, aufgefrischt, dessen Lieblingspferd Nobs hiess; Nobs hiess überdies der erste sozialdemokratische Bundesrat, und General Guisan wird schon gewusst haben, warum er Nobs bei seinen morgendlichen Ausritten bevorzugte und vom Vertrauen der Sozialdemokratie sich tragen liess.

Fünftens könnte man von Winterpneus auf den schweizerischen Winterhufbeschlag umstellen, diese Fabrikate haben im Laufe der Jahre in Qualität und Ausführung einen hohen Grad der Vollkommenheit erreicht. Bei den Hufeisen mit Schweissgriffen wird an jedem Rutenende ein Stollen aufgezogen und dieser im Sommer stumpf geschmiedet und im Winter, je nach Beschaffenheit der Strasse, mehr oder weniger geschärft. Im Zehenteil des Hufeisens ist ein Stahlgriff eingeschweisst, ebenfalls stumpf oder scharf. Diese Beschlagsart geht bis in das Mittelalter zurück und wird als Sommerbeschlag noch heute in Berggegenden angewendet. Für den Winterbeschlag waren diese Eisen bis gegen Ende des letzten Jahrhunderts und vielerorts noch länger sozusagen die einzigen üblichen.

*

Dazu kommen mancherlei andere Vorteile, die nicht eigens unterstrichen werden müssen. Die Umweltverträglichkeit der Pferde, verglichen mit Benzinmotoren, versteht sich von selbst. Eine Lärmentwicklung entfällt, ausser dem gelegentlichen freudigen Wiehern beim Anblick von abgehalfterten Oberstdivisonären. Und während weder die Hochleistungsflugzeuge noch die Panzer bisher ihren eigenen Nachwuchs produzieren, darf die Fruchtbarkeit der Pferde als bedeutend bezeichnet werden. Die bäuerliche Pferdezucht erhielte wieder Auftrieb, auch die eidg. Deckstation mit ihren Beschälern, das eidgenössische Hengst- und Fohlendepot in Avenches, könnte florieren, aber ebenfalls die Halbblutpferdezucht des Klosters Einsiedeln, wo die sog. *«cavalli della Madonna»* hergestellt werden. Man erzielte dort schon anno 1802 mit der Halbblutzucht gute Erfolge, nämlich mit dem sogenannten «Albthaler» und dem Schwyzer Hengst «Styger der Alte». Das Einsiedler Pferd ist daher in der Tat ein äusserst leistungsfähiges, dauerhaftes, allseitiges Pferd mit Masse und Gang und lebhaftem und doch frommem Temperament. Es wird überall gelobt, wo es richtig behandelt wird, in den Zentralschulen, in der Regie, bei Privaten und Bauern; jedermann ist damit zufrieden. Sein Bau ist im Schultergürtel, Rücken und Gliedmassen ausgezeichnet. Besonders gut ist der Widerrist entwickelt. Als glückliche Gabe haben sie ferner von ihren Stammvätern ein feuriges Temperament geerbt, das bei 20–25jährigen Stuten noch ungetrübt weiterpulsiert.

Weiter muss betont werden, dass das Pferd eine wohlfeile Waffengattung ist. 1972 etwa kamen die drei damals noch existierenden Regimenter auf 0,7 Prozent des Militärbudgets zu stehen, die Bundespferde, auch *Eidgenossen* genannt, man erkannte sie am Halsbrand, d.h. der auf den Hälsen eingebrannten Nummer, verzehrten bescheidene Mengen Hafers und Heus, verglichen etwa mit den ebenso teuren wie gefrässigen Dressurpferden einer Christine Stückelberger; sie hatten sich in der Rekrutenschule an Genügsamkeit gewöhnen müssen.

Schliesslich sprechen auch linguistische bzw. semiotische Gründe für die Wiedereinführung der Kavallerie. Wer weiss denn heute noch, was das wirklich bedeutet – *eine Attacke reiten*? Wer denkt denn, wenn er z.B. sagt, Bundesrat Villiger sei *sattelfest* oder gut *beschlagen,* an einen Pferdefuss? Ohne Pferde geht unserer Sprache die Anschauung verloren, der *Hafer sticht uns* zwar, aber die *Hürden nehmen* wir nicht, und wie wollen wir die Armee *an die Kandare nehmen* und unserem pazifistischen Temperament *die Zügel schiessen lassen,* und die *hochtrabenden* Offizierchen in Schach halten bzw. vom *hohen Ross* herunterholen, wenn wir eine Martingale nicht von einer Schabracke und einen Stangenzaum nicht von einem Gartenzaun unterscheiden können, oder gar ein Remontendepot mit einem Tramdepot verwechseln? Da kommt uns die Phylogenese des Pferdewesens ganz abhanden, und mithin eine Portion der Menschheitsgeschichte.

Und übrigens, wie wollen wir die Pferdelyrik verstehen ohne Anschauung, was machen wir mit Richard Schaukal, Detlev von Liliencron, Werner Weber, Max Mumenthaler, Alfred Huggenberger, Silja Walter, welche vor ihrem Klostereintritt ein *Reiterlied* gedichtet hat, das wir dem «Schweizer Pferdebuch», Ilionverlag Basel & Olten 1944, entnommen haben:

Willst du wie ein Lahmer hinken?
Hopp, mein Sohn, die Sterne blinken!
Fuchs, nun musst du traben!
Willst dich wie ein Mädchen zieren?
Und zum Füllen degradieren?
Hopp, und nimm den Graben!

Nichts kann unser Herz betrüben
Weil wir nichts und niemand lieben
Auf der weiten Erde!
Lass uns frei und fröhlich lachen,
Reiten, dass die Knöchel krachen
Ohne Sporn und Gerte!

PS: Ficheneintrag vom 23.10.89

«v. Stapo BE. Bericht über Platzkundgebung und Fest ‹Stop the Army› vom 21.10.89 auf dem Bundesplatz in Bern. Ca. 15 000 Teilnehmer. Aufgeführt als Redner.»

Was heisst da: «*Aufgeführt* als Redner?» *Aufgetreten* als Redner! Über die Kavallerie geredet! Lesen die Ledermäntel von der Stapo BE nur die Programme? Pflegen sich diese Faulpelzchen und Schlafmützchen nicht mehr an Ort & Stelle zu begeben? Wofür bezahlen wir sie eigentlich? Mehr *field research, please.*

Weitere Ficheneinträge cf. S. 211 und 215 in «Weh unser guter Kaspar ist tot.».

Die Kapellbrücke: Ein rentabler Brand in Luzern

Augenschein in einem Katastrophengebiet der ganz besonders innerschweizerischen Art

Sitze also gerührt, aber doch neugierig, in der Altstadt von Luzern vor dem Hotel «Linde», während der Weinmarktbrunnen im Hintergrund plätschert, aber auch der Fritschi-Brunnen plätschert, und auch der Mühleplatzbrunnen plätschert, die Stadt ist gerührt wie ich, weil ihr sogenanntes Wahrzeichen, die Kapellbrücke, zu einem *schönen Teil* abgebrannt ist, die Reuss führt Hochwasser ob all den Tränenbächen der Eingeborenen: Und wer kommt denn da lachend auf mich zu, was für ein rüstiger Pensionär? Der nimmt nicht teil am allgemeinen Leid, sondern überzieht sein Gesicht mit einem gut trainierten, oft geübten Lachen und sagt: DARF ICH MICH VORSTELLEN? Mein Name ist MEYER Hans-Rudolf, alt Stadtpräsident, und es ist schon jahrelang mein Wunsch, Sie einmal zu treffen, Sie schreiben doch so Bücher. Meyer, ausgerechnet, an einem solchen Trauertag! Von seiner geschichtlichen Wirksamkeit war nur haften geblieben, dass er einstmals, während einer Sempacher Schlachtfeier, einen Kranz vor dem Winkelried-Denkmal deponieren liess, und auf der Schleife, die den Kranz zierte, stand dieser Spruch: DEM STRUTHAHN WINKELRIED, DEIN MEYER (BRIGADIER).

Also Grüss Gott Herr Meyer, nehmen wir einen Kafi, und erzählen Sie mir von Ihrer seelischen Befindlichkeit, wie sind Sie psychisch über den Brand eines *schönen Teils* der Kapellbrücke hinweggekommen? Wie soll Luzern weiterexistieren, ohne Wahrzeichen? Fassen Sie eine Psychotherapie ins Auge? Über die Brücke kann ich leider, terminbedingt, jetzt nicht reden, sagt Meyer, wir haben nämlich gerade Musikfestwochen, und da habe ich viele Empfänge im Programm. Aber kommen Sie doch, wenn das Bauwerk wieder aufgebaut ist, ich werde Sie ins beste Hotel einladen. Meyer war als Stadtpräsident und Brigadier so resolut, dass man ihn allgemein ZACK-Meyer genannt hat.

Auf der Brücke selbst, die auch nach dem furchtbaren Brand

noch durchaus begehbar ist (der «Blick», erste Seite: «LUZERN WEINT!»), wenn man ein wenig vorsichtig über provisorisch gelegte Bretter balanciert, dort, wo das Feuer *ganze Arbeit* geleistet hat, trifft man einen anderen berühmten Luzerner, und diesmal einen wirklich schmachtenden. Der kommt mit ausgebreiteten Armen auf mich zu und behauptet, er hätte sich schon gern einmal von mir porträtieren lassen. Mach' ich gern! Da er gegenwärtig keine Tränen in den Augen hat, bittet ihn die Fotografin des «SonntagsBlicks», er solle doch bitte kurz weinen, und offeriert ihm zum Wegwischen der paar mühsam herausgepressten Tränen ein Tempo-Taschentüchlein, welches er dann stracks benützt, so dass er wieder einen klaren Blick auf die kommerzielle Zukunft von Luzern hat, welche Stadt man seit dem 19. August mit vollem Recht DIE LEUCHTENSTADT nennen darf. Herr Illi (der Name ist vom lateinischen ILLIUS, d.h. JENER, abgeleitet), also der Verkehrsvereinsoberdirektor der Leuchtenstadt, welche bereits 1971 mit einem bedeutenden Brand an die Öffentlichkeit getreten ist. Da flackte nämlich der alte Bahnhof 3 Tage lang. Herr Illi weiss natürlich, dass an den kommenden Wochenenden die Anzahl der Touristen, welche die Brückenruine begutachten möchten, ins Unermessliche schwellen wird, und wenn nicht so viele Fotografen auf der Lauer lägen, würde er jetzt gerne lachen. Und wie berühmt jetzt Luzern geworden ist, aus Hong Kong, den Seychellen, Tokyo, New York wird vom Untergang dieser mittelalterlichen Fussgangpassage berichtet, an Beliebtheit hat die Kapellbrücke längst die Brücke am Kwai übertroffen, aber auch die Brooklyn-Bridge oder die Brücke über die Drina (Ex-Jugoslawien) ist da gar nicht mehr vergleichbar.

Gestorben ist niemand bei dem Brand, ausser zwei Wildtauben, und auch keines von den japanischen Hochzeitspaaren ist beschädigt worden, welche von Herrn Verkehrsvereinsoberdirektor Illi jeweils zu einer Nach-Hochzeit nach Luzern geladen werden. Es handelt sich dabei um sogenannte NACHTRAUUNGEN. Die Betreffenden dürfen ihre in Japan korrekt standesamtlich vorgenommene Trauung jeweils in der Kapelle Meggerhorn nachvollziehen, Illi hat dort 25 (fünfundzwanzig) verschiedene Grössen von Hochzeitskleidern auf Lager, und es werden auch zwei Papiertaschentücher geliefert zum Trocknen der Rührungstränen. Während 1983 im Schnitt nur 1000 Japaner/Japanerinnen nach Luzern kamen, sind 1987 bereits deren 40000 eingetroffen. Herr Illi trägt sich scheint's mit dem Gedanken, einen Altar der Meggerhorn-Kapelle teilweise dergestalt abfackeln zu lassen, dass bei diesen Nachtrauungen, ohne jede körp. Gefahr für die Nachgetrauten, eine weiter schöne Erinnerung an die schw. Sicherheitsvorkehrungen haften bleibt. Wie schätzenswert ist doch so eine Stadt mitten im Herzen des alten Kontinentes, wo echte Brücken böswillig dynamitiert, Städte ausgehungert, ethnische Säuberungen vorgenommen werden.

*

Viele Luzerner, auch Luzernerinnen, verhalten sich so, als ob die Stadt nach dem partiellen Brand der netten Fussgängerpassage untergegangen wäre, und manche behaupten, es habe sich bei der Kapellbrücke um die schönste Holzbrücke Europas gehandelt. Das kommt davon, wenn man zu lange in Luzern lebt und die Brückenbaukunst des grossen appenzellischen Brückenbauers Grubenmann nie gesehen hat (18. Jahrhundert), und die Golden Gate Bridge ist ja auch nicht schlecht, leider nur nicht aus Holz. Dabei bietet der Wiederaufbau des Brückleins überhaupt keine technischen Schwierigkeiten, die Firma Holzbau Brauchle (Tel. 041 22 04 95) muss nur genügend Tannenholz auftreiben, Durchmesser 40 mal 40 cm, dazu etwas Eibenholz und etwas Eiche für den Bodenbelag, sagt ein leitender Handwerker. In 6 Monaten wird das Bauwerk wieder so aussehen, wie es von Illis Gehülfen fotografiert und in die ganze Welt geschickt worden ist, so dass man in der ganzen Welt draussen glaubte, Luzern bestehe hauptsächlich aus der Kapellbrücke. Die Pfeiler stehen noch, und Holz wächst genug im Kanton Luzern.

Die Brücke war übrigens 1968 schon einmal zur Gänze abgeräumt und neu aufgeholzt worden! Leider hat man bei dieser Gelegenheit das Deckholz, um es gegen Witterungseinflüsse zu schützen, mit Bienenwachs imprägniert, welches nicht unbedingt den besten Feuerschutz bietet, und im Innern hat man die Spinnenweben und die ebenfalls brennbaren, unzähligen, z.T. sehr grossen, zoologisch gesehen eher seltenen Spinnen nie entfernt (Luzern besitzt keinen Zoo). Das hat dann alles unverschämt schnell gebrannt nach 1 Uhr in der Nacht vom 19. August. Auch die Schindeln haben wacker gebrannt. Welchen Einfluss die jähe nächtliche Röte auf den Trauerschwan, den Höckerschwan, die Kolbenente, die Bahamaente, die Brautente usw. hatte, welche Vögel etwas oberhalb der verkohlten Brücke in einem lieblichen Gehege ihre Nester haben, während den Taucherlis und/oder Entlein, auch in der Reuss, alphüttenartige Unterschlüpfe gebaut worden waren, ist von den eingeborenen Zoologen noch nicht erforscht worden. Hingegen ist man sicher, dass einer der hervorragendsten schw. Journalisten, der sonst eher trocken und gar ein bisschen politisch schreibt, durch den Brand, dem er zufällig beiwohnte, zu einem lyrischen Aufschwung beflügelt wurde. Hugo Bütler, Kürzel bü., war zufällig Gast der Feuersbrunst, hat als Chefredaktor der NZZ bei irgendeiner Festivität in einem Reuss-Ufer-Hotel geweilt und dann geschrieben: «Feuer über dem Wasser, zwei Elemente, die sich eigentlich nicht vertragen. Aber dennoch muss man ohnmächtig zusehen, wie das Bauwerk, das in die Zeit vor Luzerns Beitritt zur Alten Eidgenossenschaft zurückgeht, mitten im Wasser der Vernichtung durch die Flammen anheimfällt.»

Soviel Emotion hat er bei der Zerstörung von Sarajewo, bei der Beschreibung der südafrikanischen Unruhen, beim Morden in Mogadiscio nie gefunden, als er dort seine immerhin auf eine andere Art auch wieder ergreifenden Reportagen schrieb. Er wird aber an Emotivität noch übertroffen von den luzernischen Leuchtenstadt-Zeitungen, welche den Brand so beschreiben, z.T. mit Spezialausgaben, als ob der bosnische Krieg auch Luzern heimgesucht hätte («LNN Spezial», am Reussufer verteilt, als die Trümmer noch rauchten: «Luzern verliert sein Wahrzeichen. Fassunglosigkeit, Entsetzen, Trauer. Heute früh um 01.45 Uhr verlor Luzern sein schönstes Gesicht ... Unter den Augenzeugen, die von Anfang an dort gewesen waren, waren sich fast alle einig: Es war Brandstiftung. Wenige Minuten nach Brandausbruch verhaftete die Polizei zwei junge Männer»). Drögeler, Giftler, Junkies oder so etwas seien es gewesen, sagten viele, die nahe Eisengasse, aus denen diese Störer vor kurzem entfernt worden waren, ist nicht weit.

Unterdessen sind die aufgeklärten Luzerner, von denen es auch einige gibt, überzeugt, dass man hier die Journalisten der «Luzerner Neusten Nachrichten», welche diese Mythen unters Volk brachten, verhaften sollte. Der Feuerwehrkommandant Frey und sein Gehülfe Distel verraten mir, dass niemand von der LNN es für nötig erachtet habe, bei der Feuerwehrleitung sich nach der Brandursache und dem feuerwehrlichen Vorgehen zu erkundigen, bevor sie die Spezialausgabe druckten. Und die Amtsstatthalterin Weiss, welche die Branduntersuchung führt, ist überzeugt, dass bisher keine Brandstiftung nachgewiesen werden kann, sondern, was auch der Feuerwehrkommandant Frey annimmt, ein Stumpen oder eine Zigarette, welche achtlos von Flaneuren auf eines der Boote geworfen wurde, die unter der Brücke vertäut waren, vermutlich den Brand bewirkt habe. Brandstiftung sei nicht nachzuweisen, und die Verletzung eines Straftatbestandes liesse sich nicht feststellen. Schade um die Bilder, welche das Innere der Brücke zierten Darstellung der luzernischen Geschichte u.a.m., von denen ein Teil verkohlt ist, sagt Frau Weiss.

Und schade um die nicht befolgten Ratschläge, die er der Stadtregierung seit Jahren verabfolgt habe, sagt der Feuerwehrkommandant Frey. Man hätte die Boote mit feuersicheren Blachen abdecken und ähnliche Sicherheitsvorkehrungen treffen sollen, aber dieses habe den Stadtrat nie interessiert. Vielleicht sei diese Holzbrücke auch nicht der richtige Platz – Standplatz – für die Boote dieser kleinen Leute, meist unbemittelte Sportfischer, gewesen, aber leider könnten sich diese Angestellten und Arbeiter einen Platz am Alpenquai nicht leisten. Dort liegen gegenwärtig 1200 Boote, z.T. von der teuersten Sorte, und 3000 weitere Bootsbesitzer suchten dort einen Standplatz. Benzin sei übrigens beim Brand nicht im Spiel gewesen, es sei alles mit rechten Dingen, also mit dürrem Holz, Lärchenholz, Spinnenweben, Luftzug, zugegangen. Zuerst seien sie gegen die Feuersbrunst (11 Minuten und 40 Sekunden nach dem ersten Alarm waren sie im Einsatz) mit einem *Schnellangriff* vom linken Reussufer, dann mit einem *Zangenangriff* – 150 Liter pro Minute! – vorgegangen, hätten sich auch auf die brennende Brücke hinausgewagt und erst aufgegeben, als kein Boden mehr unter ihren Füssen gewesen sei. Wegen der an der Brücke vertäuten Booten, müsse man sich auch überlegen, dass sie, weil aus Plastik, viel grössere Schäden angerichtet und auch explosionsartiger gebrannt hätten als Holzboote, und er habe dem Stadtrat immer vorgeschlagen, dass Plastikboote dortselbst nichts zu suchen hätten. Auch müssten endlich die hundert wertvollen historischen Bilder, die nach der Verkürzung der Kapellbrücke im sogenannten Wachtturm eingelagert seien, und zwar fahrlässig und nicht feuersicher, an einem andern Ort aufbewahrt werden können. Der Stadtrat habe aber auch auf diesen Vorschlag nicht reagiert.

*

Wer auf der putzigen Terrasse des Hotels «Les deux Balances» sitzt, rechtes Reussufer, und über den noch intakten Reuss-Steg hinweg auf die etwas stark mutierte Kapellbrücke blickt, flussaufwärts, ist angenehm überrascht über die neuen Offenbarungen der Natur. Man sieht jetzt einen Teil des Rigis, der früher von der Brücke verdeckt gewesen ist, und das Bauwerk wirkt jetzt, obwohl halb tot, viel lebendiger als früher. Die Luzerner haben schon immer Übung gehabt im Abbrechen von alten Brücken. Die Kapellbrücke führte nämlich noch vor ca. 100 Jahren, als sogenannte Hofbrücke, bis zur Hofkirche, und dieser grössere Teil wurde dann, damit die Seepromenade erstellt werden konnte, abgebrochen. Die Engländer hatten Luzern entdeckt (Königin Viktoria wagte sich sogar einmal ins Hotel «Gütsch») und fanden die luzernische Natur aus unerfindlichen Gründen ganz prächtig, obwohl doch der Genfer- oder Bodensee ästhetisch viel mehr zu bieten hat, von Schottland ganz zu schweigen. Aber in Luzern gab es, weil dieser katholische Staat lange unter katholischer Knute lebte, keine störende Industrie, die Fabriken von Moos, Bell oder Schindler waren so unbedeutend, dass sie wie ein Teil der Natur wirkten, während in England (vgl. Liverpool, London, Manchester) allerhand industrielle Hässlichkeiten und Abgase den Naturgenuss beeinträchtigten. Und dann lebte ja Tell ganz in der Nähe. Statt einer normalen Industrie bauten die Luzerner also die Fremdenindustrie aus, rutschten direkt aus einer superkonservativen Mentalität (nachdem sie mit der Jesuitenberufung den Sonderbundskrieg entfesselt hatten) in eine Touristen-Ausquetschmentalität hinein und merkten nicht einmal, wie sehr sie sich dabei von ihren konservativen Grundsätzen entfernten. Eine Liebedienerei, Katzbuckelei, Fremdenhörigkeit hub an, die evtl. nur noch von den St. Moritzern (Engadin) übertroffen wurde.

Damals wurden allerdings noch keine «Nachtrauungen» im Stil des Herrn Illi durchgeführt, dafür war das fremde Publikum denn doch zu gut erzogen. Aber Tell war ja in der Nähe, und der sagenhafte Pilatus-Berg. Um die Aussicht auf die luzernische Natur effektiver zu handeln *(to handle)*, und eben zwecks Erstellung der Seepromenade, wurde dann die alte lange Hofbrücke zerstört. Tolstoi, den es einmal kurz nach Luzern verschlagen hatte, fand die Eingeborenen dort ganz unmöglich: unterwürfig gegen die Reichen, hochfahrend gegen die Armen. Er versuchte, einen etwas einfach gekleideten Bekannten in eins der feinen Hotels einzuladen, und hat dann entsprechende Erfahrungen gemacht.

Die Kapellbrücke sieht jetzt lustig aus. Teilweise stehen nur noch die Pfeiler, wo das Feuer besonders tüchtig war, dann sind aber auch ein paar Meter Dach stehengeblieben, die Ziegel lagen bis vor kurzem auf dem Boden, was beim Spazieren einen lustigen Ton erzeugte, und die verkohlten Balken, welche das Dach trugen und auch teilweise noch da sind, machen einen Eindruck von MINIMAL ART. Das Bauwerk bietet jetzt optisch viel mehr Abwechslung als früher, man darf es ein multikulturelles Phänomen nennen. Der sogenannte Wasserturm ist stehengeblieben, obwohl er von einer hölzernen Zinne gekrönt ist, welche von der Feuerwehr aber so tüchtig bespritzt worden ist, dass nicht einmal die Kolonie der Mauersegler, die sich dort manchmal aufhalten, sich entfernt hat, geschweige denn der luzernische Artillerieverein, welcher den obersten Stock für seine Gelage, Reflexionen und Besäufnisse benutzt. Die haben Glück, dass sie in jener Nacht nicht dort oben waren, wenn wir diese in der Feuernacht auch noch hätten retten müssen, sagt der Feuerwehrkommandant.

*

Die Spreuerbrücke, etwas weiter unten an der Reuss, hat noch nicht gebrannt. Sie ist übrigens schöner als die Kapellbrücke, auch war der Totentanz, das heisst die in den Brückengiebeln eingelassenen Bilder, viel besser gemalt als die luzernischen Hinstorienbilder der Kapellbrücke. Zwei Verbotstafeln sind auf den Zugängen zu dieser Brücke angebracht. Was wird verboten? Das Rauchen vielleicht? Nein, man sieht Hundeköpfe in einem roten Kreis. Also nicht mit Hunden über diese Brücke, denn diese feuerliebenden

Tiere könnten, funkensprühend oder rauchend, das Holz in Brand stecken. Der Schriftsteller Marchi erklärt mir, dass er sich in seiner Jugend vor dieser Brücke immer gefürchtet habe. Unheimlich schnell fliesse das reussische Wasser unter ihr hindurch, 1566 ist sie von der Reuss weggerissen und neu gebaut worden, und man habe dann von dieser Brücke aus, reussabwärts, einen Blick gehabt auf die armen Quartiere, wo die Baselsträssler wohnten, die paar Arbeiter, welche es auch in der schlecht industrialisierten Stadt Luzern hatte, heute wohnen dort Fremdarbeiter, die zu Hause andere Katastrophen bewältigen müssen als einen Holzbrückenbrand. Während von der Kapellbrücke, wo oft geschmust, getändelt, geflirtet und gepettet worden sei von den Jungen, der Blick auf den schönen See und sozusagen in die Natur hinausgegangen sei.

Während wir so diskutieren und die Abwesenheit der Totentanz-Bilder des Kaspar Meglinger bedauern, sie wurden nach dem Brand der andern Brücke sofort entfernt und irgendwo eingelagert, vermutlich auch wieder nicht feuersicher, wie der Feuerwehrkommandant befürchtet, und während wir also zufrieden sind, dass diese Bilder, wenn auch unsichtbar, immerhin doch nicht verkohlt sind, wird eine Kutsche sichtbar, ein Illi-Gerät, worin ein japanisches Brautpaar sitzt und im Gefolge der eben grad in der Kapelle Meggerhorn erfolgten Nachtauung oder Nachtrauung ganz in der Nähe vorüberfährt. Vermutlich erweisen sie, multikulturell, noch schnell der Muttergottes, die in einem Kapellchen der Spreuerbrücke vorläufig feuersicher aufbewahrt ist, später die Reverenz.

Leider sind die Jesuiten nicht mehr in Luzern, dürfen auch ihr Gymnasium nicht mehr führen, in welchem später das Staatsarchiv eingelagert wurde: die hätten wohl tüchtig für ein synkretistisches, symbiotisches Zusammenwachsen der religiösen Kulturen gesorgt.

*

In Luzern gibt es überhaupt viele Totentänze. Einer ist im Regierungsgebäude aufgehängt. Prächtiger italienischer Renaissancebau, aufgestellt von einem Lux Ritter von Domenico Sabiolo. Der erste Beamte, den wir nach dem Aufenthalt des Totentanzes fragen, ein Funktionär des Amtes für Gesamtverteidigung und also angestellter des Militärdepartements, weiss nichts von diesem Kunstwerk und antwortet auf die Frage: Ob er denn nicht bemerkt habe, dass der Totentanz etwas mit dem Militär zu tun habe, zu tun haben könnte, mit einem ziemlich entrüsteten NEIN. Er sieht so aus, wie Tolstoi die Luzerner beschrieben hat. Eine Sekretärin kann Auskunft geben, und der Totentanz gefällt uns dann auch wirklich sehr, er hat so etwas Lebendiges, verglichen mit der allgemeinen Atmosphäre in Luzern, wo man bald den Wasserturm als Asyl für jene Eingeborenen wird brauchen können, welche aus dem malerischen Brückenbrand die Katastrophe des Jahrhunderts machen.

«Luzerns entstelltes Gesicht», schreibt die LNN noch drei Tage nach dem Brand. Das verlorene Wahrzeichen. Der Bahnhof war auch ein Wahrzeichen, aber die konservativen Luzerner waren sehr lange gegen die Eisenbahn, der Politiker Philipp Anton von Segesser z. B. hat eine Kampagne gegen den Bau der Gotthardbahn geführt und überhaupt die Technik als einen Unsegen betrachtet. So ein Bahnhofbrand bringt weniger Emotionen, oder positive wie für Familie Curti, die für den neuen Bahnhof viel Curti-eigenes Terrain verkaufen konnte. Ein Bahnhof könnte ja auch sentimental besetzt sein, nicht nur die mittelalterliche Fussgängerpassage (Kapellbrücke). Man nimmt dort Abschied, streichelt, weint, lacht, tändelt vielleicht auch. aber immerhin: Als die Bahnhofskuppel einstürzte, soll es ein paar Tränen gegeben haben, aber, so sagt der Feuerwehrkommandant Frey, der damals seinen ersten Einsatz erlebte, nur ein paar Löscheimer voll und nicht ganze Flüsse wie jetzt. Das in der Reuss sich befindliche Nadelwehr, mit dem bei Hochwasser der Vierwaldstättersee reguliert werden kann, bietet immerhin Gewähr, dass bei weiteren Tränenüberschwemmungen hydrotechnisch eingegriffen werden kann. Also kein «Ohnmächtiges Zusehen», wie Hugo Bütler, bü. genannt, in der NZZ vom 19. August zu schreiben gewagt hat.

Luzern entstelltes Gesicht. Wann kommt die Sondernummer der LNN, die Jubiläumsspezialnummer der «Luzerner Zeitung» über die Verfüdlibürgerung der Luzerner Altstadt, die kein entstelltes, sondern gar kein Gesicht mehr hat? Auf welches Territorium führt dann dieses einzigartige Bauwerk namens Kapellbrücke? Rechtsufrig zuerst zur Peterskirche. Unweit davon liegt die Firma Bucherer, nicht weit von Gübelin. Die beiden verkaufen Schmuck und Schmuckähnliches und gelten finanziell als schmuck. Bucherer ist der grösste Steuerzahler in Luzern (Holding, an der Börse kotiert) und hat die Stadt dazu gebracht, in seiner unmittelbaren Nähe einen riesigen Car-Parkplatz – mit welchem Wort soll man das beschreiben? – zuzulassen, also zu planen und einzurichten. Die aus dem Car strömenden Fremden, nicht nur die nachgetrauten Japaner, können also direkt aus dem Car in Bucherers Geschäft schlüpfen und sich dort das echte Luzernergefühl kaufen. Sie müssen aber nicht; sie können auch bei Gübelin kaufen.

In der Altstadt ist heute der Quadratmeterpreis, laut Stadtpräsident Kurzmeyer, bis auf 42 000 (zweiundvierzigtausend) Franken gestiegen. Man hat offensichtlich New Yorker oder Zürcher Ambitionen. Etwa 1500 Menschen leben heute noch in der rechtsreussischen Altstadt, Bordelle sind gut vertreten, und es gibt noch das Altstadtfest, den Stadtlauf, die Fasnacht (Achtung, Humor!) und aber auch im Reigen tänzelnde Krishna-Brothers. Die Zahl der Hotels ist in den letzten zwei Jahrzehnten von 17 auf 8 geschrumpft, wie Vera Bueller in der «Weltwoche» schrieb, viele Cafés, Spunten und Wirtshäuser sind verschwunden, und ein besonders schnell denkender Luzerner, der als Würstchenverkäufer begonnen hatte, wollte einen Fast-Food-Laden eröffnen, den er MC CHEAPER nannte, worüber die undankbaren Amerikaner aber nur lachten, und seit McDonald's eingezogen ist, verschwand MC CHEAPER. An den Läden steht WATCHES SOUVENIRS KNIVES, oder auch *chic + cheap fashion for young people,* oder *discount parfumerie,* oder Sexothek Mata Hari, Video Tausch Gary Shop, Kontakt Anzeiger, Erotische Dessous Sexyland, *sexotic boutique.* Es gibt aber auch noch schöne Brunnen, aus denen kein Coca-Cola light strömt. Romo for men ist auch beliebt. An Kardinal Hans Urs von Balthasar, den luzernischen Philosophen und Theologen, wird auch erinnert. Balthasar hatte den Schweizern seinerzeit, er ist erst vor kurzem gestorben, viel französischen Esprit gebracht, weil er die französischen Kollegen kannte und schätzte. Deshalb vermutlich steht auf einem Fenster mit grossen Buchstaben ESPRIT geschrieben (es handelt sich um eine Kleiderboutique, wenn meine Erinnerung nicht trügt). In einem andern

Haus hat der Ritter von Silenen gewohnt. Der wird aber nicht verkauft, sondern nur SWISS EMBROIDERIES. Über einem schönen Tor mit eindrücklichen Löwenköpfen (ca. barock) steht JET SET.

Gegenüber, vor der Jesuitenkirche, haben statt der Jesuiten jetzt die weissgekleideten, klosterfrauähnlichen Vertreterinnen der Gesellschaft ORDEN FIAT LUX Aufstellung genommen und bieten ein Traktat an, das von der Hölle erzählt. In Sibirien habe man jetzt die Hölle entdeckt, durch unablässige Bohrungen in die Erdestiefe, plötzlich seien in der Erde drinnen Stimmen laut geworden, die nach Erlösung geschrien hätten, und daraus könne man wohl entnehmen, dass die Seelen oder auch Körper der zur ewigen Verdammnis bestimmten sich in den sibirischen Tiefen befänden. Da stehen die Luzerner und Luzernerinnen also am Stand von FIAT LUX, niemand lacht, auch die Touristen nicht, und wer bei Davidoff oder Guerlain oder der Bank Falck & Co. noch keine Geschäfte getätigt hat und des Höllenbrands der Kapellbrücke gedenkt, schlägt mühelos den Bogen in die luzernische Gegenwart. Und von den Plakaten grüssen – Musikfestwochen – Claudio Abbado, Riccardo Chailly, Lucia Popp, Frank Peter Zimmermann. «Sony Welcomes», steht dazu geschrieben.

Und ein allgemeiner Seufzer der Erleichterung geht durch die Leuchtenstadt, dass keine von den Zelebritäten in der apokalyptischen Nacht auf der Brücke flanierte.

Editorische Notiz

Diese Neuausgabe der Reportagen legt etwas über die Hälfte der Meienberg-Texte vor. Sie hat mehrere Gründe: Zum einen wäre Niklaus Meienberg am 11. Mai 2000 sechzig Jahre alt geworden. Zum zweiten soll der jüngeren Generation, die ihn nur noch dem Namen nach kennt, ein leichterer Zugang zu seinem Werk geschaffen werden. Wer schon viel von Meienberg gelesen hat, konnte in den letzten Jahren verfolgen, wie die Schweiz nach und nach Tatsachen zur Kenntnis nehmen musste, auf die er immer wieder und mit Nachdruck hingewiesen hat. Viele haben seine Stimme vermisst in den Debatten, denn er polemisierte gerne und provozierte Reaktionen, die manchmal an Hysterie grenzten, und löste heftige Diskussionen aus. Aber Meienberg war vor allem ein leidenschaftlicher Schreiber, der immer wieder von Menschen, Orten und Ereignissen fasziniert wurde und über diese mit einem hohen Anspruch an Sprache und Form berichtete. Als *homme de lettre* hat er nicht zwischen Literatur und Journalismus unterschieden, sondern Texte hervorgebracht, deren literarische Qualitäten über das Entschwinden der konkreten Anlässe hinaus bleibenden Lesegenuss bieten. Er reiht sich damit in die Tradition eines Heine oder Tucholsky ein.

Ein weiterer Grund für diese Ausgabe liegt in der bisherigen Erscheinungsform der Texte. Sie sind zwischen 1975 und 1993 jeweils mehr oder weniger chronologisch in Buchform herausgegeben worden, wurden dabei aber immer wieder mit weiter zurückliegenden Artikel ergänzt. Das hat zu einer gewissen Unzugänglichkeit des Werks geführt, weil kaum jemand weiss, was wo zu finden ist. Auch geben die schönen Buchtitel wie «Der wissenschaftliche Spazierstock» oder «Weh unser guter Kaspar ist tot.» und so weiter keinerlei Aufschluss über den Inhalt: Nach wie vor erreichen den Verlag Anfragen, wo bloss der «Heidi»-Artikel oder die Geschichte mit der Bloodhound-Rakete nachzulesen sei. Die thematische Zusammenstellung erleichtert den Zugang zu ihnen.

Der vierte Grund ist ein pragmatischer: Gewisse Texte sind nicht mehr erhältlich. Das betrifft die Beiträge aus dem Band «Vielleicht sind wir morgen schon bleich u. tot», der vergriffen ist, und die beiden Geschichten «Jagdgespräch unter Tieren» sowie «Die Kapellbrücke: Ein rentabler Brand in Luzern», Meienbergs letzter Text, die nie in eine Buchausgabe aufgenommen wurden.

Der vielleicht wichtigste Grund aber liegt darin, Meienbergs Werk im öffentlichen Bewusstsein präsent zu halten. Durch die thematische Gliederung seiner Texte kommen überraschende Bezüge zum Vorschein und es entstehen Zusammenhänge über die aktuellen Anlässe hinaus. Der Schriftsteller und Mensch Meienberg gewinnt auf eine Weise Konturen, seine Themen werden sichtbar, wie es in den bisherigen Ausgaben nicht der Fall sein konnte. Nach der Biografie von Marianne Fehr ist es jetzt möglich, sich dem Schriftsteller und Journalisten auch anhand seiner Werke neu zu nähern.

Natürlich ist die Auswahl subjektiv. Weggelassen haben wir vor allem Texte, die sich zu sehr am tagesaktuellen Geschehen orientierten oder die wir nicht als seine besten betrachten. Wir versuchten auch zu vermeiden, einen säuberlich verpackten und etikettierten Meienberg zu präsentieren. Deshalb haben wir nur wenige Zwischentitel gesetzt und die «Kategorisierung» so offen wie möglich gehalten. Wichtig ist uns einzig, dass Meienberg gelesen wird.

Nachweis

Reportagen aus der Schweiz (1975)

Aufenthalt in St. Gallen (670 m ü. M.). Eine Reportage aus der Kindheit: Erstveröffentlichung
Gespräche mit Broger und Eindrücke aus den Voralpen: Tages-Anzeiger-Magazin, 12. Mai 1973
Herr Engel in Seengen (Aargau) und seine Akkumulation: Tages-Anzeiger-Magazin, 16. Juni 1973
Jo Siffert (1936–1971): Tages-Anzeiger-Magazin, 5. Februar 1972
Fritzli und das Boxen: Tages-Anzeiger-Magazin, 27. April 1974
Die Aufhebung der Gegensätze im Schosse des Volkes: Tages-Anzeiger-Magazin, 25. August 1973

Das Schmettern des gallischen Hahns (1976)

Von unserem Pariser Korrespondenten (statt eines Vorworts): Das Konzept, 1976
Bleiben Sie am Apparat, Madame Soleil wird Ihnen antworten: Tages-Anzeiger-Magazin, 21. August 1971
Rue Ferdinand Duval, Paris 4^e: Tages-Anzeiger-Magazin, 11. Dezember 1971
Das Judengerücht von Amiens: Weltwoche, 20. März 1970
Ratten: Tages-Anzeiger-Magazin (?), 1973
Ein langer Streik in der Bretagne: Tages-Anzeiger-Magazin, 15. Juli 1972

Vorspiegelung wahrer Tatsachen (1983)

Wer will unter die Journalisten?: Zürcher student/impuls, 1. Juni 1972
Sartre und sein kreativer Hass auf alle Apparate: Das Konzept, 1. Mai 1980
Joy Joint Joyce Choice Rejoice: WochenZeitung, 12. Februar 1982
Überwachen & Bestrafen (I): Tages-Anzeiger, 9. April 1976
Quellen und wie man sie zum Sprudeln bringt: Luzerner Neueste Nachrichten, 3. August 1977
250 West 57th Street: Weltwoche Magazin, 7. Juli 1982
Einen schön durchlauchten Geburtstag für S. Durchlaucht!: Tages-Anzeiger, 7. August 1976
In Hüttwilen: Das Konzept, 20. November 1978
Der traditionelle Neujahresempfang: Radio DRS, Faktenordner, 18. Januar 1978
Sexaloiten: Radio DRS, Faktenordner, 26. April 1981
Frau Arnold reist nach Amerika, 1912: WochenZeitung, 14. Mai 1982
Überwachen & Bestrafen (II): Das Konzept, 1. Juli/August 1980
Der Garagefriedensbruch oder les mots et les choses: Die Zürcher Unruhe, Orte-Verlag 1981
4.12.79 alte Kirche Wollishofen: Das Konzept, 1. Januar 1980
Blochen in Assen, und auch sonst: Tages-Anzeiger-Magazin, 24. Juli 1976
You are now entering Benjamin Franklin Village: Transatlantik, Nov. 1980
Châteaux en Espagne: Stern, 2. Dezember 1982

Die Fische von der Rue Saint-Antoine (auf dem Trockenen): Erstveröffentlichung
Zurick Zurick horror picture show: POCH-Wahlzeitung, 1981
Bodenseelandschaft: Erstveröffentlichung

Der wissenschaftliche Spazierstock (1985)

Auf einem fremden STERN, 1983: Weltwoche, 8. September 1983
Schwirrigkeiten des Bluck mit der Wirklklichkeit: Wochen-Zeitung, 19. Oktober 1984
Da taar me nöd: WochenZeitung, 21. Dezember 1983
Ein Werkstattbesuch bei zwei hiesigen Subrealisten: WochenZeitung, 21. Oktober 1983
Zahl nünt, du bist nünt scholdig: WochenZeitung, 29. März 1985
Die beste Zigarette seines Lebens: Tages-Anzeiger-Magazin, 11. August 1973
Hptm. Hackhofers mirakulöse Kartonschachtel: Wochen-Zeitung, 20. Dezember 1983
Wach auf du schönes Vögelein: WochenZeitung, 21. Dezember 1984
Memoiren eines Chauffeurs: Wendepunkt, Limmat Verlag, Oktober 1985
O wê, der babest ist ze junc/Hilf, here, diner Kristenheit: WochenZeitung, 22. Juni 1984 (erweitert)
Sprechstunde bei Dr. Hansweh Kopp: WochenZeitung, 28. September 1984 (erweitert)
Der restaurierte Palast: Schweizer Illustrierte, 1. Dezember 1984
Denn alles Fleisch vergeht wie Gras: WochenZeitung, 23. März 1984 (erweitert)
Liverpool: GEO, August 1985 (teilweise)
Zug, sein Charme und seine Zuzüger: Bilanz, 1. Juni 1984 (erweitert)
Perlen ist ein Dorf, das ganz der Fabrik gehört: Weltwoche, 18. Juli 1985 (erweitert)

Vielleicht sind wir morgen schon bleich u. tot (1989)

Eine Adventsansprache, gehalten vor den Mitgliedern des Art Directors Club Zürich, der Dachorganisation für Reklamiker, am 12. Dezember '88: Weltwoche, 22. Dezember 1988
Gefühle beim Öffnen der täglichen Post und Hinweis auf das «Interstellar Gas Experiment»: WochenZeitung, 23. Januar 1987
Auskünfte von Karola & Ernst Bloch betr. ihre Asylanten-Zeit in der Schweiz, nebst ein paar anderen Erwägungen: Basler Zeitung, Magazin, Sept. 1977
Inglins Spiegelungen: WochenZeitung, 30. September 1988
Vom Heidi, seiner Reinheit und seinem Gebrauchswert: Die Ohnmacht der Gefühle. Heimat zwischen Wunsch und Wirklichkeit, Hg. Jochen Kelter, Weingarten 1986
Die Schonfrist: Weltwoche, 31. März 1988
Bonsoir, Herr Bonjour: AZ, Mai 1971
Bonjour Monsieur: Weltwoche, 16. Februar 1984
Vorwärts zur gedächtnisfreien Gesellschaft!: WochenZeitung, Februar 1988 / Klartext, 1/1988

Ein gravierender Fall: Das Konzept, 1. Juli 1977
Vom Ozon und seinen Verwaltern: WochenZeitung, 26. August 1988
Vielleicht sind wir morgen schon bleich u. tot: Weltwoche, 27. November 1986

Weh unser guter Kaspar ist tot. (1991)

Leichenrede für den Journalisten Peter Frey oder Plädoyer für ein verschollenes métier: WochenZeitung, 31. August 1990
Positiv denken! Utopien schenken!: WochenZeitung, 12. Oktober 1990
St. Galler Diskurs bei der Preisübergabe: WochenZeitung, 30. November 1990
Eidg. Judenhass (Fragmente): WochenZeitung, 14. Juli 1989
Die Schweiz als Schnickschnack & Mummenschanz: Tages-Anzeiger, 27. April 1990
Die Schweiz als Staats-Splitter: Die Zeit, 9. November 1990
O du weisse Arche am Rande des Gebirges! (1133 m ü.M.): Weltwoche, 14. November 1985
Diese bestürzende, gewaltsame, abrupte Lust: Weltwoche, 15. August 1985
Offener Brief an den frisch verstorbenen Charles De Gaulle: Tages-Anzeiger-Magazin, 12. Dezember 1970
Die Rue de Juifs ist stiller geworden: Tages-Anzeiger, 8. Juli 1975
Plädoyer für ein Übergangs-Objekt, d.h. für die Wieder-Einführung der Kavallerie: WochenZeitung, 27. Oktober 1989

Zunder (1993)

Mut zur Feigheit. Ein offener Brief an Salman Rushdie: Tages-Anzeiger, 7. März 1992
Zürich–Sarajevo. Offener Brief an den Chefredakteur von «Oslobodjenje» und sein Redaktionsteam: Tages-Anzeiger, 5. April 1993
Des Philosophen Grabesstimme: Weltwoche, 2. Juli 1992
1798 – Vorschläge für ein Jubiläum: Weltwoche, 2. Januar 1992
Die Enttäuschung des Fichierten über seine Fiche: Weltwoche, 28. Mai 1992
Der souveräne Körper – ein veräusserliches Menschenrecht: SonntagsZeitung, 4. Oktober 1992
Apocalypse now im Berner Oberland: Weltwoche, 3. September 1992
Im Strudel von Algier: du, Juni 1992
Wargasm on Constitution Avenue: Weltwoche, 13. Juni 1991

Bisher in keinem Buch erschienen

Jagdgespräch unter Tieren: Der Festtag, Zürich, 20. Juni 1978 / WochenZeitung 1. Juli 1978
Die Kapellbrücke: Ein rentabler Brand in Luzern: SonntagsZeitung, 22. August 1993